*Wilken, Friedr*

# Die Kreuzzüge des Königs Ludwig des Heiligen und des Verlust des heiligen Landes

*Wilken, Friedrich*

**Die Kreuzzüge des Königs Ludwig des Heiligen und des Verlust des heiligen Landes**

*Inktank publishing, 2018*

*www.inktank-publishing.com*

*ISBN/EAN: 9783747770221*

# Geschichte

der

# Kreuzzüge

nach

morgenländischen und abendländischen Berichten.

Von

**Dr. Friedrich Wilken,**

Königl. Preuß. Geh. Regierungsrathe, Oberbibliothekar und Professor an der Universität zu Berlin, Historiographen des Preußischen Staats, R. d. R. A. O., Mitgliede der Königl. Preuß. Akademie der Wissenschaften, so wie der asiatischen Gesellschaften zu Paris und London, Correspondenten der Königl. Französ. Akademie der Inschriften und schönen Wissenschaften, Ehrenmitgliede der märkischen ökonomischen Gesellschaft und des Vereins für nassauische Alterthumskunde u. s. w.

---

Siebenter Theil. Zweyte Abtheilung.

Die Kreuzzüge des Königs Ludwig des Heiligen und der Verlust des heiligen Landes.

Mit 2 Charten und Registern über das ganze Werk.

Leipzig, 1832
bey Fr. Christ. Wilh. Vogel.

## Funfzehntes Kapitel.

Der Sultan Bibars bedrängte zwar nicht im Frühlinge des Jahrs 1264 das christliche Gebiet von Syrien, dagegen wurde das heilige Land durch die gegenseitigen Feindseligkeiten der Venetianer und Genueser beunruhigt. Die Venetianer hatten in diesem Jahre, verleitet durch die falsche Nachricht, daß die Genueser eine mit vielen Waaren beladene Handelsflotte [1]) nach Syrien gesandt hätten, ihren Admiral Andreas Barocio beauftragt, mit fünf und funfzig Galeen jener genuesischen Handelsflotte nachzustellen. Da aber der genuesische Admiral Simon Grillo die Fahrt nach Syrien nicht fortgesetzt, sondern in einen sicilischen Hafen sich begeben hatte, so traf Andreas Barocio in dem Hafen von Tyrus nur ein einziges genuesisches, mit Baumwolle beladenes Schiff [2]) an, dessen er sich bemächtigte, ohne Widerstand zu finden, weil Philipp von Montfort, Herr von Tyrus, den genuesischen Schiffern gerathen hatte, sich nicht zu vertheidigen, indem er ihnen versprach, für jeden Pfennig, welchen ihnen die Venetianer rauben würden, zwey Pfennige als Ersatz aus dem venetianischen Eigenthume zu Tyrus zu geben. Hierauf belagerte der venetianische Admiral, unterstützt durch Truppen, welche ihm der venetianische Bailo zu

J. Chr. 1264.

1) Caravanam.

2) Unam navem Januensium, quae dicebatur Oliva, oneratam bombacio. Bartholomaei ann. Gen. p. 531.

J. Chr. 1264. Ptolemais, Nicolaus Quirino, zu Lande gesandt hatte, während einiger Zeit die Stadt Tyrus, hob aber endlich die Belagerung auf, weil Philipp von Montfort mit seiner Ritterschaft beharrlichen Widerstand leistete, und verkaufte zu Ptolemais das eroberte genuesische Schiff nebst den Waaren, welche es führte [3]). So wenig erheblich dieses Ereigniß an sich war, so offenbarte es doch aufs neue den Ungläubigen den verderblichen Mangel an Eintracht, welcher unter den Christen obwaltete, und dieser Krieg der Venetianer und Genueser, welcher mit der heftigsten Erbitterung und vielfältiger gegenseitiger Beschädigung geführt wurde, bewirkte eine beträchtliche Verminderung der Hülfsmittel zur Vertheidigung des heiligen Landes [4]).

J. Chr. 1265. Die Christen, so sehr sie auch Ursache hatten, den Sultan Bibars bey friedlichen Gesinnungen zu erhalten und die Erneuerung des Krieges so lange als möglich abzuwenden, unterließen es gleichwohl nicht, den Zorn des Sultans durch Uebertretnngen des Waffenstillstandes zu reizen [5]). Sie er-

3) Bartholomaeus l. c. Andr. Danduli Chron. p. 371. Nach Marinus Sanutus (p. 22x) sandte der venetianische Ballo von Ptolemais dem Admiral Barocio sechs Galeen zu Hülfe; dagegen leistete die Ritterschaft von Ptolemais (Ptolemaidenses) der Stadt Tyrus mit zwey Tausend Mann, welche zu Lande dahin zogen, Beystand. Auch Hugo Plagon (p. 738) erwähnt dieses Beystandes, welchen die Ritterschaft von Ptolemais der Stadt Tyrus gewährte (mès par le secors des gens d'Acre Sur se defendi).

4) In dem Schreiben, in welchem Urban der Vierte die Genueser zur Versöhnung mit den Venetianern ermahnte, hielt er ihnen insbesondere die nachtheiligen Folgen vor, welche der Krieg der beyden Republiken in Beziehung auf das heilige Land hätte: (Haec dissensio) eo graviores procul dubio comminatur jacturas, quo dissidentibus vobis adinvicem, per quos solebant eisdem partibus opportunae defensionis contra insultus adversos prompta remedia provenire, in eas hostes fidei liberius debacchantur. Rainaldi ann. eccles. ad a. 1263. §. 15.

5) S. Kap. 14. Anm. 39. Als am 25. Septemher 1264 Olivier von Termes, welcher schon an dem Kreuzzuge des Königs Ludwig von Frankreich Theil genommen hatte, wieder nach

erbitterten den Sultan noch mehr dadurch, daß sie nicht nur J. Chr. 1265. den König Haithon von Armenien veranlaßten, das Gebiet der Saracenen in Syrien mit einem Einbruche zu bedrohen, sondern auch die Mogolen bewogen, in Syrien einzufallen. Bibars wandte zwar den Angriff des Königs von Armenien dadurch ab, daß er schleunig ein Heer in das armenische Land vordringen ließ; und die Mogolen, welche die feste Stadt Birah am Euphrat [6]) schon umlagert hatten, zogen sich sofort zurück, als der Sultan, welcher schon seit einiger Zeit in Syrien sich befand, mit seinen Truppen zum Entsatze herankam. Bibars beschloß aber, an den Franken, welche jene Feinde wider ihn aufgereizt hatten, eine schwere Rache zu üben, und vergeblich bemühte sich der Graf von Joppe, den Zorn des Sultans zu besänftigen; die Fürbitten des Grafen für seine Glaubensgenossen wurden von dem Sultane nur mit heftigen Aeußerungen des Unwillens über die Treulosigkeit und Wortbrüchigkeit der Christen beantwortet [7]). Um seinen Plan mit größerer Leichtigkeit auszuführen, hielt Bibars seine Zurüstungen höchst geheim, und während er selbst und seine Emire nur mit der Jagd sich zu

Ptolemais gekommen war, so zog er am 3. Nov. mit der Ritterschaft von Ptolemais, den Hospitalitern und Templern nach Bethsan, zerstörte diese Stadt und mehrere umliegende Ortschaften (casalia), verwüstete das Land durch Feuer, machte Gefangene und erbeutete viele Lastthiere. Marin. Sanut. p. 223. Der zweyten Pilgerfahrt des Olivier von Termes erwähnt auch Hugo Plagon (p. 739), jedoch ohne den Zug nach Bethsan zu melden. Daß nicht alle syrischen Franken in freundschaftlichen Verhältnissen mit den Tataren standen, erhellt daraus, daß der Bischof von Bethlehem allen denjenigen, welche den Mogolen sich unterwerfen würden, den kirchlichen Bann angedroht hatte; und auch Urban IV. schildert in einem Schreiben an den Erzbischof Aegidius von Tyrus (erlassen zu Orvieto am 25. April 1263) das Unglück, welches die Mogolen über Syrien bringen würden, wenn es ihnen aufs neue gelingen sollte, daselbst sich festzusetzen, mit abschreckenden Farben. Raynaldi ann. eccles. ad a. 1263. §. 23.

6) S. Schultens ind. geogr. ad vitam Saladini v. Bira.

7) Makrisi bey Reinaud p. 490.

J. Chr. 1265. beschäftigen schienen, wurden mit rastloser Thätigkeit Belagerungswerkzeuge verfertigt, und der Sultan selbst befand sich oft unter den Arbeitern und ermunterte sie durch eigene Theilnahme an ihrer Arbeit; Niemand aber wußte, was der
26. Febr. Sultan im Sinne hätte, und am 26. Februar 1265 [8]) versammelte Bibars ganz unerwartet seine bis dahin im Lande vertheilten Scharen vor den Mauern von Cäsarea und begann sogleich die Belagerung dieser Stadt [9]). Da die Ritterschaft von Cäsarea [10]) nicht für einen solchen Angriff vorbereitet war, so erstiegen die Saracenen, welche aus ihren Lanzen und den Riemen des Geschirrs ihrer Pferde eine Art von Sturmleitern sich bereitet hatten, die Mauer dieser Stadt, ohne erheblichen Widerstand zu finden; und die Christen waren genöthigt, in die Burg, welche der König Ludwig von Frankreich während seines Aufenthaltes erbaut hatte, zu flie-

8) Am 9. des ersten Dschemadi 663. Abulfed. Ann. mosl. T. V. p. 14. Makrisi bey Reinaud p. 491. Nach Marinus Sanutus (p. 222) bemächtigte sich Bondokdar der Stadt Cäsarea durch Verrath am 26. Januar 1265; vielleicht ist in dieser Stelle Januarii verschrieben für Februarii.

9) Nach der Behauptung des Papstes Clemens IV. in einem Schreiben an den Patriarchen von Jerusalem und die übrigen Prälaten des heiligen Landes, so wie an die Meister der Templer, Hospitaliter und deutschen Ritter und an Gottfried von Sergines (bey Rainaldus ad a. 1265. §. 37. 38) hatte der Sultan Bibars die Ritterschaft von Cäsarea sogar durch die Aeußerung friedlicher Gesinnungen sicher gemacht: Egressa est noviter cruenta et horribilis bestia ex Aegypto, nefandissimus ille Soldanus Babyloniae, hostis Christianitatis, infestus populo Christiano, velut ursus insidians et quasi leonis impetu desaeviens in eundem, ut illum vel decipiat fraudis insidiis vel fortitudine perimat et violentia pugnatorum exstinguat, quorum gravi multitudine congregata in partes Syriae insidiosus ac violenter iis diebus insiliit et in nobilem civitatem Caesaream, dominantis eidem nunciis verba pacifica locutus in dolo, subito irruens in eam, fugatis exinde incolis et profligatis moeniis, detinet miserabiliter occupatam. Dieselbe Behauptung wiederholt der Papst in einem Schreiben an die Mönchsorden der Prediger und Minoriten bey Rainaldus a. a. O. §. 43.

10) Der damalige Herr von Cäsarea war Johann Lalemant, der Gemahl der Margaretha, Erbin von Cäsarea. Lignages d'Outremer ch. 9.

hen. Die Belagerung der Burg von Cäsarea, welche hierauf der Sultan unternahm, erforderte dagegen große Anstrengungen, weil diese Burg mit Sorgfalt und Geschicklichkeit erbaut, und ihren Mauern durch die gekreuzte Lage sehr harter Steine eine solche Festigkeit und Dauerhaftigkeit gegeben war, daß der obere Theil derselben im Zusammenhange blieb und nicht einstürzte, wenn auch der untere durch Untergrabung oder durch die Stöße der Mauerbrecher niedergeworfen wurde [11]). Alle Hindernisse wurden aber durch die Thätigkeit und Beharrlichkeit des Sultans überwältigt; er leitete von der Höhe einer Kirche, welche der Burg gegenüber lag, die Angriffe, untersuchte selbst, indem er unter den Sturmdächern an die Mauern der belagerten Burg sich begab, von Zeit zu Zeit die Wirkungen der Bestürmung, belohnte seine Emire und Soldaten, welche durch angestrengte Arbeit, Tapferkeit und Unerschrockenheit sich auszeichneten, auf der Stelle durch Ehrenkleider und setzte sich selbst eines Tages im Kampfe so sehr der Gefahr aus, daß sein Schild von feindlichen Pfeilen starrte, als er aus dem Gefechte zurückkehrte. Die Christen verloren, als sie auf eine so heftige Weise angegriffen wurden, nach wenigen Tagen schon den Muth und überantworteten die Burg dem Sultane, nachdem sie freyen Abzug sich ausbedungen hatten; worauf die Stadt Cäsarea von den Moslims dergestalt zerstört wurde, daß kein Stein auf den andern blieb, indem Bibars in eigener Person an solcher Zerstörung Theil nahm [12]). J. Chr. 1265.

Nachdem der Sultan auch die Umgebungen von Cäsarea verwüstet hatte, so führte er seine Scharen gegen die Stadt

11) Vgl. oben Kap. 10. Anm. 8. S. 313.

12) Makrisi bey Reinaud p. 491. 492. Nach Abulfeda bewilligte Bibars den Christen von Cäsarea zwar Sicherheit des Lebens, er ließ sie aber dennoch tödten; dieser Treulosigkeit wird der Sultan jedoch von keinem andern Schriftsteller beschuldigt.

J. Chr. 1265. 15. März

und Burg von Arsuf, welche damals im Besitze des Ordens der Hospitaliter war [13]), und begann am 15. März die Belagerung dieser Stadt mit nicht geringerer Thätigkeit. Der Eifer der Moslims wurde während dieser Belagerung angefeuert durch die Gegenwart einer großen Zahl von Derwischen und Fakirs, welche in dem Heere des Sultans sich einfanden, um Mühen und Gefahren mit den Soldaten zu theilen; und die Augen dieser frommen Männer wurden nach dem Zeugnisse eines muselmännischen Schriftstellers, welcher selbst bey der Belagerung von Arsuf anwesend war [14]), durch den Anblick keiner Unsittlichkeit irgend einer Art beleidigt; nicht nur erlaubte sich kein Soldat den Genuß des Weins, sondern auch unzüchtige Weiber waren verbannt, und die anständigen Frauen, welchen der Aufenthalt im Lager gestattet wurde, nahmen an den Arbeiten der Belagerung Antheil, oder reichten den kämpfenden Männern Getränke und Speise, ohne Gefahren zu scheuen. Der Sultan Bibars verstattete sich keine Ruhe, sondern war überall gegenwärtig, wo seine Ermahnung und Ermunterung die Arbeiten der Belagerung fördern konnte. Als von den Belagerten die Bäume, welche Bibars in die Gräben der Stadt und Burg werfen ließ, durch Feuer waren zerstört worden, und der Sultan hierauf es unternahm, jene Gräben durch Erde und Steine auszufüllen, so sah man ihn oft mitten unter den Arbeitern Erde ausgraben oder Steine herbeytragen. Zu andrer Zeit kämpfte er in der Mitte seiner Scharen ohne sein gewöhnliches Gefolge, und es war ihm unangenehm, wenn er es merkte, daß man ihn beachtete; bald begab er sich an die

13) Hugo Plagon p. 730. Vgl. oben Kap. 12. S. 400. Die Zeitangabe des Anfangs der Belagerung von Arsuf findet sich ebenfalls bey Hugo Plagon.

14) Mohieddin in der Lebensbeschreibung des Sultans Bibars bey Reinaud p. 492.

Küste des Meers und richtete seine Pfeile gegen die Fahr- J. Chr. 1265. zeuge der Christen, welche dem Lande sich näherten; bald stritt er an den Ausgängen und Oeffnungen der bedeckten Wege und hinter den Verschanzungen wider die Belagerten oder beobachtete daselbst den Kampf seiner Soldaten, um diejenigen, welche sich auszeichneten, zu belohnen. Als er eines Tages an der Oeffnung eines bedeckten Weges, welcher zu den Gräben der belagerten Stadt führte, mit seinem Bogen stand, so griffen einige Christen, welche einen Ausfall unternahmen, ihn mit heftigem Ungestüme an; Bibars aber behauptete standhaft seine Stellung, ließ sich durch einen Emir, welcher ihn begleitete, die Pfeile reichen, mit welchen er die Feinde beschoß und tödtete zwey christliche Ritter; an einem andern Tage schoß er mit eigener Hand aus seinem Bogen wider die Feinde nicht weniger als drey hundert Pfeile nach einander. Dieses Beyspiel des Sultans wurde auch von seinen Emiren nachgeahmt, und alle Anführer der Moslims wetteiferten mit einander an Eifer und Beharrlichkeit in ihrem Dienste [15]). Nach mühsamen Vorbereitungen, welche die Arbeit von vierzig Tagen erfordert hatten, unternahm Bibars am 25. April [16]) eine allgemeine Bestürmung, fand aber nicht den Widerstand, welchen er gefürchtet hatte; denn Gott öffnete nach dem Ausdrucke der arabischen Geschichtschreiber den Moslims noch an diesem Tage die Thore der Stadt Arsuf [17]); und nach wenigen Tagen übergaben die Hospitaliter dem Sultan auch die Burg [18]). Nachdem neunzig Hospitaliter während dieser Be-

15) Mohieddin a. a. O. p. 492. 493.

16) Am 8. Redsched 663. Mohieddin a. a. O. p. 493. Nach Hugo Plagon (p. 739) und Marinus Sanutus (p. 223) kam Arsuf am 30. April 1265 in die Gewalt des Sultans; ohne Zweifel bezieht sich dieses Datum auf die Uebergabe der Burg, welche später erfolgte.

17) Mohieddin a. a. O.

18) So wie den Christen zu Ptolemais der Verlust von Arsuf kund

J. Chr. 1265. lagerung waren getödtet worden, so wurden noch tausend geistliche und weltliche Ritter und Serjanten gefangen nach Aegypten geführt [19]). Die beträchtliche Beute, welche in der Stadt gefunden wurde, überließ Bibars seinen Soldaten und behielt nur einige Gegenstände für sich, deren Werth er bezahlte. Nachdem die Theilung der Beute vollendet war, so wurde auch die Stadt Arsuf eben so wie Cäsarea der Zerstörung preisgegeben, indem der Sultan jedem Emir und Soldaten seines Heeres einen Thurm oder eine Strecke der Mauer zur Niederwerfung überwies und die gefangenen Christen zwang, beladen mit Fesseln an der Schleifung der Stadt, welche sie bisher bewohnt hatten, gemeinschaftlich mit den Moslims zu arbeiten [20]).

Während der ganzen Dauer der Belagerungen von Cäsarea und Arsuf hatten weder der damalige Statthalter von Ptolemais, Heinrich, Sohn des Fürsten Boemund von An-

wurde durch ein Zeichen am Himmel, ein Schwert von der Länge einer Lanze und der Breite des Mondes, welches in Osten sichtbar wurde und den Thurm der Kirche des heiligen Kreuzes zu Ptolemais zu schlagen schien (Hugo Plagon p. 739. Marin. San. p. 222); eben so wurde auch den Muselmännern bey der Eroberung von Arsuf ein Wunder gewähret, indem ein Scheich, mit Namen Ali der Narr, in dem Augenblicke, in welchem die Bestürmung begann, in Ohnmacht fiel und in demselben Augenblicke, in welchem die Thore von Arsuf geöffnet wurden, wieder zu sich kam. Die Moslims betrachteten diese Ohnmacht des Scheichs als eine Entrückung zu Gott und waren überzeugt, daß das Gebet des frommen Mannes ihnen so schnell den Besitz von Arsuf verschafft habe. Reinaud Extraits p. 493.

19) Hugo Plagon und Marinus Sanutus a. a. O. Der Papst Clemens IV. giebt in einem Schreiben vom 21. Okt. (VIII Kal. Nov.) 1266 an den Cardinal und Legaten Ottobonus die Zahl der Hospitalier, welche bey der Eroberung von Arsuf durch den Sultan Bibars umkamen, zu hundert an: Ecce nobile domus Hospitalis Hierosolymitani collegium annus praeteritus centenario fratrum numero mutilatum hostiliter deformaverat. Rainaldi ann. eccles. ad a. 1266. §. 42. Edm. Martene et Urs. Durand Thes. anecdot. T. II. p. 412.

20) Mobleddin bey Reinaud p. 493.

tiochien und Gemahl der Princessin Isabelle von Cypern[21]), J. Chr. 1263.
noch die übrigen Ritter, welchen die Vertheidigung des heiligen Landes oblag, einen Versuch gemacht, den beyden bedrängten Städten zu helfen, obgleich während der Belagerung von Cäsarea der Sultan Bibars auch das christliche Gebiet am Jordan und das Land von Ptolemais verwüsten und plündern ließ; selbst die Besatzung von Arsuf hatte ungeachtet der Langwierigkeit der Belagerung nur zur See einige Verstärkung und Unterstützung erhalten, weil der Sultan keine Flotte besaß, um die Stadt von der Seite des Meers einzuschließen[22]). Erst zwey Tage vor dem Ver- 23. April
luste von Arsuf, am Feste des heiligen Georg, kam Hugo von Lusignan, Reichsverweser von Cypern, mit einer Flotte, auf welcher hundert und dreyßig treffliche cyprische Ritter nebst vielen Serjanten sich befanden, nach Ptolemais[23]). Diese cyprische Ritterschaft fand aber keine Gelegenheit zum Kampfe; denn der Sultan Bibars, nachdem er das eroberte Land unter seine Emire vertheilt hatte, kehrte mit seinem Heere nach Kahirah zurück, wo er einen feyerlichen Einzug

21) Heinrich von Antiochien war mit seiner Gemahlin Isabelle, der Tochter des Königs Hugo und der Königin Alix von Cypern, im J. 1263 nach Ptolemais gekommen, um die Ansprüche seiner Gemahlin auf die Verwaltung des Königreichs Jerusalem für ihren minderjährigen Neffen, den König Hugo II. von Cypern, geltend zu machen; die Barone von Ptolemais erkannten diese Ansprüche zwar an, leisteten aber nicht den Eid der Treue, weil Heinrich und Isabelle nicht den Erben des Reichs mit sich gebracht hatten. Isabelle, welche nach Cypern zurückkehrte, ließ ihren Gemahl Heinrich als Statthalter oder Reichsverweser (baillis) in Ptolemais zurück. Hugo Plagon p. 738. Marin. Sanut. p. 221.

22) Reinaud Extraits p. 494. Nach dem oben angeführten Schreiben des Papstes Clemens IV. (bey Rainaldus ad a. 1265. §. 38.) rüstete indeß der Sultan nach der Eroberung von Cäsarea und Arsuf eine Flotte aus, um Ptolemais anzugreifen. Nach eben diesem Schreiben unternahm Bibars während der Belagerung von Cäsarea einen Angriff auf das Schloß der Pilger und eroberte in dieser Zeit auch Chaifa.

23) Hugo Plagon p. 739. Marin. Sanut. p. 222.

J. Chr. 1265. hielt, indem er die gefangenen Christen mit umgekehrten Fahnen [24]) durch die mit bunten Gewändern festlich geschmückten Straßen der Stadt vor sich her führen ließ.

Die Nachricht von diesem schlimmen Verluste, welchen die Christen in Syrien erlitten hatten, erregte im Abendlande schmerzliche Theilnahme, und vornehmlich der Papst Clemens der Vierte, welchen die Cardinäle nach dem Tode des Papstes Urban des Vierten zum Oberhaupte der Kirche erwählt hatten, nahm den betrübten Zustand des heiligen Landes sehr zu Herzen.

Unter sehr schwierigen Umständen hatte Clemens wenige Wochen bevor der furchtbare Sultan Bibars seinen zweyten Feldzug gegen die syrischen Christen begann, im Februar des Jahrs 1265 die Regierung der Kirche nach fünfmonatlicher Erledigung des päpstlichen Stuhls nicht ohne Widerstreben übernommen; er besaß aber die Eigenschaften, welche ihn fähig machten, schwierigen Verhältnissen zu gebieten. Er war der Sohn des Peter Fulcadi, eines angesehenen Rechtsgelehrten und Kanzlers des Grafen Raimund des Sechsten von Toulouse, und war zu St. Gilles an der Rhone geboren worden. Guido, also hieß der Papst Clemens vor seiner Erhebung auf den apostolischen Stuhl, wählte zuerst zu seinem Berufe den Kriegsdienst, legte aber, als er mit einer Gattin deutscher Abstammung sich verband, die Waffen ab, widmete sich hierauf der Rechtskunde und erwarb sich als Rechtsgelehrter solches Vertrauen, daß der Graf Alfons von Poitiers seines Raths und Beystandes in wichtigen Angelegenheiten sich bediente [25]), und später der König Ludwig von Frankreich ihn in seinen geheimen Rath aufnahm [26]). Nach

24) Et portant au cou leurs croix mises en pièces, wird noch hinzugefügt bey Reinaud p. 494.

25) Histoire de Languedoc T. III. p. 420. 424 und an andern Stellen.

26) Ptolemaei Lucensis historia ec-

dem Tode seiner Gattin entsagte er nach dem Beyspiele sei- J. Chr. 1265.
nes Vaters, welcher die letzten Jahre seines Lebens in einem Kloster der Karthäuser zugebracht hatte, dem weltlichen Leben, trat in den geistlichen Stand und erhielt in mehrern hohen kirchlichen Aemtern, welche ihm nach einander übertragen wurden, einen Wirkungskreis, welcher seinen umfassenden Kenntnissen und Erfahrungen angemessen war; er wurde sehr bald Archidiakonus, dann Bischof der Kirche von Puy, hierauf Erzbischof von Narbonne, und der Papst Urban der Vierte ernannte ihn im Jahre 1263 zum Cardinalbischof von Sabina, indem er ihn zugleich als apostolischen Legaten zur Beylegung der in England zwischen dem Könige Heinrich und dessen Baronen obwaltenden Irrungen bevollmächtigte. Bevor aber der Cardinal Guido diesen Auftrag vollziehen konnte, berief ihn die Wahl der Cardinäle, deren Vertrauen er durch seine in allen bisherigen Verhältnissen erprobte Redlichkeit und Biederkeit nicht minder als durch seine Gelehrsamkeit und Geschicklichkeit sich erworben hatte, an die Spitze der Kirche [27].

Zu der Zeit, da Clemens der Vierte, welcher, um den Nachstellungen der Gibellinen zu entgehen, aus Frankreich nach Italien als Mönch verkleidet sich begeben hatte, zu Perugia anlangte und die päpstliche Krone empfing, hatte Graf Karl von Anjou seine Rüstungen vollendet und war im Begriffe nach Italien zu kommen und den Kampf um die Krone von Sicilien, welche Urban der Vierte ihm angetragen hatte, wider Manfred, den Feind der Kirche, zu begin-

clesiastica (in Muratori Script. Ital. T. XI.) Lib. XXII. cap. 29. p. 1156. Hugo Plagon p. 738.

27) Ptolemaeus Luc. l. c. und cap. 30. Hugo Plagon a. a. O. Vgl. Rainaldi ann. eccles. ad a. 1265. §. 1. 2. Histoire de Languedoc T. III. p. 501. 502. Fr. v. Raumer, Gesch. der Hohenst. IV. S. 491—493.

J. Chr. 1265. nen; der Ausgang dieses Kampfes war aber bey der damaligen großen Macht des Königs Manfred höchst zweifelhaft [28]. Wenn auch Clemens die Unterdrückung des Hauses der Hohenstaufen als eine der wichtigsten Angelegenheiten des apostolischen Stuhls betrachtete: so nahmen doch auch andere Verhältnisse von nicht geringer Bedeutsamkeit seine Thätigkeit in Anspruch; in Deutschland hatte Urban der Vierte nicht vermocht, dem Könige Alfons von Castilien allgemeine Anerkennung zu erwirken, und da Richard von Cornwallis eben so wenig im Stande war, als römischer König daselbst Ansehen und wirkliche Gewalt zu erlangen, so hatte die Verwirrung den höchsten Gipfel erreicht; das Königreich Ungarn wurde von den Mogolen geängstigt und bedurfte schleuniger Hülfe; die Königreiche Aragonien und Castilien wurden von den Arabern mit überlegener Macht bekriegt, und der Kaiser Balduin der Zweyte flehte noch immer vergeblich um die Wiederherstellung seines Throns.

Obgleich unter solchen mißlichen Verhältnissen vielfältige Sorgen das Gemüth des Papstes bestürmten, so blieben doch die Klagen der syrischen Christen, welche an Clemens bald nach seiner Thronbesteigung gelangten, nicht unbeachtet. Er ermahnte nicht nur den König Haithon von Armenien, dem Orden des Hospitals, welchem er bisher so manche Beweise der Freundschaft gegeben hatte, nach dem Verluste von Arsuf und der Vernichtung eines großen Theils der Ritterschaft dieses Ordens seinen Beystand zu gewähren und überhaupt des bedrängten heiligen Landes sich anzunehmen [29]; sondern er richtete auch an den König Ludwig von

28) S. Fr. v. Raumer, Gesch. der Hohenst. a. a. O. S. 493 folg.

29) Schreiben des Papstes Clemens IV., erlassen zu Perugia am 25. Jul. (VII. Kal. Aug.) 1265, bey Rainaldus ad a. 1265. §. 30, und in Edm. Martene et Urs. Durand. Thes. anecdotor. T. I. p. 170. 171.

Frankreich die dringende Bitte, das Erbtheil des Heilandes in dieser Zeit der höchsten Gefahr nicht zu verlassen, indem er ihm meldete, daß der furchtbare Sultan von Aegypten aufs neue ein zahlreiches und mit allem Kriegsgeräthe reichlich versehenes Heer bey Neapolis versammelt und gedroht hätte, den christlichen Namen in Syrien bis auf die letzte Spur zu vertilgen [30]). Er beauftragte die Mönche der Orden der Prediger und Minoriten in Frankreich, das Kreuz daselbst zu predigen, die tapfere und kriegskundige französische Ritterschaft zur Bewaffnung für das heilige Land zu ermahnen und denen, welche das Kreuz nehmen oder durch Geldbeyträge die Kreuzfahrt befördern würden, alle den Kreuzfahrern zustehende Rechte zu bewilligen [31]). Gleichzeitig erließ er die angelegentlichsten Aufforderungen zur Errettung des heiligen Landes an die Könige Thibaut von Navarra und Ottokar von Böhmen, den Grafen Alfons von Poitiers und die Herzöge von Braunschweig, Sachsen und Baiern, so wie auch an andere Fürsten, und insbesondere ermahnte er den Markgrafen Otto von Brandenburg, welcher das Zeichen des heiligen Kreuzes genommen und durch tapfern Kampf gegen die Heiden in Preußen und Liefland schon seinen frommen Eifer für die Sache des Erlösers bewährt hatte, sein Gelübde zu vollziehen und die Anführung des Heers der Kreuzfahrer zu übernehmen [32]). Die Geist- J. Chr. 1265.

30) Rainaldus l. c. §. 41. Vgl. Thes. anecdot. l. c. p. 335. 336.

31) S. das mit eindringlicher Beredsamkeit verfaßte päpstliche Schreiben bey Rainaldus l. c. §. 45—46. und im Thes. anecdot. l. c. p. 335—337. Vgl. das Schreiben des Papstes Clemens an den Cardinal Simon, erlassen zu Viterbo am 6. Jun. 1266, ebendas. p. 341—343.

32) Rainaldus l. c. §. 42. Sane, schrieb Clemens zu Perugia am 25. Jul. 1265 an die Prälaten und Ritterorden des heil. Landes, quia non sufficit in tantae necessitatis articulis lachrymis indulgere, quae quamvis divinam impetrent indulgentiam, a propriis tamen viribus exercendis hominem non excusant, manum illico misimus ad remedia,

J. Chr. 1265. lichen in Deutschland, Dänemark und Polen wurden ebenfalls von Clemens aufgefordert, das Wort des Kreuzes mit Eifer zu verkündigen [33]). Zu derselben Zeit wurden zwar die Rechte der Kreuzfahrer auch denen bewilligt, welche mit Karl von Anjou gegen den König Manfred kämpften [34]), und in Polen, Ungarn, Oestreich, Kärnthen und der Mark Brandenburg wurde das Kreuz wider die Mogolen [35]), wie in Spanien gegen die Araber, gepredigt [36]); gleichwohl blieben dieses Mal die päpstlichen Ermahnungen zur Errettung des heiligen Landes nicht ohne Wirkung; der Erzbischof von Tyrus, welcher von dem Papste nach Frankreich gesandt wurde, um daselbst die Bewaffnung für das heilige Grab zu fördern [37]), verfehlte nicht den Zweck seiner Sendung, und viele Gläubige weihten sich dem Dienste Christi [38]); es blieb aber bey dem Vorsatze, und es wird keines andern Kreuzfahrers, welcher dem heiligen Lande damals zu Hülfe kam, erwähnt als des Grafen von Nevers, so wie der französi-

illustrem regem filium nostrum in Christo carissimum et alios barones Franciae, prout decuit, excitantes ad vestrum imo potius Crucifixi subsidium, et nunc ad dilectum filium, O. marchionem Brandenburgensem, mittimus, cui dudum Dominus inspiravit, ut ad idem opus viriliter se accingeret, ad quod efficaciter animamus eundem, et tam pium ejus propositum hactenus occultatum, pro cujus prosecutione aperta ad nos miserat nuncium, per nostra salubria monita promovemus, confidentes in nostri misericordia redemptoris, quod in brevi videbitis ejus auxilium opportunum. Gleichwohl lehnte Clemens das Gesuch des Markgrafen Otto um eine Unterstützung mit Geld wegen der bedrängten Lage des apostolischen Stuhls ab durch ein Schreiben vom 30. Jul. 1265. Ibid. p. 172.

33) Rainaldus l. c. Clemens papa, sagt der meisnische Presbyter Siffrid (Epitome Lib. II, in Pistorii Scriptor. rer. Germ. ed. Struv. T. I. p. 1046 ad a. 1266), praecepit crucem praedicari in subsidium terrae sanctae.

34) Rainaldus l. c. §. 26. 27.

35) Rainaldus l. c. §. 48. 49.

36) Rainaldus l. c. §. 52—56.

37) Rainaldus l. c. §. 38. Vgl. die damaligen Schreiben des Papstes an den Erzbischof von Tyrus in Edm. Martene et Urs. Durand Thesaurus anecdotorum T. II. p. 196. 197.

38) Rainald. ad a. 1265. §. 47. ad a. 1266. §. 45.

schen Ritter Eberhard von Manteuil und Eberhard von Va- J. Chr. 1265.
lerie, welche am 20. Oktober 1265 mit funfzig andern Rittern in Ptolemais anlangten [39]).

Ungeachtet des Eifers, mit welchem Clemens sich be- J. Chr. 1266.
müht hatte, dem heiligen Lande eine schleunige und kräftige Hülfe zu erwirken, waren die syrischen Christen keinesweges im Besitze hinlänglicher Mittel der Vertheidigung, als der Sultan Bibars wider sie im Frühlinge des Jahrs 1266 mit seiner ganzen Heeresmacht seinen dritten Feldzug unternahm [40]). Mit großer Lebhaftigkeit hatte der Sultan die Rüstungen auch zu diesem Zuge betrieben, und mehrere Emire, welche sich später, als befohlen war, an dem Sammelplatze der Truppen einfanden, wurden zu beschimpfenden Strafen verurtheilt [41]). Auf seinem Marsche durch Hebron entzog er den Juden die Erlaubniß, deren sie bis dahin genossen hatten, für eine Abgabe an Geld die dortigen Grabmäler des Abraham und der Sara zu besuchen; hierauf rückte der Sultan am 2. Junius vor Ptolemais, 2. Jun.
verweilte daselbst acht Tage, ohne irgend etwas zu unternehmen, und richtete dann seinen Marsch nach der Burg Montfort [42]). Während dieser Zeit verheerte einer seiner Emire mit einer zahlreichen Schar die Landschaften von Tyrus, Tripolis und Tortosa [43]) und überwand in der Gegend

39) Hugo Plagon p. 741. Marin. Sanut. p. 222.

40) Er verließ Kahirah im Monate Radscheb 664 (vom 8. April bis zum 7. Mai 1266). Reinaud p. 494.

41) Sie wurden verurtheilt, drey Tage in den Händen zu tragen علاج دارية, was Reinaud übersetzt durch Handfesseln (des espèces de menottes). Ebn Ferath bey Reinaud p. 495. Die beyden arabischen Wörter sind ohne Zweifel verdruckt: vielleicht ist علاج داوية zu lesen, und in diesem Falle möchten sie Arzneyflaschen bezeichnen, so daß die säumigen Emire als Scheinkranke dem Spotte preisgegeben wurden.

42) Hugo Plagon p. 742. Marin. San. p. 222.

43) Interim vero quinta die ejusdem mensis (Junii) unus Admiraldus discurrit civitates et districtus

J. Chr. 1266. von Emessa den Fürsten von Antiochien und Grafen von Tripolis, welcher in das Gebiet der Muselmänner eingebrochen war, um dadurch die Saracenen zum Rückzuge aus dem christlichen Lande zu nöthigen [44]). Die Beute, welche auf diesem Streifzuge von den Moslims gewonnen wurde, war so beträchtlich, daß für die große Zahl der erbeuteten Kühe und Büffel keine Käufer sich fanden [45]). Den eigentlichen Plan seines Feldzugs hielt der Sultan auch dieses Mal geheim, und daher war es seinen eigenen Truppen
14. Jun. nicht weniger als den Christen unerwartet, als er am 14. Junius [46]) die Belagerung der Stadt und Burg Safed, welche den Templern gehörte, begann. Bibars wußte die Wichtigkeit dieses Platzes, welcher, auf einer Höhe zwischen Ptolemais und dem See von Tiberias liegend, das ganze vom Jordan bespülte Land beherrschte [47]), vollkommen zu würdigen, und da die Burg von Safed für unbezwinglich gehalten wurde, so hatte er für diese Belagerung noch angestrengtere Vorbereitungen gemacht als für seine frühern Unternehmungen. Von Damascus wurden Belagerungswerkzeuge aller Art theils auf Wagen, theils auf den Rücken von Cameelen herbeygebracht, und da sich die Ankunft dieser Maschinen verzögerte, weil die Cameele ermüdet waren, so begab sich der Sultan mit einem Theile seiner Emire und Truppen auf den Weg und leistete nicht weniger als seine Emire und Soldaten mit eigener Hand Hülfe, um die Ma-

Tyri et Tripolis et Tortosae. Marin. Sanut. l. c. Uebereinstimmend Abulfeda T. V. p. 16. Nach Makrisi bey Reinaud p. 495 unternahm der Sultan diesen Streifzug selbst.

44) Makrisi a. a. O.

45) Makrisi a. a. O.

46) An einem Montage d. 8. Ramadan 664. Makrisi a. a. O. Nach Abulfeda (a. a. O.) unrichtig am 8. Schaban = 15. Mai 1266.

47) Abulfedae Tab. Syriae ed. Köhler p. 82. 83. Makrisi a. a. O. Schultens index geogr. ad vitam Salad. v. Saphada.

schlnen von den Ufern des Jordans in das Lager vor Safed J. Chr. 1266.
zu bringen; und wenn alle Andere von solcher Anstrengung erschöpft sich ausruhten, so blieb der Sultan unermüdet. Obgleich die Belagerung noch im Ramadan oder Fastenmonate der Moslims begonnen wurde, so ward die Bestürmung keinen Tag unterbrochen; und als an dem Feste, mit welchem das Ende der Fasten gefeyert wurde, die Emire nach gewohnter Weise zu dem Sultan sich begaben, um ihn an diesem feyerlichen Tage zu begrüßen, und einer von ihnen auf dem Wege durch einen Steinwurf verwundet wurde: so ließ ihnen Bibars befehlen, zu ihren Posten zurückzukehren und die Arbeiten der Belagerung zu fördern, indem er ihrer Begrüßung nicht bedürfte. So wie im Lager vor Arsuf der Sultan mit der größten Strenge auf Zucht und gute Sitten gehalten hatte, eben so verstattete er im Lager vor Safed keinem seiner Soldaten den Genuß des Weins, welcher selbst am Beiramsfeste bey Strafe des Stranges untersagt war. Dagegen sorgte der Sultan mit großer Aufmerksamkeit für die verwundeten Moslims; und in einem seitwärts errichteten Zelte waren beständig ein Arzt und ein Wundarzt anwesend, um die Verwundeten, welche dahin gebracht wurden, zu verbinden. Indem Bibars durch persönliche Theilnahme an allen Arbeiten und Gefahren der Belagerung seine Soldaten ermunterte, ließ er es auch nicht an Belohnungen mangeln, und hundert Goldstücke wurden demjenigen verheißen, welcher die ersten Steine von der Mauer der belagerten Stadt herabwerfen würde. So wie er Unverdrossenheit und Tapferkeit belohnte, so strafte er auch jede Nachlässigkeit und Schlaffheit. Als am 21. Julius die Bestürmung 21. Jul.
der Stadt vom Aufgange der Sonne an bis zum Mittage gedauert hatte, und die Truppen in der Mittagsstunde nach ihrer Gewohnheit sich ausruhten, so wurde Bibars sehr

9. Chr. 1266. unwillig und sprach: „wie mögt ihr ruhen wollen, so lange der Islam in Gefahr schwebt, kehrt zurück zu euren Posten;“ mehr als vierzig Emire, welche zu früh ihre Posten verlassen hatten, wurden gefänglich eingezogen und in Fesseln gelegt, und nur auf die dringende Fürbitte der übrigen Emire von dem Sultan mit der Ermahnung, künftig ihre Pflichten eifriger und beharrlicher zu erfüllen, wieder entlassen; und die Bestürmung der Stadt wurde aufs neue unter dem Schalle der kriegerischen Musik fortgesetzt [48]).

Die Templer, welche Safed vertheidigten, waren nicht dem Widerstande gegen die heftigen und ununterbrochenen Angriffe der Belagerer gewachsen und hatten keinen Beystand von ihren Glaubensgenossen zu hoffen. So wie die Templer den Hospitalitern, als Arsuf belagert wurde, keinen Beystand geleistet hatten, eben so war es den Hospitalitern gleichgültig, daß der Ritterschaft des Tempels der Verlust von Safed, ihrer wichtigsten Besitzung, bevorstand. Philipp von Montfort, Herr von Tyrus, welcher nicht lange zuvor mit dem Sultan Bibars ein Bündniß geschlossen und geschworen hatte, die Freunde und Feinde der Moslims auch als die seinigen zu betrachten und den Sultan in allen seinen Kriegen zu unterstützen, kam sogar in das Lager der Mos-

48) Makrisi bey Reinaud p. 495. 496. Die erwähnte Bestürmung soll nach Makrisi am 14. Schaban = 21. Mai 1266 geschehen seyn, was aber unrichtig ist, da die Belagerung von Safed erst im Ramadan angefangen wurde; ohne Zweifel ist der 14. Schawal zu setzen = 21. Jul. 1266. Nach Hugo Plagon (p. 742, vgl. Anmerk. 54) wurde Safed am folgenden Tage (à XXII jors de Jugnet) dem Sultan übergeben. Marinus Sanutus (p. 222) hat dafür zwar den 24. Junius gesetzt; es ist aber entweder Junius für Julius verschrieben, oder Marinus Sanutus hat in seiner französischen Quelle den Monat Jugnet (Julius) irrig für den Junius (Juing) genommen. Vgl. unten Kap. 18. Anm. 37. Nach Abulfeda wurde Safed am neunzehnten Tage desselben Monats, in welchem die Belagerung begonnen war, übergeben, also entweder am 3. Julius oder 26. Mai 1266 (vgl. Anm. 46).

lims vor Safed und bat den Sultan um Schutz und Scho- J. Chr. 1266.
nung des Landes von Tyrus, wurde aber mit harten Vorwürfen, weil er es unterlassen hatte, sich zum Herrn von Ptolemais zu machen, zurückgewiesen [49]). Die weltliche Ritterschaft von Ptolemais und das Haus Ibelin waren eben so wenig geneigt, der Templer sich anzunehmen und den Kampf wider die furchtbare Macht des Sultans Bibars zu wagen, als der Fürst von Antiochien.

Unter solchen Umständen sahen die Templer sich genöthigt, dem Sultan einen Vertrag wegen der Uebergabe von Safed anzubieten; Bibars aber, als er in Unterhandlungen sich einließ, hatte nach dem eigenen Zeugnisse der arabischen Schriftsteller [50]) die Absicht, die Christen zu hintergehen. Er benutzte sogleich im Anfange die Unterredungen, welche er den Abgeordneten der Belagerten bewilligte, um die Christen zu entzweyen, indem er Einigen insgeheim Schonung ihres Lebens zusicherte und erklärte, daß er nur an den Templern Rache üben wollte und allen andern Bewohnern von Safed gern freyen und sichern Abzug gewähren würde. Durch diese Erklärung des Sultans wurden funfzehn Christen bewogen, von den Mauern der Stadt Safed herabzuspringen und in das Lager der Moslims sich zu begeben, wo sie mit Ehrenkleidern beschenkt wurden. Die Templer betrachteten mit Recht dieses Verfahren des Sultans als einen Beweis seiner unredlichen Absichten, brachen die Unterhandlungen ab und kämpften von neuem als Verzweifelte. Als nach einiger Zeit ihre Kräfte erschöpft waren, und sie die Unterhandlungen wieder anzuknüpfen wünschten, so soll der Sultan ihre Anträge zurückgewiesen, einer seiner Emire jedoch den Belagerten freyen Abzug zugesagt haben. Nach

49) Reinaud Extraits p. 498. 499.
50) Ebn Ferath bey Reinaud p. 497.

J. Chr. 1266. andern arabischen Nachrichten [81]) aber soll Bibars die Christen in diesen erneuten Unterhandlungen durch falsche Versprechungen getäuscht und, als der geschlossene Vertrag von ihm beschworen werden sollte, den Emir Kermun Aga zur Eidesleistung vorgeschoben haben, indem dieser Emir, als Sultan gekleidet und geschmückt, auf den Thron sich setzte, alle Hofleute des Sultans, unter welchen Bibars selbst in der Verkleidung als Schwertträger sich befand, den Thron umgaben und der Emir den Eid leistete, ohne daß die christlichen Abgeordneten den Betrug merkten. Nach der Erzählung des arabischen Geschichtschreibers Makrisi [82]), welcher jenes Betrugs nicht erwähnt, bewilligte Bibars den Christen zu Safed freyen Abzug, unter der Bedingung, daß sie weder irgend eine Beschädigung der Stadt und Veste sich erlauben, noch Waffen oder Geld mit sich nehmen sollten. Als die Christen abzogen, so stellte sich der Sultan zu Pferde an das Thor von Safed, um ihrem Auszuge zuzusehen; und als auf seinen Befehl eine Nachforschung angestellt wurde, so fand man bey den abziehenden Christen nicht nur versteckte Waffen und Kleinode, sondern man entdeckte sogar unter ihnen gefangene Moslims, welche sie unter dem Vorwande, daß dieselben zum Christenthume übergetreten wären, mit sich hinwegführen wollten. Dieses Benehmen der Christen erklärte Bibars für eine freventliche Verletzung des Vertrags, und er ließ sogleich die christlichen Ritter von ihren Pferden herabreißen und nebst ihren Begleitern auf einen benachbarten Hügel führen, wo sie strenge bewacht wurden. Am folgenden Tage versammelte er seine Emire, belobte sie wegen des Eifers, welchen sie in der Belagerung von Safed

81) Des Ebn Abdorrahim und des Fortsetzers der Chronik des Elmakin bey Reinaud p. 497. 498.

82) Bey Reinaud p. 496.

bewiesen hätten, und entschuldigte die Strenge, welche er J. Chr. 1266.
gegen einige von ihnen in Anwendung gebracht hatte, mit der Bemerkung, daß diese Strenge keinen andern Zweck gehabt hätte, als ihren Eifer zur Vollbringung dieser wichtigen Eroberung zu beleben. Hierauf bestieg der Sultan sein Pferd, begab sich in der Begleitung seiner Emire nach dem Hügel, wo die Christen von Safed bewacht wurden, und ließ diesen Christen, ungefähr zwey Tausend an der Zahl[53]), die Köpfe abschlagen; nur zweyen schenkte er das Leben, dem Einen, weil er in den Unterhandlungen wegen der Uebergabe von Safed als Vermittler gedient hatte und vom Christenthume zum Islam abgefallen war, und dem andern, damit er die Nachricht von dem Schicksale seiner Glaubensgenossen zu den Christen der benachbarten Städte bringen möchte. Die abendländischen Nachrichten, welche die letzten Ereignisse des christlichen Reiches in Syrien nur kurz und unvollständig andeuten, melden ohne Angabe einzelner Umstände, daß der Sultan von Aegypten den Christen zu Safed Schonung ihres Lebens und sicheres Geleit nach Ptolemais zugesagt hatte, den Vertrag aber brach und nur dem Burgvogt Leo, welcher die Unterhandlungen geführt hatte und dem christlichen Glauben untreu wurde, das Leben schenkte[54]); und nach einer

53) Diese Zahl geben Ebn Abdorrahim und der Fortsetzer des Elmakin (bey Reinaud p. 498) an übereinstimmend mit Siffridi epitome (ad a. 1266. p. 1046).

54) Bondocdar alla asségier le Saphat et le prist à XXII jors de Juguet sauves les vies de ceus dedans et les devoit conduire jusques en Acre par l'atrait de frère Léon li canselier (Marinus Sanutus setzt dafür castellanus); mès li soudano failli des convenances et les fist tous occire fors le chastel, et le dit frère Léon se renoia. Dieselbe Nachricht findet sich abgekürzt auch bey Marinus Sanutus p. 222. Kein christlicher Schriftsteller erwähnt irgend eines einzelnen Umstandes der Belagerung von Safed; nur der Presbyter Siffrid gedenkt der Untergrabung der Mauer: Cepit (Soldanus) etiam, suffodiens murum, castrum munitissimum quod dicitur Caphet (leg. Saphet).

J. Chr. 1266. von dem Venetianer Marino Sanuti mitgetheilten Erzählung ließ der Sultan die gefangenen Christen am Abende des Tages, an welchem Safed übergeben wurde, zum Abfalle von ihrem Glauben auffordern; als sie aber, ermuthigt durch die Ermahnung zweyer Minoriten, des Jakob von Puy und des Jeremias, und gestärkt durch inbrünstiges Gebet, in welchem sie während der Nacht Gott um Beystand angefleht hatten, erklärten, daß sie lieber Alles erdulden, als den Glauben ihrer Väter verlassen würden: so wurden sechshundert Christen auf der Anhöhe, wohin sie waren geführt worden, enthauptet, und ihr Blut floß in Strömen herab von jener Anhöhe; und die beyden Minoriten wurden, weil sie ihre Glaubensgenossen zur Standhaftigkeit ermahnt hatten, so wie auch der Prior der Templer, geschunden[65]. Hierauf ließ nach eben dieser Erzählung der Sultan den Ort, wo die Christen von Safed als Märtyrer gestorben waren, weil in der Nacht ihre Leichname von hellen Strahlen umleuchtet wurden, mit einer hohen Mauer umgeben.

So wie der Sultan Bibars in der verabscheuungswürdigen Treulosigkeit, welche er gegen die Templer von Safed, deren Tapferkeit Achtung und Schonung verdiente, beging, als einen rohen Barbaren sich zeigte, eben so erregt nicht geringen Abscheu folgender Zug seiner gefühllosen Grausamkeit, welchen morgenländische Nachrichten[66]) überliefert haben. Als die Christen von Ptolemais zu dem Sultan sandten und ihn um die Auslieferung der Leichname der ermordeten Christen von Safed baten, indem sie sagten, daß die Leichname

65) Auch Eiffeld (l. c.) erwähnt des von dem Sultan gemachten Versuchs, die Christen von Safed zum Abfalle vom Christenthume zu verleiten: Hos omnes (Soldanus Babylonis) in fide examinari fecit; ipsi vero omnes praeter octo in confessione Christi occisi sunt.

66) Fortsetzung des Elmakin bey Reinaud p. 498.

solcher Märtyrer ihnen Heil bringen würden: so beschied J. Chr. 1266.
Bibars die christlichen Abgeordneten für den folgenden Tag wieder zu sich. Am Abende zog er mit einem Theile seiner Truppen aus seinem Lager bey Safed, langte unvermuthet am andern Morgen vor den Thoren von Ptolemais an und erschlug die Christen, welche er auf den Aeckern in sorgloser Sicherheit arbeitend antraf. Hierauf kehrte er eiligst in sein Lager zurück, ließ die Abgeordneten von Ptolemais zu sich rufen und sprach zu ihnen: „Ihr seyd hierher gekommen, um Märtyrer zu holen, ihr findet deren jetzt bey Ptolemais, wo ich euch mehr Märtyrer verschafft habe, als euch lieb seyn wird.“

Nachdem Bibars Besitz von Safed genommen hatte, so vertheilte er die daselbst gefundene Beute unter seine Soldaten, ließ die Befestigungen der Stadt und der Burg wieder herstellen, ordnete den Bau von zwey Moscheen an, bevölkerte die Stadt mit Ansiedlern, welche er aus Damascus kommen ließ, und versah die Stadt sowohl als die Veste mit starken Besatzungen [57]). Hierauf eroberte er auch Ramlah, Tebnin und einige andere minder bedeutende den Christen gehörige Oerter [58]).

So wie die Christen es nicht gewagt hatten, den Städten ihres Gebiets, welche der Sultan Bibars belagert und erobert hatte, zu Hülfe zu kommen, eben so unthätig blieben sie, als der Sultan den Fürsten Malek al Mansur von Hamah mit einem Heere nach Armenien sandte, um den König August 1266.
Haithon zu strafen, welcher fortwährend die Mogolen zu

57) Reinaud Extraits a. a. O. „Als Malek addaher (Bibars),“ sagt Abulfeda (Tab. Syr. p. 83), „die Stadt den Franken entrissen hatte, so machte er sie zum Mittelpunkte der Truppen, welche das umliegende Land von Palästina zu bewachen hatten.“

58) Reinaud Extraits a. a. O.

J. Chr. 1266. einem Einbruche in Syrien aufreizte[59]) und sowohl den von dem Sultan angetragenen freyen Handelsverkehr zwischen Syrien und Armenien abgelehnt als den geforderten jährlichen Tribut verweigert hatte[60]). Der König Haithon hatte zwar, sobald er die Kunde von den feindseligen Absichten des Sultans erhielt, zu einem tatarischen Befehlshaber[61]), welcher in der Nähe von Armenien mit einem Heere stand, sich begeben und dessen Hülfe nachgesucht. Weil aber dieser Befehlshaber sich weigerte, ohne den Befehl des Chans Abaga den erbetenen Beystand zu bewilligen, so sah sich der König Haithon auf seine eigenen unzulänglichen Mittel beschränkt. Noch während der Abwesenheit des armenischen Königs drang der Fürst von Hamah in
17. Aug. Cilicien ein und überwand in einem Treffen die beyden Söhne des Königs Haithon, Leon und Toros, und deren Oheim Gondu Setbal; und in diesem Treffen wurde der Prinz Toros getödtet, und dessen älterer Bruder Leon gefangen[62]). Hierauf wurde die Stadt Sis von den Moslims

59) Abulfedae annal. mosl. T. V. p. 16. Accidit, sagt Haithon (Hist. orient. c. 13), quod Rex Armeniae cum magna gente iverat ad Tartaros, et Soldanus hoc sciens cogitavit invadere regnum Armeniae. Dieselbe Ursache dieses armenischen Kriegs geben auch Hugo Plagon (p. 742) und Marinus Sanutus (p. 222) an. Vgl. Reinaud Extraits p. 500.

60) „In diesem Jahre“ (664 d. H.), sagt Abulfaradsch (Hist. Dyn. p. 545), „sandte Bondokdar, Herr von Aegypten, an den König Haithon von Armenien und forderte von ihm, daß er ihm gehorsam würde, einen Tribut bezahlte und denen, welche in seinem Lande Pferde, Maulthiere, Weizen, Gerste und Eisen kaufen wollten, freyen Handelsverkehr gestattete; wogegen auch den Armeniern es erlaubt seyn sollte, nach Syrien des Handels wegen zu kommen und daselbst zu kaufen und zu verkaufen; der König von Armenien wagte es aber aus Furcht vor den Mogolen nicht, in diesen Antrag einzugehen.“ Dieselbe Nachricht findet sich etwas abgekürzt auch in der syrischen Chronik p. 543. 544.

61) Dessen Name war Naksdschi. Vgl. Abulfaradsch a. a. O.

62) Nach Abulfaradsch (Chron. Syr. p. 544) ereignete sich dieses Treffen

durch Feuer zerstört, und mehrere andere Städte und Burgen des Königs Haithon, so wie auch ein den Templern gehöriges, in Kleinarmenien belegenes Schloß wurden gleichfalls verwüstet [63]; und die Moslims gewannen während der zwanzig Tage, welche sie in dem Lande des Königs von Armenien verwüstend und plündernd umherzogen, eine sehr beträchtliche Beute. Da Haithon nicht auf den Beystand des mogolischen Chans Abaga, welcher in andere Kriege verwickelt war, rechnen konnte [64]: so bemühte er sich, den Sultan Bibars zur Gewährung eines Waffenstillstandes zu bewegen, erwirkte, als Bibars den erbetenen Anstandfrieden bewilligte, die Freylassung seines Sohns Leon aus der Gefangenschaft dadurch, daß er die Mogolen vermochte, den gefangenen ägyptischen Emir Sankor Alaschkar, den Freund des Sultans Bibars, in Freyheit zu setzen [65], gab dem Sultan die Burg Darbesak [66] und andere zum Fürstenthume Haleb gehörige Burgen, welche die Armenier zur Zeit des Einbruchs der Mogolen unter Hulaku erobert hatten, zurück und zerstörte auf das Verlangen des Sultans zwey

bey dem Felsen Gervend am 20. des Monats Ab des Jahrs 1577 der seleucidischen Aere = 20. August 1266; Marinus Sanutus (p. 222) bezeichnet als den Tag dieser Schlacht den 12. August 1266. Vgl. Abulfarag. Hist. Dynast. p. 546. Haithon Hist. orient. c. 33. Hugo Plagon p. 742. Nach Abulfeda (T. V. p. 18) kam Malek al Mansur in das Land von Sis (Kleinarmenien) im Monate Dsulkadah 664 (vom 2. bis 31. August 1266).

63) Abulfedae Ann. mosl. und Abulfar. l. c. Makrisi bey Reinaud p. 501. Haithon l. c.

64) Haithon l. c. Nach der Erzählung des Abulfaradsch kam der König Haithon zwar mit einem mogolischen Heere zurück; da die Mogolen aber ihm keinen Nutzen, sondern Schaden brachten und Alles raubten, was die ägyptischen Truppen noch übrig gelassen hatten, so beeilte er sich, mit dem Sultan Bibars Frieden zu schließen.

65) Vgl. oben Kap. 13. S. 427. 428 und unten Anm. 68.

66) Bey Haithon, welcher die Bedingungen dieses Friedens u. a. O. mittheilt: Castrum de Tempesack (vgl. Gesch. der Kreuzz. Buch VIII. Kap. 16. S. 559. Anm. 18).

J. Chr. 1266. andere Schlösser 67). Hierauf gaben die Templer ihre bis=

67) Nach dem Berichte des Abulfeda (Annal. mosl. T. V. p. 18) und des Makrisi (bey Reinaud p. 501) ging der Sultan den Truppen, welche siegreich aus Armenien zurückkehrten, entgegen, schenkte ihnen seinen Antheil an der Beute und belohnte sie noch durch andere Bewilligungen. Auf dem Wege dahin gelangte er nach Kara (einer zwischen Damascus und Emessa liegenden und von Christen bewohnten Stadt, dem Carrae der Alten) und erfuhr, daß die Einwohner dieser Stadt ein Gewerbe daraus machten, Muselmänner aufzufangen und als Sklaven an die Franken zu verkaufen. Nach einer von Reinaud mitgetheilten Nachricht des Fortsetzers der Chronik des Elmakin war ein ägyptischer Maulthiertreiber bey Kara erkrankt und von zwey christlichen Einwohnern dieser Stadt beherbergt und gepflegt worden; als er genesen war, so erboten sich diese beyden Männer, ihn zu begleiten, bemächtigten sich aber seiner Person, sobald sie mit ihm allein waren, und verkauften ihn den Christen im Schlosse der Kurden, wo er so lange als Sklave blieb, bis Kaufleute aus Damascus ihn befreyten. Er erzählte hierauf in einer benachbarten muselmännischen Stadt sein Schicksal, und seine Erzählung kam dem Sultan auf seinem Durchzuge zu Ohren. Bibars ließ jene beyden Christen aus Kara, welche diesen Menschenverkauf begangen hatten, sofort zu sich rufen; sie leugneten zwar anfangs dieses Verbrechen, wurden aber bald durch den als Sklaven von ihnen verkauften Maulthiertreiber überführt, und der Sultan, welcher zugleich vernahm, daß die Bewohner von Kara diesen Menschenverkauf als Gewerbe betrieben, ließ alle an Einem Orte versammeln und enthaupten; die Stadt Kara wurde geplündert, die dortige Kirche in eine Moschee verwandelt, und der Sultan Bibars wies diese Stadt einer Colonie von Turkomanen zum Wohnsitze an, um daselbst mit der Viehzucht und dem Ackerbaue sich zu beschäftigen. Nach der Erzählung des Abulfeda (a. a. O.) wurde nur ein Theil der christlichen Bewohner von Kara auf den Befehl des Sultans getödtet, ihre Söhne wurden als Mamluken nach Aegypten geführt und daselbst unter den Türken zum Kriegsdienste erzogen; einige dieser Knaben wurden später Emire. Abu Schamah (Fol. 204 A.) erwähnt dieser Begebenheit auf folgende Weise:

وفى ثالث او رابع ذى الحجة
اوقع السلطان ركن الدين
بيبرس باهل قارا النصارى فقتل
وسبا وغنم وكانوا كما شاع عنهم
ياخذون من قدروا عليه من
المسلمين ويصحبون بهم الى بلاد
الفرنج وكان بعض الاسارى
الذين خلصوا من قلعة صفد
اخبروا ان سبب وقوعهم فى الاسر
فعل اهل قارا ففعل السلطان
بهم ذلك ☆

D. i.: „Am 3. oder 4. Dsulhadschah (664 = 3. oder 4. Septemb. 1266) überfiel der Sultan Rokneddin Bibars die christlichen Bewohner von Kara, tödtete sie zum Theil, machte einen Theil zu Ge=

herigen Besitzungen in Armenien auf und zogen ihre Besatzungen zurück [68]). J. Chr. 1266.

Nach dem Beyspiele des Königs von Armenien trug auch die Ritterschaft der Johanniter dem Sultan einen Waffenstillstand an, welchen Bibars unter der Bedingung bewilligte, daß sowohl der Tribut von zwölfhundert Goldstücken, funfzig Tausend Scheffeln Korn und eben so vielen Scheffeln Gerste, welchen bisher jener Orden von den Ismaeliten oder Assassinen des Berges Libanon erhoben hatte, als die jährliche Abgabe von vier Tausend Goldstücken, welche den Johannitern von den Bewohnern der Städte Hamah und Emessa entrichtet wurde, und was sonst von Abgaben und Lasten die Ritterschaft des Hospitals den Moslims aufgebürdet hatte, für immer abgestellt und aufgehoben würden [69]). Bibars betrachtete diese Abgaben als eine unerträgliche Schmach für alle Bekenner des Islams, und als in seinem Lager vor Safed Abgeordnete des Scheich der Ismaeliten des Libanon vor ihm erschienen, so sprach er zu denselben: „Wie mögt ihr behaupten, daß ihr den Franken

fangenen und plünderte sie aus; denn sie pflegten, wie von ihnen ruchtbar geworden, die Muselmänner, wo sie es konnten, zu fangen und in das Land der Franken zu schleppen; einige der Gefangenen, welche in der Burg von Safed ihre Freyheit erhielten, hatten ausgesagt, daß dieses Verfahren der Einwohner von Kara die Ursache ihrer Gefangenschaft gewesen war, und dieses bewog den Sultan, auf die erzählte Weise gegen jene Leute zu verfahren." Das in dieser Stelle vorkommende seltene Wort مصبح ist gleichbedeutend mit نهب, nach folgender Glosse des Dschewhari: مصبحت بالشی ای نهبت به.

68) Li Templiers abandonnérent lor deux chastiaux Gaston et Noche (Roche) de Rusol et la terre de Port-Bounel à l'entrée d'Erminie, et fu delivré Luions fils du Roi d'Erminie de la prison du Soudanc par eschange de Saugor (l. Sangor), parent du Soudanc. Hugo Plagon (bey dem Jahre 1268, in welchem nach diesem Schriftsteller der Waffenstillstand mit dem Könige von Armenien geschlossen wurde.) p. 743.

69) Makrisi bey Reinaud p. 499. 500. 503.

J. Chr. 1266. nur deswegen zinsbar seyd, weil ihr meiner Hülfe entbehrt, da ihr jene Abgabe zu entrichten fortfahrt, während ich mit meinen Truppen in eurer Nähe bin; ich sehe wohl, daß es nöthig seyn wird, euch auszurotten und eure Burgen in Todtenäcker umzuwandeln. Ihr würdet besser thun, euer Geld und eure Truppen mir zu senden und an den Belohnungen des heiligen Krieges Theil zu nehmen [70])." Nachdem durch den Waffenstillstand, welchen Bibars den Johannitern bewilligte, die Ismaeliten von der Zinsbarkeit waren befreit worden, so übersandte der Scheich derselben das Geld, welches er bisher den Christen bezahlt hatte, an den Sultan und ließ ihm sagen: „Wir überreichen dieses Geld, welches bisher den Feinden des Islam zu gute kam, dem Sultan, damit er zum Besten unsers Glaubens es verwenden möge [71])." Gleichzeitig erwirkte sich auch die Ritterschaft von Berytus von dem Sultan Bibars die Bewilligung eines Waffenstillstandes [72]).

Den Christen war die Waffenruhe, welche in Folge dieser Verträge eintrat, um so erwünschter, als sie nicht lange zuvor außer dem Verluste von Safed noch mehrere andere empfindliche Verluste erlitten hatten. Nicht nur war im August des Jahrs 1266 der Graf von Nevers zu Ptolemais gestorben; sondern auch ein Streifzug, welcher von dem Reichsverweser von Cypern, Hugo von Lusignan, nebst der cyprischen Ritterschaft, von Gottfried von Sergines mit sämmtlichen französischen Rittern und von den drey geistlichen Ritterorden in das Land von Tiberias war unternommen worden, hatte einen sehr unglücklichen Ausgang genommen [73]). Da diese Ritterschaften auf diesem Zuge nicht

70) Arabische Lebensbeschreibung des Sultans Bibars bey Reinaud p. 499.

71) Makrisi bey Reinaud p. 500.

72) Reinaud Extraits p. 503.

73) Hugo von Lusignan kam im Au

mit gehöriger Vorsicht verführten, so gerieth ihre vorderste Schar [74]), welche sich aus Beutegier um drey Rasten von den nachfolgenden Scharen entfernt hatte, in den Hinterhalt, welchen die Türken von Safed, sobald das Gerücht von dem Zuge der Christen zu ihnen gelangt war, am Ausgange der Ebene von Ptolemais [75]) gelegt hatten, und von dieser Schar entging kein Mann dem Schwerte der Türken. Von den übrigen mehr als fünfhundert christlichen Rittern und dem Fußvolke, welches sie begleitete, gelangte ebenfalls nur ein geringer Theil wieder nach Ptolemais, weil sie von den Bauern der Dörfer [76]) in der Nacht überfallen und, bevor sie ihre Kleider und Waffen anlegen konnten, größtentheils erschlagen wurden. Nicht lange nach diesem Mißgeschicke starb im December 1266 der Graf Johann von Joppe [77]). J. Chr. 1266.

gust 1266 nach Ptolemais. Hugo Plagon p. 742. Marin. Sanut. p. 222. Nach den morgenländischen Nachrichten, welche den Zug gen Tiberias in das Jahr d. H. 665 (vom 1. Okt. 1266 bis zum 20. Sept. 1267) setzen, waren damals 1100 abendländische Ritter nach Ptolemais gekommen, und diese Ritter unternahmen jenen unglücklichen Zug. Reinaud Extraits p. 502. Auf dieses Ereigniß scheint sich folgende Aeußerung des Papstes Clemens in einem Briefe an den Cardinal Simon von St. Cäcilia (Viterbo 31. Dec. 1266) zu beziehen: Supervenit de partibus eisdem infausta relatio lachrymose denuncians, quod inter fratres hospitalis Jerusolymitani et inimicos fidei nefandissimos Agarenos congressu habito de fratribus ipsis quadraginta et plures in gladio ceciderunt. Edm. Martene et Urs. Durand Thes. anecdot. T. II. p. 455.

74) La première garde. Hugo Plagon a. a. O. Prima custodia bey Marinus Sanutus a. a. O.

75) Au Carroblier près du plain d'Acre. Hugo Plagon a. a. O.

76) Li vilain des casiaus. Hugo Plagon a. a. O. Nach den morgenländischen Nachrichten wurden die Christen von den Muselmännern überfallen, und ein großer Theil im Kampfe erschlagen, die übrigen retteten sich durch die Flucht nach Ptolemais; der Sultan Bibars dankte Gott für diesen Sieg und belohnte die Muselmänner, welche bey dieser Gelegenheit sich ausgezeichnet hatten. Reinaud a. a. O.

77) Hugo Plagon p. 742. Marin. Sanut. p. 222.

J. Chr. 1266. Als Bibars nach der Beendigung dieses glücklichen Feldzugs von Damascus nach Aegypten zurückkehren wollte, hatte er das Unglück, in der Nähe der Burg Krak vermittelst eines Sturzes mit seinem Rosse die Hüfte zu zerbrechen, dergestalt, daß er in einer Sänfte auf jenes Bergschloß gebracht werden mußte, um daselbst seine Heilung abzuwarten [78]).

Die Nachrichten von den Verlusten, welche die Christen in Syrien im Jahre 1266 erlitten hatten, gelangten nach dem Abendlande zu der Zeit, in welcher nach dem Siege des Königs Karl von Anjou bey Benevent und dem Tode des Königs Manfred [79]) die päpstliche Partey in Italien ein so entschiedenes Uebergewicht erlangt hatte, daß Clemens der Vierte durch die Rüstungen und Anstalten, welche Konradin in Deutschland machte, um den erloschenen Glanz des Hohenstaufen'schen Hauses zu erneuern, in keiner Hinsicht beunruhigt wurde. Da Clemens selbst in der Zeit, in welcher ihm noch die ungeschwächte Macht des Königs Manfred große Besorgnisse erweckte, nicht aufgehört hatte, für die Errettung des heiligen Landes wirksam zu seyn, so richtete er nunmehr, nachdem er jenen Besorgnissen enthoben war, seine ganze Thätigkeit auf die Angelegenheiten der bedrängten syrischen Christen. Er sandte den Cardinal Ottobonus von Sanct Hadrian als seinen Legaten nach England, um daselbst das Kreuz zu predigen, und beauftragte ihn, falls die innern Unruhen, durch welche dieses Königreich verwirrt wurde, die Wirkungen seiner Predigten hemmen sollten, in den französischen Kirchensprengeln von Arles, Vienne und

78) Abulfedae Ann. mosl. T. V. p. 20. Die christlichen Nachrichten erwähnen dieses Unglücks, welches den Sultan betraf, nicht.

79) Am 26. Febr. 1266.

Narbonne die Gläubigen zur Annahme des Kreuzes zu ermahnen. J. Chr. 1266. Gleichzeitig verkündigten andere Legaten, deren Eifer Clemens durch stets wiederholte Ermahnungen rege erhielt, in Frankreich, Deutschland und den Niederlanden das Wort des Kreuzes; und der Graf Alfons von Poitiers, der Graf Guido von Flandern, Johann, der Sohn des Grafen von Bretagne, und der Graf von Geldern, welche das Zeichen des heiligen Kreuzes trugen, wurden durch päpstliche Briefe zur schleunigen Erfüllung ihres Gelübdes ermahnt, so wie auch die Venetianer ermuntert wurden, durch eine Flotte die syrischen Christen in der Vertheidigung des heiligen Landes zu unterstützen. Der Cardinal Richard von Sanct Angelo, welcher als päpstlicher Legat nach Sicilien sich begab, vermochte den König Karl zu der Verheißung, dreyßig dreyruderige Schiffe gemeinschaftlich mit dem Papste auszurüsten und nach Syrien zur Unterstützung der dortigen Christen zu senden [80]); wor-

80) Rainaldi ann. eccles. ad a. 1266. §. 42—44. In einem Schreiben an den Patriarchen von Constantinopel (Viterbo, 14. Jan. 1267), in welchem auch der an die Venetianer erlassenen Aufforderung, dem heiligen Lande zu helfen, erwähnt wird, giebt Clemens die Zahl der Schiffe, welche der König Karl von Sicilien auszurüsten versprochen hatte, zu funfzehn an. Thes. anecdot. T. II. p. 439. Ueber die Thätigkeit des Cardinals Ottobonus in England s. Matth. Westmonaster. ad a. 1267. p. 398. Die Briefe, welche Clemens wegen der Kreuzgelübde der Grafen von Poitiers, Flandern, Bretagne und Geldern erließ, s. im Thesaurus anecdotorum l. c. p. 381 sq. Das päpstliche Schreiben vom 30. Jul. (III. Kal. Aug.) 1266, wodurch der Cardinal Simon beauftragt wurde, in Frankreich und in den Sprengeln von Cambray, Lüttich, Metz, Toul und Verdun das Kreuz zu predigen, s. ebendas. p. 379—381. Vgl. die an den Cardinal Simon zu Perugia im Febr. 1266 (Thes. anecd. l. c. p. 312) und zu Viterbo am 6. Jun. 1266 erlassenen Schreiben, wodurch der Cardinal Simon ebenfalls beauftragt wurde, in Frankreich das Kreuz zu predigen, (ebendas. p. 341—343); so wie das zu Perugia am 31. Dec. 1266 an denselben in derselben Angelegenheit ausgefertigte Schreiben (ebendas. p. 434—443). Ueber die damaligen Kreuzpredigten in Friesland giebt der Abt Menko von Warum (ad a. 1268. in Matthaei veteris aevi analecta T. II. p. 172. 173) folgende Nachricht: Dominus Papa Clemens per litteras suas omnes Christianos in auxilium peregrinationis Regis Franciae in-

J. Chr. 1266. auf Clemens den König Ludwig von Frankreich ermahnte, für die Meerfahrt des nächsten Märzmonats zwey Tausend Armbrustschützen zu Fuß bereit zu halten und mit den Schiffen des Königs Karl nach Ptolemais zu befördern [81]. Erfüllt von der frohen Hoffnung, daß ein erwünschter Erfolg diese Bemühungen belohnen würde, schrieb Clemens schon im Monate August 1266 den Christen des gelobten Landes [82]: „Sehet, nachdem die Angelegenheiten des Königreichs Sicilien auf eine so erfreuliche Weise zu Ende gebracht worden, hat der Eifer für das heilige Land die Gemüther der Franzosen ergriffen, und viele französische Pilger rüsten sich zur Meerfahrt. In Deutschland tragen die Grafen von Luxemburg und Jülich, der Bischof von Lüttich und viele andere Fürsten das Zeichen des seligmachenden Kreuzes. Sehet, in England wird das Kreuz gepredigt, und wir dürfen von dorther auf eine beträchtliche Hülfe rechnen. Um wie vieles bereitwilliger werden aber alle jene frommen Männer zur Errettung des heiligen Landes seyn, wenn sie die neuern betrübenden Nachrichten (von dem Verluste von Safed) vernehmen werden! Wir haben deshalb sie aufge-

vitavit, et ipse Rex per literas suas specialiter Frisones in suum consortium invitavit; ac sic per Frisiam ubique crux praedicatur, sed praecipue per fratrem Herardum, qui claustrum majorum fratrum seu Jacobitarum (praedicatorum) in Norden fundavit. Ponebantur etiam trunci in singulis ecclesiis, quos potius gazophylacia dicere possumus, ad quae singulis dominicis festisque diebus fiebant oblationes et indulgebantur offerentibus quinque dies panis et aquae; et plurimi nobiles et divites ac pauperes signum crucis receperunt. Significavit etiam supradictus Rex per prudentem virum Gerbrandum Abbatem de Doccum, sequenti anno post illum se in Majo exiturum et ante festum b. Joannis Baptistae ad Aquas mortuas de portu eodem in terram sanctam Domino annuente navigaturum cum regibus et principibus et episcopis sibi adhaerentibus.

81) Rainald. l. c. §. 43. Thes. anecdot. l. c. p. 426.

82) Zu Viterbo am 12. August (II. id. Aug.) 1266. Rainald. l. c.

fordert, ihre Meerfahrt noch vor der festgesetzten Frist an- J. Chr. 1266.
zutreten und nach der Anweisung unsers Legaten, des Cardinalspresbyters Simon von Sanct Cäcilia, sobald als möglich nach Syrien sich zu begeben und den drohenden Gefahren zuvorzukommen." Wenige Wochen später tröstete Clemens den Patriarchen von Jerusalem mit den gefühlvollen Worten [83]): „Wir haben nicht taube Ohren oder ein Herz von Stein, um unempfindlich zu bleiben bey euren angstvollen Klagen [84]) und euren Schmerzen das Mitleid zu versagen; vielmehr, dafür ist unser Gewissen Zeuge, ermahnen wir fortwährend die katholischen Fürsten, eingedenk zu seyn des Blutes Christi, welches für ihre Erlösung vergossen worden, und das heilige Land zu erretten. Für diese Sache arbeiten wir mit ganzem Eifer und bringen schlaflose Nächte zum Opfer. Darum mögen eure Hände nicht ermatten, und eure Kniee nicht müde werden."

Niemand aber nahm die damalige unglückliche Lage des J. Chr. 1267.
heiligen Landes und die dringende Ermahnung des Papstes zur Errettung der bedrängten syrischen Christen so sehr zu Herzen, als der fromme König Ludwig von Frankreich, welcher seit seiner Rückkehr aus Syrien durch oftmalige Uebersendung von Geldunterstützungen seine fortwährende Theilnahme an den Angelegenheiten des heiligen Landes bewiesen hatte [85]), aber des betrübenden Gedankens sich nicht erwehren konnte, daß seine erste Kreuzfahrt seiner Krone nicht sowohl Ehre als Schmach und der christlichen Kirche ge-

S. 45. und im Thes. anecdot. l. c. p. 392. 393.

83) Schreiben des Papstes, erlassen zu Viterbo am 30. Sept. (II. Kal. Oct.) 1266, bey Rainaldus a. a. O. und im Thes. anecdot. l. c. p. 408. 409. Die Anweisungen, welche Clemens dem Cardinale Simon gab, s. ebendas. p. 419 — 421.

84) Ut vestris clamosis clamoribus audientiam denegaremus.

85) S. oben Kap. XIV. S. 467.

J. Chr. 1267. ringen Nutzen gebracht hatte, und daher schon seit längerer Zeit den Wunsch nährte, zum zweyten Male das Zeichen des Kreuzes zu nehmen [86]). Dieser Wunsch des frommen Königs gewann noch größere Lebendigkeit, als Eine Unglücksbotschaft nach der andern aus Syrien kam; Ludwig trug jedoch Bedenken, dem Antriebe seines Herzens zu folgen, er bat vielmehr den Papst Clemens durch einen insgeheim an den römischen Hof gesandten Botschafter um seinen Rath, und dieser billigte nicht ohne große Bedenklichkeiten und Zweifel die Absicht des Königs [87]). Sobald aber Ludwig die Zustimmung des Papstes erhalten hatte, so berief
24. März seine Barone und Prälaten auf den Donnerstag vor dem Sonntage Lätare zu einem Parlamente nach Paris, wo auch der Cardinalpresbyter Simon von Sanct Cäcilia als päpstlicher Legat sich einfand [88]). Zu diesem Parlamente wurde

86) Ludovicus Rex non bene quietus animo, remorsu conscientiae perurgente, considerans illam peregrinationis viam, quam ad partes Syriae fecerat, magis regno Franciae dedecus et opprobrium peperisse quam Christi ecclesiae quicquam proficui contulisset: quod jamdudum mente conceperat, tempestivam nactus horam, aperuit. Guil. de Nang. p. 383.

87) Poenitentes siquidem, schrieb Clemens am 14. Okt. (II. Id. Oct.) 1266 aus Viterbo an den König Ludwig IX., responsionis illius, quam tibi per alias litteras feceramus, intimis cruciabamur angustiis, epistolam revocatoriam praesentibus interclusam manu propria scripseramus, parato jam nuncio ad easdem tibi sine aliqua dilatione mittendas. Haesitaverat tamen animus et aliquamdiu missionem suspenderat, sed dictorum nunciorum adventus scrupulum dubitationis amovit, et protinus eas dedimus tuis nunciis per expeditiorem cursorem tuae celsitudini perferendas. Age ergo viriliter, fili carissime, fili benedictionis et gratiae, et post conceptum laudabilem laudabilius pariens mittas manus ad fortia. Aderit enim tibi Dominus et ejusdem vicarius tuis invigilabit pro viribus commodo et honori. Edm. Martene et Urs. Durand Thes. anecdot. l. c. p. 415.

88) Guil. de Nang. p. 363. Gaufrid. de Bello Loco p. 461. Chronicon Rotomagense in Labbei Bibliotheca Manuscriptorum T. I. p. 376. Chron. Normanniae in Duchesne Scriptor. Normann. p. 1021.

auch der Seneschall Joinville, der treue Gefährte des Kö- J. Chr. 1267.
nigs Ludwig auf dessen erster Kreuzfahrt, nach Paris beschieden, und Joinville wußte nicht, als er daselbst am Abende des bestimmten Tages anlangte, daß der König die Absicht hätte, das Kreuz wiederum zu nehmen. In der Nacht aber hatte er einen Traum, in welchem er sah, wie der König Ludwig knieend vor einem Altare von mehreren Prälaten, welche mit ihrer völligen Amtskleidung angethan waren, mit einem Meßgewande von rothem geringen Zeuge, wie man es zu Rheims verfertigte[89]), bekleidet wurde; und als Joinville diesen Traum seinem Capellan Wilhelm erzählte, so sprach dieser: „gnädiger Herr, ihr werdet sehen, daß der König das Kreuz nehmen wird; denn das rothe Gewand bezeichnet das von dem Blute Gottes geröthete Kreuz, das geringe Zeug dieses Gewandes aber bedeutet, daß die Kreuzfahrt des Königs nicht gesegnet seyn wird, wie ihr sehen werdet, wenn Gott euch das Leben fristet.“ So wie der Capellan des Seneschalls Joinville keinen glücklichen Erfolg von einer wiederholten Meerfahrt des Königs Ludwig erwartete, so waren auch manche Ritter derselben Meynung; und als am folgenden Tage, dem Feste Mariä Verkündi- 25. März
gung, der Seneschall, nachdem er in der Kirche der heiligen Magdalena die Messe gehört hatte, in die königliche Kapelle kam, wo Ludwig vor dem wahren Kreuze und den übrigen dort aufbewahrten Reliquien betete: so vernahm er die Aeußerungen zweyer Ritter des königlichen Raths, welche von denselben Besorgnissen, wie sein Capellan Wilhelm, beunruhigt wurden. „Ihr werdet es kaum glauben,“ sprach der eine dieser Ritter zu dem andern, „daß der König wieder das Kreuz nehmen wird;“ worauf der andere erwie-

89) Une chesuble vermeille de sarge de Reins (Rheims). Joinville (Paris 1761 fol.) p. 155.

J. Chr. 1267. derte: „wenn der König zur Kreuzfahrt sich entschließt, so geschieht es zum Unglücke von Frankreich; denn so wir nicht mit ihm das Kreuz nehmen, so sagen wir uns los von dem Könige, und so wir das Kreuz nehmen, so sagen wir uns los von Gott, weil wir nicht für Gott die Kreuzfahrt unternehmen werden."

An demselben Tage ermahnte zuerst der König Ludwig in einer eindringlichen Rede die zahlreiche Menge, welche um ihn sich versammelt hatte, zur Annahme des Kreuzes und zur Bewaffnung für das heilige Land; und nachdem auch der päpstliche Legat zu der Versammlung geredet hatte, so nahm zuerst der König Ludwig das Zeichen des Kreuzes, und seinem Beyspiele folgten auch seine Söhne, Philipp, Johann Tristan und Peter, so wie Thibaut, König von Navarra und Graf von Champagne, und mehrere andere Barone [90]). Gleichwohl war die Zahl derer, welche auf dem damaligen Parlamente zu Paris zu dem Gelübde der Kreuzfahrt sich entschlossen, keinesweges beträchtlich; und als sowohl der König Ludwig als Thibaut von Navarra den Seneschall von Joinville zur Annahme des Kreuzes aufforderten, so erhielten sie von ihm zur Antwort: die Serjanten

90) Vgl. die Anm. 88 angeführten Schriftsteller, deren Angabe von dem Tage, an welchem Ludwig seine zweyte Kreuzfahrt gelobte, bestätigt wird durch folgende Aeußerung des Papstes Clemens in einem Schreiben an den Cardinal Ottobonus: Scire te volumus quod in die Annunciationis dominicae charissimus in Christo filius, Ludovicus Rex illustris Francorum, cum tribus filiis suis Philippo, Joanne et Petro crucem assumsit. Rainaldi ann. eccles. ad a. 1267. §. 43. Thes. anecdot. l. c. p. 465. Nach Joinville nahm Ludwig erst am Tage nach Mariä Verkündigung (26. März) das Kreuz. Auch die Grafen von Artois, Flandern und Bretagne bekräftigten damals zu Paris ihr Gelübde durch wiederholte Annahme des Kreuzes. Vgl. Guil. de Nang. a. a. O. und das oben erwähnte Schreiben des Papstes Clemens. Mehrere andere Barone, welche gleichzeitig mit dem Könige Ludwig das Kreuz nahmen, nennt Gujart (hinter der Ducange'schen Ausg. von Joinville) p. 158.

des Königs von Frankreich nicht minder als des Königs von Navarra hätten, während er im Lande jenseit des Meers im Dienste Gottes und des Königs von Frankreich Gut und Blut zum Opfer gebracht, und noch nach seiner Rückkehr seinen Leuten so vielen Schaden zugefügt, daß er noch zu keiner Zeit mit seinen Leuten in einer so schlimmen Lage sich befunden hätte als damals; und wenn er Gott dienen wollte, so könnte er es auf keine bessere Weise thun, als wenn er im Lande bliebe zum Schutze und Schirme seiner Leute; wenn er dagegen sich den Gefahren einer zweyten Kreuzfahrt preisgeben wollte, so würde solches nur seinen Unterthanen großen Schaden und Nachtheil zuziehen und ihn selbst der Gnade Gottes verlustig machen. Der Seneschall Joinville war sogar überzeugt, wie er selbst erzählt, daß diejenigen, von welchen der König Ludwig zur Wiederholung der Kreuzfahrt war beredet worden, einer Todsünde sich schuldig gemacht hätten, weil Ludwig damals schon schwach und hinfällig war, die Bewegung weder des Reitens noch des Fahrens zu ertragen vermochte, und es also mit Sicherheit vorausgesehen werden konnte, daß die Mühseligkeiten der Kreuzfahrt zu großem Schaden von Frankreich das Leben des trefflichen Königs verkürzen würden, welcher den innern und äußern Frieden und den Wohlstand seines Landes durch nützliche und weise Anordnungen wieder hergestellt und befestigt hatte [91]). J. Chr. 1267.

Der Papst Clemens suchte zwar mit allen Mitteln, welche ihm zu Gebote standen, die beabsichtigte zweyte Kreuz-

91) La feblesce de li, fügt Joinville (p. 134) hinzu, estoit si grant, que il souffri que je le portasse dès l'ostel au conte Ausserre où je pris congé de li jeusques aus Cordeliers entre mes bras; et si feble com il estoit, se il feust demoré en France, peust-il encor encor avoir vescu assez et fait moult de biens.

J. Chr. 1267. fahrt des Königs Ludwig zu befördern, indem er nicht nur die Kreuzpredigten fortsetzen ließ, sondern auch der französischen Geistlichkeit, so wie dem Clerus des Königreichs Navarra gebot, während drey auf einander folgender Jahre von den Einkünften aller kirchlichen Güter den Zehnten für die Kosten der Rüstungen ihrer Könige und der übrigen Kreuzfahrer beyzusteuern, und den Cardinal Simon beauftragte, die Erhebung dieses Zehnten in Frankreich zu besorgen [92]); er machte aber die betrübende Erfahrung, daß es

92) Schreiben des Papstes Clemens IV. an den Cardinal Simon, erlassen zu Viterbo am 5. Mai (III. non. Maji) 1267 bey Rainaldus ad a. 1267. §. 51—54. und an den König Thibaut von Navarra vom 9. Jun. 1267 in Edm. Martene et Urs. Durand Thes. anecdot. T. II. p. 490. 491. Unter den arabischen Schriftstellern erwähnt Makrisi (bey Reinaud p. 618) der Steuer, welche der König von Frankreich für seine Kreuzfahrt mit Bewilligung des Papstes von den Gütern der Kirche erhob. Früher schon hatte Clemens durch zwey Schreiben, welche zu Viterbo am 16. Jun. und 31. Jul. 1266 erlassen wurden, den Cardinal Simon beauftragt, die Einsammlung der fünfjährigen Hundertsten (s. oben S. 467), welche früher dem Erzbischofe von Rouen und dem Canonicus Odo von Bayeux, dann dem Erzbischofe Aegidius von Tyrus übertragen und durch den Tod des letzten unterbrochen war, fortzusetzen und die Beytreibung der Rückstände dieser Steuer zu besorgen. Thes. anecdot. T. II. p. 355. 382. 383. In einem Schreiben vom 31. Julius 1266, welches ebenfalls an den Cardinal Simon gerichtet ist, beklagt sich Clemens über die Unmöglichkeit, dem Grafen Alfons von Poitiers die nachgesuchte Geldunterstützung zur Kreuzfahrt zu gewähren, indem er den Zustand der Länder, von welchen unter günstigern Umständen eine bedeutende Hülfe für das heilige Land sich würde erwarten lassen, also schildert: Nos autem, sicut alias comiti Pictaviensi significavimus, nec in regno Franciae possumus multis praestationibus jam attrito, nec in Anglia, in qua decimam dedimus regi suo, nec in Hispania, quae suis satis gravatur oneribus, nec in Germania, quae male paret apostolicis jussionibus; et idcirco confundimur, quia viro tanto et quem tantum diligimus satisfacere non valemus. Ibid. p. 383. Auch dem Grafen von Poitiers selbst drückte Clemens in einem Briefe von demselben Tage sein Bedauern über eine so ungünstige Lage der Dinge aus, ibid. p. 385. 386 (vgl. epist. 408. p. 427). Gleichwohl hatte der Papst in einem Schreiben vom vorhergehenden Tage (30. Jul. III. cal. Aug.) den Cardinal Simon bevollmächtigt, von dem Hundertsten, welcher in den Sprengeln von Cambray, Tournay und Arras erhoben wäre, oder noch würde erhoben werden, so wie von dem da-

schwer, ja fast unmöglich war, die erloschene Begeisterung J. Chr. 1267. für das heilige Land wieder zu erwecken. Die Geistlichkeit der französischen Kirchensprengel von Rheims, Sens und Rouen erhob einen sehr heftigen Widerspruch gegen die von dem Papste verfügte Besteuerung ihrer Güter, indem sie dem Papste zu Gemüthe führte, daß willkührliche Besteuerungen dieser Art für die katholische Kirche und den römischen Stuhl schon mehrere Male die nachtheiligsten Folgen gehabt, sogar den Abfall der morgenländischen Kirche herbeygeführt hätten, und zugleich erklärte, daß sie lieber den päpstlichen Bannfluch über sich ergehen lassen, als in die

selbst aus dem Abkaufe des Kreuzgelübdes gelösten Gelde, oder aus Vermächtnissen zu Gunsten des heiligen Landes die Summe von 20,000 Livres Tournois dem Grafen Guido von Flandern zum Behufe der Ausrüstung für die Kreuzfahrt zu verabreichen; ibid. p. 381. 382. Eine gleiche Summe wurde der Cardinal Simon durch ein päpstliches Schreiben vom 31. Jul. 1266 beauftragt dem Grafen von Geldern aus dem Hundertsten der Sprengel von Cöln, Maynz und Trier und anderer außerhalb Frankreich belegenen Sprengel, so wie aus andern daselbst für das heilige Land erhobenen Gefällen zum Behufe der Rüstungen des Grafen für die Kreuzfahrt zu bezahlen, ibid. p. 386. Durch ein Schreiben von demselben Tage ertheilte Clemens dem Cardinal Simon die Anweisung, dem Ritter Odo von Corpelay aus Meaux die Summe von hundert Livres Tournois, welche ihm aus dem Nachlasse seines Oheims, des Ritters Odo von Naly aus Sens, dessen Testamentsvollstrecker, der Ritter Johann von Caires, für eine Kreuzfahrt nach dem heiligen Lande zu geben versprochen hatte, um so mehr einhändigen zu lassen, als jener Ritter, nachdem er früherhin die Umwandlung seines Kreuzgelübdes in die Verpflichtung zum Dienste des Königs Karl von Sicilien erwirkt hatte, entschlossen war, sein Kreuzgelübde noch zu vollziehen, ibid. p. 384. 385. Eben so wurde auch dem Ritter Thomas von Cocy (de Cociaco), welcher ebenfalls schon für den König Karl von Sicilien gestritten und nach dem Siege bey Benevent zur Kreuzfahrt nach dem heiligen Lande sich entschlossen hatte, eine Unterstützung aus dem in Frankreich erhobenen Hundertsten zugestanden durch ein päpstliches Schreiben an den Cardinal Simon vom 14. Jul. 1266, ebendas. p. 366. 367. Außer diesen angeführten Beyspielen enthalten mehrere andere Briefe des Papstes Clemens IV. ähnliche Bewilligungen zu Gunsten von einzelnen Rittern, welche das Kreuz genommen hatten.

J. Chr. 1267. Entrichtung des Zehnten sich fügen würde; und nur durch einen strafenden Brief, mit welchem Clemens diesen Widerspruch beantwortete, und durch sehr ernste Drohungen, welche er in seinen Unterredungen mit den Abgeordneten der französischen Geistlichkeit noch hinzufügte, wurden die widerspenstigen Priester gezwungen, dem päpstlichen Gebote zu gehorchen [93]). Auch die damaligen Kreuzpredigten, obgleich sie ihres Ziels nicht gänzlich verfehlten, bewirkten dennoch nicht so schnelle und glänzende Erfolge als in früherer Zeit [94]).

93) Das Schreiben der französischen Geistlichkeit findet sich in der normännischen Chronik bey Duchesne Script. rer. Norm. p. 1012, und das am 24. Sept. 1267 zu Viterbo erlassene Antwortschreiben des Papstes Clemens auf diesen Widerspruch bey Rainaldus ad a. 1267. §. 55 — 69. Nach der erwähnten normännischen Chronik hielten die Vorsteher der bischöflichen Kirchen von Frankreich, als sie gehört hatten, daß Ludwig bey dem Papste um die Bewilligung eines Zehnten nachsuchte, eine Berathung zu Paris, wo die Geistlichkeit der Sprengel von Rheims, Sens und Rouen sich zu der Einlegung eines Widerspruchs bey dem päpstlichen Hofe durch eine feyerliche Gesandtschaft vereinigte. Gleichzeitig sandte auch der König Ludwig Abgeordnete, welche dem Papste Clemens vorstellten, daß die Weigerung der Geistlichkeit, ein Unternehmen, für welches die Fürsten Gut und Leben wagten, durch Unterstützung an Geld zu befördern, höchst unbillig wäre; der Widerspruch der Geistlichkeit blieb daher unwirksam. Quinimo, fährt die Chronik fort, Pontifex cum magna austeritate nuncios ecclesiarum suscepit et dure locutus ad eos nihil acto de negotio ecclesiarum absque honore remisit decimamque dari per triennium confirmavit magnisque minis et terroribus rebelles compescuit. Uebrigens hatte Clemens IV. schon im Jahre 1263 einen zweyjährigen Zehnten zur Unterstützung des Königs Karl von Sicilien von der französischen Geistlichkeit gefordert. Vgl. Clementis Epistolae 133 — 188. 198. 653. in Edm. Martene et Urs. Durand Thes. anecdot. T. II. p. 243 — 246. 255. 604.

94) Et quamvis, sagt zwar Wilhelm von Nangis (p. 383), non multi in praesenti parlamento, utpote tanta novitate perculsi, cruces viderentur assumere, tamen processu temporis multi tam comites quam barones ad Regis exemplum propter Christum crucis signaculum propriis humeris affixerunt. Daß aber viele mißbilligende Stimmen über die beabsichtigte Kreuzfahrt des Königs Ludwig fortwährend sich erhoben, sieht man aus folgender Aeußerung des Papstes Clemens an den Cardinal Simon in einem Schreiben vom 23. Mai 1267, erlassen

Gleichzeitig bemühte sich Clemens, gemeinschaftlich mit den Königen Ludwig von Frankreich und Karl von Neapel, die Venetianer und Genueser mit einander zu versöhnen; denn die fortdauernde erbitterte Feindschaft dieser beyden Handelsstaaten war nicht nur an sich dem heiligen Lande höchst schädlich, sondern es war auch zu besorgen, daß, so lange sie im Kriege wider einander begriffen wären, weder zu Genua noch zu Venedig die Schiffe, welche zur Ueberfahrt eines Pilgerheers nach Syrien erforderlich waren, zu erlangen seyn würden. Die Venetianer gaben zwar den Anträgen der Botschafter des Papstes und der beyden Könige Gehör und sandten drey Abgeordnete nach Genua; der starre und unbiegsame Sinn der genuesischen Gewalthaber machte jedoch eine billige Ausgleichung unmöglich [95]). Vielmehr sandten die Genueser unter der Anführung ihres Admirals Lucas de Grimaldi nach Syrien eine Flotte von fünf und zwanzig Galeen, welche im August 1267 den Fliegenthurm zu Ptolemais eroberte [96]), zwey Fahrzeuge der Pisaner ver- J. Chr. 1267.

zu Viterbo: Illud autem tuam prudentiam scire volumus, quod in nostrum non cadit animum de perpenso processisse judicio, tot regis filios et maxime primogenitum crucis charactere insignire; et quamvis alias audierimus ad oppositum rationes, vel omnino decipimur, vel nihil habent penitus rationis. Thes. anecd. l. c. p. 478. In mehrern andern Briefen (z. B. Epist. 574 an den Cardinal Simon von St. Cäcilia vom 13. Januar 1268. Thes. anecdot. l. c. p. 557) klagt Clemens über Mangel an Theilnahme an der bedrängten Lage des heil. Landes.

95) Andr. Danduli Chron. (In Muratori Script. rer. It. T. XII. p. 375). Eine zweyte venetianische Gesandtschaft, welche im Jahre 1268 nach Genua sich begab, war eben so unwirksam, ibid. p. 376. Nach den genuesischen Annalen (Muratori T. VI. p. 543), welche jener venetianischen Gesandtschaften nicht erwähnen, fanden die Botschafter des Papstes und der Könige von Frankreich und Sicilien zu Genua geneigtes Gehör: facta pulchra responsione Legatis ex parte Communis, recesserunt ipsi ad propria remeantes; und die Botschafter, welche die Genueser hierauf an den König von Frankreich sandten, brachten eine günstige Antwort (dignas responsiones).

96) Am 16. August 1267. (Die venetianische Flotte, welche den Hafen

J. Chr. 1267. brannte und den Hafen von Ptolemais so lange sperrte, bis eine venetianische Flotte von acht und zwanzig Schiffen denselben entsetzte; worauf die Genueser nach Tyrus sich begaben und, bevor sie daselbst anlangten, fünf Schiffe einbüßten, welche von den verfolgenden Venetianern erobert wurden [97]).

Wie sehr dem Papste Clemens die Errettung des heiligen Landes am Herzen lag, beweist auch seine Theilnahme an den Bedrängnissen, in welche der König Haithon von Armenien durch den letzten Einbruch der Saracenen in sein Land gerathen war. Clemens forderte den Kaiser Michael Paläologus auf, das Mitleiden mit der unglücklichen Lage des Königs von Armenien, welches er in einem an den Papst gerichteten Schreiben geäußert hatte, durch einen kräftigen Beystand zu bethätigen [98]); er tröstete den König Haithon, welcher den apostolischen Stuhl um schleunige Hülfe gebeten hatte, mit der Nachricht von den Vorbereitungen des Königs von Frankreich zu einer zweyten Kreuzfahrt [99]), ermahnte den Patriarchen von Jerusalem und die Barone des Königreichs Jerusalem, die Noth des Königs von Armenien und die Gefahr, von welcher das Fürsten-

entsetzte, langte am 28. desselben Monats an). Hugo Plagon p. 742. Marin. Sanut. p. 223. Vgl. Annal. Genuens. l. c.

97) Hugo Plagon und Marin. Sanut. l. c. Annal. Genuens. l. c. p. 544. Nach den genuesischen Annalen begab sich der Admiral Grimaldi, noch ehe der Hafen von Ptolemais durch die Venetianer entsetzt wurde, nach Tyrus, um mit dem Herrn dieser Stadt Verabredungen wegen des gemeinschaftlichen Krieges gegen die Venetianer zu treffen (ad tractandum cum domino Tyri, de offensione inimicorum facienda), indem er funfzehn Galeen zur fernern Sperrung des Hafens zurückließ.

98) Schreiben des Papstes Clemens vom 17. May (XVI. Kal. Jun.) 1267 bey Rainaldus ad a. 1267. §. 66. 67. Edm. Martene et Urs. Durand Thes. anecdotor. T. II. p. 469. 470.

99) Schreiben des Papstes Clemens vom 17. May 1267 bey Rainaldus l. c. §. 68. Thes. anecdot. l. c. p. 470. 471.

thum Antiochien bedroht würde, als ihre eigene Sache zu betrachten[100]), und ermunterte den tatarischen Chan Abaga, welcher durch eine Gesandtschaft dem Papste versprochen hatte, seine Waffen mit den christlichen zur Bekämpfung des Sultans Bibars zu vereinigen, zur baldigen Erfüllung dieser Verheißung[101]). Clemens sah sich aber für diese Bemühungen nicht durch einen günstigen Erfolg belohnt. J. Chr. 1267.

100) Schreiben des Papstes Clemens vom 17. May 1267 bey Rainaldus l. c. §. 69.

101) Schreiben des Papstes bey Rainaldus l. c. §. 70. 71. Thes. anecdot. l. c. epist. 520. p. 517. 518. Vgl. über die damaligen Unterhandlungen des Chans Abaga mit dem päpstlichen Hofe Abel-Rémusat second mémoire sur les relations politiques des princes chrétiens avec les empereurs mogols in den Mémoires de l' Académie des Inscriptions et belles lettres, T. VII. (Paris 1824. 4.) p. 537 sq.

## Sechzehntes Kapitel.

J. Chr. 1267. So wie der Eifer der abendländischen Christen für die Sache des heiligen Landes immer mehr erkaltete, so nahm dagegen die Begeisterung der Moslims für den Kampf wider die Christen, aufgeregt durch die Siege und Eroberungen des Sultans Bibars, einen neuen Aufschwung. Während im Abendlande die christliche Geistlichkeit, ermüdet durch die Geldforderungen, welche der päpstliche Stuhl nicht nur für die Errettung des heiligen Landes, sondern auch für die Vertreibung der Hohenstaufen aus ihrem sicilischen Erbe häufte, ferneren Besteuerungen hartnäckig sich widersetzte, brachten die Moslims bereitwillig ihr Habe und Gut zum Opfer für die Sache ihres Glaubens. Der Statthalter Dschemaleddin stiftete schon, als die Eroberung von Cäsarea und Arsuf den Muth und die Zuversicht der Moslims von neuem belebt hatte, einen Verein damascenischer Männer, dessen Zweck war, die Befreyung gefangener Moslims aus der christlichen Sklaverey zu bewirken; und der Thätigkeit dieses Vereins verdankten viele saracenische Männer, Weiber und Kinder ihre Freyheit, und manche saracenische Jungfrauen, welche aus der Gefangenschaft losgekauft nach Damascus zurückkehrten, anständige Versorgung [1]). Als im Jahre 1267

1) Makrisi zum Jahre d. H. 663 in Reinaud Extraits p. 494.

Bibars seine Länder von einem neuen Einbruche der Mogolen bedroht sah, und er für die Kosten des heiligen Krieges von seinen Unterthanen in Aegypten, Arabien und den Inseln des rothen Meers den Zehnten des Ertrags ihres Viehes und ihrer Aecker unter dem Namen der Gottessteuer [2]) forderte: so wurde diese Steuer mit Willfährigkeit entrichtet; nur der Emir von Medinah versuchte es, jedoch ohne Erfolg, dieser Abgabe sich zu entziehen. J. Chr. 1267.

Bibars war vor Allem darauf bedacht, seine Länder gegen die Verwüstungen der mogolischen Horden zu sichern; und da die Stadt und Burg von Safed durch ihre Lage ihm vorzüglich geeignet schienen, das Bollwerk seines Reichs zu bilden, so kam er im Frühlinge des Jahrs 1267 nach Syrien, um die Mauern jener Stadt in vollkommenen Stand zu setzen und ihre Gräben zu vertiefen, und der Sultan nahm nach seiner Gewohnheit selbst thätigen Antheil an dieser Arbeit und ermunterte seine Emire zur Nachahmung seines Beyspiels. Die Ritterschaft von Ptolemais wurde durch die Nähe des furchtbaren Sultans und seines Heers beunruhigt und sandte daher Abgeordnete, um Frieden anzutragen [3]). Bibars aber antwortete nicht auf die Anträge der christlichen Abgeordneten, zog mit einem Theile seines Heers gen Ptolemais, erschien plötzlich am 2. Mai vor den Mauern dieser Stadt, täuschte die Christen durch die Paniere der Templer und Hospitaliter, welche seine Schaaren führten, erschlug alle geringen Leute, welche auf den Feldern und Aeckern in Ruhe und Sicherheit arbeiteten, und kehrte mit mehr als fünfhundert gefangenen Christen am andern Tage 2. Mai

2) Droits de Dieu. Makrisi zum Jahre d. H. 665 bey Reinaud p. 502. Vgl. Abulfedae ann. mosl. ad a. 665. T. V. p. 20.

3) Makrisi bey Reinaud a. a. O.

J. Chr. 1267. nach Safed zurück [4]), wo die armenischen Gesandten, welche damals im Namen des Königs Haithon um Frieden mit dem Sultan unterhandelten, Zeugen waren, sowohl der Rückkehr des Sultans mit seinen Scharen, welche auf den Spitzen ihrer Lanzen die Köpfe der erwürgten Christen trugen, als der grausamen Niedermetzelung der Gefangenen [5]). Nach vierzehn Tagen kam Bibars zum zweyten Male in das Land von Ptolemais, verwüstete während vier Tage die Aecker und Felder, zerstörte die Gärten und Weinberge und die darin befindlichen Thürme und Häuser, ließ die Bäume niederhauen, die Brunnen verschütten, die Mühlen niederwerfen und die Dörfer verbrennen [6]); und während die saracenischen Scharen diese Gräuel übten, hielt der Sultan selbst zu Pferde und mit eingelegter Lanze vor dem Thore von Ptolemais Wache [7]). Bald hernach strafte Bibars die Einwohner von Tyrus für die Ermordung eines seiner Mamluken durch die Verwüstung ihres Landes und gewährte ihnen nicht eher Frieden, als nachdem sie den Verwandten des Ermordeten ein Blutgeld von funfzehn Tausend Goldstücken bezahlt und alle bey ihnen befindlichen gefangenen Saracenen in Freyheit gesetzt hatten. Nachdem sie diesen

4) Makrisi a. a. O. Die im Texte erwähnte Kriegslist wird nur von Hugo Plagon p. 743 und Marinus Sanutus p. 222 223 angeführt. Diese beyden Schriftsteller erwähnen zwar der damaligen Gesandtschaft der Ritterschaft von Ptolemais an den Sultan nicht, bezeichnen aber dagegen genau den Tag, an welchem Bibars vor der Stadt erschien und das Land mit Feuer und Schwert verwüstete.

5) Makrisi a. a. O. Bondocdar, sagt Hugo Plagon, occist derrière le Thoron des menues gens qu'il ot prises cinq cens et plus, dont il n'i ot nul qui n'eust trait le fel du cors, et furent escorchiés les plans des testes enpris les oreilles. Vgl. Mar. Sanut. l. c.

6) Hugo Plagon a. a. O. Marin. Sanut. p. 223 und mit diesen Schriftstellern übereinstimmend Makrisi a. a. O. Nach Hugo Plagon kam Bibars am 16. Mai zum zweyten Male in die Gegend von Ptolemais, nach Marinus Sanutus am 17. Mai; Makrisi bestimmt die Zeit nicht genau.

7) Makrisi bey Reinaud p. 503.

Bedingungen sich unterworfen hatten, so bewilligte er ihnen J. Chr. 1267.
einen zehnjährigen Frieden [8]).

Da die Mogolen ihre Drohungen nicht erfüllten und J. Chr. 1268.
ihre Gränzen nicht überschritten, so kehrte Bibars, nachdem er die Befestigung von Safed vollendet hatte, nach Aegypten zurück [9]), rüstete sich während des Winters zu seinem vierten Feldzuge gegen die Christen und kam im März des Jahrs 1268 mit seiner ganzen Heeresmacht wieder nach Syrien. Indem er auch dieses Mal seine Absichten geheim hielt, suchte er die Christen zu täuschen und sicher zu machen durch die Strenge, mit welcher er, nachdem er auf dem Wege über Gaza den Gränzen des christlichen Gebietes sich genähert hatte, jede Beschädigung der Christen, die mit ihm im Frieden waren, an seinen Kriegern strafte. Einigen seiner Soldaten, welche auf dem Lande solcher Christen Unfug verübt hatten, ließ er die Nasen abschneiden, und ein Emir, welcher über einen bestellten Acker geritten war, mußte dem Eigenthümer dieses Ackers den Sattel und das Zeug seines Pferdes als Entschädigung überliefern [10]). Plötzlich aber bemächtigte er sich am 7. März der Stadt Joppe ungeachtet des Friedens, welchen er dem verstorbenen Grafen Johann von Joppe zugestanden hatte [11]), schleifte die Burg dieser Stadt und ließ, was daselbst von brauchbarem Holze und Marmor gefunden wurde, nach Kahirah bringen und zum Baue einer dortigen Moschee verwenden [12]). Den Einwoh-

8) Reinaud Extraits a. a. O.

9) Abulfedae Ann. mosl. a. a. O.

10) Makrisi bey Reinaud a. a. O.

11) Bondocdar ... prist Jaffe à VII jors de Mars par traison et sor trives et occist moult de menue gent. Hugo Plagon a. a. O. Vgl. Marin. San. p. 223. Nach Makrisi hatten die Einwohner von Joppe den Frieden durch Streifereyen in das Land der Moslims verletzt. Abulfeda (T. V. p. 20) setzt die Eroberung von Joppe richtig in die Mitte des Monats Dschemadi al achir 666 (7. März 1268), an dessen erstem Tage (21. Febr.) der Sultan Kahirah verlassen hatte.

12) Makrisi a. a. O. Nach Hugo Plagon: Bondocdar prist la tête de

J. Chr. 1268. nern der eroberten Stadt, so viele derselben dem Schwerte der Moslims entgingen, verstattete er zum Theil freyen Abzug nach Ptolemais, und den übrigen, welchen die Erlaubniß zu bleiben verwilligt wurde, machte er eine jährliche Abgabe zur Pflicht, überließ ihnen jedoch die Erhebung dieser Steuer und wies sie an, den Betrag derselben an ihn selbst für die Bedürfnisse seiner Tafel abzuliefern [23]); einen Theil des Landes von Joppe vertheilte er als Lehen an seine Emire und einen andern Theil desselben überwies er turkomannischen Hirten als Ansiedlern, welchen er die Verpflichtung auferlegte, seine Reiterey mit Pferden zu versorgen [24]). Eben so unerwartet, als er die Stadt Joppe an-
4. April gegriffen hatte, erschien er am Mittwoch vor dem Osterfeste [25]) vor der Burg Beaufort oder Schakif, welche dem Orden der Templer gehörte; und begeistert durch die Ermahnungen der Fakirs und Imams, welche im Lager des Sultans sich eingefunden hatten, begannen die Muselmänner sofort mit Ungestüm die Berennung dieser Burg. Da am vorhergehenden Tage ein Theil der Besatzung von Beaufort sich nach Ptolemais begeben hatte, so waren die übrigen Templer, welche zurückgeblieben waren, nicht zahlreich genug, um mit Erfolg sich zu vertheidigen [26]); der Convent des Ordens zu Ptolemais kündigte ihnen zwar baldige

S. Jorge et fist ardoir le cors de Sainte Christine que l'evesque Johan de Troies avoit laissié à Jaffe.

23) Des freyen Auszugs nach Ptolemais, welchen Bibars einem Theile der Einwohner von Joppe gestattete, gedenken nur Hugo Plagon und Marinus Sanutus, indem der letztere Schriftsteller noch hinzufügt, daß viele abziehende Christen ausgeplündert wurden; dagegen wird es von beyden Schriftstellern verschwiegen, daß ein Theil der Bewohner von Joppe in der Stadt blieb und dem Sultan zinspflichtig wurde, was Makrisi (a. a. O. p. 503. 504) berichtet.

24) Makrisi a. a. O. p. 504.

25) Am Mittwoch den 19. Redscheb 666 == 4. April 1268 nach Makrisi a. a. O. Das Osterfest fiel in diesem Jahre auf den 8. April.

26) Makrisi a. a. O.

Hülfe an, der Brief aber, welcher diese Meldung enthielt, J. Chr. 1268.
wurde zur Bestellung einem Muselmanne, der im Dienste des Ordens stand, übergeben, und dieser überlieferte ihn dem Sultan, welcher den Brief sich übersetzen und einen andern im entgegengesetzten Sinne schreiben und an die Besatzung der belagerten Burg überbringen ließ [17]). Als die Templer zu Beaufort diesen Brief erhielten, so öffneten sie, nachdem die Belagerung nur wenige Tage gewährt hatte [18]), dem Sultan die Thore ihrer Burg. Bibars vertheilte hierauf die christlichen Männer, welche daselbst in seine Gewalt fielen, als Sklaven unter seine Soldaten, sandte die Weiber und Kinder nach Tyrus, stellte die beschädigte Burg wieder her, versah sie mit einer Besatzung und setzte daselbst einen Kadi ein, um die Rechtspflege zu besorgen, und Imams, um den Gottesdienst in der Moschee abzuwarten [19]).

Mit eben so großer Heimlichkeit als die bisherigen Unternehmungen ordnete hierauf Bibars seinen Zug gegen den Fürsten von Antiochien, welchen er mehr als irgend einen andern Fürsten der syrischen Christen haßte; denn der Fürst Boemund, welcher ehemals mit Hülfe der Mogolen mehrere Eroberungen in den benachbarten Ländern der Muselmänner gemacht hatte, unterhielt noch immer einen Verkehr mit den tatarischen Horden und hatte besonders den unversöhnlichen Haß des Sultans und aller Muselmänner dadurch sich zugezogen, daß er einige Gesandte des Königs von Georgien, welche zu dem Sultan Bibars sich begeben wollten und an der Küste von Antiochien Schiffbruch erlitten hatten, ergreifen ließ und dem mogolischen Chan Hulaku überlieferte [20]).

17) Abgekürzte Lebensbeschreibung von Bibars bey Reinaud a. a. O.

18) Makrisi a. a. O. Nach Marinus Sanutus (p. 223) kam Beaufort in die Gewalt des Sultans Bibars am 15. April, nach Hugo Plagon (p. 743) am 25. April.

19) Makrisi a. a. O.

20) Abgekürzte Lebensbeschreibung von Bibars bey Reynaud p. [illegible]

J. Chr. 1268. April und Mai Mit der Schnelligkeit des Blitzes drang Bibars in das Gebiet von Tripolis ein, verwüstete das Land, verbrannte die Kirchen und ließ alle Christen, welche angetroffen wurden, erwürgen [21]). Seine Absicht war anfangs, die Stadt Tripolis, wo der Fürst Boemund damals sich aufhielt [22]), zu belagern; da aber die umliegenden Berge noch im Besitze der Christen sich befanden, die Witterung sehr kalt, und das Land fortwährend mit Schnee bedeckt war, so gab Bibars
9. Mai diese Absicht auf und richtete seinen Zug nach Antiochien. Um seinen Plan zu verbergen, theilte er sein Heer in drey Abtheilungen [23]), deren Eine gegen den Hafen von Seleucia am Ausflusse des Orontes, und eine zweyte nach Darbesak im Fürstenthume Haleb zog, die dritte aber bey dem Sultan blieb. Alles christliche Land, welches diese drey Heerabtheilungen durchzogen, wurde auf das Grausamste verwüstet [24]), und nur des Gebiets von Tortosa [25]) geschont, weil der christliche Befehlshaber dieser Stadt zum Beweise seiner Ehrerbietung dreyhundert gefangene Moslims, welche in seiner Gewalt waren, dem Sultan übersandt hatte.

Da der Sultan Bibars die Belagerung von Antiochien, einer volkreichen und festen Stadt, welche die Christen der ersten großen Kreuzfahrt nur erst nach den Anstrengungen von neun Monaten überwältigt hatten, für ein schwieriges

21) Reinaud a. a. O. Tunc Soldanus, sagt Marinus Sanutus p. 223, venit Tripolim et destruxit viridaria.

22) Abulfedae Annal. mosl. T. V. p. 22.

23) Nach der angeführten Lebensbeschreibung des Bibars ließ der Sultan, bevor er sein Heer in drey Abtheilungen sonderte, mehrere Zelte seines Lagers so stellen, daß die Oeffnungen derselben (les portes) nach verschiedenen Seiten gerichtet waren. Reinaud a. a. O.

24) Reinaud Extraits p. 506.

25) Safitha (صافيثا) und Tortosa nach Makrisi bey Reinaud a. a. O. Safitha (auf der Charte von Burckhardt Szaffyta) liegt etwa vier Meilen in gerader Richtung östlich von Tortosa. Vgl. Abulfedae Annal. mosl. (ad a. 668) T. III. p. 602.

Unternehmen achtete, so untersagte er, um dadurch des gött- J. Chr. 1268.
lichen Beystandes sich würdig zu machen, seinen Soldaten auf das strengste auf diesem Zuge den Genuß des Weins und jede andere durch den Islam verbotene Handlung [26]). Die Eroberung von Antiochien war aber nicht so schwierig, als Bibars erwartet hatte. Der Connetable des Fürstenthums Antiochien, welcher mit seiner Miliz es versuchte, die Vorwache des Sultans zurückzudrängen, wurde überwunden und gefangen, und Bibars belohnte den Emir Schemseddin, den Befehlshaber seiner Vorwache, dadurch, daß er ihm verstattete, in seinem Paniere als Siegeszeichen das Wappen des gefangenen Connetable zu führen [27]). Als am 16. Mai 16. Mai
1268 [28]) das ganze saracenische Heer vor Antiochien sich vereinigt hatte, so sandte Bibars den gefangenen Connetable in die Stadt, um den Marschall des Fürstenthums, welcher die Stelle des gefangenen Connetable vertrat, und die übrigen Einwohner von Antiochien zur freywilligen Uebergabe zu bereden; und als dreytägige Unterhandlungen nicht zum Ziele geführt hatten, so ließ er am 19. Mai die Stadt berennen [29]).

26) Makrisi bey Reinaud a. a. O. Nach der Angabe desselben Schriftstellers fanden sich in Antiochien damals mehr als hundert Tausend Einwohner. Nach dem arabischen Geschichtschreiber Jafel (Reinaud p. 512) betrug der Umfang dieser Stadt zwölf Meilen, und an ihrer Mauer wurden 130 Thürme und 24,000 Zinnen gezählt.

27) Jafel bey Reinaud a. a. O. Daß bey den Türken damals Wappen nicht ungewöhnlich waren, bemerkt auch Joinville (Paris 1761 Fol.) p. 45. Vgl. oben Kap. V. S. 130. Anmerk. 15. Bibars selbst hatte zum Wappenbilde (رنك was bekanntlich ein persisches Wort ist) einen rennenden Löwen; vgl. Makrisi hist. monetae arabicae ed. O. G. Tychsen p. 40 und (des Grafen Castiglione) Monete cufiche del Museo J. R. di Milano (Milano 1819. 4.) p. 275 und die daselbst auf Tab. V. abgebildeten Münzen des Sultans Bibars.

28) Am 1. Ramadan 666. Makrisi bey Reinaud a. a. O. Am Mittwochen d. 24. Schaban = 9. Mai 1268 war der Sultan von Tripolis abgezogen. Schreiben des Sultans Bibars an den Fürsten Boemund von Antiochien bey Reinaud p. 508.

29) Jafel bey Reinaud p. 506. Nach

J. Chr. 1268. Die Einwohner vertheidigten sich zwar anfangs mit Entschlossenheit, aber schon an demselben Tage, an welchem die Belagerung war begonnen worden, erstiegen die Saracenen die Mauern und Wälle, drangen in die Stadt ein und ermordeten mit schonungsloser Grausamkeit nicht nur alle waffenfähige Männer, sondern auch die Priester und Mönche, während die Emire an den Thoren Wache hielten, damit kein Christ entfliehen möchte [30]). Hierauf erboten sich auch die Christen, welche noch die in der Mitte der Stadt liegende Burg behaupteten, außer den Weibern und Kindern acht Tausend an der Zahl, zur Uebergabe, öffneten die Burg dem Sultan und überlieferten sich zur Gefangenschaft; worauf Bibars in die Burg sich begab, die Gefangenen mit Stricken binden und ihre Namen durch seine Schreiber aufschreiben ließ [31]). Dann beschäftigte sich der Sultan zwey Tage mit der Vertheilung sowohl der Gefangenen als der beträchtlichen Beute, nachdem er durch eine strenge Verordnung befohlen

dem angeführten Schreiben des Sultans Bibars p. 609 wurde Antiochien eingenommen in der vierten Stunde des Sonnabends, 4. Ramadan = 19. Mai. Après als (Bondocdar) en Antioche, sagt Hugo Plagon (p. 743), et la prist sans nulle defense à XXVII jor de Mai et furent occis dedens la cité puisqu' ele fu prise XVII miles persounes ou plus, et furent pris homes et fames et enfans que du siècle que de religion plus de cent mile. Dieselbe Nachricht findet sich bey Marinus Sanutus p. 223, welcher statt des 27. Mai den 29. setzt und noch hinzufügt: et facta est civitas tam famosa quasi solitudo deserti, cepit quoque (Bondocdar) portum Praebonelli juxta introitum Armeniae.

30) Jafei bey Reinaud p. 506. 507. Auch der Patriarch Christian von Antiochien soll nebst vier Mönchen des Predigerordens vor dem Hauptaltare seiner Kirche von den Saracenen erschlagen worden seyn, und die Nonnen eines Klosters zu Antiochien, welche sich die Nasen abgeschnitten hatten, um dadurch sich gegen die Wollust der Ungläubigen zu sichern, und ebenfalls den Märtyrertod starben, wurden nach der Legende unter die Sterne versetzt. Vgl. Bzovii annales eccles. ad a. 1268. §. 12. und Lequien Oriens christianus T. III. p. 1162.

31) Jafei a. a. O. p. 507.

hatte, daß jeder saracenische Soldat alles dasjenige, was er J. Chr. 1268.
geraubt hätte, an einen bestimmten Ort bringen sollte; und als diese Vertheilung vollendet war, so wurde sowohl die Stadt als die Burg von Antiochien den Flammen preisgegeben [32]), und Bibars meldete selbst in einem hochfahrenden und spottenden Schreiben dem Fürsten Boemund die Eroberung und Zerstörung seiner Hauptstadt, indem er die Drohung hinzufügte, daß es der Stadt und Grafschaft Tripolis bald auf ganz gleiche Weise ergehen würde [33]). Nach der Eroberung und Zerstörung dieser wichtigen Stadt leisteten auch die übrigen Plätze des Fürstenthums Antiochien keinen Widerstand, die Templer räumten das feste Schloß Bagras, welches sie bis dahin behauptet hatten, dergestalt, daß die Saracenen, als sie dasselbe in Besitz nahmen, Niemanden daselbst antrafen als eine einzige alte Frau [34]), und nur der Ritter Wilhelm, Burgvogt zu Kossair, einer dem Patriarchat von Antiochien durch eine Urkunde des Chalifen Omar bewilligten Stadt, erlangte von dem Sultan die Bestätigung

32) Reinaud Extraits p. 511, vgl. das Schreiben des Sultans Bibars ebendas. p. 509. 510. Die Beute war so beträchtlich, daß man bey der Theilung das gemünzte Geld nicht zählen oder wägen konnte, sondern es in Gefäßen abmaß; das Geld, welches aus dem Verkaufe des Eisens der Schlösser von den zerstörten Häusern und des Bleyes der Kirchendächer gewonnen wurde, betrug eine erhebliche Summe; selbst jeder muselmännische Sklave erhielt einen gefangenen Christen zu seinem Antheile, man verkaufte einen christlichen Knaben für zwölf Goldstücke, ein christliches Mädchen für fünf Goldstücke, und vier Frauen für Ein Goldstück. Von allen Seiten fanden sich Kaufleute ein, um erbeutete Gegenstände zu erhandeln. Reinaud ll. cc.

33) Diesen Brief hat zuerst Reinaud in der arabischen Urschrift aus der abgekürzten Lebensbeschreibung des Sultans Bibars und der Chronik des Jafel herausgegeben und durch eine französische Uebersetzung erläutert im Journal asiatique T. XI. p. 75—85. Die daselbst mitgetheilte französische Uebersetzung steht auch in den Extraits p. 507—511, und eine deutsche Uebersetzung ist enthalten in der Beylage II. zu diesem Bande.

34) Reinaud Extraits p. 512.

J. Chr. 1268. in dem Besitze des ihm anvertrauten Platzes, jedoch mit der Verpflichtung, die Hälfte desselben zu räumen [35]).

Der Fürst Boemund, nachdem er in wenigen Tagen sein Fürstenthum Antiochien verloren hatte, sah sich gezwungen, um Frieden bey dem Sultan Bibars anzusuchen, weil er nach einer so bedeutenden Verminderung seiner Macht nicht im Stande war, seine Grafschaft Tripolis gegen einen Angriff des Sultans zu vertheidigen. Bibars, welcher nach der Beendigung seines glücklichen Feldzugs nach Damascus zurückgekehrt war und daselbst mit seinen siegreichen Truppen und den gefangenen Christen einen feyerlichen Einzug gehalten hatte, gab zwar den Anträgen des Fürsten Gehör, es war aber nach dem eigenen Zeugnisse der arabischen Geschichtschreiber seine Absicht, den Waffenstillstand zu Vorbereitungen zur Vernichtung des ihm verhaßten Fürsten zu benutzen; und er wagte es sogar, mit den Abgeordneten, welche er zu Boemund sandte, sich selbst verkleidet nach Tripolis zu begeben, um über den Zustand und die Befestigungen dieser Stadt sich zu unterrichten. Ein Lebensbeschreiber des Sultans Bibars, der Kadi Mohieddin, selbst einer jener Abgeordneten, hat uns über dieses kühne Wagstück folgende Nachricht überliefert. „Der Sultan zog mit uns nach Tripolis, indem er sich für unsern Stallmeister ausgab, um die Lage von Tripolis und die schwachen Stellen der Festungs-

33) Ebn abdorrahim bey Reinaud a. a. O. Der Burg Kossair erwähnt unter dem Namen castrum Cursarium als eines Besitzthums der Kirche von Antiochien der Papst Innocenz III. in seinen Briefen (Lib. XII. 38. 39. ed. Baluz. T. II. p. 321. 322); und daraus, daß dieser Papst selbst an die milites, burgenses, servientes, Syrianos, Armenos et alios ligios homines ecclesiae Antiochenae in castro Cursarii commorantes schrieb, ergiebt sich die damalige Wichtigkeit dieser Burg. Auch der Papst Alexander IV. erwähnt in einem seiner Briefe des castrum Cursarii quod est Antiochenae ecclesiae speciale. S. oben Kap. 12. Anmerk. 13. S. 392.

werke zu erspähen. Auch war er gegenwärtig bey den Unterhandlungen. Da Boemund bemerkte, daß wir in der Urkunde des Vertrags ihm den Titel eines Fürsten als unpassend nach dem Verluste von Antiochien nicht gegeben, und ihn nur Grafen von Tripolis genannt hätten, so wurde er sehr ungehalten, und als ich ihm erklärte, daß der Titel eines Fürsten von Antiochien nur dem Sultan gebührte, so richtete er nach seinen Truppen einen Blick, welcher uns mit Furcht und Angst erfüllte. Hierauf gab mir der Sultan mit seinem Fuße ein Zeichen, um mir anzudeuten, daß ich den Widerspruch nicht fortsetzen sollte, und es wurde also der Titel eines Fürsten nach dem Namen Boemunds in die Urkunde eingetragen. Als wir nach der gegenseitigen Beschwörung des Vertrags zurückkehrten, so konnte der Sultan des Lachens über dieses Abenteuer sich nicht enthalten, indem er alle Fürsten und Grafen der Erde zum Teufel wünschte [36])." J. Chr. 1268.

Bald hernach machte auch der König Hugo der Dritte von Cypern, welcher im Jahre 1267 nach dem Tode des Königs Hugo des Zweyten, seines Vetters [37]), die cyprische Krone ererbt hatte, dem Sultan Bibars Friedensanträge, jedoch nur in Beziehung auf Cypern, nicht auf das Königreich Jerusalem; denn für die syrischen Länder, welche ihm mit der Krone von Cypern zugefallen waren, wollte er sich durch keinen Vertrag binden, weil die Rüstungen sowohl des

36) Reinaud Extraits, p. 512. 513. Bey den abendländischen Geschichtschreibern findet sich eben so wenig eine Erwähnung dieses Vertrages, als der nachfolgenden Unterhandlungen des Königs Hugo von Cypern mit dem Sultan Bibars.

37) Hugo III. war der Sohn des Prinzen Heinrich, Sohns des Fürsten Boemund IV. von Antiochien, und der Isabelle, einer Tochter des Königs Hugo I. von Cypern und Schwester des Königs Heinrich von Cypern, dessen Sohn der König Hugo II. gewesen war. Hugo II. und Hugo III. waren also fratres amitini.

J. Chr. [illegible] Königs Ludwig von Frankreich, als des Königs Jakob von Aragonien, welcher damals ebenfalls das Kreuz genommen hatte, die baldige Ankunft großer Pilgerheere zur Errettung des heiligen Landes erwarten ließen. Gleichwohl lehnte Bibars die Anträge des Königs Hugo nicht ab, ertheilte aber den Abgeordneten, welche er nach Cypern sandte, die Anweisung, dem Könige in keiner Hinsicht eine besondere Ehrerbietung zu beweisen, sondern in den Unterhandlungen gegen ihn ganz, wie gegen einen ihres gleichen, sich zu benehmen. Daher verlangten die Gesandten des Sultans, unter welchen wiederum Mohieddin sich befand, bey der Audienz für sich einen eben so hohen Sitz als der Thron, auf welchem der König saß, und sie äußerten einen heftigen Unwillen, als nicht der König selbst, sondern einer seiner Räthe aus ihren Händen den Entwurf der Urkunde des Vertrags in Empfang nahm[88]). Die Anmaßung, mit welcher diese Gesandten in Cypern auftraten, wird von Mohieddin selbst in folgender Meldung geschildert: „Bey unserer ersten Audienz saß der König auf einem erhöhten Sitze und schien uns mit Geringschätzung behandeln zu wollen; als Muselmänner konnten wir jedoch eine solche Beleidigung nicht dulden, wir stiegen also zu ihm heran und begannen die Unterredung. Als der König über verschiedene Gegenstände in einem empfindlichen Tone sprach, so antwortete ich ihm in demselben Tone. Plötzlich warf er auf mich einen zornigen Blick und ließ mir durch den Dolmetscher sagen, daß ich hinter mich sehen möchte, und als ich mein Gesicht umwandte, so erblickte ich die Truppen des Königs in Schlachtordnung aufgestellt auf dem Platze vor dem Schlosse, und der Dolmetscher machte mich aufmerksam auf die große Zahl und die kriegerische

88) Makrisi bey Reinaud p. 514.

haltung dieser Truppen; ich aber schlug die Augen nieder, und nachdem man mir die Versicherung gegeben hatte, daß man die Unverletzlichkeit meiner Person als eines Gesandten achten würde, so sagte ich dem Könige, der auf dem Platze aufgestellten Truppen wäre allerdings eine große Zahl, noch größer aber wäre die Zahl der gefangenen Christen in den Kerkern von Kahirah. Worauf der König seine Gesichtsfarbe änderte, das Zeichen des Kreuzes machte und die Audienz auf einen andern Tag verschob. Am Ende kam jedoch der Friedensvertrag zu Stande [39])." J. Chr. 1268.

Daß die abendländischen Christen, welche mit Mühe die kümmerlichen Reste des von Gottfried von Bouillon und dessen tapfern Waffengefährten in Syrien gegründeten Reichs noch behaupteten, den Saracenen immer verächtlicher wurden, war die natürliche Folge ihres damaligen unverständigen Betragens und ihres Schwankens zwischen Kleinmuth und Uebermuth. Die Hospitaliter wagten nicht zu widersprechen, als Bibars dem christlichen Beherrscher der Stadt Safitha, welcher um Frieden angesucht hatte, die Räumung der dem Ritterorden des heiligen Johann gehörigen Stadt Dschiblet zur Bedingung machte, sondern fügten sich in den Willen des Sultans [40]). Bald hernach forderte Bibars von dem Statthalter von Ptolemais, Balian von Ibelin, die Auslieferung einiger Mamluken, welche zu den Christen übergegangen und dem Islam untreu geworden waren; seine Forderung wurde zwar anfangs abgewiesen, hernach aber dennoch erfüllt, und der Sultan rächte sich wegen der Schwierigkeiten, welche ihm waren gemacht worden, durch eine Verwüstung des christlichen Gebietes [41]). Um dieselbe Zeit ließ der Herr von Tyrus eine saracenische Frau, welche er J. Chr. 1269.

39) Mohieddin bey Reinaud p. 514. 515.

40) Reinaud Extraits p. 515.

41) Makrisi bey Reinaud a. a. O.

J. Chr. 12[illegible] gegen ein Lösegeld aus der Sklaverey entlassen hatte, mitten im Waffenstillstande wieder einholen und aufs neue in Fesseln legen; wofür ihn der Sultan durch die Verheerung des Landes von Tyrus strafte 42); und der Ritter Wilhelm, Burgvogt zu Kossair bey Antiochien, erschmeichelte dadurch die Gunst des Sultans, daß er ihm verrieth, was bey den Christen und Mogolen vorging 43). Bibars hatte daher vollkommen Recht, als er den Gesandten des Königs Karl von Sicilien, welche um Schonung für die syrischen Christen baten, zur Antwort gab, daß es nicht von ihm abhinge, den Untergang der Franken zu hindern, weil sie selbst an ihrem Verderben arbeiteten, und der kleinste unter ihnen zu zerstören pflegte, was der größte zu Stande gebracht hätte 44).

In eben dem Maße als die syrischen Franken den Saracenen verächtlich geworden waren, wurde der Sultan Bibars dagegen selbst im Abendlande gefürchtet. Nicht nur der König Karl von Sicilien bewies dem siegreichen Sultan damals durch eine Gesandtschaft seine Ehrerbietung und bat für seine Unterthanen um die Fortdauer der Begünstigungen, welche ihnen im Handel mit Aegypten und Syrien in der Zeit des Kaisers Friedrich des Zweyten waren zugestanden worden; sondern es befand sich unter den sicilischen Gesandten auch ein päpstlicher Abgeordneter, welchem der Sultan, als er ihn erkannte, zwar Vorwürfe deshalb machte, daß er seine Sendung verheimlicht hatte, hernach aber freundliche Behandlung gewährte; und auch der unglückliche Konradin warb durch eine Gesandtschaft um die Freundschaft des Sultans; wogegen Bibars dem Schutze des letzten Hohenstaufen die Muselmänner empfahl, welche den Kaiser Friedrich und dessen

42) Ebn Ferath bey Reinaud a. a. O.

43) Ebn Abdorrahim bey Reinaud p. 522. S. oben S. 523.

44) Ebn Ferath bey Reinaud p. 525.

Sohn Konrad so nützliche Dienste geleistet hatten. Als eben J. Chr. 1269.
damals catalonische Seeräuber ein ägyptisches Schiff gekapert hatten, und Bibars deshalb Klage erhob, so ließ der König Jakob von Aragonien sofort das Schiff mit der ganzen Ladung freygeben [45]).

So trostlos damals die Lage des heiligen Landes war, so kam gleichwohl im Herbste des Jahrs 1269 in einer Zeit, in welcher zu den übrigen Bedrängnissen jenes Landes noch eine große Theurung aller Lebensmittel getreten war [46]), der König Hugo von Cypern nach Syrien und ließ am 24. September zu Tyrus als König von Jerusalem durch den Patriarchen Wilhelm sich krönen [47]).

45) Reinaud Extraits p. 615. 616.

46) En cel tems fu chierté en Surie de toutes choses et monta li fermens à VIII besans et demi. Hugo Plagon p. 743. Vgl. Marin. Sanut. a. a. O.

47) Hugo Plagon a. a. O. Marinus Sanutus, welcher den 24. Sept. 1269 als den Tag der Krönung des Königs Hugo angiebt, bemerkt: cum parva quantum aestimo solennitate vel cordis laetitia Hugo . . . . diadema suscepit.

## Siebzehntes Kapitel.

J. Chr. 1269. In derselben Zeit, in welcher das heilige Land die großen Verluste erlitt, welche im vorhergehenden Kapitel gemeldet worden sind, unternahm Konradin, der letzte Sprößling des Hauses der Hohenstaufen, seine unglückliche Heerfahrt nach Italien. Die Niederlage des jungen Königs in der Schlacht bey Tagliacozzo [1]) und sein Tod auf dem Blutgerüste endigten den vieljährigen Kampf der Hohenstaufen und ihrer Partey gegen den päpstlichen Stuhl, und Clemens der Vierte sah das Ziel erreicht, nach welchem seit Innocenz dem Dritten alle Päpste mit rastloser Thätigkeit gestrebt hatten. Ungestört konnte nunmehr Clemens der Vierte die Errettung des heiligen Landes zum Hauptziele seiner Bestrebungen machen, und er durfte mit vollem Rechte in dieser Angelegenheit auf die Unterstützung des Königs Karl von Neapel und Sicilien rechnen, welcher nicht allein zur Dankbarkeit gegen den apostolischen Stuhl verpflichtet war, sondern auch wegen des Handels seiner Unterthanen mit Aegypten und Syrien den Verlust des heiligen Landes nicht als ein gleichgültiges Ereigniß betrachten konnte.

1) Am 23. August 1268. Vgl. Fr. v. Raumer, Gesch. der Hohenst. IV. S. 606. Am 29. Okt. 1268 wurden Konradin und seine Freunde und Mitgefangenen zu Neapel hingerichtet.

Die Hoffnung, daß den Christen in Syrien ein beträchtliches Kreuzheer aus dem Abendlande bald die Hülfe leisten würde, deren sie so sehr bedurften, erfreute den Papst Clemens noch in den letzten Tagen seines Lebens. Der König Ludwig von Frankreich betrieb fortwährend seine Rüstungen zur Kreuzfahrt mit großem Eifer und bemühte sich, seine Unterthanen zur Annahme des Kreuzes zu bewegen; und die französische Geistlichkeit entrichtete den ihr auferlegten dreyjährigen Zehnten, welcher anfangs heftigen Widerspruch erweckt hatte, mit solcher Willfährigkeit, daß Clemens kein Bedenken trug, die Verlängerung desselben um ein Jahr anzurathen [2]). Der König Jakob von Aragonien, welcher seinen Namen durch glänzende Siege über die spanischen Araber und durch die Eroberung von Murcia verherrlicht hatte, beschloß schon im Jahre 1266 [3]), der Errettung des heiligen Landes seine siegreichen Waffen zu widmen; und ermuntert durch die Bereitwilligkeit, mit welcher sowohl die Tataren als der Kaiser Michael Paläologus von Constantinopel ihm ihren Beystand zur Befreyung des heiligen Grabes zusagten [4]); beschleunigte er seine Rüstungen zur Kreuzfahrt. J. Chr. 1269.

2) Ceterum si praelatis placuerit et aliis qui tanguntur praecipue in hoc facto, datam a nobis decimam ad tres annos prorogari in quartum; placet nobis quod prorogationem hujusmodi auctoritate nostra facias. Schreiben des Papstes Clemens an den Cardinal Simon von St. Cäcilia vom 13. Jan. 1268 in Edm. Martene et Urs. Durand Thes. anecdot. T. II. p. 557. Gleichwohl klagt der Papst in diesem Briefe über multorum corda ferrea quod illius vicem dolere nesciunt qui dolores nostros sua pietate portavit.

3) Das erste Schreiben des Papstes Clemens IV. an den König Jakob (Jayme) von Aragonien, in welchem des Gelübdes dieses Königs erwähnt wird, wurde zu Viterbo am 16. Jan. 1267 erlassen, bey Rainaldus ad a. 1267. §. 33.

4) Chronica del gloriosissimo Rey en Jacme (Valencia 1577 fol.) Abth. 3. Kap. 174 (fol. 117) und Abth. 4. Kap. 1 (fol. 119). An der Spitze der Gesandtschaft, durch welche der König Jakob die tatarische Botschaft erwiederte, stand Johann Alarich. Vgl. über die Verhandlungen des Königs von Aragonien mit den Tataren Abel Rémusat second mémoire etc. p.

J. Chr. 1269. Clemens der Vierte erlebte aber nicht die Vereitelung aller dieser Hoffnungen, und sein Tod am 29. November 1268 [5]) war für das heilige Land um so mehr ein empfindlicher Verlust, als wegen der Zwistigkeiten der Cardinäle die Kirche mehrere Jahre eines Oberhauptes entbehrte.

Der König Jakob von Aragonien beendigte seine Rüstungen schon im Sommer des Jahrs 1269; der König Alfons von Castilien unterstützte ihn mit Geld und hundert Rittern; sowohl die aragonischen Häuser der Johanniter als der Ritterorden des heiligen Jakob waren bereitwillig zum thätigen Beystande; die Stadt Barcelona und die Bewohner der Insel Majorka beförderten die fromme Unternehmung ihres Königs durch die Bewilligung beträchtlicher Geldsummen, und Jakob kam schon im Mai 1269 nach Barcelona, um Verträge mit Rittern und Schiffern zu verabreden und Alles dergestalt zu ordnen, daß im Monate August sein Kreuzheer versammelt wäre, und im folgenden Monate September die Meerfahrt angetreten werden könnte [6]).

541 sq. Nach Ebn Ferath (bey Reinaud p. 517) sandte Abaga, Chan der Tataren in Persien, um diese Zeit Abgeordnete an mehrere Fürsten des Abendlandes, und der König von Aragonien schloß mit ihm ein Bündniß, in welchem die beyden Fürsten einander versprachen, in Armenien zusammenzutreffen. Vgl. De Guignes hist. des Huns T. III. (Livre XVII) p. 260.

5) Rainaldi annal. eccles. ad a. 1268. §. 54.

6) Martin Fernandez de Navarrete Dissertacion historica sobre la parte que tuviéron los Españoles en las guerras de ultramár ò de las cruzadas. Madrid 1816. 4. (auch in den Memorias de la real Academia de la historia, Tomo V. Madrid 1817. 4.) p. 41 und Beylagen No. XIII. Der König Alfons von Castilien sandte dem Könige Jakob außer hundert Rittern an Geld 100,000 Maravedi, die Stadt Barcelona steuerte nach dem von Navarrete mitgetheilten Documente 80,000 sueldos barceloneses (vgl. Chron. del Rey Jacme a. a. O. cap. 3, wo die Steuer der Einwohner von Barcelona geringer angegeben wird), und die Einwohner (los naturales) von Majorka 30,000 sueldos de plata. Auch den Papst Clemens IV. hatte Jakob um eine Geldunterstützung gebeten, dieser gab ihm aber zur Antwort: Sed dum or-

Clemens der Vierte hatte aber nicht unrichtig geahnt, als J. Chr. 1269.
er auf die erste Nachricht von des Königs Jakob Entschlusse zur Kreuzfahrt, ob er auch seine Freude darüber äußerte, daß ein so tapferer und mächtiger König für die Sache des heiligen Grabes wäre gewonnen worden, dennoch zugleich dem Könige unverhohlen äußerte, daß dem Gekreuzigten, so lange Jakob sein blutschänderisches Verhältniß mit der Buhlerin Berengaria fortsetzte, seine Dienste nicht willkommen seyn würden [7]). Zwar verließ der König Jakob am 4. September 1269 den Hafen von Barcelona mit einer Flotte von dreyßig großen Schiffen, zwölf katalonischen Galeen und vielen kleineren Schiffen, auf welchen sich achthundert Ritter, jeder mit drey Pferden, und zwanzig Tausend zu Fuß befanden [8]); als aber am vierten Tage der Fahrt diese

dem undique circumspicimus, unde tibi subsidium competens ministremus, invenire non possumus. Levandam siquidem vicesimam redituum ecclesiasticorum decrevimus de terris populi Christiani in cismarinis partibus constitutis, exceptis Angliae, Franciae, Hispaniae et Hungariae regnis, quae aliis sunt praegravata. Nec scimus, an in terris aliis nostrum propositum assequamur, tum quia guerris variis affliguntur, tum quia si barones eorum cruce signari contigerit, eos praeferri in terris propriis circa subventionem hujusmodi personis exteris oportebit. Quocirca tua sciat sinceritas quod certum promittere non possumus, sed si nobis occurreret, vel aliquatenus eveniret, id libentissime faceremus. Schreiben an den König Jakob, erlassen zu Viterbo am 15. Mai 1267 im Thes. anecdot. l. c. p. 468.

7) Schreiben des Papstes vom 16. Jan. 1267 bey Rainaldus ad a. 1267. §. 55. In dem in der vorigen Anm. erwähnten Schreiben an den König Jakob drückt sich dagegen Clemens auf eine höflichere Weise über die beabsichtigte Kreuzfahrt des Königs aus: Verum dudum audivimus quem et quantum affectum habes ad subsidium Terrae sanctae, ad quem carissimus in Christo filius noster, illustris rex Francorum, intendens signum crucis vivificae cum tuo genero (dem Prinzen Philipp) et aliis filiis duobus assumeit multum desiderans te habere consortem; sed et nos plurimum idem affectamus, quia nullus utilius prout credimus transfretaret.

8) Chronica del Rey Iacme a. a. O. cap. 2. Navarrete a. a. O. und die daselbst nachgewiesenen Schriftsteller.

J. Chr. 1269. Flotte jenseit der Insel Minorka von einem heftigen Sturme befallen wurde, welcher die Schiffe zerstreute, so verschob der König Jakob die Meerfahrt, nach seiner eigenen Angabe in der von ihm selbst verfaßten Chronik seiner Zeit, sowohl auf den Rath des Bischofs von Barcelona, der Meister des Tempels und Hospitals, der Bürger von Barcelona und sämmtlicher Schiffsleute [9]), als weil er sah, daß Gott kein besseres Wetter ihm verleihen wollte, woraus er schloß, daß Gott seine Meerfahrt nicht billigte [10]); er ging also in dem französischen Hafen von Aiguesmortes wieder an das Land und kehrte durch Frankreich in sein Reich zurück. Nach andern Nachrichten bewog ihn das Zureden seiner Buhlerin, der gefahrvollen Unternehmung zu entsagen [11]). Nur einige

9) Chronica del Rey Jacme a. a. O. cap. 7. Car ells, setzt Jakob hinzu, havien paor de les graus fosques que eran en Acre a entrada divern que no errassem la terra.

10) E quant veem que axi era que Deus non volia nostre temps millorar. Chronica del Rey Jacme l. c. cap. 8. Als Jakob nach Montpellier kam, berief er zu sich die Consuln und die angesehensten Bürger der Stadt (los millors homens de la vila), 50 oder 60 an der Zahl, und erzählte ihnen: en qual manera nos havia pres en lo feyt de la mar que paria que nostre senyor non volgues que nos hi anassem; car jo haviem altra vegada provat. Car nos qui erem en Barcelona per passar altra vegada en oltra mar que XVII dies e XVII nuyes stiguerem que les naves staven per venir a terra per la gran mar que hi feya de Xaloch e de vent ala Prohença. Ibid. cap. 13. Was Jakob unter diesem andern Male (altra vegada) versteht, ist mir nicht klar; in keinem Falle kann er damals zum zweyten Male versucht haben, aus Barcelona mit seiner Flotte auszulaufen; denn er begab sich, wie aus den vorhergehenden Kapiteln (cap. 9—12) erhellt, unmittelbar von Aiguesmortes nach Montpellier. Vgl. über diese verunglückte Kreuzfahrt des Königs Jakob von Aragonien Hugo Plagon p. 743. Marin. Sanut. p. 223. Navarrete a. a. O. p. 41. E. A. Schmidt, Geschichte Aragoniens im Mittelalter (Leipz. 1828. 8.) p. 174. 175 und die von den beyden letztern Schriftstellern angeführten Quellen.

11) Praemissa parte suorum ipse (Jacobus Rex) rejicitur, ut dictum fuit, consilio mulieris, quem re vera Dominus in suum noluit holocaustum. Bernardi chron. Romanor. Pontif. apud Raynaldum ad a. 1269. § 6, wo des Sturms gar nicht gedacht wird. Hugo Plagon (a. a. O.) bezeichnet den Sturm, welcher am vierten Tage der Fahrt

Schiffe der aragonischen Flotte, deren Führer Don Pedro J. Chr. 1269. Fernandez, einer der beyden natürlichen Söhne des Königs Jakob, war [12]), gelangten nach Ptolemais, gewährten aber dem heiligen Lande eine beträchtliche Erleichterung, weil sie nicht nur Ritter, Pferde und Waffen, sondern auch Lebensmittel, woran damals in Syrien großer Mangel war, und Geld brachten [13]).

Die Ankunft dieser aragonischen Pilger gab den Christen in Syrien den Muth, die Feindseligkeiten wider die Saracenen zu erneuern, wodurch sie einen empfindlichen Verlust sich zuzogen. Am Mittwoch vor Weihnachten zogen zwey- 18. Dec. hundert Ritter, unter ihnen Robert von Cresecques, Olivier von Termes, welcher noch immer im heiligen Lande verweilte, der Aragonier Don Pedro und dessen Bruder Fernando Sanchez, von Ptolemais aus und legten sich in dem Eine Meile entfernten Walde in Hinterhalt. Da sie aber nicht gehörig Wache hielten, so wurden sie von den Türken, welche aus Safed [14]) wider sie ausgezogen waren, überfal-

des Königs (nach der eigenen Chronik des Königs Jakob am dritten oder vierten Tage) eintrat, als die Ursache der Rückkehr desselben: ne onques puis (le roi d'Aragon) ne vout monter sur mer por la paor qu'il ot de la fortune (d. i. des Sturms) et por la mort de s'amie dame Berengière, dont ce fu à lui grant honte e grant reproches. Auch Ebn Ferath berichtet, daß damals eine furchtbare Flotte aus den Häfen von Catalonien auslief, aber nur wenige Schiffe derselben nach Ptolemais gelangten; weil die übrigen Schiffe durch einen Sturm zerstört wurden. Reinaud Extraits p. 517.

12) Navarrete a. a. O. p. 42. Anmerk. 2. §. 8. Marin. Sanut. a. a. O. Nach Hugo Plagon (a. a. O.) kamen beyde natürliche Söhne (dui enfans bastars) des Königs Jakob nach Ptolemais, und der König Jakob begab sich nur mit seiner Galee und zwey andern Schiffen wieder an das Land; die ganze übrige Flotte gelangte nach Ptolemais.

13) Navarrete a. a. O. p. 42 und die daselbst in der Anm. 2. aus dem Archive der Krone von Aragonien mitgetheilten Notizen.

14) Bey Hugo Plagon p. 744 steht Li os (ost) de Saphet; es ist aber Saphet zu lesen, wie bey Marinus Sanutus (p. 223) steht. Vgl. Ebn

J. Chr. 1269. len, und obgleich sie mit großer Tapferkeit sich wehrten, so wurden sie dennoch von den Feinden, deren Zahl durch nachkommende Truppen sich verstärkte, überwältigt, und der Ritter Robert von Cresecques wurde mit zweyhundert Rittern und Serjanten erschlagen [15]). Die Ritter des Tempels, Hospitals und deutschen Ordens, so wie die Söhne des Königs von Aragonien, als vor ihren Augen ihre Waffenbrüder diese Niederlage erlitten, waren zwar anfangs geneigt, zu Hülfe zu eilen; Don Pedro Fernandez [16]) aber widerrieth ihnen solches späterhin, indem er bemerkte, die Macht der Feinde wäre der christlichen Macht so sehr überlegen, daß er nicht würde rathen können, den ungleichen Kampf zu wagen, selbst wenn sein Vater und sein Bruder in Gefahr sich befänden [17]). Die Ritter, welchen es möglich war, dem Angriffe der Türken auszuweichen, kehrten also auf unrühm-

Berath bey Reinaud a. a. O., wo dieses Ereigniß zwar kurz, jedoch übereinstimmend mit den abendländischen Nachrichten angedeutet wird.

15) Nach Hugo Plagon wurde auch Olivier von Termes erschlagen; gleichwohl erwähnt derselbe Schriftsteller (p. 746) der dritten Kreuzfahrt, welche jener Ritter im Jahre 1273 unternahm.

16) Bey Hugo Plagon (p. 744) Pierre Terrans (l. Ferrans) le fils le roi d'Aragon.

17) Die ausführlichste Nachricht über dieses Ereigniß nebst genauer Angabe der Zeit findet sich bey Hugo Plagon a. a. O., wo gemeldet wird, daß auch der Sultan Bibars mit Tausend Mann an diesem Kampfe Theil nahm. Diese Meldung scheint bestätigt zu werden durch die Angaben des Abulfeda (T. V. p. 24. 26), nach welchen Bibars am 1. Moharrem 668 (30. Aug. 1269) aus Kahirah nach Syrien sich begab, das Land schnell bis nach Hamah und Haleb durchzog und am 3. Safar (2. Sept.) nach Kahirah zurückkam, hierauf aber in demselben Jahre 668 von neuem nach Syrien sich begab, die Stadt Ptolemais beunruhigte (اغار على عكا), dann Damascus und Hamah besuchte, durch ein Heer die Burg der Assassinen Madjaf erobern ließ und, nachdem er am 27. Redscheb (22. März 1270) wieder in Damascus angekommen war, nach Kahirah zurückkehrte. Bey Marinus Sanutus (p. 223) findet sich die von Hugo Plagon mitgetheilte Nachricht ebenfalls, aber ungenau, unvollständig und in zwey gesonderte Meldungen zerrissen.

liche Weise nach Ptolemais zurück, und die aragonischen J. Chr. 1269. Pilger verließen nicht lange hernach das heilige Land.

In derselben Zeit, in welcher der König Jakob von Aragonien die Hoffnungen der Christen täuschte, mehrte sich nach und nach die Zahl derer, welche durch die Ermahnungen und Ermunterungen des Königs Ludwig von Frankreich bewogen wurden, dem Dienste des Heilandes sich zu weihen. Ludwig beschränkte seine Bemühungen für die Sache des heiligen Grabes nicht auf sein eigenes Reich, sondern er suchte auch in andern Ländern Theilnehmer seiner Kreuzfahrt zu gewinnen; den Prinzen Eduard, den Sohn des Königs Heinrich von England, einen Prinzen von großer Tapferkeit und Unerschrockenheit [18]), bewog er in einer Unterredung, wozu er ihn eingeladen hatte, der heiligen Unternehmung sich anzuschließen, und setzte ihn durch ein Darlehn von siebzig Tausend Livres Tournois, wofür die Gascogne der Krone Frankreich verpfändet wurde, in den Stand, die Kosten seiner Rüstungen zu bestreiten; worauf Eduard nach England zurückkehrte und zu Northampton im Jahre 1269 zugleich mit seinem Bruder Edmund, dem Grafen von Glocester und vielen andern englischen Baronen aus den Händen des päpstlichen Legaten Ottobonus das Zeichen des Kreuzes empfing [19]). Die Friesen, denen nach der Anordnung des

Zweyter Kreuzzug des Königs Ludwig IX.

18) Erat Edwardus revera vir grandis staturae, magnae probitatis et audaciae, fortis insuper supra modum; rex quoque Franciae se reputavit felicem, si talem comitem obtinere mereretur. Continuator Matthaei Paris ad a. 1269. p. 1005.

19) Nach dem Continuator Matthaei Paris l. c. betrug das Darlehn dreyßig Tausend Mark Silbers, und Eduard verpfändete dafür die Gascogne. Matthäus von Westminster (p. 899) setzt das Kreuzgelübde des Prinzen Eduard schon in das Jahr 1268 und fügt hinzu, daß Eduard für das Darlehn, welches ihm der König Ludwig gewährte, auch seinen jüngern Sohn Heinrich als Geisel nach Frankreich sandte; Ludwig gab jedoch dem jungen Prinzen die Freyheit. Die Unterredung des Königs Ludwig mit dem Prinzen Eduard fand im

J. Chr. 1269. Papstes das Kreuz damals gepredigt wurde, lud er ebenfalls ein, ihm sich anzuschließen [20]. Als nach vielen

August 1269 Statt. Vgl. Acta Sanctorum Bolland. August, T. V. p. 498. Der in französischer Sprache abgefaßte und zu Paris am Dienstage nach St. Bartholomäus (26. August 1269) abgeschlossene Vertrag über dieses Darlehn findet sich in Rymer Actis publ. T. I. P. 1. (London 1816 fol.) p. 481. Eduard verspricht, dieses Darlehn vom März 1273 an in jährlichen Raten von 10,000 Livres Tournois aus den Gefällen von Bordeaux zurückzuzahlen, verpfändet dafür eben jene Gefälle, so wie seine ganze in Frankreich befindliche fahrende Habe, und alles Land, welches er bis zur Zurückzahlung in Frankreich erwerben wird, und macht sich verbindlich, dem Könige von Frankreich während der Pilgerfahrt im Dienste des Herrn eben so gehorsam zu seyn als einer der französischen Barone. Auch sollen in diesem Darlehn begriffen seyn die 25,000 Livres Tournois, welche Gaston, Vizgraf von Bearn, für die Ausrüstung zur Pilgerfahrt vom Könige Ludwig erhalten hat, weil Gaston mit seinen Leuten in den Sold des Prinzen Eduard tritt. Außer diesem Vertrage sind von Rymer noch mehrere andere auf die Kreuzfahrt des Prinzen Eduard sich beziehende Urkunden mitgetheilt worden, nämlich 1) die Bestätigung des obigen Vertrags durch den König Heinrich III., Winchester am Dienstage vor Michaelis (24. Sept.) 1269, ebenfalls französisch (p. 481). 2) Der Schutzbrief des Königs Heinrich III. für seinen Sohn Eduard und alle Kreuzfahrer, welche denselben begleiten werden, Westminster 19. Okt. 1269 (p. 482. 483). 3) Der Schutzbrief desselben für den Ritter Johann von Tybetot, welcher den Prinzen Eduard auf der Kreuzfahrt begleiten wird, und 31 andere mit dem Kreuze bezeichnete englische Ritter, und den Geistlichen Stephan von London, Westminster 13. Jul. 1270 (p. 483). 4) Eine in französischer Sprache abgefaßte Urkunde, wodurch Eduard seine Söhne dem Schutze seines Oheims, des römischen Königs Richard, für die Dauer seiner Pilgerfahrt übergiebt, Winchester 2. August 1270 (p. 484). 5) Eine Urkunde, wodurch Heinrich III. seinem Sohne die Vollziehung seines Kreuzgelübdes überträgt (quia praelatis, magnatibus et communitati regni nostri non videtur expediens, quod nos ambo extra regnum istis temporibus ageremus) und demselben den Zwanzigsten, welcher ihm für seine eigene Kreuzfahrt war zugestanden worden, überläßt, Winchester 4. August 1270 (p. 485). 6) Ein Schreiben des Königs Heinrich III., Westminster 6 Febr. 1271, worin Eduard die Anweisung erhält, wegen der gefährlichen Krankheit seines Vaters, nicht allzuweit von England sich zu entfernen (p. 487). Außer diesen Urkunden noch sechs Verfügungen des Königs Karl von Sicilien, in welchen den sicilischen Behörden befohlen wird, dem Prinzen Eduard so wie dessen Gemahlin und den ihn begleitenden Kreuzfahrern eine willfährige Aufnahme zu gewähren, und ein Schutzbrief des Papstes Gregor X. für den Prinzen vom 21. Julius 1271 (p. 495).

20) S. oben die in der Anm. 80 des

Schwierigkeiten endlich eine so beträchtliche Zahl waffenfä- J. Chr. 1269. higer Männer durch das Kreuzgelübde zur Errettung des heiligen Landes sich verpflichtet hatte, daß Ludwig hoffen durfte, mit Erfolg die Saracenen bekämpfen zu können: so bestimmte er den Frühling des Jahrs 1270 als die Zeit der Vollziehung seiner zweyten Meerfahrt, und den Hafen von Aiguesmortes zum Sammelplatze [21]). Hierauf fand sich bey dem Könige auch der päpstliche Legat, Bischof Rudolph von Albano, ein, welcher schon von dem Papste Clemens dem Vierten war beauftragt worden, die Könige von Frankreich und Navarra auf ihrer Kreuzfahrt zu begleiten und im Lande jenseit des Meers im Namen des römischen Stuhls alle Anordnungen zu treffen, welche das Wohl des Landes und der Nutzen der Kirche erheischen würde; da Clemens aber gestorben war, bevor der Cardinal Rudolph nach Frankreich sich begab, so wurde die Vollmacht des Legaten von dem Collegium der Cardinäle erneuert und bestätigt [22]).

Nachdem Ludwig, wie vor seinem Auszuge zu seiner J. Chr. 1270. ersten Kreuzfahrt, die heilige Oriflamme von dem Altare der Kirche zu St. Denys genommen, daselbst den Pilgerstab und die Pilgertasche aus den Händen des Abtes erhalten, dem Gebete der Mönche des Klosters demüthig sich und seine Söhne empfohlen, sein Reich dem Schutze des heiligen Märtyrers Dionysius übergeben und den Segen des heiligen Kreuznagels und der Krone empfangen hatte [23]): so trat er unverzüglich im Frühlinge des Jahrs 1270 seine Pilger- April fahrt an [24]), nahm zu Vincennes von seiner Gemahlin

15. Kap. S. 501. 502 aus der Chronik des Abtes Menko mitgetheilte Stelle.

21) Guil. de Nang. (bey Duchesne T. V.) p. 384. Gaufrid. de Bello loco (ibid.) p. 461.

22) Rainaldi annal. eccles. ad a. 1269. §. 7.

23) Sancti clavi et coronae benedictione percepta. Guil. de Nang. l. c.

24) Zu Clugny feyerte Ludwig das

J. Chr. 1270. Margaretha Abschied und begab sich über Clugny, Lyon, Beaucaire und Vienne nach Aiguesmortes [25]).

Als Ludwig dort anlangte, so waren zwar nur wenige Kreuzfahrer daselbst versammelt; es kamen aber ihrer aus Frankreich sowohl als aus Catalonien bald so viele, daß sie in der Stadt Aiguesmortes nicht hinlängliche Herbergen fanden und deshalb in den benachbarten Städten und Ortschaften ihr Unterkommen suchen mußten [26]). Dagegen sah Ludwig die Hoffnung, daß die von ihm für die Ueberfahrt des Heers bedungenen Schiffe zur bestimmten Zeit eintreffen würden, getäuscht [27]). Mit viel größerer Schwierigkeit als für seine erste Meerfahrt hatte Ludwig für seinen zweyten Kreuzzug so viele Schiffe sich verschafft, als sein zahlreiches Heer und die beträchtlichen Vorräthe von Lebensmitteln und Kriegsgeräthschaften, mit welchen er sich versehen hatte, erforderten; denn weder die Genueser noch die Venetianer waren theils wegen der noch fortdauernden gegenseitigen Feindseligkeit dieser beyden Republiken, theils aus andern Gründen bereitwillig gewesen, ihm Schiffe zu liefern. Die Venetianer hatten sich damit entschuldigt, daß sie die Wegnahme ihrer Waarenvorräthe und Besitzungen, welche zu Alexandrien sich befänden, von Seiten des Sultans von Aegypten zu fürchten hätten [28]). Die Genueser erwiederten zwar im

Osterfest (13. April 1270): er berührte außerdem auf dieser Reise die Städte Meaux, Sens, Auxerre, Macon. Vgl. Acta Sanct. l. c. p. 606 (§. 1068).

25) Guil. de Nang. l. c.

26) Guil. de Nang. l. c.

27) Gaufrid. de Bello loco l. c.

28) Scire vos volumus, schrieb Clemens IV. (Viterbo am 17. Septemb. 1268) an die genuesischen Bürger Lanfrankinus Malsza und Lucettus, quod Veneti nuntiis filii carissimi illustris Francorum regis dederunt responsum, quod cum eis nullam poterant conventionem facere, timentes ne Soldanus Babyloniae quicquid habebant in Alexandria occuparet. Unde consulimus et mandamus, quod cunctis ad eumdem Regem nuntios destinari, ut vobiscum passagium suum faciat et exponatis vos ei tam liberaliter,

Jahre 1269 eine Gesandtschaft des Königs Ludwig durch die Sendung von Bevollmächtigten nach Frankreich; da die Gewalthaber von Genua aber gleichzeitig geheime Unterhandlungen pflogen mit Abgeordneten des Sultans Bibars, der Tataren und des Kaisers Michael Paläologus von Constantinopel, welche geraume Zeit in ihrer Stadt verweilten, so kamen sie keinesweges durch gemäßigte und billige Forderungen den Wünschen des Königs Ludwig entgegen [29]. Doch ließen sie späterhin sich bewegen, den Anträgen des Königs zu willfahren, und lieferten ihm eine beträchtliche Zahl von Schiffen, deren Mannschaft mehr als zehn Tausend an der Zahl betrug, und so viele andere Seeleute, als erforderlich waren, um den Dienst auf den Galeen, welche der König ausgerüstet hatte, zu versehen [30]; und weil die Genueser, welche an dieser Kreuzfahrt Theil nahmen, so zahlreich waren, so wählten sie für die Dauer dieser Unternehmung zwey Edelmänner aus ihrer Mitte zu Consuln [31]. Diese genuesischen Schiffe und Seeleute kamen aber um zwey Monate später, als Ludwig erwartet hatte, nach Aiguesmortes. J. Chr. 1270.

quod vestrum obsequium debeat acceptare. Edm. Martene et Urs. Durand Thes. anecd. T. II. p. 628. 629. Duchesne hat zwar (T. V. p. 435 – 437) einen sogenannten contractum navigii domini Regis cum Venetis factus anno 1268 abdrucken lassen; diese Urkunde enthält aber nur Vorschläge, welche Marcus Quirini als Bevollmächtigter des Dogen von Venedig dem Könige wegen der Ueberlassung von funfzehn Schiffen auf Ein Jahr machte, und keinesweges einen von beyden Seiten genehmigten Vertrag.

29) Annales Genuenses ad a. 1269 in Muratori Script. rer. Ital. T. VI. p. 546.

30) Erant autem in ipso exercitu (Regis Franciae) Januenses numero decem millia excedentes, qui naves et ligna de duobus copertis habebant et alia in magna quantitate ligna navigabilia et parata ad pugnam; Januensibus etiam armatae erant Regis galeae. Annal. Genuens. ad a. 1270 bey Muratori a. a. O. p. 549. Nautae (Regis), sagt Wilhelm von Nangis (p. 386), fere omnes exstiterunt Januenses.

31) Annal. Genuens. a. a. O. p. 549. 550.

J. Chr. 1270. Die Unthätigkeit, in welcher die Pilger, die in den umliegenden Städten und Dörfern zerstreut und der Aufsicht ihrer Anführer entzogen waren, die Ankunft der Schiffe erwarteten, hatte auch dieses Mal wiederum ärgerliche Streitigkeiten zur Folge; und die Pilger aus Catalonien und der Provence geriethen sogar mit den Franzosen in einen so heftigen Streit, daß beyde Parteyen zu den Waffen griffen, und die Franzosen, welche den Sieg davon trugen und ihre Gegner zur Flucht nach den Schiffen, die an der Küste sich befanden, nöthigten, die Flüchtlinge, so viele derselben sie erreichen konnten, selbst noch in den Wellen des Meers und auf den Schiffen erwürgten.
8. Jun. Ludwig, welcher das Pfingstfest zu St. Gilles, während jener grausame Unfug verübt wurde, gefeyert hatte, eilte sofort, als er die Kunde davon erhielt, herbey und endigte den Streit durch die strenge Bestrafung der Rädelsführer, welche durch den Tod am Galgen den begangenen Frevel büßten[32].

1. Jul. Am Dienstage nach dem Feste Peter und Paul [33], nachdem bey dem Aufgange der Sonne von den Prälaten und übrigen Geistlichen feyerliche Messen waren gesungen worden, begaben sich der König und sämmtliche übrige Pilger auf die für jeden bestimmten Schiffe; der König Ludwig befand sich mit seinem Sohne Peter auf Einem Schiffe, Philipp, der erstgeborene Sohn des Königs, fuhr mit seiner Gemahlin auf einer andern Galee, und eben so hatten der Graf von Nevers und auch der Graf von Artois für sich und seine Gemahlin eigene Fahrzeuge. Diese vier Schiffe

32) Guil. de Nang. p. 384.

33) Die Martis post festum Apostolorum Petri et Pauli. Guil. de Nang. p. 385. Wilhelm von Nangis setzt übrigens im Widerspruche mit allen andern beglaubigten Nachrichten den zweyten Kreuzzug des Königs Ludwig IX. in das Jahr 1269. Vgl. Epist. S. Ludovici ad Matthaeum Abbatem (S. Dionysii) in D'Achery Spicileg. T. III. p. 664.

gingen in der Frühe des folgenden Tages unter Segel und J. Chr. 1270. 2. Jul.
gelangten am folgenden Freytage in den Meerbusen des 3. Jul.
Löwen[34]), welchen sie nicht ohne Besorgnisse und Gefahr wegen der stürmischen Beschaffenheit dieses Meers durchschifften; sie gelangten hierauf in ein ruhiges Meer, in welchem ihre Fahrt bis zum Abende des Sonntags durch 5. Jul.
kein Mißgeschick gestört wurde. Um Mitternacht aber erhob sich ein heftiger Sturm, welcher die Pilger sowohl als die Schiffer in große Angst brachte; und als die Heftigkeit des Sturms am Morgen des folgenden Montags 6. Jul.
nicht sich beruhigt hätte, so ließ der König vier Messen[35]) feyern, um die Hülfe Gottes zu erbitten. Um die dritte Tagesstunde legte sich zwar der Sturm; die Pilger wurden aber bald durch andere Besorgnisse gequält; denn nicht nur gebrach es ihnen an frischem Wasser, sondern sie faßten auch den Argwohn, daß ihre genuesischen Schiffer absichtlich einen falschen Weg eingeschlagen hätten, weil die Sage ging, daß eine königliche Galee während des letzten Sturms nach der Küste der Barbarey wäre gelenkt worden, und weil nach der Meinung der Pilger der sardinische Hafen Cagliari, das erste Ziel ihrer Fahrt, nicht so entfernt war, daß derselbe bey der bisherigen Richtung des Windes nicht längst hätte erreicht werden können. Die Schiffer rechtfertigten sich jedoch gegen diesen Argwohn, indem sie dem Könige auf einer Weltcharte[36]) die Lage von Cagliari zeigten; gleichwohl entsagten viele Pilger und selbst der Prinz Philipp erst dann ihrem Argwohn, als am andern Morgen, 7. Jul.

34) Mare Leonis (jetzt Golfe du Lion), quod ideo, setzt Wilhelm von Nangis (p. 385) hinzu, sic nuncupatur, quod semper est asperum, fluctuosum et crudele.

35) De beata Maria, de angelis, de spiritu sancto, et quarta pro animabus fidelium defunctorum. Guil. de Nang. l. c.

36) Allata mappa mundi. Guil. de Nang. l. c.

J. Chr. 1270. nachdem die Schiffer im Einverständnisse mit dem Könige Ludwig, um Klippen und Untiefen zu vermeiden, während der Nacht auf dem hohen Meere und so fern als möglich von der Gegend, wo sie Land vermutheten, sich gehalten hatten, die sardinische Küste, zwar noch in weiter Entfernung, sichtbar wurde.

Die Wahl des Hafens von Cagliari zum Sammelplatze der Pilgerflotte war keinesweges glücklich, und Ludwig hatte, als er den nachfolgenden Pilgerschiffen die Weisung gab, daselbst mit ihm sich zu vereinigen, nicht bedacht, daß die Pisaner, welche damals Sardinien beherrschten, nicht geneigt seyn würden, den Schiffen der Genueser, ihrer Widersacher, eine gastfreundliche Aufnahme zu gewähren. Nur mit vieler Mühe gelangten die Pilgerschiffe an die sardinische Küste, weil der heftige Wind, welcher sich erhob, ihnen entgegen war; aus einer an der Küste liegenden Abtey, zu welcher die Boote gelangen konnten, wurden die Pilger zwar mit frischem Wasser und grünen Kräutern erquickt; der pisanische Burgvogt von Cagliari aber überließ nur mit Unwillen dem Könige für Geld Wasser, grüne Kräuter und einige Brote, und die Einwohner der Stadt flohen mit ihren Habseligkeiten in entfernte Gegenden der Insel, weil sie einen feindlichen Ueberfall von Seiten der Pilger befürchteten. Als Ludwig um die Aufnahme der kranken Pilger in die Burg von Cagliari nachsuchte, so lehnte der Burgvogt dieses Ansuchen ab, indem er den Kranken nur die Aufnahme in die untere Stadt, welche aus schlechten Erdhütten bestand, gewähren wollte. Selbst in dem Einkaufe der Lebensmittel fanden die Pilger Schwierigkeiten, weil die Einwohner der Stadt Cagliari und des umliegenden Landes sowohl ihr Vieh als ihre Früchte verborgen hatten und, was sie hergaben, nur für übertriebene Preise und mit jeder möglichen Uebervortheilung der Pilger verkauften [37]). Diese Schwierigkeiten wurden zwar zum Theil beseitigt, und nach einer ernsthaften Erklärung, welche der französische Kammerherr Peter und zwey Marschälle im Namen des Königs Ludwig dem Burgvogt von Cagliari überbrachten [38]), wurden nicht nur die kranken Pilger in die bequemen Häuser der Burg aufgenommen, und die Lebensmittel, vornehmlich Brod und Wein, für etwas billigere Preise geliefert, sondern der Burgvogt erklärte sich auch bereitwillig, dem Könige oder den französischen Baronen seine Burg zu öffnen, unter der Bedingung, daß sie nur mit geringer Begleitung kämen und die Burg gegen die genuesischen Schiffer beschützten; gleichwohl blieben noch immer Veranlassungen zu Beschwerden, dergestalt, daß dem Könige Ludwig gerathen wurde, mit Gewalt der Waffen die Einwohner von Cagliari zur Ordnung zu bringen; Ludwig aber konnte sich nicht entschließen, die Waffen, mit welchen er die Ungläubigen zu bekämpfen gelobt hatte, gegen Christen zu kehren. Weder der König Ludwig noch seine Barone verließen ihre Schiffe, und keiner von ihnen betrat die Stadt oder Burg von Cagliari [39]). J. Chr. 1270.

37) Ein Huhn kostete z. B. zwey Sous Tournois, da es vor der Ankunft der Pilger nur vier genuesische Deniers gekostet hatte; außerdem wurden die Pilger noch dadurch übervortheilt, daß die Einwohner von Cagliari den Sou Tournois (solidus Turonensis) nicht höher annahmen als den genuesischen Soldo, da sonst zwölf Sous Tournois so viel galten als achtzehn genuesische Soldi: durch spätere Unterhandlungen wurde festgesetzt, daß zwölf Sous Tournois genommen werden sollten für vierzehn genuesische Soldi. Guil. de Nang. p. 386.

38) Die Jovis sequenti (10. Jul.) misit (Rex) dominum Petrum Cambellanum et duos Marescallos ad ostendendum eis, quod erga Regem et suos curialius se haberent. Guil. de Nang. l. c.

39) In den chronologischen Angaben des Wilhelm von Nangis (p. 385. 386) über die Fahrt des Königs Ludwig nach Cagliari findet sich eine offenbare Unrichtigkeit. Nach seiner Angabe erhob sich nach der ruhigen

J. Chr. 1270. 11. Jul. Der König Ludwig hatte noch nicht länger als drey Tage vor dem Hafen von Cagliari verweilt, als am nächstfolgenden Freytage die Pilgerschiffe, welche später aus den Häfen von Aiguesmortes und Marseille abgefahren waren, anlangten, und mit ihnen der König von Navarra, der päpstliche Legat Cardinal Rudolph, die Grafen von Poitiers und Flandern, so wie Johann der erstgeborene Sohn des Grafen von Bretagne und viele andere treffliche Pilger eintrafen; 12. 13. Julius und sogleich an den beyden folgenden Tagen versammelte Ludwig sämmtliche mit dem Kreuze bezeichnete Barone zu Berathungen, in welchen beschlossen wurde, die Fahrt nicht unmittelbar nach Aegypten oder Syrien fortzusetzen, sondern zuvor die Stadt Tunis in Afrika zu erobern [40]).

Dieser Beschluß des Königs Ludwig erregte so großes

Fahrt am Sonnabende und Sonntage (4. 5. Jul.) in der folgenden Nacht ein Sturm, welcher um die dritte Stunde des folgenden Montags (6. Jul.) sich legte; die folgende Nacht hielten sich die Schiffer auf der hohen See, erblickten in der Frühe des folgenden Tages (also des Dienstags, 7. Jul.) die Küste von Sardinien und näherten sich gegen Abend dieser Küste bis auf zehn Meilen. Hierauf bezeichnet Wilhelm von Nangis den folgenden Tag (8 Jul.), an welchem die Schiffe bis auf zwey Meilen dem Lande nahe kamen, als den Dienstag (dies Martis), und die beyden nachfolgenden Tage, an welchen Unterhandlungen mit dem Burgvogt von Cagliari Statt fanden, als den Mittwoch und Donnerstag. Nach dem Briefe, welcher von dem Priester Peter von Condet aus dem Lager bey Carthago am Sonntage nach Jakobi (27. Jul. 1270) an einen Prior von Argenteuil geschrieben wurde und von Wilhelm von Nangis benutzt worden ist (D'Achery Spicileg T. III. p. 664—666), kam Ludwig am Dienstage (7. Jul.) vor dem Hafen von Cagliari an und begann noch an demselben Tage die Unterhandlungen mit dem Burgvogt, welche am folgenden Mittwoch fortgesetzt wurden. Der am Donnerstage gepflogenen Unterhandlungen erwähnt Petrus von Condet nicht. Wenn die vorhergehenden Angaben des Wilhelm von Nangis richtig sind, so kann Ludwig nicht früher als am Mittwoch (9. Jul.) vor Cagliari angekommen seyn, und die Unterhandlungen können nur an diesem und dem folgenden Tage Statt gefunden haben.

40) Petri de Condeto epistola p. 665. Guil. de Nang. p. 387. Gaufrid. de Bello loco p. 461.

und allgemeines Befremden, daß die gleichzeitigen Lebensbe- J. Chr. 1270.
schreiber des frommen Königs[41]) es für nothwendig achten, denselben ausführlich zu rechtfertigen, indem sie berichten, daß einerseits Ludwig, nachdem er schon mehrere Male Gesandtschaften mit dem Könige von Tunis[42]) gewechselt, die Ueberzeugung von der Hinneigung desselben zum Christenthume gewonnen und daher die Hoffnung gehegt hätte, dieser saracenische König würde, sobald eine zwingende Veranlassung einträte, mit seinem Volke sich taufen lassen; andererseits aber der König Ludwig sowohl als seine Barone erwogen hätten, wie nicht nur dem Sultan von Aegypten der Verlust dieser Stadt, welche ihm beträchtlichen Beystand an Kriegern, Pferden und Waffen leiste, höchst empfindlich seyn, sondern auch den Christen die Eroberung derselben sehr große Hülfsmittel zur weitern Bekämpfung der Ungläubigen darbieten würde, weil Tunis seit langen Zeiten von Niemanden erobert, durch Handel blühend und daher eine an Gold, Silber und allen andern Schätzen sehr reiche Stadt war. Indem jene Lebensbeschreiber diese Gründe als die Hauptgründe bezeichnen, bemerken sie jedoch, daß Ludwig

41) Gaufrid. de Bello loco p. 462, und die Bemerkungen dieses Schriftstellers sind auch von Wilhelm von Nangis (a. a. O.) aufgenommen worden.

42) Abu Abdallah Mohammed Mostansir Billah aus der im Jahre 1206 durch Abu Mohammed Abdallah, den Sohn des Abu Hafs, gegründeten Dynastie. Die Vorfahren des Abu Abdallah Mohammed waren den Almohaden, Beherrschern von Afrika und Spanien, zinsbare Fürsten; erst Abu Sakaria, sein Vater, hatte sich unabhängig gemacht und nicht nur seine Herrschaft über Tremesen, Sedschelmessa und Ceuta ausgedehnt, sondern auch in Sevilla, Xativa, Malaga und Granada wurde er als Herrscher anerkannt. Abu Abdallah war seinem Vater, welcher 23 Jahre regiert hatte, auf dem Throne in demselben Jahre nachgefolgt, in welchem Ludwig der Heilige in Aegypten landete und der Stadt Damiette sich bemächtigte. Vgl. De Guignes histoire des Huns, Livre VI. ch. XXX. Silvestre de Sacy, memoire sur le traité fait entre Philippe-le-Hardi et le roi de Tunis, im Journal asiatique T. VII. (1825. 8.) p. 139. Reinaud Extraits p. 520.

J. Chr. 1270. auch noch durch andere Rücksichten bewogen worden sey, den König von Tunis zu bekriegen. Nach andern gleichzeitigen Nachrichten soll der König Karl von Sicilien seinen Bruder zu diesem Entschlusse bestimmt haben, indem er hoffte, mit dem Beystande der Pilger den saracenischen König von Tunis zur Bezahlung des Tributs zu nöthigen, welcher früherhin der Krone von Sicilien von den Saracenen zu Tunis für die Sicherheit ihres Handels und ihrer Schifffahrt in dem sicilischen Meere war entrichtet worden und seit drey Jahren nicht mehr bezahlt wurde [43]). Nach der Erzählung eines ebenfalls gleichzeitigen arabischen Schriftstellers [44]) entschloß sich Ludwig zum Kriege gegen Tunis

43) Sabae Malaspinae historia Lib. V. (in Muratori Script. rer. Ital. T. VIII.) p. 859. 860. Auch Guiart (hinter der Ducang'schen Ausg. von Joinville, p. 158) bezeichnet die Weigerung des Königs von Tunis, dem Könige von Sicilien den schuldigen Tribut zu bezahlen, als einen der Gründe, welche den König Ludwig zum Kriege gegen Tunis bewogen. Reinaud (Extraits p. 518) bemerkt: Charles (roi de Naples et Sicile) fut celui, qui contribua le plus à faire tourner les efforts des armes du roi de France contre le roi de Tunis; depuis long-temps les rois de Tunis etoient dans l'usage de payer un tribut annuel à la Sicile; et comme depuis cinq ans le roi actuel s'en etoit affranchi, Charles étoit impatient de rendre au trône qu'il occupoit son ancien éclat. Es wird aber nicht angegeben, ob diese Nachricht aus einem morgenländischen Schriftsteller genommen ist. Der Abt Menko von Warum (Matthaei veteris aevi analecta T. II. p. 174) giebt ohne Zweifel nach der Erzählung friesischer Pilger die Gründe an, durch welche der König Karl von Sicilien seinen Bruder zum Kriege gegen Tunis bestimmte: Medio tempore (als der Beschluß wegen der Meerfahrt nach dem heiligen Lande noch nicht geändert war) recepit Rex Franciae litteras a Domino Carolo Rege, fratre suo, quod Soldanus Babyloniae misisset exercitum suum in Africam versus Tunisium, qui cum Africanis eum in itinere impugnaret, et quod illo exercitu apud Tunisium expugnato faciliter Aegyptum intraret et Babyloniae Regem expugnaret, quod etiam equestri agmine de Africa posset intra quatuor dies ad Aegyptum pervenire.

44) Dschemaleddin bey Reinaud a. a. O. Nach Marinus Sanutus (p. 223) richtete Ludwig deswegen seinen Kreuzzug gegen Tunis, quia Rex Tunitii magnum damnum transfretantibus inferebat Christianis.

deshalb, weil er es nicht wagte, den Krieg wider Aegypten J. Chr. 1270.
noch einmal in der von ihm früher versuchten Weise zu führen und neuen Unglücksfällen sich auszusetzen, dagegen aber hoffte, sein Ziel sicher zu erreichen, wenn er nach der Eroberung von Tunis von dort aus zu Wasser und zu Lande Aegypten angriffe. Wie es sich auch mit den Gründen, durch welche Ludwig zum Kriege gegen Tunis bewogen wurde, verhalten haben mag, so ist es sehr wahrscheinlich, daß der König diesen Entschluß schon gefaßt hatte, bevor er Frankreich verließ, und daß der Wahl des Hafens von Cagliari, welcher der Küste von Tunis gegenüberliegt, zum Vereinigungsplatze der Flotte dieser damals noch geheim gehaltene Plan zum Grunde lag [45]).

Sobald als der König Ludwig und seine Barone sich zu dem Beschlusse, den König von Tunis zu bekriegen, vereinigt hatten, so wurden Anstalten zur Abfahrt der Pilgerflotte getroffen; und der Burgvogt von Cagliari, als er diese Anstalten bemerkte, ließ den König von Frankreich um die

45) Bekanntlich versammelte auch der Kaiser Karl V. im Jahre 1535 zu Cagliari die Macht, mit welcher er Tunis angriff. S. Antonii Ponti Consentini Hariadenus Barbarossa in Matthaei analectis medii aevi T. I. p. 8 sq. Jo. Etropii Diarium expeditionis Tunetanae in Sim. Schardii Script. rer. Germ. T. II. p. 323. Nach den arabischen Nachrichten scheint sowohl der König von Tunis als der Sultan Bibars schon vor der Abfahrt des Königs Ludwig aus dem Hafen von Aiguesmortes die Kunde erhalten zu haben, daß die Rüstungen der französischen Kreuzfahrer, welchen die Könige von Aragonien, England und Schottland ihren Beystand zugesagt hatten, gegen Tunis gerichtet waren; und Makrisi erzählt, daß der König von Tunis durch einen Abgeordneten um Frieden bat und dem Könige Ludwig ein Geschenk von 80,000 Goldstücken übersandte, Ludwig dieses Geschenk zwar annahm, seine Rüstungen aber nichtsdestoweniger fortsetzte. Auch der Sultan Bibars traf, sobald er jene Nachricht erhielt, Anstalten, den König von Tunis zu unterstützen. Reinaud Extraits p. 518. 519. Nach Peter von Condet (epist. p. 665) multi de montibus (als die Pilgerflotte in dem Meerbusen von Tunis ankam) stupentes fugiebant, et creditur quod adventum nostrum penitus ignorabant.

J. Chr. 1270. Erlaubniß nachsuchen, ihm ein Geschenk von zwanzig Fässern des besten griechischen Weins zu überreichen. Ludwig aber nahm dieses Geschenk nicht an und ließ weder den Burgvogt noch die übrigen Abgeordneten der Einwohner von Cagliari, welche ihm dieses Geschenk überbringen sollten, vor sich, sondern empfahl ihnen nur die kranken Pilger, welche zurückblieben, zu gastfreundlicher Behandlung [46].

15. Jul. Am Dienstage vor dem Feste des heiligen Arnulphus ging die Pilgerflotte unter Segel und langte am nächstfol-
17. Jul. genden Donnerstage um die neunte Stunde in dem Meerbusen von Tunis an; worauf Ludwig sogleich seinen Admiral Florent de Varennes aussandte, um über die Befestigungen des Hafens und die Schiffe, welche am Eingange desselben gesehen wurden, Erkundigung einzuziehen. Der Admiral aber überschritt seinen Auftrag, nahm zwey der vor dem Hafen liegenden Schiffe, welche nicht bemannt waren, in Besitz und verschonte nur diejenigen Fahrzeuge, welche er als Handelsschiffe erkannte, ging dann mit seinen Leuten auf der Erdzunge, durch welche ein schmaler Eingang in den See von Tunis führt [47]), an das Land, machte sich dadurch zum Herrn des Hafens und ließ den König, indem er ihm

46) Guil. de Nang. p. 387. 388. Zu Cagliari blieben als krank Philipp, Bruder des Grafen von Vendome, der Kapellan Johann von Corbeuil und mehr als hundert andere Pilger, für deren Pflege der König zwey Beamte (Guilelmum Britonem Ostiarium et Joannem de Aubergenvilla Portarium) zurückließ. Petri de Condeto epistola p. 664. 665.

47) Der See von Tunis, genannt le Booal, hat in einer länglichen Gestalt einen Umfang von ungefähr zwanzig englischen Meilen. Der gegenwärtige Hafen von Tunis befindet sich an der Golette, welche zur rechten Seite des Eingangs in den See liegt. Thomas Macgill account of Tunis (London 1816. 8) p. 58 — 61. Die Entfernung der Stadt Tunis von dem eben erwähnten See (Bohera d. i. Bahr, das Meer) beträgt nach Eiropii Diarium (p. 6) 12,000 Schritte. Peter von Condet (d'Achery Spicileg. T. III. p. 667) bezeichnet diesen See als quoddam stagnaculum quod protenditur usque prope Tunicium. Vgl. die beyliegende Karte der Gegend von Tunis.

meldete, was geschehen war, um Unterstützung bitten. Lud- J. Chr. 1270
wig, welcher sehr ungehalten war über das eigenmächtige
Verfahren des Admirals, befragte durch seinen Kammerherrn
die Barone um ihre Meinung, und nach langem Streite,
indem einige der Meinung waren, daß man dem Admiral,
um ihm die Behauptung des eingenommenen Postens möglich zu machen, Verstärkung senden, andere, daß man ihn
zurückrufen müsse, wurde endlich entschieden, daß Peter von
Evreux [48]) und der Meister der Bogenschützen zu dem Admiral sich begeben und nach dem Befunde der Umstände ihn entweder durch eine hinlängliche Zahl von Serjanten verstärken
oder zu der Flotte zurückbringen sollten. Als sie hierauf mit
dem Admiral zurückkehrten, so erhob sich ein heftiges Ge-
murre unter den geringen Pilgern, welche es mißbilligten,
daß ein bereits errungener Vortheil ohne einen andern Grund,
als weil der Admiral nicht nach dem Willen des Königs
verfahren war, aufgegeben wurde; und die Unzufriedenheit
dieser Pilger wurde noch gesteigert, als sie in der Frühe des 18. Jul.
andern Tages [49]), an welchem Ludwig mit seinem ganzen
Heere zu landen beschlossen hatte, bemerkten, daß die Gegend
am Hafen mit einer großen Zahl saracenischer Krieger zu
Pferde und zu Fuß sich füllte, und daher fürchteten, daß
nunmehr die Landung sehr schwierig und gefahrvoll seyn
würde. Diese Besorgniß ging jedoch nicht in Erfüllung;
denn als die Pilgerflotte sich näherte, und das königliche

48) Frater Petrus Ebroicensis bey Peter von Condet, Philippus de Eglis bey Wilhelm von Nangis. Sehr heftig tadelte nach Peter von Condet das Verfahren des Admirals der Ritter Reginald von Precigny (de Priscenniaco), qui dixit: Domine, si vultis quod quilibet faciat de se melius quod poterit, non restat nisi quilibet descendat et capiat terram ubi voluerit.

49) Erat autem dies Veneris in festo S. Arnulphi quando Franci ad occupandum portum de navibus exierunt. Guil. de Nang. p. 838. Vgl. Epistola S. Ludovici ad Matthaeum Abb. in d'Achery Spicil. T. III. p. 664.

J. Chr. 1270. Schiff zuerst das Ufer erreichte, so zogen die Saracenen sich zurück, und der König und seine Ritter gingen, ohne Widerstand zu finden, auf derselben Erdzunge, welche Tags zuvor der Admiral schon besetzt hatte, an das Land [50]).

Nachdem die Landung vollbracht war, so verkündigte der Kapellan des Königs Ludwig, Meister Peter von Condet, welcher mehrere Berichte über diese Kreuzfahrt uns überliefert hat, im Namen des Herrn Jesu Christi und seines Dieners, des Königs von Frankreich, mit den von dem frommen Könige selbst angegebenen Worten des Bannes, dem Heere die ferneren königlichen Befehle [51]).

Der König Ludwig ließ hierauf seine Zelte auf dieser schmalen Erdzunge, welche bey einer Länge von einer starken Stunde nur drey Bogenschüsse breit ist, errichten und
19. Jul. an diesem und den folgenden Tagen die Pferde und das Kriegsgeräth an das Land schaffen. Während durch diese Arbeit ein großer Theil des Heers beschäftigt war, zogen einige französische Pilger am folgenden Tage nach der Landung auf Abenteuer aus, kämpften wider die Saracenen, welche bey einem Thurme im Hinterhalte lauerten, und bemächtigten sich dieses Thurms; sie wurden aber bald von

50) Ita ordinati, sagt Petrus de Condeto (p. 665). quod creditur quia si essent centum probi viri contra eos, numquam vel valde difficile cepissent terram eo modo quo ceperunt.

51) Aprés com el tens du secont passage li benojez Roi fust descendus à terre és parties de Thunes et vosist fére le ban crier, il commanda à l'enneur de Dieu de sa propre bouche et dist à mestre Pierre de Condé que il escrisist (escriast) einsi: Je vous di le ban de Nostre-Seigneur Jhesu-Crist et de son sergant Loys roi de France et les autres choses que l'en (l'on) doit crier en ban; en laquelle chose le pueple qui ce oy (entendit) cueilli et entendi la grant foy du benoiez saint Loys, en ce que il noma Jhesu-Crist, afermant que le ban que l'en devoit crier estoit de Nostre Seigneur Jhesu-Crist. Vie de St. Louis par le confesseur de la Reine Marguerite (hinter Joinville, Paris 1761 fol.) p. 306.

einer überlegenen Zahl von Saracenen angegriffen und in J. Chr. 1270.
jenen Thurm eingeschlossen, so daß Ludwig genöthigt war, ihnen die Marschälle des Heers so wie den Meister der Armbrustschützen mit einer Schar von Schützen zu Hülfe zu senden [52]; viele Ritter würden diesen Schützen sich angeschlossen haben, hätten nicht ihre Pferde großentheils noch auf den Schiffen sich befunden, und wären nicht diejenigen Rosse, welche bereits waren ausgeschifft worden, in Folge der heftigen Bewegung des Meers noch außer Stande gewesen, auf den Beinen sich zu erhalten. Die Armbrustschützen vertrieben indeß die Saracenen und führten die Pilger aus dem Thurme, in welchem sie waren eingeschlossen worden, zurück in das königliche Lager.

Die Erdzunge, auf welcher Ludwig sein Lager errichtet hatte, war nicht für den längern Aufenthalt eines zahlreichen Heers [53]) geeignet, weil es an süßem Wasser fehlte; die Knechte [54]) entdeckten zwar an der Spitze dieser Erdzunge trinkbares Wasser, es war aber von dem Lagerplatze entlegen, und die Saracenen lauerten daselbst im Hinterhalte und erschlugen mehrere der Knechte, welche Wasser schöpften. Deshalb hielt Ludwig an dem ersten Sonntage 19. Jul.
nach seiner Landung eine Berathung, in welcher beschlossen

52) Misit (Rex) dominpm Lancelot, Radulphum de Trap et plures alios. Petr. de Condeto p. 665. Wilhelm von Nangis, welcher im übrigen seine Erzählung von diesem Ereignisse aus dem Briefe des Peter von Condet entnommen hat (p. 388): nisi Rex Franciae ad eorum liberationem Marescallos exercitus et Magistrum balistariorum cum quibusdam balistariis transmisisset.

53) Wir finden bey keinem andern abendländischen Schriftsteller eine Angabe der Zahl des Heers, mit welchem Ludwig bey Tunis landete, außer bey Villani (Historie Fiorentine L. VII. cap. 37 in Muratori Script. rer. Ital. T. XIII. p. 258), nach welchem sich 200,000 streitbare Männer aus verschiedenen Ländern, darunter 15,000 zu Pferde, um den König Ludwig versammelt hatten; nach Makrisi (bey Reinaud p. 519) zählte das französische Heer sechs Tausend zu Pferde und dreyßig Tausend zu Fuß.

54) Garciones. Wilh. de Nang. l. c.

3. Chr. 1270. wurde, am folgenden Tage, sobald die Ausschiffung der Pferde und des Heergeräths vollbracht seyn würde, gegen das Schloß von Carthago vorzurücken. Diese Bewegung
20. Jul. wurde am folgenden Tage[55]) ausgeführt, und auf dem Wege der vorhin erwähnte Thurm eingenommen, welcher während der ganzen Dauer des Kriegs behauptet wurde. Hierauf lagerte sich das Pilgerheer unterhalb Carthago in einem Thale, welches ungefähr eine Stunde von dem Orte der Landung entfernt war und in einer großen Zahl von Brunnen einen Ueberfluß an trinkbarem Wasser darbot[56]).

Der König von Tunis befand sich nach dem Zeugnisse der morgenländischen Schriftsteller zu der Zeit, als er von den Kreuzfahrern angegriffen wurde, nicht in einer solchen Lage, daß er einen sehr kräftigen Widerstand leisten konnte; vielmehr herrschte in Tunis Hungersnoth und Elend[57]). Ludwig würde daher vielleicht ohne große Schwierigkeit diese Stadt in seine Gewalt gebracht haben, wenn er seine Unternehmungen beschleunigt hätte. So wie er aber auf seiner ägyptischen Heerfahrt zu unrechter Zeit gezögert und günstige Verhältnisse unbenutzt gelassen hatte, eben so nahm er auch in dem Kriege gegen Tunis nicht die Zeit wahr, in welcher es möglich gewesen wäre, einem nachdrücklichen Widerstande zuvorzukommen; und da er seinen Bruder, den König von Sicilien, von dem Beschlusse, welcher an der sardinischen Küste war gefaßt worden, unterrichtet und zur Theilnahme an dem Kriege gegen Tunis eingeladen hatte[58]), so war es seine Absicht, vor der Ankunft seines Bruders in keine entscheidende Unternehmung sich einzulassen[59]). Mitt-

55) Die Lunae sequenti scilicet in vigilia b. Magdalenae. Petr. de Condeto l. c.

56) Petr. de Condeto l. c.

57) Makrisi bey Reinaud p. 518.

58) Petri de Condeto epist. p. 665.

59) Petr. de Condeto l. c. Guil. de Nang. p. 390. 391. Nach einer andern von Peter de Condet mitge-

lenweile sammelte der König von Tunis Kräfte; und auch der Sultan Bibars, sobald er Kunde erhielt von der Gefahr, in welcher ein Fürst seines Glaubens sich befand, war mit Eifer darauf bedacht, zu helfen. Er ermahnte nicht nur den König von Tunis in einem Briefe zu muthiger Vertheidigung seines Reiches, sondern er forderte auch die Beduinen der afrikanischen Wüsten auf, den bedrohten Glaubensgenossen Beystand zu leisten, setzte einen Theil der ägyptischen Truppen in Bewegung und ließ längs dem Wege, welchen diese Truppen zu nehmen hatten, um nach Tunis zu gelangen, Brunnen graben [60]). J. Chr. 1270.

Ludwig hatte nicht einmal die Absicht, vor der Ankunft des Königs von Sicilien der Burg Carthago sich zu bemächtigen; erst als die genuesischen Seeleute sich erboten [61]), 21. Jul.
diese Burg zu erobern, wenn der König ihnen die Unterstützung einer Schar von Armbrustschützen [62]) bewilligen wollte, wurde ein Kriegsrath gehalten, in welchem das Erbieten der Seeleute angenommen wurde; worauf Ludwig dieselben aufforderte, ihre Sturmleitern und übrigen Kriegsgeräthschaften in Stand zu setzen. Schon am 23. Julius 23. Jul.
kamen die Genueser wohlgerüstet mit ihren Panieren von den Schiffen in das Lager des Königs [63]); und Ludwig ließ

theilten Nachricht, welche in einer Anmerkung gegen das Ende dieses Kapitels ausgehoben worden ist, veranlaßte der König Karl von Sicilien wenigstens zum Theil durch seine unmittelbare Einwirkung die damalige Unthätigkeit des Pilgerheers.

60) Makrisi bey Reinaud p. 519. (Filleau de la Chaise) Histoire de S. Louis (Paris 1688. 4.) T. II. p. 643. nach einer Handschrift, welche in der Table des Auteurs dieses Werks also bezeichnet wird: Le Ms. G. contient entre autres des traductions d'historiens Arabes qui sont dans la Bibliothéque du Roi et ainsi des autres; on donnera communication de ce Ms. à ceux qui le souhaiteront.

61) Welches nach Peter von Condet am Dienstage geschah.

62) Balistarios nach Wilhelm von Nangis (p. 389), servientes nach Peter von Condet.

63) Annales Genuenses (bey Mu-

J. Chr. 1270. nicht nur fünfhundert Armbrustschützen [64]), sondern auch die vier Scharen der Ritter von Carcassonne, Chalons, Perigord und Beaucalre [65]) sich waffnen, um die kühnen genuesischen Seeleute zu unterstützen, und der König selbst nahm mit den übrigen siebzehn Ritterscharen außerhalb seines Lagers eine solche Stellung, daß er die Saracenen, welche in großer Zahl sich versammelt hatten, sowohl von einem Angriffe auf sein Lager abwehren als es ihnen unmöglich machen konnte, der Burg zu Hülfe zu kommen. Nach solchen Vorbereitungen wurde unverzüglich die Berennung von Carthago begonnen, und sehr bald erblickten die Pilger die genuesischen Paniere auf den Mauern der Burg; die Besatzung von zweyhundert Saracenen und die übrigen Einwohner wurden theils erschlagen, theils verbargen sie sich in Höhlen oder retteten sich mit ihrem Vieh und übrigen Habseligkeiten durch unterirdische Ausgänge im Angesichte der französischen Ritter, welchen durch einen königlichen Heersbefehl auf das Strengste untersagt war, ihre Scharen zu verlassen. Die Saracenen, welche in den Höhlen sich verborgen hatten, wurden nach und nach aufgefunden und mit dem Schwerte getödtet oder durch Rauch erstickt. Die Christen büßten dagegen nur Einen genuesischen Seemann ein, welcher erschlagen wurde. Hierauf legte Ludwig eine hinlängliche Besatzung von Rittern, Armbrustschützen und Knechten in die eroberte Burg und ließ dieselbe von den Leichnamen der erschlagenen Saracenen säubern und zur Aufnahme der Weiber, Kranken und Verwundeten seines Heers einrichten [66]).

ratori T. VI.) p. 550. Petr. de Condeto und Guil. de Nang. l. c.

64) Guil. de Naug. l. c. Peter von Condet sagt blos: Servientes peditum, ohne die Zahl anzugeben.

65) Petr. de Condeto l. c. Wilhelm von Nangis: quatuor bella militum exterae nationis.

66) Epistola S. Ludovici, Petr. de Condeto und Guil. de Nang. l. c. Vgl. Annales Genuenses l. c.

Sowohl in der Burg selbst als in den benachbarten Höhlen J. Chr. 1270.
wurde ein großer Vorrath von Gerste, von andern nutzbaren Gegenständen aber sehr weniges erbeutet [67]).

Obgleich diese Eroberung für die fernern Unternehmungen der Pilger nicht unerhebliche Vortheile gewährte, da die Burg von Carthago das umliegende Land beherrschte [68]), so ließ Ludwig dennoch diese Vortheile unbenutzt; er sandte nur aufs neue Abgeordnete nach Neapel, um den König Karl zur Beschleunigung seiner Ankunft [69]) aufzufordern, und beschränkte seine Thätigkeit auf die Befestigung seines Lagers und auf die wachsame Vertheidigung desselben gegen die täglichen und oft an Einem Tage mehrmals wiederholten Angriffe der Saracenen, deren Zahl mit jedem Tage sich mehrte [70]).

Diese täglichen Angriffe der Saracenen, so wie das übrige Benehmen des Königs von Tunis hätten den König Ludwig belehren sollen, daß seine Meinung von den christlichen Gesinnungen dieses saracenischen Fürsten eine Täuschung war; nicht nur wurden alle genuesischen Kaufleute, welche zu Tunis sich befanden, unmittelbar nach der Landung der Pilger verhaftet [71]), sondern auch zwey Catalo-

67) Guil. de Nang. l. c.

68) De dicto castro dicitur vulgariter quod qui dominus est Carthaginis, dominus est totius regionis, quod tamen a plerisque non creditur, quia tot et tanti confluunt Saraceni et adeo vexant nostros, quod aliquoties bis in die clamatur ad arma. Petr. de Condeto l. c.

69) Petr. de Condeto l. c. Guil. de Nang. p. 590.

70) Der Bau der Verschanzungen des Lagers wurde geleitet durch Amarich de la Roche (de Rupe), Großprior des Tempels in Frankreich, welcher kurz zuvor von dem Hofe des Königs von Sicilien nach Africa gekommen war. Guil. de Nang. l. c. Vgl. Petr. de Condeto l. c.

71) Annales Genuenses bey Muratori a. a. O. Die genuesischen Kaufleute wurden aber in einem Pallaste des Königs bewacht und gegen Beleidigungen geschützt; denn der König hatte die Absicht, sie zu retten, weil er überzeugt war, daß dieser Krieg nicht von den Genuesern, sondern von Andern angestiftet war.

J. Chr. 1270. nier, welche als Söldlinge im Heere des Königs von Tunis gedient hatten, kamen zu dem Könige von Frankreich und meldeten ihm, daß alle ihre christlichen Waffengefährten zu Tunis in Gefängnisse geworfen wären und nach der Drohung des Königs von Tunis den Tod zu erwarten hätten, sobald das Heer der Pilger gegen die Stadt Tunis vorrücken würde [72]). Gleichwohl entsagten Ludwig und ein Theil seiner Ritter nicht der Hoffnung, den König von Tunis, welcher sich Chalife oder Nachfolger des Propheten Mohammed und Fürst der Gläubigen nannte, für den christlichen Glauben zu gewinnen [73]); und die Saracenen unterließen es nicht, diesen Wahn zur Ueberlistung der christlichen
26. Jul. Pilger zu benutzen. Am Abende des Sonnabends nach der Eroberung von Carthago kamen zu dem Buttler Johann von Acre [74]), welcher mit seinem Bruder, dem Grafen Alfons von Eu, die Nachtwache besorgte [75]), drey vornehme Saracenen und verlangten Christen zu werden. Johann von Acre erstattete davon sofort dem Könige Bericht und erhielt den Befehl, jene Saracenen mit der größten Sorgfalt bewachen zu lassen; kaum war er aber zu seinem Posten zurückgekehrt, so fanden sich ungefähr hundert andere Sara-

72) Guil. de Nang. p. 589.

73) Noch auf seinem Sterbebette sprach Ludwig mit schwacher Stimme: „Laßt uns dafür sorgen, daß das Christenthum in Tunis gepredigt und gepflanzt werde; o! wer ist fähig, dieses Werk zu vollbringen!" Er nannte hierauf einen Predigermönch, welcher öfter in Tunis gewesen und dem Könige dieser Stadt bekannt war, als einen Mann, welcher zur Vollziehung eines solchen Auftrags fähig wäre. Gaufrid. de Bello loco p. 463.

74) Johannes de Acon buticularius. Guil. de Nang. l. c.

75) Annales du règne de Louis IX. (alte französ. Uebersetzung der Geschichte des Wilhelm von Nangis hinter Joinville, Paris 1761 fol.) p. 281-282. Nach dem lateinischen Texte des Duchesne hatte außer den Schaaren (bellis) des Buttlers Johann und des Grafen von Eu (Comitis Augi) auch die königliche Schar (bellum Regis) damals die Nachtwachen.

einen ein, welche ebenfalls um die Taufe baten. Während der Buttler sich mit ihnen besprach, wurden sowohl er selbst als die Ritter und Serjanten, welche mit ihm auf der Wache standen, von einem zahlreichen Haufen von Saracenen mit gewaltigem Ungestüme überfallen; es wurde zwar in dem ganzen Heere schleunigst zu den Waffen gerufen, ehe aber die Pilger sich waffnen und scharen konnten, entflohen die Saracenen, nachdem sie sechzig christliche Serjanten getödtet hatten. Ludwig wurde selbst durch diesen groben Betrug nicht enttäuscht; und als die drey Saracenen, welche Johann von Acre in seinem Zelte gefangen hielt, wider die Vorwürfe, welche der Buttler ihnen machte [76]), sich durch die Behauptung entschuldigten, daß einer ihrer Feinde in Tunis diesen Betrug angestiftet hätte, um sie in das Verderben zu bringen, und zugleich versprachen, am folgenden Tage mit mehr als zwey Tausend Saracenen und vielen Lebensmitteln zurückzukehren, wenn man sie aus der Haft entlassen würde: so gewährte nicht nur Johann von Acre, sondern selbst der König diesen neuen Lügen Glauben, und der Buttler und der Connetable erhielten den Befehl, jene drey Saracenen auf der Rückkehr zu ihren Glaubensgenossen zu geleiten. Die meisten Pilger murrten über die Leichtgläubigkeit des Königs und tadelten mit Bitterkeit den Buttler Johann von Acre wegen des Mangels an Behutsamkeit, durch welchen er dem Heere der Pilger einen empfindlichen Schaden zugezogen hatte. Die drey Saracenen kamen nicht am folgenden Tage in das christliche Lager zurück, und die Pilger hatten an diesem Tage einen harten Kampf zu bestehen, in welchem zwey tapfere Ritter, Jo-

J. Chr. 1270.

27. Jul.

76) Cujus verbis, setzt Wilhelm von Nangis (p. 390) hinzu, per quendam fratrem Praedicatorem, qui suum (Saraceni) idioma noverat, expositis.

J. Chr. 1270. hann von Roselieres und der Burgvogt von Beaucaires, die Märtyrerkrone erlangten [77].

Der König Ludwig, welcher die mit jedem Tage wachsenden Schwierigkeiten und Hindernisse der Unternehmung, in welche er sich eingelassen hatte, nicht kannte oder nicht gehörig würdigte und daher die sichere Hoffnung bewahrte,
25. Jul. sein Ziel zu erreichen, meldete zwey Tage vor jenem letzten Kampfe, am Feste des heiligen Jacobus, dem Abte Matthäus von St. Denys, welchem er die Verwaltung seines Königreichs während seiner Abwesenheit übertragen hatte, seine glückliche Landung in Africa und die Eroberung von Carthago, indem er die trostreichen Worte hinzufügte [78]: „wir selbst, unser Bruder, der Graf Alfons von Poitiers und Toulouse, unsere Söhne Philipp, Johann und Peter, unser Neffe, der Graf Robert von Artois und alle andere Barone, welche mit uns im Lager sich befinden, so wie auch unsere Tochter, die Königin von Navarra, die Gemahlinnen unsers Sohns Philipp und des Grafen von Artois, welche in unserer Nähe auf den Schiffen verweilen, wir alle erfreuen uns durch Gottes Gnade eines erwünschten Wohlseyns [79].“ Die zuversichtliche Hoffnung des Königs wurde
29. Jul. noch gesteigert, als einige Tage später der Ritter Olivier von Termes, welcher aus dem heiligen Lande kam, die Meldung brachte, daß der König Karl von Sicilien bereits sich eingeschifft hätte [80]. Die frohe Hoffnung der Pilger verwandelte sich aber bald in angstvolle Bekümmerniß.

77) Guil. de Nang. p. 390. 391.

78) Epistola S. Ludovici in d'Achery Spicil. T. III. p. 664.

79) Dieselbe Meldung wiederholte auch in Beziehung auf seine eigene Gesundheit einige Tage später, am Sonntage nach Jacobi (27. Jul.), Peter von Condet a. a. O. p. 665. 666. Daß die Damen auf den Schiffen geblieben waren, berichtet auch Wilhelm von Nangis, gesta Philippi Audacis (bey Duchesne T. V.) p. [illegible]

80) Olivier von Termes kam am Dienstage nach dem letzten Kampfe

Die Gegend von Tunis gehört zwar nicht zu den ungesunden Landstrichen der Küste von Africa, und die Luft dieses Landes ist vielmehr in einiger Entfernung von der Stadt und dem See von Tunis heilsam [81]; gleichwohl erzeugte die heftige Hitze des Sommers in dieser südlichen Gegend unter den Pilgern, welche an einen gemäßigten Himmelsstrich gewöhnt waren, sehr bald verderbliche Krankheiten, Fieber und Ruhr, deren Anfällen die Pilger um so weniger zu widerstehen vermochten, als ihre Kräfte durch die Anstrengungen der täglichen Gefechte erschöpft waren [82]. Die französischen Grafen von Vendome und la Marche, der Graf von Viane aus dem Lande von Luxemburg, der schottische Graf von Arselle, der französische Marschall Walter von Nemours, die Ritter von Montmorency und Saint Briçon und viele andere edle Herren und Ritter wurden Opfer dieser Seuche [83], welche unter den geringen Pilgern, die an gesunden Nahrungsmitteln oft großen Mangel litten, mit noch größerer Heftigkeit wüthete [84]. Bald hernach erkrankte auch der liebenswürdige Sohn des Königs Ludwig, Johann Tristan, Graf von Nevers, so heftig, daß er genöthigt war, aus dem Lager auf sein Schiff sich bringen zu

J. Chr. 1270.

im Lager der Pilger an. Guil. de Nang. p. 391. Peter von Condet äußerte in seinem Schreiben vom 27. Jul. die Hoffnung, daß der König von Sicilien binnen sechs Tagen eintreffen würde.

81) Macgill account of Tunis p. 62. 63.

82) Guil. de Nang. p. 381. Vgl. Dschemaleddin bey Reinaud p. 519. Georgii Pachymeris Michael Palaeologus Lib. V. cap. 9. p. 247.

83) Guiart histoire de S. Louis (hinter Joinville von Ducange) p. 158. Vgl. Filleau de la Chaise hist. de S. Louis T. II. p. 645.

84) Guil. de Nang. p. 391. Menconis Chronicon l. c. p. 175. wo als die Hauptursache der Krankheiten der Pilger die Schlechtigkeit des Wassers in der Gegend von Tunis angegeben wird: aqua salsa et arenosa multos ibidem corrupit; tanta est enim ibi salsedo maris, quod accedente calore, qui est ibi maximus, aquae in salem coalescunt et vicinus fundus inde salescit.

J. Chr. 1270. 3. Aug. lassen, wo er am 3. August eben so in einer trauervollen Zeit sein Leben endigte, wie er unter Leiden und Trübsalen
7. Aug. war geboren worden [85]). Vier Tage später, am Donnerstage vor dem Feste des heiligen Laurentius, starb auch der päpstliche Legat, Bischof Rudolph von Albano [86]). Zu eben dieser Zeit wurde Philipp, der erstgeborene Sohn des Königs, von einem viertägigen Fieber [87]) befallen, und der König Ludwig selbst erkrankte an der Ruhr an demselben Tage, an welchem sein Sohn Johann dem Tode unterlag [88]).

Ludwig hätte die geringen Kräfte seines schon seit längerer Zeit hinfälligen Körpers durch übermäßige Anstrengungen auf dieser Heerfahrt völlig erschöpft; wie auf seinem ägyptischen Kreuzzuge, so nahm er auch bey Tunis an allen Kämpfen der Pilger Antheil und war überall gegenwärtig, wo sein Beyspiel oder sein Zuspruch die kämpfenden Streiter ermuntern konnte, dergestalt, daß er an Einem Tage, an welchem die Pilger von den Saracenen durch unaufhörlich wiederholte Angriffe vom frühen Morgen bis zum späten Abende beunruhigt wurden, nicht weniger als fünf Mal seine Waffen anlegte [89]). Daher war ein schlimmer Ausgang seiner Krankheit sogleich vom Anfange an zu befürchten.

85) Die inventionis S. Stephani exspiravit. Guil. de Nang. l. c. Der König Philipp der Kühne schildert in einem Schreiben an den Convent von St. Denys (vom 11. Febr. 1271 in d'Achery Spicileg. T. III. p. 669) den Charakter des Grafen von Nevers also: quem non solum carnalis affectio et naturae vinculum, sed et bonae indolis primordia, vitae innocentia et in aetate tam tenera magnae discretionis industria plurimum reddiderunt carum nobis.

86) Guil. de Nang. l. c.

87) Guil. de Nang. l. c.

88) Filleau de la Chaise l. c. p. 646 nach handschriftlichen Nachrichten. Der Arzt des Königs Ludwig auf der Heerfahrt gegen Tunis war der Capellan Meister Dudo. Guilelmus Carnot. (bey Duchesne T. V.) p. 475.

89) Vie de S. Louis par le confesseur de la Reine Marguerite p. 889.

Ludwig aber ließ sich, so lange seine Kräfte noch ausreich- J. Chr. 1270.
ten, weder durch die Trauer über den Tod seines geliebten Sohns, noch durch die qualvollen Schmerzen seiner Krankheit in seiner Thätigkeit stören. Er fertigte zwey Botschafter an das Collegium der Cardinäle ab, um die Ernennung eines apostolischen Legaten an die Stelle des Bischofs von Albano zu erwirken [90]; denn der Bischof hatte zwar vor seinem Tode einen Predigermönch zu seinem Subdelegaten ernannt, die Gültigkeit einer solchen Ernennung wurde aber von den Rechtsgelehrten in Zweifel gezogen [91]. Bald hernach empfing Ludwig zwey Gesandte [92], durch welche der Kaiser Michael Paläologus von Constantinopel ihn ersuchte, den Frieden zwischen dem griechischen Kaiserthume und dem Könige Karl von Sicilien zu vermitteln; und noch an dem letzten Tage vor seinem Tode ließ er diesen Gesandten die Versicherung geben, daß er ihr Ansuchen berücksichtigen würde, falls Gott es gefiele, sein Leben zu verlängern [93]. Auf seinem Sterbebette ertheilte er den Befehl, frische Mundvorräthe aus Sicilien herbeyzuschaffen, ordnete überhaupt Alles an, was zu Verpflegung des Heers erforderlich war, und erließ mancherley Verfügungen in Beziehung auf innere Angelegenheiten seines Königreichs [94]. Als er endlich die Nähe seiner irdischen Auflösung fühlte, so unterbrach er noch die Andachtübungen, durch welche er mit dem Beystande seines Beichtvaters, Gottfried von Beaulieu, und seiner Capelläne zum Tode sich vorbereitete [95], durch die Abfassung

90) Filleau de la Chaise l. c.

91) Guil. de Nang. l. c.

92) Den Chartophylar (Archivar) Beccus und den Archidiaconus Meliteniotes. Georg. Pachymeres l. c. p. 346.

93) Georg. Pachymeres l. c. p. 347.

94) Filleau de la Chaise a. a. O.

95) Vgl. über die Andachtübungen des Königs Ludwig IX. während seiner letzten Krankheit: Vie de S. Louis par le confesseur de la Reine Marguerite p. 389. 390.

J. Chr. 1270. einer eben so weisen als frommen und gefühlvollen Belehrung für seinen Sohn und Thronfolger Philipp, welche er mit zitternder Hand niederschrieb [96]). Am 25. August 1270, dem Tage nach dem Feste des heiligen Apostels Bartholomäus, gab Ludwig seinen Geist auf [97]).

Philipp, mit dem Beynamen der Kühne, der älteste Sohn des Königs Ludwig, war noch nicht von seiner Krankheit völlig genesen, da er in einem fernen Lande als König von Frankreich ausgerufen wurde; und seine Jugend und Unerfahrenheit im Kriege, so wie sein irdischen Dingen zugewandter Sinn erweckten bey den Pilgern die Besorgniß, daß er der Leitung des Heers in den damaligen schwierigen

96) Von dieser Belehrung, welche Joinville, Gottfried von Beaulieu und Wilhelm von Nangis, am vollständigsten Claude Menard (in den observations zu seiner Ausgabe von Joinville, Paris 1677. p. 4.), und späterhin mehrere neuere Geschichtschreiber (z. B. Chateaubriand, Itinéraire de Paris à Jerusalem, Paris 1811. T. III. p. 204—207), mehr oder minder vollständig mitgetheilt haben, befand sich nach einer von Ducange gegebenen Nachricht (Observations sur l'histoire de S. Louis p. 116) das Original (lequel estoit écrit d'une grosse lettre qui n'estoit mie trop bonne) in der Chambre des comptes zu Paris. Gottfried von Beaulieu bemerkt als Einleitung zu seiner Mittheilung dieser Belehrung (p. 449): Horum documentorum manu sua scriptorum post mortem ipsius ego copiam habui, et sicut melius et brevius potui, transtuli de gallico in latinum.

97) Petri de Condeto epistola ad Thesaurarium S. Framboudi Silvanectensis vom 4. Sept. 1270 in d'Achery Spicileg. T. III. p. 667. Vie du confesseur de la Reine Marguerite p. 390. Gaufr. de Bello loco p. 445. 461. Guill. de Nang. p. 395. Ludwig starb um die neunte Tagesstunde: entour, sagt der Beichtvater der Königin Margarethe, l'eure de Nonne, en laquele li filz Dieu Jhesu-Crist morut en la croiz. Makrisi bemerkt (bey Reinaud p. 519), daß ein Einwohner von Tunis das Schicksal des Königs Ludwig durch folgende zwey Distichen, welche bald nach der Landung der Franzosen gedichtet wurden, vorher verkündigte: „O Franzose, dieses Land ist die Schwester von Misr (Aegypten); bereite dich vor für dein Schicksal; in diesem Lande wird ein Haus des Ebn Lokman dir zum Grabe dienen und (die Todesengel) Mankir und Nakir werden deine Eunuchen (wie zu Mansurah Sabih) seyn." Die in diesen Versen enthaltenen Anspielungen erklären sich aus den oben Kap. VII. S. [illegible] mitgetheilten Nachrichten.

Verhältnissen nicht gewachsen seyn möchte [98]). In derselben J. Chr. 1270.
Stunde aber, in welcher Ludwig sein frommes Leben endete, langte der König Karl von Sicilien mit einer stattlichen Flotte in der Bucht von Tunis an, und seine Ankunft gab den Pilgern, welche der Tod ihres Königs in große Trauer und Betrübniß gebracht hatte, neuen Muth [99]). Sobald die sicilischen Truppen an das Land gesetzt waren, bezog der König Karl mit ihnen ein Lager, welches eine Meile von dem Lager der Pilger entfernt war [100]).

Obgleich die Bedrängnisse des christlichen Heers mit jedem Tage sich verschlimmerten, da die Zahl der Sterbenden so groß war, daß an deren Beerdigung nicht gedacht werden konnte, die Leichname daher nur in den Lagergraben geworfen wurden, und die Verpestung der Luft, welche davon die Folge war, die Heftigkeit der Krankheiten stärkte [101]), außerdem selbst durch die Ankunft der sicilischen Flotte dem Mangel an gesunden Nahrungsmitteln nicht abgeholfen wurde [102]): so bewahrten die Pilger dennoch auch nach dem Tode des Königs Ludwig, welcher zu dieser gefährlichen Unternehmung sie geführt hatte, ihre Unverdrossenheit im Kampfe; und die griechischen Gesandten, welche im Lager des Königs von Frankreich sich befanden und Augenzeugen der unsäglichen Leiden des Kreuzheers und der täglichen mühsamen und blutigen Kämpfe desselben waren, bewunderten den

98) Guil. de Naugiaco gesta Philippi III. Audacis in Duchesne Scriptor. rer. Gall. T. V. p. 516.

99) Petri de Condeto epist. ad Thesaurar. S. Framboudi l. c.

100) Guil. de Nang. p. 517.

101) Georg. Pachymeres l. c. nach dem Berichte der griechischen Gesandten, welche damals im Lager der Pilger sich befanden. Petr. de Condeto l. c.

102) Es fehlte besonders an frischem Fleische, Hühnern und anderem Geflügel und überhaupt an frischen Nahrungsmitteln. Guil. de Nang. l. c.

J. Chr. 1270. kräftigen und beharrlichen Eifer der Pilger für die Sache des heiligen Kreuzes[103]).

Die Angriffe der Saracenen, welche vier Meilen von der Burg Carthago entfernt in der Nähe von Tunis im Lager standen[104]), wurden in den nächsten Tagen nach dem Tode des Königs Ludwig heftiger als zuvor; und da die Ungläubigen bisher sich darauf beschränkt hatten, einzelne Pilger oder kleinere Scharen derselben zu bekämpfen und zu entfliehen, sobald ihnen mehrere Hunderte von christlichen Rittern sich entgegenstellten: so fingen sie nunmehr an, in zahlreichen Scharen die Pilger zum Kampfe herauszufordern. Der Ritter Hugo von Baucy, dessen Bruder Guido und mehrere andere tapfere Ritter, welche Eines Tages, als die Saracenen an das christliche Lager herankamen und mit Pfeilschüssen die Pilger neckten, in einen Kampf sich einließen und in der Hitze des Gefechts allzuweit von dem Lager sich entfernten, wurden plötzlich von mehreren Tausenden der Ungläubigen umringt und jämmerlich erschlagen. In dem christlichen Lager wurde zwar, als jene Ritter in diese Gefahr gerathen waren, zu den Waffen gerufen, und das Heer der Pilger setzte sich wohlgeschart in Bewegung; ein heftiger Wind aber blies den christlichen Kämpfern den Staub, welchen die Saracenen vermittelst Schaufeln und anderer Werkzeuge aufwarfen, mit solcher Gewalt in das Gesicht, daß sie genöthigt waren, in das Lager zurückzukehren und ihre Waffenbrüder ihrem Schicksale zu überlassen[105]). Nach

103) *Οὕτω συχνοὶ ἔνθεν μὲν πολέμῳ, ἐκεῖθεν δὲ τῷ λοιμῷ ἔπιπτον· ὁρμὴ δ' ἐκείνοις ἀνέζει ὡς ὑπὲρ σταυροῦ κινδυνεύουσι.* Georg. Pachym. l. c.

104) Guil. de Nang. p. 517. 518.

105) Guil. de Naug. l. c. Etwas abweichend erzählt diese Thatsache Villani (Historie Florentine Lib. VII. c. 37): I Saraceni quando traeva vento contra l'oste de' Cristiani, uno grandissimo numero di loro gente stavano in sul monte sabio-

wenigen Tagen aber rächte der König von Sicilien an den J. Chr. 1270.
Ungläubigen den Tod jener Ritter. Denn als die Saracenen wiederum in so zahlreichen Scharen, daß sie die ganze Ebene bedeckten, andrangen und durch furchtbares Getöse ihrer Pauken und Trompeten die Christen zu schrecken meinten, kam der König von Sicilien den kämpfenden Pilgern zu rechter Zeit zu Hülfe, überfiel die Saracenen von der Seite mit gewaltigem Ungestüm und lockte sie durch verstellte Flucht in einen Hinterhalt, wo sie umringt und ihrer fast drey Tausend erschlagen wurden; viele andere Saracenen stürzten sich in verwirrter Flucht in das Meer, oder fielen, weil der vom Winde aufgeregte Sand ihnen in die Augen getrieben wurde und es ihnen unmöglich machte, zu sehen, was vor ihnen war, in die Brunnen und in andere Gruben, welche sie selbst in der Absicht, die Christen dadurch in Schaden zu bringen, ausgehöhlt hatten [106].

Da den Saracenen vermittelst des Sees, welcher ihr Lager von der Stadt Tunis trennte, alle Bedürfnisse auf eine leichte Weise zugeführt werden konnten: so wurde in einem Kriegsrathe, zu welchem die Könige von Frankreich und Sicilien ihre Barone versammelten, beschlossen, die Feinde dieses wichtigen Vortheils zu berauben. Um dieses Vorhaben auszuführen wurde nicht nur bestimmt, daß Fahrzeuge verschiedener Art [107]) über die schmale Erdzunge in den See gebracht werden sollten, sondern es wurde auch der Bau einer Burg von Holz am Ufer dieses Sees angeordnet und von dem Könige Philipp seinem geschickten Kriegsbaumeister übertragen [108]).

noso et trebbiando co' piedi de' cavalli, faceano movere polvere al vento, onde facea a' Cristiani grandissima noja et molestia.

106) Guil. de Nang. p. 518.

107) Cursores et barelli. Petr. de Condeto l. c.

108) Guil. de Nang. p. 518. 519. Peter von Condet (a. a. O.) erwähnt zwar der Schiffe, welche der König

J. Chr. 1270. 4. Sept. Während am Donnerstage vor dem Feste Mariä Geburt der König von Sicilien in Folge jenes Beschlusses damit beschäftigt war, Schiffe in den See bringen zu lassen, kamen die Saracenen wieder in großer Zahl und in besser geordneten Scharen, als jemals zuvor heran. Der König von Sicilien ordnete sogleich sein Heer und ließ auch die französischen Barone auffordern, sich zu waffnen; worauf zuerst der Graf Robert von Artois mit seiner Schar wider die Ungläubigen rannte. Bald wurde der Kampf allgemein, und da die Saracenen nicht mit ausdauerndem Muthe stritten, so gewannen die Pilger den Sieg zwar nicht ohne Verlust, doch ohne große Anstrengung, und das Schlachtfeld wurde in der Ausdehnung von einer halben Meile mit den Leichnamen der Ungläubigen bedeckt, welche auf der Flucht erschlagen wurden; viele andere ertranken in dem See, wohin sie flohen, in der Hoffnung, daselbst ihre Schiffe zu finden, welche aber schon sich entfernt hatten. Die Pilger beklagten den Verlust des Admirals Arnulph von Courferrant und mehrerer anderer Ritter [109]). Nach diesem mißlungenen Versuche der Saracenen, den See zu behaupten, wurden die Schiffe der Pilger ohne Schwierigkeit in das Wasser [110]) gebracht und mit Armbrustschützen besetzt; alle saracenischen

von Sicilien in den See bringen ließ, nicht aber der hölzernen Burg, welche nach Wilhelm von Nangis nicht zu Stande kam, weil mittlerweile der Friede geschlossen wurde.

109) Petr. de Condeto (in seinem an den Schatzmeister zu Senlis an demselben Tage, an welchem dieses Gefecht vorfiel, die Jovis ante nativitatem b. Mariae virginis in castris juxta Carthaginem, geschriebenen Briefe) l. c. Wilhelm von Nangis gedenkt dieses Gefechtes nicht. Sehr übertreibend sagt Peter von Condet: aestimant aliqui Saracenos tam occisos quam submersos circa quingenta millia. Auch Makrisi erwähnt dieses Gefechts (bey Reinaud p. 519) als eines furchtbaren Kampfes, welcher in der Mitte des Moharrem 669 (der 15. Moharrem dieses Jahrs war der 4. Sept. 1270) Statt fand, und in welchem von beyden Seiten Viele getödtet wurden.

110) Nescio quo ingenio, sagt Wilhelm von Nangis p. 519.

Fahrzeuge, welche in dem See sich befanden, wurden erobert oder versenkt, und die christlichen Schiffe beherrschten den ganzen See dergestalt, daß den Saracenen in ihrem Lager keine andere Verbindung mit der Stadt Tunis übrig blieb, als auf dem langen Umwege um das Ufer des Sees [111]). J. Chr. 1270.

In dieser Lage der Dinge entschloß sich der König von Tunis endlich, eine entscheidende Schlacht zu wagen, um der Gefahr, in welcher seine Hauptstadt schwebte, ein Ende zu machen [112]). Nachdem er alle seine Streitkräfte vereinigt hatte [113]), ließ er eines Tages bald nach dem Aufgange der Sonne seine zahlreichen Scharen gegen das Lager der Pilger bey Carthago vorrücken und in einer weiten Ausdehnung in der Ebene sich verbreiten. Sobald die ausgestellten christlichen Wächter durch den Ruf: zu den Waffen, die Annäherung der Feinde verkündigten, so waffneten sich die Könige von Frankreich, Sicilien und Navarra, und alle übrigen Pilgerfürsten, und stellten ihre Scharen in einer Schlachtordnung, welche in der Länge fast einer Meile sich ausdehnte, den Feinden entgegen, ordneten hierauf die verschiedenen Heerabtheilungen unter die Paniere der Führer, wiesen jeder Heerabtheilung ihre Reihefolge im Kampfe an und übertrugen dem Grafen Peter von Alençon, dem Bruder des Königs von Frankreich, die Bewachung des Lagers und der zurückbleibenden Kranken mit seiner eigenen Schar und der Miliz des Hospitals. Alsdann wurden nach gewohnter Weise die Armbrustschützen zu Fuß und zu Pferde vor dem übrigen Heere aufgestellt, und nachdem die heilige

111) Guil. de Nang. l. c.

112) Volens muliebris suae potentiae virtutem ostendere. Guil. de Nang. l. c.

113) Contractis undecumque viribus et aliquibus Saracenorum regibus in auxilium convocatis. Guil. de Nang. l. c.

J. Chr. 1270. Oriflamme erhoben worden, zog das ganze Heer in trefflicher Ordnung und mit frohem Muthe unter dem Schalle der Trompeten den Feinden entgegen. Die Saracenen stritten auch in diesem Kampfe eben so zaghaft und unentschlossen als in den frühern Kämpfen; sie vermochten es nicht, den Angriff der christlichen Scharen zu ertragen, flohen zu ihrem Lager und wagten es nicht, dasselbe zu vertheidigen, sondern setzten ihre Flucht fort, indem sie ihre Zelte mit Allem, was darin sich befand, zurückließen. Hierauf ließ der König Philipp mit kluger Vorsicht einen Heerbefehl verkündigen, durch welchen den christlichen Streitern es auf das strengste untersagt wurde, ihre Scharen zu verlassen und mit der Plünderung des feindlichen Lagers sich aufzuhalten, bevor der Kampf völlig beendigt wäre. Das Heer der Pilger zog also, ohne sich zu verweilen, mitten durch das Lager der Saracenen, verfolgte die Feinde so lange, bis dieselben auf die Höhen und in die Schluchten des benachbarten Gebirges sich retteten, wo fernere Verfolgung unmöglich war. Dann führten die drey christlichen Könige ihre Scharen zu dem verlassenen saracenischen Lager und gaben dasselbe der Plünderung preis; die Pilger erbeuteten daselbst beträchtliche Vorräthe von Mehl und Brod und Geräthschaften aller Art, so wie viele Ochsen und Widder, erwürgten die kranken Moslims, welche sie in den Zelten antrafen, zündeten die Zelte an und warfen in die Flammen die Leichname der erwürgten Ungläubigen, welche sie in große Haufen zusammengebracht hatten [114]). Nach diesem wiederum

114) Wilhelm von Nangis bemerkt, indem er die Verbrennung der Leichname der Saracenen erzählt: Quod videntes alii, qui montium juga fuga petierunt, nimia indignationis ira succensi, super mortuorum suorum interitum lugubri lamentatione dolentes, hoc maxime incredibili tulerunt impatientia, quod nostri mortuorum suorum cadavera combussissent.

mit geringer Mühe gewonnenen Siege kehrte das christliche Heer in seine Lager bey Carthago zurück, und die Pilger hatten keinen andern Verlust erlitten als den Verlust einiger Knechte[115]), welche im Rücken des Heers, als dasselbe die Feinde verfolgte, im saracenischen Lager zu plündern versucht hatten und von Arabern, die in den Trümmern der alten Stadt Carthago sich verborgen gehalten hatten, waren erschlagen worden[116]). J. Chr. 1270.

Nachdem das Lager der Saracenen zerstört worden war, so konnte das Heer der Pilger ungehindert gegen die Stadt Tunis vorrücken; aber weder der König Philipp noch der König von Sicilien und der König Thibaut von Navarra waren geneigt, diese Belagerung zu unternehmen, und Philipp insbesondere, welcher bereits zwey Rückfälle seiner Krankheit erlitten hatte, wünschte sehnlichst, dieses ungesunde Land zu verlassen, da er nicht hoffte, vollkommen zu genesen, so lange er daselbst verweilte[117]). Die Heftigkeit der Krankheiten, welche in dem Lager der Pilger herrschten,

115) Garciones.

116) Guil. de Nang. p. 519. 520. Der Tag dieser Schlacht wird von Wilhelm von Nangis nicht bezeichnet.

117) De Domino Philippo Rege nostro, schrieb Peter von Condet am Donnerstage vor Mariä Geburt (4. Sept. 1270) an den Schatzmeister zu Senlis (d'Achery Spicileg. T. III. p. 667), sciatis quod bis recidiavit in acutam febrem et adhuc in confectione praesentium in sua recidivatione laborabat et dubitatum fuerat de illo multum, sed quidam sudor illum arripuerat, unde de ejus convalescentia sperabatur; et dicunt multi quod vix aut numquam in regione Tunicensi de caetero esset sanus, quod pauci licet fortes et valentes, qui aegrotaverunt in terra ista, post morbum ad statum pristinum possunt devenire, sed tales potius languent quam vivunt in ista maledicta. Neque mirum; tanti enim sunt solis ardor, tribulatio pulveris, ventorum rabies, aëris corruptio, foetor cadaverum circum circa, quod etiam sanis aliquoties est taedium vitae sua. Inde colligunt aliqui quod dominus Rex noster Philippus in brevi forte sit ad propria rediturus. Unrichtig ist es also, wenn Villani (a. a. O.) sagt: ma piovendo un' acqua di cielo, cessò la detta tempestà (der Sturmwind) et pestilenza.

J. Chr. 1270. wurde auch bey dem Eintritte des Herbstes nicht gemildert, und der Mangel an frischen und gesunden Nahrungsmitteln dauerte fort. Die Siege, welche gewonnen wurden, gewährten keine dauernde Vortheile, weil die Saracenen in entscheidende Kämpfe nicht sich einließen, sondern nur die Christen in ihrem Lager neckten und, sobald die Kreuzfahrer wider sie rannten, die Flucht ergriffen, um am folgenden Tage ihre Neckereyen zu erneuen. Selbst die Eroberung von Tunis, welche zwar nicht schwierig zu seyn schien, konnte nicht als ein erheblicher Gewinn betrachtet werden, da das Land unfruchtbar, und außerdem die kostbare Unterhaltung einer zahlreichen Besatzung nothwendig war, wenn diese von feindseligen Völkern umgebene Stadt behauptet werden sollte [118]). Indem die Könige diese Umstände erwogen, waren sie nur verlegen um einen schicklichen Vorwand für die Abbrechung eines Kriegs, welcher von dem Könige Ludwig mehr aus frommem Eifer als aus Rücksicht auf den Nutzen seines Reiches oder des heiligen Landes war unternommen worden. Dieser Verlegenheit der Könige machte ein Ende die Erscheinung eines von dem Könige von Tunis gesandten Botschafters, welcher an das Lager der Pilger herankam, durch Zeichen zu erkennen gab, daß er Anträge zu machen hätte, und als hierauf ein der arabischen Sprache kundiger Ritter [119]) zu ihm gesandt wurde, das Ansuchen des Königs von Tunis um Frieden vorbrachte; denn den Saracenen war um so mehr an der baldigen Beendigung des Kriegs gelegen, als sie nicht nur fürchteten, die Stadt Tunis gegen die Belagerung des zahlreichen und tapfern Heers der Pilger nicht mit Erfolg vertheidigen zu können,

118) Alle diese Erwägungen machte der König Philipp nach Wilhelm von Nangis p. 641.

119) Unus ex nostris militibus, qui linguam Arabicam intelligebat et loquebatur. Guil. de Nang. l. c.

sondern auch in gleicher Weise wie die Kreuzfahrer durch verheerende Krankheiten heimgesucht würden. Daher wurde im Lager der Pilger erzählt, daß während dieses Krieges der König von Tunis aus Furcht vor Ansteckung niemals in seinem Heere gesehen worden wäre, sondern in Höhlen sich verborgen gehalten hätte [120]). J. Chr. 1270.

In der Berathung, zu welcher die christlichen Könige, nachdem ihnen der Antrag des saracenischen Botschafters war kund gethan worden, ihre Barone beriefen, würden zwey verschiedene Meinungen aufgestellt. Die meisten Barone riethen, das Friedensgesuch des saracenischen Königs abzulehnen, dagegen Tunis zu erobern, und wenn man der Einwohner so viele als möglich getödtet und die reiche Beute, welche zu erwarten wäre, sich angeeignet haben würde, diese Stadt zu zerstören. Die Könige Karl von Sicilien und Thibaut von Navarra dagegen unterstützten mit Lebhaftigkeit die Meinung, daß es rathsamer wäre, für eine ansehnliche Geldsumme und andere Vortheile dem Könige von Tunis den erbetenen Frieden zu gewähren; und diese Meinung siegte zu großem Verdrusse der Ritter und übrigen geringen Pilger, welche gehofft hätten, durch die Plünderung von Tunis sich zu bereichern. Ihr Unwille richtete sich vornehmlich gegen den König Karl von Sicilien, indem sie behaupteten, daß derselbe in der eigennützigen Absicht, den jährlichen Zins, welchen in früherer Zeit der König von Tunis der Krone Sicilien bezahlt hätte, wiederherzustellen, den Vortheil der Pilger hinderte [121]).

120) Guil. de Nang. p. 520.

121) Wilhelm von Nangis, nachdem er erzählt hat, wie die geringen Pilger wider den König von Sicilien gemurrt hätten, in der Meinung, daß durch ihn der bessere Rath (consilium Achitofel utile) vereitelt worden sey, fügt zwar (p. 521) hinzu: Tale murmur oriri coepit in populo contra Regem Siciliae sine causa, cum communis simplicitas communi oppositioni consentiens

J. Chr. 1270. Ungeachtet dieser Aeußerungen der Unzufriedenheit über die Bereitwilligkeit der christlichen Könige, das Ansuchen des Königs von Tunis zu gewähren, wurde der Friede im Namen der Könige von Frankreich, Sicilien und Navarra am vorletzten Tage des Oktobers [122]) unter folgenden Bedingungen

prorumpat multotiens in incertum, ignorans quid armorum debeat negotiis expedire. Peter von Condet aber berichtete dem Abt Matthäus von St. Denys in einem Schreiben vom Dienstage nach St. Martin (12. Nov.), dem Tage seiner Einschiffung (bey d'Achery l. c. p. 667. 668), daß der König von Sicilien sogleich im Anfange des Kriegs wider Tunis durch ein Schreiben (litteras rogatorias) die Barone ersucht hätte, bis zur Ankunft seines Botschafters nichts zu unternehmen, woraus Peter von Condet schließt (arbitror): daß der König Karl schon damals mit dem Könige von Tunis wegen eines Friedens und der Wiederherstellung des ehemaligen Tributs unterhandelt habe. Er fügt hinzu, daß nach der Aussage eines sicilischen Ritters, welcher selbst Botschafter des Königs Karl in Tunis gewesen sey und ihm selbst diese Mittheilung gemacht habe, schon früher zwischen dem Könige von Sicilien und dem Könige von Tunis wirklich solche Unterhandlungen Statt gefunden, und nur wegen der Zeit des Wiederanfangs der Zinsbarkeit noch Schwierigkeiten obgewaltet hätten, indem der König Karl die Rückstände seit den Zeiten des Kaisers Friedrich und des Königs Manfred forderte, der König von Tunis diese Forderung aber als unbillig verwarf, und daß noch während einer längern Unterbrechung dieser Unterhandlungen (sermone diu pendente) die Landung des Pilgerheers erfolgt und hierauf das erwähnte Schreiben des Königs von Sicilien an die Barone angekommen sey. Hierauf meldet Peter von Condet weiter, daß der König von Sicilien, als er nach dem Tode des Königs Ludwig bey Tunis gelandet wäre, von Anfang an, wie er glaube (arbitror), die Absicht gehabt hätte, nunmehr mit Gewalt durchzusetzen, was er früher durch Unterhandlungen zu erlangen versucht hätte (nämlich die Wiederherstellung des Tributs); auch seyen zu dem Könige Karl bald nach dessen Ankunft Botschafter des Königs von Tunis mit Friedensanträgen angekommen, was den geringen Pilgern lange unbekannt geblieben sey (quod a plebe diutius penitus ignoratur). Endlich sey nach vielen wechselseitigen Sendungen der Friede geschlossen worden. Matthäus von Westminster (ad a. 1269. p. 400) deutet ebenfalls auf geheime Unterhandlungen hin, welche schon zu der Zeit, als der König Ludwig starb, Statt gefunden haben sollen, indem er sagt: In principio istius provisionis, immo proditionis populi Christiani, rex Franciae Ludovicus diem clausit extremum.

122) Die Jovis ante festum omnium Sanctorum. Petr. de Condeto l. c. Die arabische Urkunde des Vertrags, welche Herr Silvestre de Sacy im königlichen Archive zu Paris entdeckt

abgeschlossen. 1. Die moslimischen Unterthanen des Königs J. Chr. 1270. von Tunis und der ihm unterworfenen Fürsten, welche in die Länder der drey christlichen Könige oder der von ihnen abhängigen Barone und Herren sich begeben, sollen sowohl für ihre Personen, als für ihre Güter des vollkommensten Schutzes und jeder Sicherheit sich zu erfreuen haben; und jene christlichen Fürsten werden dafür sorgen, daß von ihren Unterthanen, welche die Meere befahren, den Staaten des Königs von Tunis kein Schaden zugefügt werde. In dem Falle, daß ein Moslim Beschädigung an seiner Person oder seinen Gütern durch die Unterthanen der gedachten christlichen Fürsten erleiden sollte, ist hinlänglicher Ersatz zu leisten; auch sollen diese Fürsten Niemanden, welcher die Absicht hat, den Unterthanen des Königs von Tunis zu schaden, beschützen und beschirmen. Auf gleiche Weise sollen auch die Kaufleute aus Frankreich, Sicilien und Navarra, welche nach

und in einer der Akademie der Inschriften vorgelesenen Abhandlung mitgetheilt und mit lehrreichen Erläuterungen begleitet hat, trägt zwar das Datum des 8. Rebi el achir = 21. November 1270 (Reinaud Extraits p. 523 Anm.); dieses Datum ist aber offenbar unrichtig, oder bezieht sich wenigstens nicht auf den Abschluß des Vertrags, wie die Folge unserer Erzählung beweist, indem am 21. November ein Theil der Pilger und namentlich der König von Sicilien schon zu Trapani in Sicilien anlangte. Der von Peter von Condet, einem Augenzeugen, angegebene Tag, 30. Okt., war der 13. Rebi el ewwel 669. Die Urkunde des Vertrags, welche im Archive zu Paris sich befindet, ist auf einem großen Blatte Pergament geschrieben und besiegelt mit einem großen Siegel von rothem Wachs, welches mit Schnüren von rother und grüner Seide befestigt und mit einer arabischen Legende versehen ist. Vgl. den Auszug aus der erwähnten Abhandlung des Herrn Silvestre de Sacy im Journal asiatique T. VII. (1825. 8.) p. 147. Die im Texte angegebenen Bedingungen sind aus der arabischen Urkunde nach den Mittheilungen von Silvestre de Sacy und Reinaud (Extraits p. 520—523) entnommen und in den Anmerkungen mit den Angaben des Peter von Condet und des Wilhelm von Nangis (de gestis Philippi Aud. p. 521. 522. Chronicon ad a. 1270 in d'Achery Spicil. T. III. p. 42) verglichen worden. Auch Villani (Storie Fiorentine Lib. VII. c. 38) theilt mehrere Bedingungen dieses Vertrags mit.

J. Chr. 1270. Tunis kommen und daselbst längere oder kürzere Zeit verweilen, des vollkommensten Schutzes für ihre Personen und Güter genießen und in jeder Hinsicht den Unterthanen des Königs von Tunis gleich gestellt werden [123]. 2. Das Strandrecht ist sowohl in den Ländern der drey christlichen Könige als des Königs von Tunis in Beziehung auf die beyderseitigen Unterthanen abgeschafft; vielmehr sollen die Güter der beyderseitigen Schiffe, welche Schiffbruch erleiden, geborgen und ihren Eigenthümern zurückgegeben werden. 3. Es soll den christlichen Mönchen und Priestern verstattet seyn, in den Ländern des Königs von Tunis sich niederzulassen, daselbst Häuser und Kapellen zu erbauen und Friedhöfe anzulegen; auch soll ihnen unverwehrt seyn, in ihren Kirchen zu predigen, mit lauter Stimme zu beten und überhaupt den Gottesdienst in derselben Weise zu feyern als in ihrer Heimath [124]. 4. Die christlichen Kaufleute, welche

123) Wilhelm von Nangis (de gestis Philippi Aud. l. c.) drückt diese Bedingung also aus: quod portus Tunarum tantis servitutis conditionibus oneratus, qui commeantes mercatores gravibus exactionibus opprimebat, tantae immunitatis et libertatis de caetero fieret, quod omnes mercatores, qui ad portum confluerent vel transirent ulterius, cujuscunque mercimoniae fuerint, nihil omnino solvere tenerentur; omnes enim antea mercimoniarum, quas in navibus deferebant, nullo remedio vel exceptione suffragante, Regi Tunarum partem decimam tributi nomine persolvebant. Peter von Condet erwähnt dieser Bedingung nicht, und der folgende zweyte Artikel wird von ihm sowohl als von Wilhelm von Nangis verschwiegen.

124) Nach Peter von Condet: Quod (Rex Tunis) permitteret ut de caetero in bonis villis et principalibus Regni sui habitent Christiani et habeant ibidem libere et quiete proprietates, possessiones et alia bona quaecumque sine exactione vel aliqua servitute, soluto tamen Regi censu possessionum, ut consuetum est liberis Christianis; et licebit etiam Christianis in locis praedictis aedificare ecclesias et in ecclesiis solemniter praedicare. Wilhelm von Nangis faßt in seiner Schrift de gestis Philippi diesen und den folgenden, so wie auch den fünften Artikel also zusammen: Erat in urbe Tunarum multitudo Christianorum jugo tamen servitutis Sarracenorum oppressa, et fratrum Praedicatorum congregatio ac ecclesiae con-

Unterthanen der drey christlichen Könige sind und zur Zeit der Landung der Kreuzfahrer in Tunis sich befanden, sollen in den vollen Besitz ihrer Rechte und Güter wieder eingesetzt, in Hinsicht ihrer Forderungen befriedigt und für erlittenen Verlust entschädigt werden; der König von Tunis verpflichtet sich, keine Ueberläufer oder widerspenstige Unterthanen jener Könige in seinem Lande zu dulden, und die drey christlichen Könige übernehmen dieselbe Verpflichtung in Beziehung J. Chr. 1270.

structae, in quibus fideles quotidie confluebant; quos omnes ex sui Regis praecepto Sarraceni captos incarceraverant, cum fines suos intravisse Christianorum exercitum cognovissent; isti omnes ex pacto non solum a carceribus liberantur, sed a servitutis conditionibus immunes ut ritum Christianum exerceant permittuntur. In der Chronik desselben Schriftstellers werden diese Verabredungen also ausgedrückt: ut omnes Christiani, qui in regno Tunicii captivi tenebantur, libere redderentur et quod monasteriis ad honorem Christi per omnes civitates regni illius constructis fides Christiana per quoscumque praedicatores catholicos praedicaretur et baptizarentur volentes pacifice baptizari. Mit dem letzten Zusatze scheint Wilhelm von Nangis nur auf die ungestörte Taufe der Christen, und überhaupt auf die in seiner Schrift de gestis Philippi erwähnte Freyheit des christlichen Gottesdienstes hinzudeuten, und das Wort pacifice scheint an unrechter Stelle zu stehen und vor volentes gesetzt werden zu müssen; denn so dieser Schriftsteller gemeint haben sollte, daß der König von Tunis den Christen es verstattet hätte, Muselmänner zu bekehren und zu taufen, so würde er dadurch eine völlige Unkunde der Grundsätze des Islam verrathen haben, da ein muselmännischer Fürst zu einem solchen Zugeständnisse nicht sich bequemen darf. Bey dem Fortsetzer des Matthäus Paris, welcher die Chronik des Wilhelm von Nangis benutzt hat, steht (ad a. 1271. p. 1007): quod volentes baptizari libere baptizentur. Vgl. Jordani Chron. in Rainaldi ann. eccles. ad a. 1270. §. 23. Spätere Geschichtschreiber, z. B. Villani, haben allerdings die eigenen Worte der Chronik des Wilhelm von Nangis so ausgelegt, als ob der König von Tunis den christlichen Priestern die Erlaubniß zugestanden habe, in seinen Staaten die Saracenen, welche zum Christenthume überzutreten geneigt wären, zu taufen. Nach dem Monachus Patavinus (Muratori T. VIII. p. 733): additum est in pacto quod Rex Tunicii, quamdiu erit bellum contra Saracenos in transmarinis partibus, dare stipendium tribus millibus militum teneatur. Vgl. Silvestre de Sacy im Journal asiatique a. a. O. p. 143. 144. Des folgenden vierten Artikels so wie auch des sechsten erwähnen Peter von Condet und Wilhelm von Nangis nicht.

J. Chr. 1270. auf widerspenstige moslemische Unterthanen des Königs von Tunis. 5. Die Gefangenen sollen von beiden Seiten ohne Lösegeld freygelassen werden [125]. 6. Die drey christlichen Könige und ihr ganzes Gefolge, desgleichen auch die Kreuzfahrer, welche etwa nach dem Abschlusse dieses Vertrages ankommen mögen, wie der englische Prinz Eduard und andere, werden unverzüglich das Gebiet von Tunis räumen, und nur denjenigen, welche durch irgend ein Geschäft zurückgehalten werden, soll es verstattet seyn, zu verweilen, doch unter der Bedingung, daß sie auf den Ort, welchen ihnen der König für ihren Aufenthalt anweisen wird, sich beschränken und ihre Abreise soviel möglich beschleunigen; während ihres Aufenthalts sollen sie unter dem besondern Schutze des Königs von Tunis stehen und gegen jede Beeinträchtigung sicher gestellt werden. 7. Dieser Vertrag soll auf funfzehn Jahre vom November 1270 an gültig seyn [126]. 8. Als Entschädigung für die aufgewandten Kriegskosten hat der König von Tunis die Summe von zweyhundert und zehn Tausend Unzen Gold, wovon jede dem Werthe von funfzig Solidi nach der Währung von Tours gleich ist, zu entrichten und davon die eine Hälfte sogleich, die andere in zwey Fristen in den Herbsten der beyden folgenden Jahre zu zahlen [127]. Endlich verpflichtete sich 9. der König von Tu-

125) Petrus de Condeto: Et per pacem praedictam reddidit Rex Tunis omnes Christianos quos tenebat, et Christiani nostri omnes Sarracenos quos tenebant.

126) Peter von Condet erwähnt der funfzehnjährigen Dauer des Friedens nur in so fern, als er bemerkt, daß für diesen Zeitraum der König von Tunis zur Zahlung des jährlichen Tributs an den König von Sicilien sich verpflichtete. Nach Wilhelm von Nangis (de gestis Philippi III. p. 521) wurde der Friede nur auf zehn Jahre geschlossen.

127) Petr. de Condeto: Promisit dictus Rex Tunis se redditurum domino regi Franciae et baronibus suis pro expensis in viam factis ducentas et decem mille uncias auri, quarum qualibet uncia valet quinquaginta solidos Turonenses, et

nis, der Krone von Sicilien aufs neue den jährlichen Tri- J. Chr. 1270.
but, welchen er früher dem Kaiser Friedrich dem Zweyten bezahlt hatte, und zwar verdoppelt, zu entrichten und den rückständigen Tribut der letzten fünf Jahre nachzuzahlen [128].

In diesen Frieden wurden nicht nur die Grafen von Poitiers und Toulouse, Luxemburg und Flandern und alle übrige Barone, welche in dem Gefolge der drey christlichen Könige sich befanden, und deren Unterthanen begriffen, sondern auch der aus Constantinopel vertriebene Kaiser Balduin [129]); und als alle Bedingungen des Vertrages festgestellt worden waren, so begab sich am Sonnabend, dem 1. Nov
Feste Allerheiligen [130]), Gottfried von Beaumont mit mehrern

praedictae summae jam solvit in confectione praesentium (d. i. dieses Briefes) medietatem, et aliam medietatem soluturus ad duo festa Omnium Sanctorum instantia. Guil. de Nang. (l. c.): Quod expensae, quas rex Franciae et barones in via fecerant, deberent sibi totaliter in auro purissimo restitui. Nach den genuesischen Annalen (bey Muratori T. VI. p. 550) entrichtete der König von Tunis an Kriegskosten CV millia auri in den oben angegebenen Terminen und machte sich anheischig, innerhalb einer bestimmten Zeit den Genuesern zu bezahlen, was er ihnen schuldig war. Wahrscheinlich schlossen die Genueser einen besondern Vertrag.

128) Petr. de Condeto: Quod Regi Siciliae solveret tributum usque ad quindecim annos, scilicet pro duodecim unciis auri, in quibus tenebatur pro praedicto, singulis annis viginti quatuor uncias, et inciperet ista duplicatio ad instans festum Omnium Sanctorum; arreragia vero in confectione praesentium jam solverat de quinque annis, scilicet sexaginta uncias. Guil. de Nang. l. c. Fuit ordinatum, quod Rex Tunarum Regi Siciliae tributum quod in thesauris suis antecessores sui percipere consueverant, persolveret annuatim. In eben so unbestimmter Weise wird dieses Artikels in der Chronik des Wilhelm von Nangis erwähnt. In der arabischen Urkunde steht diese Bedingung als Zusatzartikel nach dem Schlusse und Datum des Vertrags und vor der Unterschrift der muselmännischen Zeugen. Silvestre de Sacy im Journal asiatique a. a. O. p. 149. Nach Matthäus von Westminster (ad a. 1269 p. 400): direxerunt Barbari regi Siciliae 32 camelos auro argentoque non mediocriter oneratos, se et suam civitatem ab imminentibus periculis liberantes.

129) Silvestre de Sacy a. a. O. Reinaud p. 523.

130) Sabbato sequenti, scilicet ante Omnes Sanctos. Petr. de Con-

J. Chr. 1270. andern Botschaftern nach Tunis, um der feyerlichen Eidesleistung, durch welche der König von Tunis und dessen Sohn[131]) zur gewissenhaften Erfüllung des geschlossenen Vertrages sich verpflichteten, beyzuwohnen und die Urkunde des Friedens, welche von drey vornehmen Moslims unterschrieben wurde, in Empfang zu nehmen. Auch von den christlichen Fürsten und Baronen wurde der Vertrag im Beyseyn der Bischöfe, Priester und Mönche durch eine feyerliche Anerkennung bekräftigt[132]).

Nachdem die christlichen Könige diesen vortheilhaften Frieden geschlossen hatten, so beeilten sie sich, die Einschiffung ihres Heeres zu bewirken, wobey die Saracenen, welche nach Beendigung des Kriegs mit ihren bisherigen Feinden in einen friedlichen Verkehr traten und aus Neugier und des Handels wegen das christliche Lager besuchten[133]), Hülfe und Beystand leisteten; worauf zahlreiche bewaffnete Schaaren das Heer der Pilger auf seinem Rückzuge von Carthago zu dem Hafen von Tunis begleiteten und gegen feindliche
18. Nov. Angriffe umher streifender Araber beschützten. Am Dienstag nach St. Martin vereinigte sich der König Philipp wieder mit seiner Gemahlin, welche wie die übrigen vornehmen Frauen auf dem Schiffe zurückgeblieben war; am folgenden
19. Nov. Tage schifften die übrigen Pilger, welche zu dem Heere des Königs von Frankreich gehörten, sich ein, und am Morgen
20. Nov. des Donnerstags ging die Flotte unter Segel. Bald hernach verließ auch der König von Sicilien mit seiner Flotte die afrikanische Küste, wo er, um die Einschiffung der zu-

deto l. c. p. 668. Das Allerheiligenfest (1. Nov.) fiel im J. 1270 auf einen Sonnabend.

131) Reinaud p. 584.

132) Silvestre de Sacy und Reinaud a. a. O.

133) Guil. de Nang. (de gestis Philippi) p. 522.

rückgebliebenen armen Pilger zu besorgen, etwas länger verweilt hatte [134]). J. Chr. 1270.

Da über die fernern Unternehmungen der Kreuzfahrer noch nichts war bestimmt worden, so wurden die Pilgerschiffe angewiesen, in den sicilischen Häfen Trapani oder Palermo sich zu versammeln, wo über die weitere Vollziehung dieser Kreuzfahrt entschieden werden sollte. Die Schiffe, auf welchen die Könige und ihr Gefolge, so wie diejenigen, auf welchen die vornehmen Barone sich befanden, gelangten zwar schon am zweyten und dritten Tage der Fahrt nach Trapani [135]); die übrigen Schiffe aber wurden in der Nacht vom Sonnabende auf den Sonntag von einem furchtbaren Sturme überfallen, vierzehn große Pilgerschiffe außer sehr vielen kleinen Fahrzeugen wurden von der Gewalt dieses Sturms zerstört, fast vier Tausend Pilger und viele Pferde und andere Lastthiere ertranken in den Wellen, und die meisten der Kreuzfahrer, welche aus dieser Gefahr sich retteten, kamen so krank und ermattet nach Trapani, daß sie zu weitern Unternehmungen weder Kraft noch Muth in sich fühlten [136]). Unter diesen Umständen, und da überdies der

21. 22. Novbr.

22—23. Novbr.

134) Petri de Condeto epist. ad Matthaeum Abb. p. 668. Nach der Erzählung englischer Chroniken (Henr. de Knyghton in Roger Twysden Script. Angl. p. 2456 und Walteri Hemingford in Gale Script. Angl. T. II. p. 589) geschah gleichwohl die Einschiffung mit solcher Uebereilung, daß mehr als zweyhundert Männer zurückgelassen wurden. Der englische Prinz Eduard, welcher nach der africanischen Küste erst gekommen war, nachdem der Vertrag schon geschlossen war, erbarmte sich dieser Pilger, welche schreyend und wehklagend am Ufer standen, holte selbst sie nach und nach in einem Kahne und brachte sie auf die Schiffe.

135) Der König von Sicilien kam (per unius galeae compendium) nach Trapani am Freytage um Mitternacht, der König Philipp am Sonnabend um die neunte Stunde. Petri de Condeto epistola ad Priorem de Argentolio (apud Lusantiam in Calabria die Veneris ante festum purificationis b. Mariae virginis = 30. Jan. 1271) l. c.

136) Petr. de Condeto l. c. p. 668. 669 und Guil. de Nang. p. 522. 523. Vgl. Hugo Plagon p. 744. Monach.

J. Chr. 1270. König Philipp von Frankreich auf die Bitte des Abtes Matthias von St. Denys und des Ritters Simon von Nesle, welchen von dem Könige Ludwig die Verwaltung des Reichs war übertragen worden, schon vor seiner Abfahrt von Tunis zur Rückkehr in sein Königreich sich entschlossen hatte[137]) und der König Thibaut von Navarra an einem Fieber, von welchem er schon im Hafen von Tunis war befallen worden, gefährlich krank war: so wurde in einer Berathung, welche die Könige von Frankreich und Sicilien mit den Baronen zu Trapani am 25. November, dem Feste der heiligen Catharina, hielten, ohne erheblichen Widerspruch der Beschluß gefaßt, die Kreuzfahrt auf drey Jahre zu verschieben; und die anwesenden Könige und Barone verpflichteten sich durch

25. Nov.

Patav. (Muratori T. VIII) p. 734. Der Bischof von Langres rettete sich nach Peter von Condet auf einer Barke (recinctus tunica quasi ad natandum) mit Einem Knappen (armigero), sein großes Schiff ging mit Tausend Mann unter: in qua navi, fügt Peter von Condet hinzu, periit ille homo, qui dicitur Bonabucca. Nach Wilhelm von Nangis war ein für den König von Frankreich gebautes starkes und trefflich eingerichtetes Schiff, das Thor der Freude (Porta Gaudii) genannt, die Ursache des Unglückes der übrigen Schiffe: ita ductu diabolico, ut creditur, circumquaque ferebatur, quod omnium sibi occurrentium suffocatrix et causa naufragii existebat. Manche Schiffe wurden nach Tunis verschlagen, die Pilger fanden aber daselbst, wie Wilhelm von Nangis versichert, gastfreundliche Aufnahme. Nach dem Fortsetzer des Matthäus Paris (ad a. 1271 p. 1007) verlor der König von Sicilien in diesem Sturme fast seine ganze Flotte, so wie alles Geld, welches er von dem Könige von Tunis empfangen hatte, und nach den genuesischen Annalen (Muratori T. VI. p. 553) übte er gegen die verunglückten genuesischen Schiffe das Strandrecht, indem er sich auf eine Verordnung des Königs Wilhelm berief und der Einwendung der Genueser, daß vertragsmäßig in seinem Reiche gegen Genueser, welche Schiffbruch erlitten hätten, das Strandrecht nicht in Anwendung gebracht werden dürfte, kein Gehör gab. Nach Villani (Lib. VII. c. 38): per molti si disse che ciò (der Sturm) avenne per le peccate de' Cristiani et perchè haveano fatto accordo co' Saracini per cupidigia di moneta, potendo vincere et conquistare Tunizi e'l paëse d'intorno. Auch Ebn Ferath erwähnt der Zerstörung der christlichen Schiffe durch einen Sturm, vgl. Kap. XVIII. Anmerk. 7. S. 589.

137) Guil. de Nang. l. c.

einen Eidschwur, nach dem Ablaufe dieser Frist mit ihren J. Chr. 1270.
Ritterschaften in dem Hafen, welcher am nächsten Feste Maria Magdalena bestimmt werden sollte, sich einzufinden und der Vollbringung ihres Gelübdes nicht anders, als wenn sie durch ein sehr erhebliches Hinderniß abgehalten würden, sich zu entziehen[138]. Die meisten der französischen Pilger, welche ihr Leben und ihre Gesundheit gerettet hatten, säumten, nachdem jene Verabredung getroffen war, nicht, in ihre Heimath zurückzukehren; der König Philipp von Frankreich, den Ausgang der Krankheit seines Schwähers, des Königs Thibaut von Navarra, abwartend, blieb noch vierzehn Tage zu Trapani und trat die Rückkehr in sein Königreich zu Lande über Rom erst an, als der König von Navarra am Feste des heiligen Nicolaus gestorben war. Auf dieser Reise 8. Decbr.
traf den König Philipp das Unglück, daß seine hochschwangere Gemahlin Isabelle bey dem Uebergange über einen Fluß bey Martorano in Calabrien mit ihrem Pferde stürzte und in Folge dieses Sturzes zu Cosenza von einem unzeitigen Sohne entbunden, nach wenigen Tagen ihren Geist aufgab[139]. Auch der Graf Alfons von Poitiers starb an einer Krankheit auf der Rückkehr nach Frankreich zu Corneto an der Gränze von Toskana[140]. Viele andere Pilger sahen eben so wenig ihr Vaterland wieder, indem sie zu Trapani an Krankheiten oder den Folgen der in Afrika erlittenen Widerwärtigkeiten ihr Leben endigten[141].

Fünfhundert Pilger aus Friesland aber, welche nicht lange vor dem Abschlusse des Friedens mit dem Könige von

138) Petr. de Condeto l. c. Nach Wilhelm von Nangis wurde als Vorwand für die Aufschiebung der Kreuzfahrt benutzt, daß dem Heere ein päpstlicher Legat fehlte, um dasselbe nach dem heiligen Lande zu führen.

139) Petr. de Condeto l. c. p. 665. Guil. de Nang. l. c. p. 523. 524.

140) Guil. de Nang. l. c. p. 526.

141) Petr. de Condeto l. c.

J. Chr. 1270. Tunis nach Africa gekommen waren und daselbst nur in einem der letzten Kämpfe wider die Saracenen gestritten hatten, nahmen keinen Theil an den Berathungen, welche der König Philipp und die französischen Barone zu Trapani hielten, sondern begaben sich von Tunis unmittelbar nach Ptolemais[142]), wo sie durch ihre Frömmigkeit und ihren Eifer für die katholische Kirche sehr viele Freunde sich erwarben. Sie blieben aber kaum Ein Jahr in Syrien und fanden daselbst keine Gelegenheit, wider die Saracenen zu streiten[143]).

142) Sie kamen dahin auf 12 conques (Koggen). Hugo Plagon p. 744. Vgl. Gesch. der Kreuzz. Buch VI. Beylagen S. 16 Anm.

143) Sachiés, sagt Hugo Plagon, que mult estoient bonnes gens et catholiques. Vgl. Marin. Sanut. p. 224. Ueber die damalige Pilgerfahrt der Friesen giebt die Chronik des Abtes Menko von Werum (Matthaei veteris aevi analecta T. II. p. 173—180) folgende Nachricht: Um zu verhüten, daß Mangel an Geld und Lebensmitteln den Erfolg der Kreuzfahrt hinderte, wurde zuerst in Fivelingo (Fivelgonia), dann auch in den übrigen Theilen von Friesland bekannt gemacht, daß keiner an der Kreuzfahrt sollte Theil nehmen dürfen, welcher nicht sieben Mark Sterling, die erforderlichen Kleider und Waffen, sechs Fässer (cados) Butter, einen Vorrath von Schweinefleisch (unam pernam de carnibus porcinis), eine und eine halbe Seite eines Ochsen, und einen Scheffel oder wenigstens zwey Hinten (quadrantes) Mehl mit sich nehmen könnte. Hierauf schifften die Pilger am Donnerstage der Osterwoche 1269 (28. März) auf 50 Koggen, deren vier aus Fivelingo waren, sich ein, nachdem sie die Messe und andere Gebete gehört und Ablaß für ihre Sünden empfangen hatten (multae offensae de homicidiis mediante cruce fuerunt indultae). Zu Borkum (Borkna Emergonum) wurden sie durch widrigen Wind 20 Tage aufgehalten und gelangten um Himmelfahrt (2. Mai) nach einem flandrischen Hafen (in portu Flandriae qui dicitur Stein), wo die Gräfin Margarethe von Flandern und deren Beamte sie freundlich aufnahmen und allen Beystand ihnen leisteten. Nach einer zwar durch Stürme erschwerten, aber nicht unglücklichen Fahrt kamen sie nach Marseille, wo sie erfuhren, daß der König Ludwig von Frankreich nach Tunis sich begeben hätte. Sie setzten dann ihre Fahrt nach Sardinien fort, fest entschlossen, ihre Meerfahrt nach dem heiligen Lande zu vollbringen, ließen sich aber von ihren Predigern, wiewohl nicht ohne Widerspruch, bewegen, dem Könige von Frankreich nach Tunis zu folgen, wo sie anlangten, als der König von Frankreich schon gestorben war. Sie wählten nach

Als der Sultan Bibars die Kunde erhielt von dem schimpflichen Frieden, welchen der König von Tunis mit den christlichen Königen geschlossen hatte, so gerieth er in heftigen Zorn; und sein Zorn wurde noch dadurch gesteigert, daß J. Chr. 1270.

dem Rathe des Königs Karl von Sicilien den Grafen Heinrich von Luxemburg zu ihrem Anführer. Nach ihrer gewohnten ungestümen Weise wollten sie sofort einen Angriff wider die Saracenen unternehmen; der Graf von Flandern aber vermochte sie (fovens eos tamquam gallina pulloe), zu warten, bis an ihn die Reihe des Kampfes käme, und seine Schar geordnet wäre, und dann ihm sich anzuschließen. Sie wohnten hierauf einem Kampfe bey, in welchem viele Saracenen in den Kanal, welcher das Meer mit dem See von Tunis verbindet, getrieben wurden und ertranken. Da sie aber sahen, daß es dem Könige Karl von Sicilien nicht recht Ernst war mit dem Kriege gegen Tunis (weil die Stadt sehr fest war, und das Heer der Saracenen nicht nur durch Moslims, sondern auch durch Christen, Anhänger der Hohenstaufen, täglich sich mehrte): so wurden sie ungeduldig, schifften sich ein (also noch vor dem Abschlusse des Friedens) und gingen nach dem heiligen Lande. Daselbst fanden sie zwar auch nicht ganz ihre Rechnung (defectum non modicum passi sunt), weil der Patriarch von Jerusalem gestorben war, auch war ihre Zahl durch den Tod vieler Pilger, welche auf der Fahrt von Africa nach Ptolemais starben, vermindert worden; sie wurden jedoch von dem Erzbischof Johann von Tyrus, dem Stellvertreter des Patriarchen, und den Johannitern und deutschen Rittern freundlich aufgenommen; und der Erzbischof, das Kreuz predigend und den Ablaß erneuend (praedicans et innovans crucem ac indulgentiam) nahm ihrer viele mit sich nach Tyrus, wo größere Gefahr von den Saracenen zu befürchten war als zu Ptolemais. Während ihres Aufenthaltes im gelobten Lande wurden jedoch die Christen von den Saracenen nicht angefochten; und schon im folgenden Jahre 1270 kehrten die frisischen Pilger, da ihre Zahl zu gering war, um einen Kampf gegen die Saracenen unternehmen zu können, mit der Zustimmung des Erzbischofs von Tyrus, der Johanniter und deutschen Herren in ihre Heimath zurück, nachdem einige von ihnen schon früher heimlich entwichen waren; auch brachten sie vor ihrer Abfahrt ansehnliches Geld für die Vertheidigung des heiligen Landes dar (oblata ibi pro defensione terrae satis larga pecunia). Da die frisischen Pilger auf ihrer Rückkehr sich zerstreuten, so kamen nicht alle zu gleicher Zeit in ihr Vaterland zurück, und viele starben auf der Reise, andere wurden in Griechenland ausgeplündert. Des Erzbischofs Johann von Tyrus als Stellvertreters des Patriarchen von Jerusalem (vicarie de la seinte eglise de Jerusalem) wird auch in dem Testamente gedacht, welches der Prinz Eduard am 18. Junius 1272 zu Ptolemais errichtete. Rymer Act. publ. T. I. P. 1. (London 1816 fol.) p. 495.

J. Chr. 1270. der König von Tunis, nachdem er durch feigherzige Erniedrigung von seinem Reiche die Gefahr abgewandt hatte, in dem Briefe, in welchem er selbst dem Sultan Nachricht von der Errettung seines Reichs ertheilte, einen stolzen Ton annahm und als Chalife zu dem Sultan wie zu einem untergeordneten Fürsten redete. Bibars nahm daher die Geschenke nicht an, durch welche ihm der König von Tunis seine Erkenntlichkeit für den geleisteten Beystand beweisen wollte, sondern vertheilte dieselben an seine Befehlshaber. Gleichzeitig beunruhigte ihn die Besorgniß, daß die Franken nach der Beendigung des Kriegs gegen Tunis ihre Streitkräfte gegen Syrien oder Aegypten richten möchten; und er machte daher in seinem Antwortschreiben dem Könige von Tunis bittere Vorwürfe wegen seines lasterhaften Lebens, seiner unmännlichen Feigheit und der unverzeihlichen Fahrlässigkeit, mit welcher er es versäumt hätte, den Tod des Königs Ludwig von Frankreich zur Vernichtung des Heers der Kreuzfahrer zu benutzen, indem er die harten Worte hinzufügte: „Ein Mensch wie du ist nicht würdig, über Moslims zu gebieten [144].“ Auch bewog jene Besorgniß den Sultan, unverzüglich nach Askalon sich zu begeben, die Befestigungen dieser Stadt zu zerstören, den dortigen Hafen zu verschütten und den Zugang zu demselben durch Steine, welche in das Meer geworfen wurden, zu versperren, damit es den Kreuzfahrern unmöglich seyn möchte, daselbst zu landen oder sich festzusetzen [145].

144) Makrisi und Ebn Ferath bey Reinaud p. 524. Abulfeda und Abulfaradsch erwähnen des Kreuzzugs gegen Tunis nicht.

145) Ebn Ferath bey Reinaud p. 523.

# Achtzehntes Kapitel.

Die Kreuzfahrt des Königs Ludwig von Frankreich, obgleich J. Chr. 1270.
sie vollkommen mißlang, gewährte dennoch den Christen des heiligen Landes den mittelbaren Vortheil, daß sie in den geringen Besitzungen, welche ihnen noch übrig geblieben waren [1]), während der Zeit, in welcher der Sultan Bibars der Entwickelung des Plans der Kreuzfahrer mit großer Besorgniß entgegen sah, durch keinen Angriff beunruhigt wurden; und da auch die Theuerung der Lebensmittel, von welcher in der letzten Zeit die syrischen Christen waren bedrängt worden, nachgelassen hatte, und vielmehr damals ein Ueberfluß an allen Bedürfnissen vorhanden war, so war der Zu-

1) Wilhelm von Nangis (de gestis Philippi Audacis p. 523) schildert auf folgende Weise den Zustand der christlichen Besitzungen in Syrien zu der Zeit, als der englische Prinz Eduard und einige französische Pilger (cum quibusdam Francigenis militibus) im Jahre 1271 zu Ptolemais anlangten: Alibi enim terram occupare non poterat, cum totum regnum Hierusalem et totam terram Syriae Sarraceni proh dolor! occuparent praeter quaedam castella maritima Templi et Hospitalis, quae propter locorum naturalem situm modis omnibus defensioni congruunt et propter inclitos defensores, qui intus aderant, non poterant expugnari. Licet vero essent alia quaedam castella fortissima maritima, ad quae fideles transmarini reperiebant refugium, sola Accon civitas post Tyrum Soldani Babyloniae viribus et Orientis infidelibus resistebat. Tyrus enim civitas nobilis aequorum profundissimo circumsepta et sublimi murorum ambitu cincta, densitate turrium interjecta, dum tamen victualium et defensorum haberet copiam, nullo modo nisi proditionis ingenio caperetur.

J. Chr. 1270 stand des heiligen Landes sehr erträglich [2]). Der Sultan kam zwar in der Zeit, in welcher Ludwig im Begriff war, seine Kreuzfahrt anzutreten, nach Syrien, aber dieses Mal nur in der Absicht, Anordnungen zur Vertheidigung seiner syrischen Länder zu treffen; denn von einem Einbruche der abendländischen Christen in Syrien fürchtete er um so mehr damals große Gefahr, als ihm die Verbindungen, welche Abaga, Sohn des Hulaku, Chan der Tataren in Persien, Mesopotamien und Kleinasien, mit dem Könige Jakob von Aragonien und andern abendländischen Fürsten angeknüpft hatte [3]), nicht unbekannt waren. Da Bibars besorgte, daß Abaga mit einem Kreuzheere, welches nach Syrien käme, sogleich gemeinschaftliche Sache wider ihn machen möchte, so schloß er seiner Seits ein Bündniß mit Barkah, Chan der Tataren in Kaptschak, dem Feinde des Chans Abaga, und versprach ihm behülflich zu seyn zur Eroberung von Persien, Mesopotamien und Kleinasien [4]). Nachdem der Sultan alles angeordnet hatte, was zur Vertheidigung seines syrischen Gebietes erforderlich zu seyn schien, so unternahm er eine Pilgerfahrt nach Jerusalem und zerstörte ein christliches Kloster, welches eine halbe Meile von der heiligen Stadt entfernt war, in der Besorgniß, daß dieses Kloster den Franken, wenn sie einen Versuch machen sollten, Jerusalem wieder zu erobern, als Rückhalt dienen und die Ausführung ihres Vorhabens erleichtern möchte. Die dortigen Mönche suchten zwar den Sultan zu beruhigen und durch Geschenke und Versicherungen ihrer Treue die Zerstörung ihres Klosters abzuwenden; Bibars aber blieb unerbittlich [5]). Dann kehrte

2) Hugo Plagon p. 744. Marinus Sanutus p. 224. Damals starb zu Ptolemais am 21. April 1270 der Patriarch Wilhelm von Jerusalem. Hugo Plagon a. a. O.

3) Vgl. oben Kap. 17. Anm. 4 S. 531.

4) Reinaud Extraits p. 516. 517.

5) Modschireddin bey Reinaud p. 517.

er nach Aegypten zurück, traf Anstalten auch zur Verthei- J. Chr. 1270.
digung dieses Landes und fertigte an mehrere christliche Fürsten des Abendlandes Gesandte mit Geschenken ab [6]).

Sobald aber der Sultan Bibars vernommen hatte, daß J. Chr. 1271.
die Kreuzfahrer nach dem Abschlusse des Friedens mit dem Könige von Tunis die Vollziehung ihrer Meerfahrt verschoben hatten [7]): so eröffnete er schon im März des Jahrs 1271 wieder den Krieg gegen die syrischen Christen, verwüstete das Land von Tripolis mit Feuer und Schwert und unternahm am 23. März die Belagerung der damals dem Ritterorden des Hospitals gehörigen und in der Nähe von Tripolis gelegenen Burg der Kurden [8]); er richtete gegen diese durch ihre Lage sowohl als durch den trefflichen Bau ihrer Mauern sehr feste Burg seinen ersten Angriff, weil er an den dortigen Rittern die unzeitigen Drohungen strafen wollte, welche sie zu der Zeit, als sie noch hofften, daß der König Ludwig von Frankreich mit seinem Heere nach dem heiligen Lande kommen würde, gegen ihn sich erlaubt hatten; und schon während seiner letzten Anwesenheit in Syrien war Bibars mit vierzig Reitern in die Nähe des Schlosses der Kurden geritten, um wegen jener Beleidigung sich zu rächen [9]). Die Hospitaliter vertheidigten zwar anfangs die belagerte Burg mit großer Tapferkeit, sie sahen sich aber genöthigt, dieselbe

6) Reinaud Extraits a. a. O.

7) Que la flotte chrétienne avoit essuyé une horrible tempête, et que Dieu avoit tué avec les épées du destin le roi de France et ceux qui l'accompagnoient, et qu'il les avoit fait passer de l'avilissiment de ce monde à la demeure de la mort. Ebn Ferath bey Reinaud p. 525.

8) Diese Burg, welche ehemals Schloß von Safad hieß, erhielt ihren spätern Namen davon, daß sie einst mit einer kurdischen Besatzung versehen war, nach Ebn Ferath bey Reinaud a. a. O. (vgl. Golius ad Alfergan. p. 284, und Schultens index geogr. ad Bohad. vit. Sal. v. Curdorum castrum); bey Hugo Plagon (p. 715. 744) und Marinus Sanutus (p. 244) heißt sie Crac.

9) Reinaud Extraits a. a. O.

J. Chr. 1271. am 7. April durch einen Vertrag dem Sultan zu übergeben, nachdem die Belagerung funfzehn Tage gewährt hatte [10]); worauf Bibars von diesem Ereignisse dem Meister der Johanniter, Hugo von Reval, Nachricht gab in einem Briefe, welcher mit den Worten anhub: „Dem Bruder Hugo, möge ihn der Herr denen beygesellen, welche nicht den Rathschlüssen Gottes widerstreben und dem Herrn des Sieges gehorchen! wir thun ihm kund, was Gott für uns gethan hat; du hattest die Burg der Kurden befestigt und mit einer Besatzung, welche aus den trefflichsten Brüdern deines Ordens bestand, versehen. Es hat dir nichts gefruchtet, du hast nur dadurch den Tod deiner Brüder beschleunigt, und ihr Tod wird dein Verderben seyn [11]).“ Durch dieses Schreiben wurde nach den arabischen Nachrichten der Meister der Johanniter so sehr geschreckt, daß er um einen Waffenstillstand bat, welchen ihm der Sultan bewilligte unter der Bedingung, daß die Hospitaliter ihre Burg Markab nicht durch neue Befestigungen verstärken dürften. Gleichzeitig gewährte er auch einen Anstandfrieden den Templern, welche in Be-

10) Nach Marinus Sanutus (a. a. O.) begann Bibars die Belagerung des Schlosses der Kurden am 18. Februar 1271, und am 8. April wurde die Burg von den Hospitalitern übergeben (non valentes amplius locum defendere qui intus erant, salvis personis reddidere castrum); nach der wahrscheinlichern Angabe von Abulfeda (Ann. mosl. T. V, p. 26. 28) wurde die Belagerung am 9. Schaban 669 (23. März 1271) angefangen, und die Burg am 24. desselben Monats (7. April) übergeben. Nach den arabischen Nachrichten bey Reinaud a. a. O. dauerte die Belagerung nur einige Tage. Aus dem oben mitgetheilten Briefe des Sultans an den Meister der Johanniter scheint zu folgen, daß Bibars nicht die Absicht hatte, den mit der Besatzung von Hesn Alakrad geschlossenen Vertrag zu erfüllen. Nach Abulfaradsch (Chron. Syr. p. 547) eroberte der Sultan Bibars die Burg der Kurden zwar mit Sturm, tödtete aber daselbst keinen Christen, sondern ließ die christlichen Einwohner, so viele es wollten, ruhig daselbst bleiben und die übrigen nach Tripolis abziehen.

11) Die Anfangsworte dieses Briefes sind mitgetheilt worden von dem arabischen Geschichtschreiber Jafei bey Reinaud p. 525. 526.

ziehung auf Tortosa derselben Bedingung sich unterwarfen [12]). J. Chr. 1271.

Bibars gab aber den beyden Ritterorden Frieden nur in der Absicht, seine Macht gegen den Fürsten Boemund von Antiochien zu richten; denn dieser Fürst hatte aufs neue den Haß des Sultans wider sich dadurch aufgeregt, daß er noch immer unablässig sich bemühte, die Mogolen, welche Bibars als die gefährlichsten Feinde des Islams fürchtete, zum Kriege gegen die Moslims aufzureizen [13]). Unmittelbar nach der Eroberung der Burg der Kurden erließ Bibars an Boemund ein drohendes Schreiben [14]), welches den Fürsten um so mehr ängstigte, als er damals auch vor den Nachstellungen der furchtbaren Genossenschaft der Ismaeliten oder Assassinen sich fürchtete. Boemund wagte daher es nicht mehr auf die Jagd zu gehen, und als der Sultan solches erfuhr, so sandte er ein von ihm getödtetes Reh, eine Hyäne und anderes Wildpret in Schnee eingelegt an den Fürsten und ließ ihm dazu sagen: „ich höre, daß du aus Furcht für dein Leben nicht mehr aus Tripolis herauszukommen wagst und dem Vergnügen der Jagd entsagt hast, ich sende dir dieses Wildpret, um dich zu trösten." Hierauf brach er April und Mai in die Grafschaft Tripolis ein, zerstörte den Thurm von

12) Reinaud Extraits p. 526.

13) Hr. Reinaud (p. 526 Anm.) theilt aus der Fortsetzung der Chronik des Elmakin folgende Erzählung mit, welche zwar dem mogolischen Charakter nicht widerstreitet, doch aber vielleicht kaum glaublich ist. Als um diese Zeit der Fürst Boemund zu dem Chan Abaga nach Baalbek kam und die Macht des Sultans Bibars als unüberwindlich schilderte, so ließ der Chan ihn auf den Bauch legen und mit Ruthen streichen, indem er sprach: Bist du nur gekommen, um uns Furcht einzuflößen? Hierauf entließ der Chan den Fürsten, ohne dessen Ansuchen zu gewähren.

14) In diesem Schreiben kamen die Worte vor: „Wohin willst du vor mir fliehen? Bey Gott! nichts kann mich hindern, dein Herz aus deinem Leibe zu reißen und zu braten, und Abaga wird dir nicht helfen können." Fortsetzung der Chronik des Elmakin bey Reinaud a. a. O.

J. Chr. 1271. Chatelblanc, eroberte die Burg Akkar [15]) und gab, als ihn der Fürst Boemund um die Ursache solcher Feindseligkeiten befragte, zur Antwort: „es geschieht, um auf euren Feldern zu ernten und in euren Weinbergen zu herbsten, und ich gedenke alljährlich wieder zu kommen.“ Hierauf bat Boemund zwar demüthig um Frieden; als aber der Sultan die Bezahlung der Kriegskosten und andere harte Lasten zur Bedingung des Friedens machte, so erwiederte der Fürst: „als ich Antiochien verlor, so blieb wenigstens meine Ehre unbefleckt in den Augen meiner Unterthanen; nie würde ich aber eine solche Erniedrigung rechtfertigen können; ich weiß zwar, daß ich nicht im Stande bin, dem Sultan zu widerstehen, will aber alles andre lieber verlieren als meine Ehre [16]).“ Diese entschlossene Erklärung verfehlte nicht ihre Wirkung, und da Bibars zu dieser Zeit die Nachricht erhielt, daß der englische Prinz Eduard mit einer Flotte von dreyßig Segeln zu Ptolemais gelandet wäre, so gewährte er dem Fürsten Boemund einen Waffenstillstand [17]).

15) Die Belagerung von Akkar (Hugo Plagon p. 744 Gibelacar, Marinus Sanutus p. 224 Gibelathar) wurde am 17. Ramadan 669 (29. April 1270) angefangen, und am letzten Ramadan (12. Mai) wurde die Burg durch Vertrag übergeben, so daß Bibars das Beiramsfest in Akkar feierte, wo ihn der Dichter Mohieddin Ebn Abdodaher mit dem Distichon begrüßte: „O König der Erde, freue dich der frohen Botschaft, du hast deinen Wunsch erreicht, Akkar ist sicherlich so viel als Akka (Ptolemais) und noch mehr.“ Abulfedae Annales mosl. T. V. p. 28. Die Zerstörung des Thurms von Chatelblanc (castri Blanci), wahrscheinlich ebenfalls in der Grafschaft Tripolis, erzählen nur Hugo Plagon und Marinus Sanutus, indem sie derselben vor der Eroberung von Akkar erwähnen.

16) Fortsetzung der Chronik des Elmakin bey Reinaud p. 526. 527.

17) Ebn Ferath bey Reinaud p. 527. Des Waffenstillstandes erwähnen auch Hugo Plagon und Marinus Sanutus a. a. O. Die Chronik des Abtes Menko von Werum (Matthaei veteris aevi analecta T. II. p. 180 ad a. 1270) giebt davon folgende Nachricht: Am Tage vor St. Johannis (23. Junius) kam der Sultan von Babylon, um Tripolis zu belagern; der Fürst von Tripolis, ein tapferer und kriegskundiger Mann, der jedoch nicht über hinlängliche Truppen verfügen konnte, ließ dem Sultan sagen: „er möchte

Der Prinz Eduard, welcher verheißen hatte, an der J. Chr. 1271. großen Kreuzfahrt der Franzosen im Jahre 1270 Theil zu nehmen, war nach dem Hafen von Tunis erst zu der Zeit gelangt, als nach dem Tode des Königs Ludwig der Friede mit dem Könige von Tunis bereits geschlossen war; und so viele Mühe er sich gab, die Könige von Frankreich, Sicilien und Navarra zur Fortsetzung des Kriegs zu bewegen, so hatte sein Rath dennoch kein Gehör gefunden und die Vollziehung des Vertrags nicht gehindert [18]); und es blieb ihm daher nichts anders übrig, als mit den übrigen Pilgern nach dem sicilischen Hafen Trapani sich zu begeben, welchen er, obgleich seine Flotte während des vielen andern Pilgerschiffen verderblichen Sturms noch auf dem Meere sich befand,

nicht die Belagerung unternehmen, denn der Fürst und seine Leute wären entschlossen, bis auf das Aeußerste sich zu vertheidigen, und vertrauten auf Gott, welcher schon oftmals sein Volk durch Wunder gerettet und den Pharao mit seinem ganzen Volke im Meere ersäuft hätte." Diese entschlossene Erklärung verfehlte nicht ihre Wirkung; der Sultan antwortete: „er wollte wegen solcher rühmlichen Tapferkeit dem Fürsten und seinem Volke Frieden gewähren." Der Sultan überließ sogar dem Fürsten, jedoch mit der Verbindlichkeit, einen jährlichen Tribut zu bezahlen, drey Burgen (Mezegard, Duplicar, Crac d. i. das Schloß der Kurden), welche er früher den Christen entrissen hatte.

18) Henr. de Knyghton de eventibus Angliae ad a. 1270 (in Roger. Twysden Scriptor. Anglicis) p. 2455, 2456. Chronica Walteri Hemingford (in Gale Script. Angl. T. II) p. 589. Matthaeus Westmonaster. ad a. 1269 p. 400; daß Eduard nicht vor dem Abschlusse des Friedens an der afrikanischen Küste ankam, geht aus dem oben S. 578 mitgetheilten Vertrage hervor. Nach Knyghton und Hemingford kam der Prinz Eduard mit seiner Flotte, für deren Ausrüstung die Abgabe des Dreyßigsten in ganz England erhoben worden war (dabatur tricesima per totam Angliam ob hanc piam causam), um Michaelis 1270 nach Aiguesmortes, und von dort gelangte er in zehn Tagen nach Tunis. Daß Eduard noch am 18. November 1270 im Lager der Kreuzfahrer bey Tunis sich befand, erhellt aus einer an diesem Tage im Lager bey Carthago (es Herberges prés de Carthage) erlassenen und von Rymer (Acta publ. T. I. P. 1. London 1816 fol. p. 487) lateinisch und französisch mitgetheilten Verfügung des Königs Karl von Sicilien, in welcher den sicilischen Behörden angezeigt wird, daß von ihm dem Prinzen Eduard, welcher mit dem Könige von Frankreich nach Sicilien kommen werde,

J. Chr. 1271. erreichte, ohne eins seiner Fahrzeuge einzubüßen[19]). Nachdem er den Winter in Sicilien zugebracht hatte[20]), so trat er im Frühlinge die Meerfahrt nach dem heiligen Lande an[21]), indem der Herzog Johann von Bretagne und dessen Sohn, Johann, Graf von Richemont, und mehrere andere französische Pilger sich ihm angeschlossen hatten[22]); und die Ankunft dieser Pilger erregte zu Ptolemais, wo sie
9. Mai am 9. Mai 1271 eintrafen[23]), um so größere Freude, als die dortige Ritterschaft in großer Besorgniß wegen eines Angriffs des Sultans Bibars schwebte. Der Prinz Eduard machte sich bald nach seiner Ankunft dadurch um das heilige Land verdient, daß er den Plan einiger Verräther, die Stadt Ptolemais dem Sultan zu überliefern, vereitelte und

gewährt worden sey: plena potestas, ut de militia seu gente sua, quae secum moratur ad praesens et morari contigerit in futurum, si in aliquo delinquit, plenam justitiam habeat et cognoscat.

19) Ad has enim (naves), sagt Matthäus von Westminster, Angelus Domini percutiendas non pervenit merito, quia (Edwardus) pecuniam barbarorum non cupivit, sed terram aspersam sanguine Christi, quantum in se fuerit, restituere voluit Christianis.

20) Matth. Westmonast. l. c.

21) Nach der Fortsetzung des Matthäus Paris (ad a. 1271 p. 1007) sprach der Prinz Eduard, als er die Zerstörung der Flotte des Königs von Sicilien hörte, indem er an seine Brust schlug: „Ich werde, wenn auch alle meine Gefährten mich verlassen, und nur mein Stallknecht Fowin bey mir bleibt, nach Ptolemais gehen und meinen Eid halten, so lange meine Seele in meinem Körper bleibt.“ Hierauf schwuren alle Engländer, bey dem Prinzen zu bleiben.

22) Guil. de Nang. de gestis Philippi p. 523. Marin. San. p. 224. Vgl. Chronologie des ducs de Bretagne in Art de vérifier les dates. Nach Wilhelm von Tripolis (bey Duchesne T. V.) p. 474 kam der Prinz Eduard mit dreyhundert Rittern nach Syrien, nach den Chroniken des Heinrich von Knyghton p. 2457 und Walter Hemingford p. 590 mit tausend auserlesenen Männern (cum mille viris electis).

23) Marin. Sanut. l. c. Nach Knyghton (p. 2457) und Hemingford (p. 590) fuhr Eduard um Mitfasten (18. März 1271) mit dreyzehn Schiffen von Trapani ab und erreichte am funfzehnten Tage nach Ostern (19. April) den Hafen von Ptolemais.

einige Venetianer, welche den Saracenen Waffen und Lebensmittel zugeführt hatten, strafte[24]). J. Chr. 1271.

Die Ritterschaft von Ptolemais war, nachdem sie durch die Ankunft des Prinzen Eduard und der ihn begleitenden englischen und französischen Pilger war verstärkt worden, dennoch nicht zahlreich genug, um dem Sultan Bibars, als er nach dem Abschlusse des Waffenstillstandes mit dem Fürsten Boemund und nach der Züchtigung der Assassinen, deren Burg Alikah er eroberte[25]), von Damascus her in das Königreich Jerusalem eindrang, sich entgegenzustellen[26]); sie ließ es vielmehr geschehen, daß der Sultan die Burg Korain oder Montfort, welche im Gebiete von Ptolemais lag und dem Orden der deutschen Ritter gehörte[27]), berannte; und Junius Bibars war des Gelingens dieser Belagerung so sicher, daß er einen Brief, welchen ein in seinem Lager befindlicher Späher an die Besatzung der belagerten Burg zu befördern suchte, uneröffnet nach Montfort sandte, als die Taube,

24) Matthaeus Westmonaster. l. c. Sowohl nach der Aussage dieses Schriftstellers als der Fortsetzung der Chronik des Matthäus Paris (l. c.) war es der Plan der Verräther, die Stadt Ptolemais am vierten Tage nach der Ankunft des Prinzen Eduard dem Sultan Bibars zu überliefern. Andreas Dandulo erwähnt in seiner Chronik (Muratori T. XII. p. 380) des Streits, welchen der Prinz Eduard gegen die Venetianer zu Ptolemais erhob, auf folgende Weise: Odoardus contra Venetos, qui tunc unam navem in Alexandriam miserant, graviter indignatus est; sed Philippus Beligno in Achon Venetorum Bajulus demonstratis sibi privilegiis a Regibus Hierosolymitanis concessis illum ad quietem reduxit.

25) Abulfeda l. c. Die Burg Alikah wurde im Monate Schawal 669 (vom 13. Mai bis zum 10. Junius 1271) erobert. Auch Hugo Plagon und Marinus Sanutus (a. a. O.) erwähnen dieser Eroberung, doch ohne den Namen der Burg anzugeben.

26) Guil. de Nang. l. c.

27) Bibars zog in der letzten Decade des Monates Schawal von Damascus aus und begann die Belagerung der Burg Korain, welche ohne Zweifel dieselbe ist, welche Hugo Plagon und Marinus Sanutus (a. a. O.) Montfort nennen und als eine Besitzung der deutschen Ritter bezeichnen, am 2. Dsulkadah 669 — 12. Jun. 1271. Abulfeda l. c.

J. Chr. 1271. welche denselben überbringen sollte, getödtet, und der Brief in seine Hände gefallen war, indem er den Christen sagen ließ, es sey ihm lieb, zu wissen, daß in seinem Lager Leute wären, welche ihnen Nachrichten von seinen Angelegenheiten mittheilten. Nach wenigen Tagen ergab sich die Burg Korain, welche sofort zerstört wurde [28]), worauf Bibars mit seinen Scharen nach Ptolemais vorrückte [29]).

Bibars hielt aber die Umstände noch nicht für geeignet, einen ernstlichen Angriff wider Ptolemais zu begünstigen, sondern er beschloß, zuvor der Insel Cypern sich zu bemächtigen und dadurch den Christen zu Ptolemais den Beystand zu entziehen, welchen ihnen ihr damaliger Beherrscher, der König von Cypern, in Zeiten der Noth gewährte. Der Sultan kehrte also nach Aegypten zurück, ließ daselbst eine große Flotte bauen und ermunterte die Arbeiter in den Schiffswerften zur Thätigkeit durch seine eigene Theilnahme an ihrem Werke. Als der Bau der Schiffe vollendet war, so erhielt diese Flotte die Bestimmung, Cypern zu erobern, und um die dortigen Christen zu täuschen, ließ Bibars auf den Mastbäumen Kreuze befestigen [30]). Die Unternehmung mißlang aber, da sämmtliche Schiffe des Sultans, als sie in einer Nacht vor dem Hafen von Limassol anlangten, an den Felsen scheiterten, welche das Einlaufen in diesen Hafen erschwerten; worauf die Einwohner von Limassol auf Böten in das Meer sich begaben und der gescheiterten feindlichen Fahrzeuge sich be-

28) Abulfeda, Hugo Plagon und Marin. Sanut. a. a. O.

29) Ebn Ferath bey Reinaud p. 527. Nach der Chronik des Abtes Menko von Werum (Matthaei veteris aevi analecta T. II. p. 180) lagerte sich Bibars vor Ptolemais am Sonntage der Passion 1271 (22. März), diese Zeitbestimmung ist aber unrichtig; vielleicht meint Menko den Sonntag der Passion des Jahrs 1272 (10. April).

30) Plût à Dieu, setzt Ebn Ferath (bey Reinaud p. 528) hinzu, que cet avis n'eut pas été suivi, car l'islamisme n'eut pas été avili, et Dieu ne nous auroit point fait éprouver les suites de sa colère.

mächtigten [31]). Hierauf schrieb der König Hugo einen Brief J. Chr. 1271.
an den Sultan Bibars mit den hochfahrenden Worten: „Deine Schiffe kamen elf an der Zahl, um auf meiner Insel zu landen; ich habe diese Schiffe zertrümmert und erobert.“ Dieses Schreiben setzte zwar den Sultan in heftigen Zorn, er tröstete sich aber mit dem Ausspruche: „Laßt uns Gott preisen, welcher alle meine bisherigen Unternehmungen mit einem glücklichen Erfolge segnete.“ Er erwiederte hierauf das Schreiben des Königs von Cypern durch einen stolzen und mit Drohungen angefüllten Brief, in welchem er jenem Könige nur den Titel eines Bailo oder Statthalters, den Hugo vor seiner Thronbesteigung geführt hatte, beylegte [32]), und ordnete die Erbauung einer neuen Flotte an [33]).

Da die Christen in Syrien und die neu angekommenen Kreuzfahrer nicht im Stande waren, mit ihren eigenen Mitteln die Ehre ihrer Waffen gegen den Sultan Bibars zu behaupten: so beschlossen der König Hugo von Cypern, welcher nach der Ankunft der englischen Pilger zu Ptolemais sich einfand [34]), und der Prinz Eduard, die Mogolen zu Hülfe zu rufen; und es gelang auch den Botschaftern, welche sie an den Chan Abaga sandten, den Zweck ihrer Sendung zu erreichen [35]). Die Mogolen drangen schon im Sommer

31) Ebn Ferath a. a. O. Der Zertrümmerung der Schiffe des Sultans vor dem Hafen von Limassol erwähnt nicht nur Abulfeda a. a. O., sondern auch Hugo Plagon (p. 745) und Marinus Sanutus, welche die Anzahl der zerstörten Schiffe zu 14, und die Zahl der umgekommenen oder gefangenen Saracenen zu 3000 angeben. Nach Abulfeda sandte der Sultan mehr als zehn Schiffe gegen Cypern. Die Zeit dieser mißlungenen Unternehmung gegen Cypern wird nirgends angegeben; wahrscheinlich fand diese Unternehmung erst im Herbste 1271 Statt.

32) Jafei bey Reinaud a. a. O.

33) Abulfeda und Jafei a. a. O. Nach Abulfeda wurden in kurzer Zeit wieder doppelt so viele Schiffe erbaut, als waren verloren worden.

34) Hugo Plagon p. 745.

35) Hugo Plagon und Marin. Sanut. a. a. O. Auch nach Makrizi

J. Chr. 1271. des Jahrs 1271 in Syrien ein, raubten und plünderten in gewohnter Weise, verwüsteten die Landschaften von Antiochien, Haleb, Hamah, Emessa, Apamea und Cäsarea, und selbst in Damascus war die Furcht vor diesen räuberischen Horden so groß, daß ein großer Theil der Einwohner auswanderte [36]). Die Christen aber zogen von diesem wirksamen Beystande, welchen ihnen die Mogolen leisteten, keinen andern Vortheil, als daß sie im Julius dieses Jahrs nach St. Georg oder Lydda zogen und diesen Ort zerstörten; und diese Unternehmung brachte ihnen mehr Schaden als Nutzen, weil die fremden Pilger die Hitze des Sommers in diesem Lande nicht zu ertragen vermochten, außerdem durch den unzeitigen Genuß von Honig, Trauben und andern Früchten sich Krankheiten zuzogen und daher zum Theil auf dieser Heerfahrt umkamen [37]). Sobald der Sultan Bibars die Nachricht erhielt von dem Einbruche der Mogolen in seine Länder, so eilte er nach Syrien, und seine Erscheinung zu Damascus machte nicht nur der Furcht der dortigen Einwohner ein Ende, sondern auch die Mogolen zogen sich vor den Truppen zurück, welche der Sultan nach den von ihnen bedrängten Ländern sandte [38]); und Bibars schrieb aus Da-

(bey Reinaud p. 529) war der damalige Einbruch der Tataren in Syrien mit den Franken verabredet.

36) Hugo Plagon, Marinus Sanutus und Makrisi a. a. O. Abulfedae ann. mosl. T. V. p. 30. Nach Makrisi stieg zu Damascus wegen der starken und übereilten Auswanderung der Einwohner der Preis eines Kamels bis zu tausend Goldstücken, dem Fünffachen des gewöhnlichen Preises. Wahrscheinlich ist dieser Einbruch der Tataren derselbe, dessen der Mönch Haithon (Hist. orient. cap. 34) erwähnt.

37) Hugo Plagon und Marinus Sanutus a. a. O. Nach Hugo Plagon unternahmen die Kreuzfahrer den Zug nach Lydda am 12. Julius (Juignet), nach Marinus Sanutus am 22. Junius; vgl. oben Kap. XV. Anmerk. 48 S. 438. Diese Unternehmung scheint Ebn Ferath (bey Reinaud p. 530) anzudeuten, indem er sagt, daß der Prinz Eduard im Jahre 669 eine muselmännische Festung eroberte und deren Besatzung tödten ließ.

38) Abulfeda l. c. Bibars war schon am 1. Rabi el ewwel 670 =

mascus an die in Aegypten zurückgebliebenen Emire: „Ihr J. Chr. 1271.
habt von dem Einbruche der Tataren gehört; das ganze Land würde von seinen Bewohnern verlassen worden seyn, wenn wir nicht zu rechter Zeit erschienen wären. Auch die Franken hatten schon Sturmleitern in Bereitschaft gesetzt, um Safed zu ersteigen, und nur unsere Gegenwart hat sie daran gehindert. Nicht immer aber reicht das Schwert aus, sondern auch der Dolch ist oft nützlich, was der Fürst von Marakiah erfahren hat, dessen wir wegen seines Einverständnisses mit den Tataren durch die Dolche der Fedai's (d. i. Assassinen) uns entledigt haben. Nun rede man noch weiter von den Tataren, ich aber bringe die Nacht zu mit meinem Rosse, welches stets gesattelt ist, und in meiner völligen Kriegsrüstung [39].“ Der Sultan hatte aber noch nicht Damascus verlassen, als der Prinz Eduard mit seinem Bruder Edmund [40]), welcher im September mit einer nicht sehr erheblichen Zahl von Pilgern nach Ptolemais gekommen war [41]), und alle übrige Pilger, so wie auch der König Hugo von Cypern, die Ritterschaften der drey geistlichen Orden und die ganze Miliz von Ptolemais im Monate November auszogen, um die Burg Caco bey Cäsarea zu zerstören. Da sie aber in der Nähe von Cäsarea ein Lager von Turkomanen antrafen, so überfielen sie diese Hirten,

7. Okt. 1270 zu Damascus, begab sich dann nach dem Schlosse der Kurden und nach Emessa, kehrte von dort wieder nach Damascus zurück und sandte hierauf Truppen nach Haleb. Nach Hugo Plagon (a. a. O.) zogen sich die Tataren zurück: de mares qui sont à l'entrée de Turquie (d. i. Kleinasien, was Marinus Sanutus p. 226 ausdrückt ad locum dictum Marays ad introitum Turchiae) à tot grant gaaing d'esclas et grant bestiail et là se herbergièrent por reposer aprés les grans travaus qu'il avoient soffert du grant chemin qu'il avoient fait, et por l'erbage et por la grant plenté des euës qu'il trouvérent en la terre por le grant bestiail qu'il menoient.

39) Makrisi bey Reinaud p. 529.

40) Bey Hugo Plagon (p. 745. 746) Heymnes und Heymont.

41) Marin. Sanut. p. 224.

J. Chr. 1271. welche eines feindlichen Angriffs sich nicht versahen, in ihren Zelten, erschlugen ihrer fast Tausend und erbeuteten fast funfzehnhundert Stück Vieh, worauf sie, mit dieser Beute sich begnügend, der Zerstörung der Burg Caco entsagten. Dieses Verfahren machte, wie die christlichen Geschichtschreiber selbst versichern, die Kreuzfahrer verächtlich in den Augen der Saracenen [42]). Bald hernach führte Bibars aufs neue seine

42) Hugo Plagon p. 745. Marin. Sanut. l. c. Vgl. Iperii Chronicon (in Edm. Martene et Urs. Durand Thesaurus anecdot. T. III.) p. 750. Nach Matthäus von Westminster (ad a. 1270 p. 401): Eadwardus cum magna militia exivit Acon, transiens per Nazareth, Cako et Calphas castra, interficiens quos reperit Sarracenos; sed revertebatur quantocius formidans pericula fratrum falsorum. Die Christen zogen nach Marinus Sanutus und Hugo Plagon am 23. November von Ptolemais aus. Ich bin in der Erzählung der geringfügigen Unternehmungen des Prinzen Eduard im gelobten Lande der Erzählung des Hugo Plagon gefolgt. Die englischen Chroniken des Heinrich Knyghton (p. 2457) und des Walter Hemingford (p. 590) erzählen sie, beyde aus Einer Quelle, in folgender abweichender Weise: Nachdem Eduard zu Ptolemais eingetroffen war, so ruhte er während eines Monates. Dann zogen mit ihm 7000 Mann aus Ptolemais aus, welche Nazareth eroberten und alle Einwohner, welche sie daselbst antrafen, erwürgten. Auf der Rückkehr nach Ptolemais wurden sie von Saracenen verfolgt, sie aber wandten sich um und trieben die Feinde zurück. Um das Fest St. Johannis des Täufers hörte Eduard, daß die Saracenen bey Kakechowe, 40 Meilen von Ptolemais, sich versammelt hätten; er zog dahin und erschlug in der Frühe des Morgens tausend Ungläubige und gewann eine große Beute, worauf er über das Schloß der Pilger nach Ptolemais zurückkehrte. (Dieser Zug ist kein anderer, als der von Hugo Plagon, Iperius und Marinus Sanutus in den Monat November gesetzte Zug gegen die Burg Caco.) Mittlerweile kam der König Hugo von Cypern nach Ptolemais und forderte die cyprische Ritterschaft auf, nachzukommen; sie aber weigerte sich, außerhalb dieses Landes zu dienen. Als hierauf der Prinz Eduard die Aufforderung des Königs Hugo unterstützte, so erschienen sie in so großer Zahl (dicentes, se teneri mandatis ipsius pro eo quod antecessores sui, nämlich der König Richard Löwenherz, dominabantur olim terrae illorum, et se debere regibus Anglorum semper esse fideles). Nach der Ankunft der cyprischen Ritterschaft zogen die Christen zum dritten Male um Petri Kettenfeyer (1. August) aus und erschlugen zu St. Georg (Lydda) einige Saracenen, ohne Widerstand zu finden. Die Eroberung von Nazareth, deren kein anderer Schriftsteller erwähnt, ist in jedem Fall eine sehr zweifelhafte Thatsache.

Scharen gegen Ptolemais, der heftige Regen aber, welcher J. Chr. 1271. eintrat, bewog ihn, das Land der Christen zu verlassen und nach Kahirah zurückzukehren [43]).

Die syrischen Christen erlangten endlich in ihrer bedrängten Lage, in welcher sie nicht hofften, weder Ptolemais noch irgend eine andere der wenigen ihnen übrig gebliebenen Städte und Burgen, gegen welche der Sultan Bibars seinen Angriff richten würde, vertheidigen zu können, einen Anstandfrieden, den sie der erfolgreichen Vermittelung des Königs Karl von Sicilien verdankten, dessen Botschafter den Sultan zu Kahirah auf den Schiffswerften antrafen, wo er in eigener Person mit seinen Emiren an der Ausrüstung der Schiffe arbeitete, mit welchen er einen zweyten Versuch zur Eroberung von Cypern zu unternehmen gedachte [44]). Bibars machte zwar in der Unterredung mit den sicilischen Botschaftern die spöttische Bemerkung, daß es thöricht sey, wenn Leute, welche nicht einmal eine Burg wie die Burg Caco bezwingen könnten, von der Wiedereroberung des Königreichs Jerusalem sprächen [45]); er bewilligte aber dem Könige Hugo von Cypern und Jerusalem und dessen Unterthanen um so lieber einen Anstandfrieden auf zehn Jahre, zehn Monate, zehn Tage und zehn Stunden, als er damals einen neuen Angriff der Mogolen auf seine syrischen Länder befürchtete [46]). Dieser Friede, J. Chr. 1272.

43) Makrisi bey Reinaud a. a. O. Der Sultan Bibars kam am 23 Dschemadi elewla 670 = 27. Decemb. 1271 wieder nach Kahirah. Abulfeda T. V. p. 30.

44) Makrisi bey Reinaud p. 529. 530.

45) Le soudanc meismes dist as messaiges du roi Charles qui lui estoit venu por traitier les trives entre lui et la Crestiente, que puisque tant de gens avoient failli à prendre une maison, il n'estoit pas semblant qu'il deussent conquerre tele terre com est le royaume de Jerusalem. Hugo Plagon p. 745. 746. Vgl. Marin. Sanut. p. 224.

46) Reinaud Extraits p. 530. Inierunt (Christiani et Saraceni) inter se treugas decennales decem ebdomadarum et decem dierum, nach Heinrich von Knyghton (p. 2458) und Walter Hemingford (p. 592).

J. Chr. 1272. welcher am 22. April 1272 zu Stande kam[47]), wurde jedoch auf die Ebene von Ptolemais und die Straße nach Nazareth beschränkt[48]), und des Prinzen Eduard wurde in dem Vertrage nicht gedacht[49]).

Daß der Sultan Bibars die Absicht hatte, des englischen Prinzen, so wenig furchtbar er ihm auch geworden war[50]), vermittelst der Dolche der Assassinen sich zu entledigen, melden sowohl die morgenländischen als die abendländischen Nachrichten, indem alle Schriftsteller, welche des an dem Prinzen Eduard versuchten Meuchelmordes erwähnen, in den wesentlichen Umständen desselben vollkommen übereinstimmen[51]). Nach der Anweisung des Sultans trat der Emir

47) Hugo Plagon p. 746.

48) Hugo Plagon und Marin. Sanut. a. a. O.

49) Ebn Ferath bey Reinaud a. a. O. Nach der Chronik des Abtes Menko von Werum (Matthaei veteris aevi analecta T. V. p 180. 181) wurde dieser Friede am Sonnabende vor Ostern 1271 (4. April, richtiger 23. April 1272 s. oben Anm. 29) von dem Könige von Cypern und den übrigen Behörden von Ptolemais mit Widerspruch des Prinzen Eduard auf elf Jahre geschlossen: hoc interposito, si aliquis Rex potens de ecclesia terram illam intraret et per eum bellum fieret, ipsi essent excusati. Der Sultan bewilligte diesen Waffenstillstand, nicht nur ohne einen Tribut zu fordern, sondern gab auch den Christen die Erlaubniß, seine Länder und insbesondere die heiligen Oerter zu besuchen. Menko, welcher von den damals im heiligen Lande sich aufhaltenden frisischen Pilgern seine Nachrichten erhalten haben mag, fügt hinzu: Sic multi ex indigenis et peregrinis Bethlehem ac Nazareth et alia loca Sanctorum visitaverunt, sed sepulchrum Domini pauci visitabant, quia hoc sub poena excommunicationis fuit prohibitum, ne per oblationes, quas Christiani ibi faciebant, et diversa telonea inimici crucis Christi ditarentur et fideles detrimentum paterentur.

50) Jedoch sagen Heinrich von Knyghton (p. 2457) und Walter Hemingford (p. 590): cum inter inimicos crucis Christi Edwardi fama increbesceret, timuerunt eum valde et mutuo loquebantur, si forte eum possent opprimere caute.

51) Guilelmus Tripolitanus (bey Duchesne T. V.) p. 474. Matth. Westmon. ad a. 1271 p. 401. Guil. de Nang. de gestis Philippi III. p. 523. Ej. chron. ad a. 1271 (in d'Achery Spicil. T. III.) p. 43. Annales Genuenses (Muratori T. VI.) p. 553. Ptolemaei Lucensis hist. eccles. L. XXIII. c. 6 (Muratori T. XI.) p. 1167. 1168. Hugo Plagon p. 746. Marin. Sanut. p. [illegible]. Io.

von Ramlah[52]) in geheime Unterhandlungen mit dem Prin- J. Chr. 1272.
zen Eduard, indem er vorgab, zum Abfall des Islam geneigt zu seyn, und versprach, noch viele andere Moslims für das Christenthum zu gewinnen, falls die Christen ihn unter sich aufnehmen und ihm eine seiner bisherigen Würde angemessene Lage gewähren würden. Eduard traute diesen Verheißungen und hörte nicht auf die Warnungen des einsichtvollen und erfahrenen Meisters der Templer Thomas Berart[53]). Der Emir von Joppe benutzte diese Unterhandlungen nur, um zwey Assassinen, welche die Ermordung des Prinzen übernommen hatten, Eingang bey demselben zu verschaffen; und nachdem diese Meuchelmörder schon vier Mal mit Meldungen jenes Emirs nach Ptolemais gekommen
waren, so nahm endlich am Donnerstage nach Pfingsten der 16. Jun.
Eine von ihnen die Gelegenheit wahr, seinen verruchten Auftrag zu vollziehen[54]). Als er am Abende dieses Tages den

Iperii Chron. p. 750. 751. Am ausführlichsten erzählen diesen versuchten Meuchelmord der Fortsetzer der Chronik des Matthäus Paris ad a. 1272 p. 1007. 1008; Heinrich von Knyghton (p. 2458) und Walter Hemingford (p. 591); die beyden letztern Schriftsteller, indem sie aus Einer Quelle schöpfen, behaupten, daß erst einige Zeit (modicum tempus) nach diesem meuchlerischen Angriffe wider den Prinzen Eduard der oben erwähnte Waffenstillstand zwischen den Christen und Saracenen verabredet worden sey. Unter den bekannten morgenländischen Geschichtschreibern giebt nur Ebn Ferath (bey Reinaud a. a. O.) Nachricht von der versuchten Ermordung des Prinzen Eduard, indem er ausdrücklich sagt, daß der Sultan Bibars den Prinzen wegen der von ihm wider die moslemische Besatzung einer Burg verübten Grausamkeit (s. oben S. 600 Anm. 42) ausgeschlossen habe, in der Absicht, Hinterlist wider ihn anzuwenden.

52) Ebn Ferath a. a. O. Nach der Fortsetzung des Matthäus Paris, des Knyghton und Walter Hemingford war es der Emir von Joppe. Nach dem ersten dieser Schriftsteller meinte der Emir es wirklich redlich, und er war sehr betrübt, als er hörte, daß sein Bote ein Assassine gewesen war, was sehr unwahrscheinlich ist.

53) Fortsetzer des Matth. Paris, Knyghton und Hemingford.

54) Nach Ebn Ferath wurden die beyden Assassinen in den Dienst des Prinzen Eduard aufgenommen. Dasselbe meldet Wilhelm von Tripolis, welcher jedoch eben so, wie die in der

J. Chr. 1272. Prinzen Eduard in seinem Gemache ohne andere Gesellschafter außer einem Dolmetscher[55]) und wegen der großen Hitze des Tages nur mit einem leichten Kleide angethan und mit entblößtem Haupte auf einem Ruhebette sitzend antraf, so überreichte er ihm einen Brief des Emirs von Joppe; und während der Prinz mit gebücktem Gesichte diesen Brief las und einige Fragen an den Mörder richtete, zog dieser aus seinem Gürtel einen Dolch hervor und kehrte das Mordwerkzeug gegen den Bauch des Prinzen; Eduard aber wandte mit seiner Hand glücklich den Stoß ab, und als der Mörder einen zweyten Versuch wagte, so stieß der Prinz mit seinem Fuße ihn zu Boden, entwand den Dolch aus seiner Hand und stieß ihn in den Bauch des Assassinen, welcher sofort den Geist aufgab; und einer der Leute des Prinzen Eduard, welche angstvoll und erschreckt in das Gemach ihres Herrn eintraten, der Zitterspieler des Prinzen, zerschlug mit einem dreyfüßigen Sessel den Schädel des getödteten Assassinen dergestalt, daß das Gehirn auf den Fußboden floß; worüber der Prinz sehr ungehalten wurde. Obgleich Eduard durch seine Stärke und Entschlossenheit den Mörder überwältigt hatte, so hatte er dennoch sowohl, als er den ersten Stoß abwandte, eine Wunde am rechten Arme, als auch, da er dem Assassinen den Dolch entwand, eine Verletzung

vorigen Anmerkung genannten englischen Schriftsteller, nur von einem Assassinen redet: ipse nuncius (Admiralli) factus est ita domesticus et familiaris ut quandocunque et sicut vellet intraret ad dominum sine dubitationis scrupulo Odoardum. Vgl. Iperii Chron. l. c. Nach den oben genannten englischen Schriftstellern kam der Assassine nur als Botschafter des Emirs von Joppe, und als er das fünfte Mal erschien, so wurde er wie gewöhnlich sorgfältig von der Dienerschaft des Prinzen durchsucht. In dem Schreiben, welches er überreichte, meldete nach denselben Schriftstellern der Emir, daß er am nächsten Sonnabende bey dem Prinzen sich einfinden und sein Versprechen vollziehen würde.

55) Nach Ebn Ferath und Wilhelm von Tripolis.

im Gesichte erhalten; und die erstere Wunde verschlimmerte J. Chr. 1272.
sich so sehr und mit solcher Schnelligkeit, daß man den Argwohn schöpfte, als ob der Dolch vergiftet gewesen wäre. Der Meister der Templer sandte zwar sogleich ein für sehr wirksam geachtetes Gegengift, und Eleonore von Castilien, die Gemahlin des Prinzen, welche ihren Gatten auf dieser Kreuzfahrt begleitete, soll mit ihrem eigenen Munde das Gift aus der Wunde gesogen haben, und die Aerzte und Wundärzte von Ptolemais boten ihre Kunst zur Heilung des Prinzen auf; Eduard verdankte aber seine Genesung der Kunst eines englischen Wundarztes, welcher in vierzehn Tagen ihn heilte [56]. Nach der Erzählung einiger englischen Geschichtschreiber [57] soll der Sultan Bibars, als er hörte, daß der Prinz Eduard wider alles Erwarten genesen war, demselben durch eine Gesandtschaft sein Bedauern über das Mißge-

56) Die einzelnen Umstände des versuchten Mordes finden sich bey den oben genannten englischen Schriftstellern; nach Ebn Ferath wurde der Mörder verhaftet und hingerichtet. Nach der Fortsetzung des Matthäus Paris erschlug Eduard den Assassinen mit dem Dreyfuße, was offenbar ein Mißverständniß des oben Erzählten ist; eben dieser Schriftsteller fügt hinzu, daß Eduard den Leichnam des getödteten Assassinen und neben demselben einen lebendigen Hund über den Thoren von Ptolemais aufhängen ließ, übrigens aber die Christen, welche den Meuchelmord als einen Bruch des Waffenstillstandes behandeln wollten, davon mit der Vorstellung abmahnte, daß die Erneuerung des Krieges die nach dem heiligen Grabe wallfahrenden Pilger in große Gefahr bringen würde. Nach Marinus Sanutus (p. 228) wurde der Meuchelmörder von den Rittern des Prinzen Eduard getödtet. Daß Eleonora das Gift aus der Wunde ihres Gemahls sog, erzählt Ptolemäus Lucensis (a. a. O.) p. 1168: Tradunt, quod tunc uxor sua Hispana et soror Regis Castellae ostendit in viro suo magnam fidelitatem, quia plagas ipsius apertas omni die lingua lingebat ac sugebat humorem, cujus virtute sic attraxit omnem materiam veneni quod integratis cicatricibus vulnerum sensit ulterius se plenissime curatum. Die letzte Willensverfügung, welche Eduard am Sonnabend 18. Junius 1272, am dritten Tage nach seiner Verwundung, zu Ptolemais in französischer Sprache anordnete, ist von Rymer mitgetheilt worden. Acta publ. T. I. P. 1. (London 1816 fol.) p. 495.

57) Knyghton und Walter Hemingford.

J. Chr. 1272. schick, welches ihm begegnet war, bezeigt und zugleich die Versicherung gegeben haben, daß er an der Frevelthat des Assassinen keinen Theil gehabt hätte. Bald nach seiner Genesung im Monate August [58]) schiffte der Prinz Eduard mit seiner Ritterschaft sich ein, gelangte nach einer Fahrt von sechs Wochen nach Trapani, reiste von dort zu Lande durch Sicilien, Apulien und das übrige Italien nach Frankreich, kämpfte daselbst auf der Reise mit seinen Kreuzrittern wider den streitsüchtigen Grafen Johann von Chalons und dessen Ritterschaft an der Saone in einem Turniere, welches mit einem ernsthaften und blutigen Kampfe sich endigte und daher den Namen des kleinen Kriegs von Chalons erhielt, und verweilte hierauf in der Gascogne bis zum Tode seines Vaters, des Königs Heinrich des Dritten, welcher im December des Jahrs 1272 erfolgte. Dann begab er sich nach England und übernahm die Regierung seines Königreichs [59]). Sein Bruder Edmund hatte schon im Mai 1272, noch ehe Eduard zu Ptolemais von dem ismaelitischen Meuchelmörder

58) Circa assumptionem b. Mariae virginis (15. August). Henr. de Knyghton p. 2458. Walter Hemingford p. 592. Nach Hugo Plagon (p. 746) am 14. September, nach Marinus Sanutus a. a. O. am 22. Sept. Nach Matthäus von Westminster (ad a. 1272 p. 402): His diebus cum Edwardus in civitate Acon diutius exspectasset Christianorum et Tartarorum auxilium, eo quod proposuisset per manum validam Saracenos delere, videns se ab utrisque delusum, quia Christiani ad propria recesserunt, et Tartari, qui et Moalli (Mogoli) intestina tyrannide perierunt, dimissis in Acon stipendiariis, mare transit.

59) Henr. de Knyghton p. 2459. 2460. Walter Hemingford p. 592. 593. Heinrich III. hatte noch am 5. April 1271, als er glaubte, von seiner Krankheit zu genesen, zu Westminster sein Kreuzgelübde erneuert und sich verbindlich gemacht, ungeachtet der frühern Uebertragung an seinen Sohn Eduard (s. oben Kap. 17. Anm. 19. S. 537), dieses Gelübde durch eine persönliche Meerfahrt nach dem heiligen Lande zu vollziehen. S. die französisch abgefaßte Urkunde in Rymer Act. publ. T. I. P. 1. (London 1816 fol.) p. 488.

angefallen wurde, das heilige Land verlassen und war nach England zurückgekehrt [60]). J. Chr. 1272.

Der Sultan Bibars, nachdem er den syrischen Christen einen zehnjährigen Waffenstillstand bewilligt hatte, richtete nunmehr seine ganze Macht gegen Abaga, den Chan der persischen Mogolen, welcher, aufgereizt durch den König Haithon von Armenien, und nach dessen Tode [61]) durch seinen Sohn und Nachfolger Leo, in die syrischen Länder des Sultans eindrang und die Feste Birah am östlichen Ufer des Euphrat belagerte und nur durch die Raschheit, mit welcher Bibars seinen bedrängten Unterthanen zu Hülfe eilte, zum Rückzuge gezwungen wurde [62]). So wie der Chan Abaga damals mit dem Könige Leo von Armenien, welcher die von dem Chan ihm angetragene Herrschaft über die von den Mogolen eroberten Länder von Kleinasien zwar abgelehnt, dagegen aber gebeten hatte, daß ein mogolisches Heer die Saracenen aus dem heiligen Lande vertreiben möchte, die Verabredung traf, daß armenische Botschafter an den römischen Hof und zu den Königen und Fürsten des Abendlandes sich begeben sollten, um einen neuen Kreuzzug zu bewirken [63]): eben so erneute Bibars mit dem Chan der Mogolen von Koptschak Mankutimur, dem Sohne und Nachfolger des im Jahre 1266 gestorbenen Chans Berkeh, das schon mit dessen Vater geschlossene Bündniß; und Mankutimur versprach in einem Briefe, welcher in persischer und arabi-

60) Hugo Plagon p. 746. Nach Knyghton und Hemingford war Edmund noch in Ptolemais zu der Zeit, als sein Bruder von dem Assasinen angefallen wurde.

61) Nach dem Mönche Haithon (Hist. or. c. 33) starb der König dieses Namens schon im Jahre 1270; nach Abulfaradsch (Chron. Syr. p. 547) im Herbste des Jahrs der Griechen 1582, Chr. 1271; Hugo Plagon und Marinus Sanutus (a. a. O.) scheinen den Tod desselben erst in das Jahr 1272 zu setzen.

62) Abulfed. Ann. mosl. T. V. p. 30. Ebn Ferath bey Reinaud p. 531. 532.

63) Haithonis histor. or. c. 35.

J. Chr. 1272. scher Sprache geschrieben war, stets ein eben so gutes Einverständniß als sein Vater mit dem Sultan Bibars zu unterhalten, der Freund der Freunde des Sultans und der Feind seiner Feinde zu seyn, und seinerseits den Chan Abaga, so oft er die syrischen Länder des Sultans mit einem Kriege bedrohen oder bedrängen würde, durch einen Angriff von Norden her zu beschäftigen [64]).

Auf die Christen wandte Bibars in den letzten Jahren seines Lebens nur dann seine Aufmerksamkeit, wenn sie entweder durch ihre Handlungen sein Mißfallen veranlaßten, oder ihre innern Angelegenheiten und Streitigkeiten ihm die Gelegenheit darboten, einen Vortheil zu erlangen. Als durch Schiffe der Stadt Marseille, deren Handel und Schifffahrt damals sowohl nach Cypern als nach Syrien und Aegypten sich erstreckte [65]), ein saracenisches Fahrzeug erobert wurde,

64) Ebn Ferath bey Reinaud p. 530. 531.

65) Schon im Jahre 1136 bewilligten der König Fulco und dessen Gemahlin Melisende den Marseillern (pro juvamine et consilio quae praestiterunt in personis et rebus, per mare et per terram ad acquirendam terram regni Jerusalem) einen freyen Grundbesitz (franchesiam), nämlich eine Straße und Kirche zu Jerusalem, Ptolemais und in jeder andern Stadt ihres Reichs, und schenkten ihnen außerdem ein Geldleben von jährlich 400 saracenischen Bysantien (super fundum Joppem). Papon hist. de Provence T. II. Preuves XIV. Im Jahre 1152 bestimmte der König Balduin der Dritte die obige Bewilligung dahin, daß die Marseiller zu Jerusalem, Ptolemais und in jeder andern Seestadt seines Reichs eine Kirche, einen Backofen (furnus) und eine Straße mit dem vollen Rechte des Eigenthümers und der Benutzung über alle daselbst belegenen Häuser sollten besitzen und im ganzen Reiche freien Handel und Wandel ohne irgend eine Abgabe treiben dürfen; außerdem schenkte Balduin den Marseillern für den Beystand, welchen sie in der Vertheidigung von Askalon und Joppe geleistet hatten, 3000 Bysantien und die Ortschaft Rame (castellum [casellum] meum quod est in divisione Esqualon et Joppe, qui vocatur Rame, cum omnibus rusticis et bestiis). Papon a. a. O. no. XVIII. Im Jahre 1190 belohnte der König Veit die Marseiller, welche ihm in der Belagerung von Ptolemais unterstützt hatten, durch die Verleihung einer Urkunde, in welcher er ihnen freyen Handelsverkehr in Ptolemais und allen andern Städten

auf dem die Gesandten des Chan Mankutimur, welche den J. Chr. 1272.
vorhin erwähnten Brief dem Sultan überbringen sollten, sich befanden, so wurde Bibars über diese Feindseligkeit nicht nur sehr ungehalten, sondern er fürchtete auch, daß die Marseiller jene Botschafter dem Chan Abaga überliefern möchten. Er sandte daher Abgeordnete nach Ptolemais, wohin die Marseiller das eroberte Schiff aufgebracht hatten, und forderte die Auslieferung der tatarischen Gesandten; die Behörden von Ptolemais aber gaben zur Antwort, daß sie keine Gewalt über die Marseiller hätten, welche Unterthanen des Königs Karl von Sicilien wären [66]). Hierauf richtete Bibars dieselbe Forderung unmittelbar an die Behörden von Marseille, indem er die Drohung hinzufügte, daß er ihren Schiffen die Häfen von Aegypten versperren würde, falls seiner Forderung nicht genügt würde; und diese Drohung bewirkte die unverzügliche Freylassung der mogolischen Gesandten, welche zu Damascus dem Sultan das für ihn bestimmte Schreiben ihres Chans überreichten [67]). Zwey Jahre später, im Jahre 1274, da Wilhelm, Herr der Burg Kos- J. Chr. 1274.
sair bey Antiochien [68]), dem weltlichen Leben entsagte, das Mönchskleid nahm und seine Burg seinem Vater [69])

seines Reichs, so wie Einfuhr und Ausfuhr ohne Bezahlung irgend einer Abgabe und einen eigenen Gerichtshof zu Ptolemais bewilligt und endlich noch verspricht, daß sie, falls den Bürgern von Montpellier oder St. Gilles noch größere Freyheiten zugestanden würden, diesen gleichgestellt werden sollen. Papon a. a. O. no. XXV. Daß aber die Marseiller damals keinen Gerichtshof zu Ptolemais hatten, scheint aus dem im Texte gemeldeten Vorfalle, insbesondere der Antwort, welche die dortigen Behörden dem Sultan Bibars gaben, zu erhellen. Vgl. oben Kap. XI. Anmerkung 29.

66) Denn der König Karl von Sicilien war auch Graf von Provence und hatte im Jahre 1252 die Stadt Marseille mit Gewalt der Waffen gezwungen, sich ihm zu unterwerfen. Papon hist. de Provence T. II. p. 353. 354.

67) Ebn Ferath bey Reinaud p. 530. 531.

68) Vgl. oben Kap. XVI. S. 523. 524.

69) Nommé le sire de Bastardou. Reinaud Extraits p. 532.

J. Chr. 1274. abtrat, dieser aber das gute Vernehmen, in welchem sein Sohn mit den Saracenen gestanden, nicht unterhielt, vielmehr den Unwillen des Sultans Bibars dadurch auf sich zog, daß er seinen Unterthanen gestattete, den Soldaten des Sultans Wein zu verkaufen: so lockte Bibars durch eine arglistige Einladung den neuen Burgvogt von Kossair und dessen Sohn aus der Burg und ließ beide ergreifen und nach Damascus führen, wo sie nach einiger Zeit starben. Die Besatzung von Kossair versuchte es zwar, die Burg zu behaupten, wurde aber gezwungen, sich zu ergeben [70]). Um dieselbe Zeit wurde die christliche Herrschaft Berytus durch den Tod des letztern Besitzers erledigt, und da dieser keine männlichen Nachkommen hinterließ, so setzte er seine Gemahlin durch letzte Willensverfügung zur Erbin ein, unter der Bedingung, daß sie unter dem Schutze des Sultans Bibars stehen sollte. Diese Verfügung wurde von dem Könige Hugo von Cypern und Jerusalem nicht als gültig anerkannt; sondern Hugo als Oberlehnsherr bemächtigte sich der Herrschaft Berytus als eines heimgefallenen Lehens und nahm die verwittwete Fürstin von Berytus mit sich nach Cypern. Als der Sultan davon Kunde erhielt, so wurde er sehr unwillig und schrieb an den König Hugo einen Brief, welcher die Worte enthielt: „zwischen mir und der Fürstin von Berytus besteht ein Bündniß; wenn ihr Gemahl auf Reisen sich befand, so lag es mir ob, sie zu beschützen, und wenn sie selbst abwesend ist, so vertrete ich ihre Stelle; ihr habt mein Recht verletzt, und ich verlange, daß mein Abgeordneter die Fürstin sehe und aus ihrem Munde vernehme, was ihr Wille ist; wo nicht, so werde ich mich mit Gewalt in den Besitz der Herrschaft Berytus setzen." Der König Hugo

70) Ebn abdorrahim bey Reinaud p. 552, 553.

war zwar anfangs nicht zur Nachgiebigkeit geneigt; als aber die Templer sich wider ihn erklärten, so sandte er die Fürstin von Berytus zurück in ihre Herrschaft [71]). Als im folgenden Jahre 1275 der Fürst Boemund von Antiochien starb [72]), so bewarben sich die verwittwete Fürstin Sibylle, Tochter des Königs Haithon von Armenien, und der Bischof Bartholomäus von Tortosa, als Vormünder des minderjährigen Fürsten Boemund des Siebenten, für ihren Mündel um die Anerkennung und den Schutz des Sultans Bibars; und der Sultan gewährte ihr Gesuch nur unter der Bedingung, daß der junge Fürst einen jährlichen Tribut von zwanzig Tausend Bysantien zu zahlen und zwanzig gefangene Muselmänner freyzulassen hätte [73]). Da später der König Hugo von Cypern und Jerusalem [74]) nach Tripolis kam, so forderte der Sultan die Hälfte von Laodicea als ihm von Alters her gebührend; die Christen dagegen verstärkten die Werke der Burg von Laodicea, und Bibars traf schon An-

J. Chr. 1274.

J. Chr. 1275.

71) Ebn Ferath bey Reinaud p. 532. Bey den abendländischen Geschichtschreibern finde ich keine andere Nachricht, welche sich auf die damaligen Verhältnisse von Berytus bezieht, als daß nach Hugo Plagon (p. 746): fu mariée la dame de Baruth à sire Heimont (Edmund) l'estrange (d. i. den Pilger aus der Fremde); was Hugo Plagon nach der Abreise des Prinzen Eduard stellt. Ohne Zweifel ist diese Dame von Baruth keine andere als Eschive, die Tochter des Johann von Ibelin, Herrn von Berytus, deren erster Gemahl Auffroy von Toron war. Vgl. Lignages d'Outremer ch. 9 und 12. Dieser Eschive konnte aber ihr Gemahl die Herrschaft nicht erst als Erbtheil hinterlassen, da sie selbst die eigentliche Besitzerin war.

72) Boemund starb nach Hugo Plagon (p. 748) am 20. März, nach Marinus Sanutus (p. 226) am 11. Mai 1275, nach Ebn Ferath (Handschr der k. k. Hofbibliothek zu Wien T. VII. p. 19) am 9 Ramadan 673 = 8. März 1275.

73) Ebn Ferath bey Reinaud p. 533.

74) Ebn Ferath nennt den König Hugo einen Sohn des Oheims von dem Fürsten Boemund VII. (وهو ابن عم البرنس). Hugo war der Sohn Heinrich's, Sohns Boemund IV. von Antiochien und der Isabelle, Tochter des Königs Hugo I. von Cypern.

J. Chr. 1273. stalten, die moslemischen Bewohner jener Stadt in sein Gebiet aufzunehmen; als aber eine Gesandtschaft des Königs Hugo erschien mit der Bitte, daß der Sultan wegen eines solchen Anspruchs nicht die Waffenruhe unterbrechen möchte, so gab Bibars nach und gedachte dieser Angelegenheit nicht weiter [75]).

Die syrischen Christen erhielten seit dem Abschlusse des Waffenstillstandes zwar manche Verstärkungen durch die Ankunft von Pilgern aus dem Abendlande; Thomas aus dem Predigerorden, zuvor Erzbischof von Cosenza, welcher als Patriarch von Jerusalem und Legat des apostolischen Stuhls für ganz Syrien am 8. October 1272 nach Ptolemais kam, brachte mit sich fünfhundert Bewaffnete zu Pferde und zu Fuß, welche von der Kirche besoldet und unterhalten wurden [76]); am 8. April 1273 kam Olivier von Termes zum dritten Male nach dem heiligen Lande, und es befanden sich in seinem Gefolge fünf und zwanzig Ritter und hundert Armbrustschützen, welche der König von Frankreich besoldete [77]); und noch in demselben Jahre wurden von dem

75) Ebn Ferath (Handschr. der k. k. Hofbibliothek zu Wien) a. a. O.

76) Hugo Plagon p. 746, wo noch hinzugesetzt wird, daß der Patriarch Thomas auch Bischof von Ptolemais war; denn Gregor X. hatte ihm die Verwaltung dieser damals erledigten bischöflichen Kirche übertragen. Rainaldi ann. eccles. ad a. 1272 §. 17. Diese Verbindung des Patriarchats von Jerusalem mit dem Bisthume Ptolemais war für so lange Zeit, als die Kirche der heiligen Stadt ihrer Einkünfte beraubt seyn würde, zuerst von Urban IV. angeordnet worden und wurde später von Nicolaus III. und Nicolaus IV. bestätigt. Rainald ad a. 1288 §. 41). Vgl. Marin. San. p. 225. Uebrigens war Thomas bey der Anwerbung der Miliz, mit welcher er nach Ptolemais kam, nicht mit gehöriger Vorsicht verfahren und hatte meistens nur Gesindel in den Dienst der Kirche aufgenommen, weshalb ihn der Papst zur Verantwortung zog. Gregor urtheilt aber günstiger über die Miliz des Patriarchen in einem Schreiben, in welchem er dem Könige Philipp von Frankreich für die Erleichterungen, welche derselbe dem Patriarchen bey der Anwerbung seiner Miliz gewährt hatte, dankte. Rainald. l. c.

77) Hugo Plagon a. a. O. Marin. San. p. 225.

Könige Philipp von Frankreich' die Ritter Aegidius von Saucy mit vierhundert, und Peter Daminnes mit dreyhundert Armbrustschützen nach Ptolemais gesandt [78]). Der König Hugo von Cypern und Jerusalem aber, so wie diejenigen, welche die Angelegenheiten des heiligen Landes leiteten, waren nur bemüht, den Waffenstillstand aufrecht zu erhalten, in der Ueberzeugung, daß sie nur so lange den Besitz der geringen Ueberbleibsel der christlichen Herrschaft in Syrien würden behaupten können, als sie jede Mißhelligkeit mit dem Sultan Bibars vermieden. Wie gewöhnlich in Zeiten der Waffenruhe, so waren auch damals die syrischen Christen unter einander in Streitigkeiten verwickelt. Dem Könige Hugo versagte die cyprische Ritterschaft den Dienst außerhalb ihrer Insel, und Hugo sah sich genöthigt, in diesem Streite die Vermittlung der drey geistlichen Ritterorden, so wie mehrerer Barone des heiligen Landes in Anspruch zu nehmen. Es begaben sich Thomas Berart, Meister der Templer, der Marschall des Hospitals und der Komthur der deutschen Ritter, so wie auch der Seneschall des Königreichs Jerusalem Johann von Grelly und mehrere syrische Barone nach Cypern, um einen Vergleich zu vermitteln, kamen aber nach einiger Zeit zurück, ohne einen Austrag dieses Streits bewirkt zu haben [79]), und später erst verglich sich die cyprische Ritterschaft mit ihrem Könige J. Chr. 1275.

78) Hugo Plagon p. 747. Marinus Sanutus (a. a. O.) nennt jene beyden Ritter Aegidius de Sauci und Petrus Damineis.

79) Hugo Plagon p. 746. Eben damals, wahrscheinlich noch während ihres Aufenthalts in Cypern, wurden Johann von Gresly zum Seneschall, Wilhelm von Canet, ein Neffe des Ritters' Olivier von Termes, zum Marschall, und Johann von Ibelin, Herr von Arsuf, zum Connetable des Königreichs Jerusalem ernannt. Bald hernach (am Feste Mariä Verkündigung, 25. März 1273) starb der Meister der Templer, Thomas von Berart, an dessen Stelle Wilhelm von Beaulieu, damaliger Komthur der Templer in Apulien, gewählt wurde. Hugo Plagon a. a. O.

J. Chr. 1273. dahin, daß sie sich verpflichtete, während vier Monate im Jahre dem Könige oder dessen Sohne außerhalb des Königreichs Cypern im Reiche Jerusalem, oder wo es sonst jenseit des Meeres gefordert werden möchte, die Heerfolge zu leisten [80]). Zu eben dieser Zeit wurde Hugo in Verlegenheit gebracht durch die Ansprüche, welche Maria von Antiochien, die Tochter des Fürsten Boemund des Vierten, aus dem auf sie vererbten Rechte ihrer Mutter Melisende, der Tochter der Königin Isabelle und des Königs Amalrich [81]), auf den Thron von Jerusalem erhob; und diese Ansprüche wurden selbst von dem Papste Gregor dem Zehnten so weit anerkannt, daß derselbe nicht nur in einem Schreiben an die Prinzeß Maria wegen des Titels eines Königs von Jerusalem, welchen er in seinen Briefen dem Könige Hugo ertheilt hatte, sich entschuldigte [82]), sondern auch den Erzbischof von Nazareth und die Bischöfe von Bethlehem und Paneas be-

80) Hugo Plagon p. 747. Marin. Sanut. a. a. O. Gregor X. wünschte wegen dieses Vergleiches dem Könige Hugo Glück in einem Briefe, aus welchem Rainaldus einen Auszug mitgetheilt hat, ann. eccles. ad a. 1273. §. 56. Vgl. Reinhard, Gesch. von Cypern, Th. I. Beyl. No. XXIX. p. 62. 63.

81) S. Gesch. d. Kreuzz. Buch VII. Kap. 2. S. 53.

82) Schreiben des Papstes Gregor X. an Maria von Antiochien aus dem Lateran vom 13. Februar 1272 bey Rainaldus ad a. 1272 §. 18. Nach der gewöhnlichen Angabe (vgl. Art de vérifier les dates, chronologie des Princes d'Antioche bey Boemund IV. Reinhard's Gesch. von Cypern, Th. I. S. 197) soll Maria die Gemahlin Friedrichs von Antiochien, Grafen von Albi, eines natürlichen Sohns des Kaisers Friedrich II., gewesen seyn; der Papst Gregor X. nennt sie aber in seinem Briefe an den Erzbischof von Nazareth und die Bischöfe von Bethlehem und Nazareth nur: Maria Domicella, filia quondam Milesandae natae clarae memoriae Ysabellae magnae Reginae Hierosolymitanae; und in den Lignages d'Outremér (ch. 4) wird sie als Tochter des Fürsten Boemund IV. und der Melisende, der Tochter des Königs Amalrich von Jerusalem und der Königin Isabelle, blos durch den Zusatz bezeichnet: Marie fu celle qui vendit au Roi Charles la raison qu'elle cuidoit au Royaume (de Jerusalem). Auch Hugo Plagon (p. 747) und Marinus Sanutus (p. 226. 227) erwähnen nicht der Vermählung

auftragte, dem Könige von Cypern zur Begründung seines Rechts auf die Krone von Jerusalem eine Frist von neun Monaten anzuberaumen, und demnächst, wenn ihrer Ladung Folge geleistet seyn würde, einen ausführlichen Bericht über diese Angelegenheit dem apostolischen Stuhle zu erstatten [83]. Um dieselbe Zeit erregten die Venetianer neue Händel im gelobten Lande, indem der venetianische Bailo Petrus Geno, welcher damals nach Syrien gekommen war, dem Ritter Johann von Montfort, Herrn von Tyrus, den Aufenthalt zu Ptolemais nicht gestatten wollte, weil die Venetianer in ihre Rechte und Besitzungen zu Tyrus noch immer nicht wieder eingesetzt worden waren. Die drey geistlichen Ritterorden traten endlich in das Mittel und bewogen, um dem Streite ein Ende zu machen, den Ritter Johann, welcher schon in der Nähe von Ptolemais sich befand, über Nazareth nach Tyrus zurückzukehren [84]. J. Chr. 1275.

Während die syrischen Christen durch diese Streitigkeiten beschäftigt wurden, führte der Sultan Bibars seinen letzten Krieg gegen den tatarischen Chan Abaga und dessen Bundesgenossen, den König Leo von Kleinarmenien, welche damals durch Botschafter, welche sie nach dem Abendlande sandten, mit nicht geringerm Eifer als die syrischen Christen eine neue allgemeine Kreuzfahrt zu bewirken sich bemühten. Selbst auf der Kirchenversammlung zu Lyon, wo im Jahre 1274 der Beschluß gefaßt wurde, daß dem heiligen Lande ein nachdrücklicher Beystand geleistet werden sollte, fanden drey Botschafter des Chans Abaga sich ein und empfingen die

der Maria mit einem Sohne des Kaisers Friedrich des Zweyten. Vgl. Fr. von Raumer, Gesch. der Hohenst. IV. p. 640.

83) Schreiben des Papstes Gregor X. an die obengenannten Prälaten, Orvieto am 24. Oktober 1272, bey Rainaldus a. a. O. §. 19. 20.

84) Hugo Plagon p. 747. Marin. San. p. 225.

J. Chr. 1275. Taufe aus den Händen des Cardinalbischofs Peter von Ostia, nachherigen Papstes Innocenz des Fünften[85]). Sobald der Sultan Bibars vernommen hatte, daß die Tataren im Sommer des Jahrs 1275 die Feste Birah am Euphrat aufs neue belagerten, so eilte er aus Aegypten nach Syrien; die Tataren hielten zwar, als er sich näherte, nicht Stand, sondern zogen sich zurück in ihr Gebiet[86]), erneuerten aber, sobald Bibars nach Aegypten zurückgekehrt war, die Verwüstung des saracenischen Landes. Hierauf kam der Sultan, welcher indeß den tatarischen Statthalter von Cäsarea in Cappadocien, Monieddin Suleiman as Pervaneh[87]), einen Türken seiner Herkunft nach, zum Verrathe wider seinen Herrn, den Chan Abaga, verleitet hatte, im März des Jahrs
J. Chr. 1277. 1277[88]) mit einem zahlreichen Heere nach Syrien und überwand im folgenden Monate das mogolische Heer, welches, geführt von dem Feldherrn Tanaun, bey Ablastin sich

85) Rainaldi ann. eccles. ad a. 1274 §. 22. 23

86) Abulfed. ann. mosl. ad a. 674 (vom 26. Jun. 1275 bis zum 13. Jun. 1276) T. V. p. 36. Marin. San. p. 228, wo die Burg Birah durch Labiere supra Eufratem bezeichnet, und dieser Feldzug mit dem folgenden zusammengeworfen wird.

87) Abulfeda a. a. O. p. 38. Abulfeda bemerkt (p. 40) richtig, daß der Name Pervaneh (پروانه) ein persisches Appellativum und gleichbedeutend mit dem arabischen Hadschib (Kammerherr) sey. Vgl. Haithoni hist. orient. c. 34. Abulfarag. Chron. Syr. p. 553 sq. Hist. Dyn. p. 549.

88) Bibars verließ nach Abulfeda (p. 38) am Donnerstage d. 20. Ramadan 675 Kahirah, und die Schlacht bey Ablastin (bey Haithon Pasblanc) ereignete sich am Freytage d. 10. Dsulkaadah desselben Jahrs. Beyde Angaben aber sind unrichtig; denn der 20. Ramadan 675 war der 7. März 1277, ein Sonntag, und der 10. Dsulkaadah der 14. April 1277, ein Mittwoch. Nach Haithon und Marinus Sanutus (vgl. Anm 96) gewannen in dieser Schlacht die Mogolen den Sieg. Abulfaradsch dagegen (Chron. Syr. p. 556. Hist. Dyn. p. 550), welcher sehr ausführliche Nachrichten über den damaligen tatarischen Krieg mittheilt, stimmt mit Abulfeda überein, indem er meldet, daß der Sultan die Mogolen, welche sämmtlich berauscht waren, überfiel und vernichtete. Derselbe Schriftsteller giebt in der syrischen Chronik den Tag der Schlacht richtiger als Abulfeda an,

gelagert hatte. Dagegen sah Bibars seine Hoffnung, durch den Beystand des Pervaneh zu dem Besitze von Cäsarea zu gelangen, getäuscht; denn der Chan Abaga, von dem Abfalle seines Statthalters unterrichtet, hatte den verrätherischen Pervaneh, nachdem derselbe dem Feldherrn Tanaun in dem Kampfe gegen Bibars seinen Beystand versagt hatte, bereits gefesselt in das Innere des mogolischen Landes befördert, wo er bald hernach seine Strafe empfing [89]). Der Sultan Bibars begab sich zwar gen Cäsarea und stand einige Tage vor der Stadt im Lager, begnügte sich aber damit, daß die moslemischen Einwohner ihn als ihren Herrn anerkannten, und auf den Kanzeln der dortigen Moscheen das Gebet für ihn gesprochen wurde, ohne einen dauernden Besitz dieser Stadt sich zu sichern [90]). Nachdem Bibars diese Vortheile über die Mogolen erlangt und auch den König von Armenien durch eine schreckliche Verwüstung seines Landes gestraft hatte [91]), so zog er mit seinem Heere nach dem J. Chr. 1277.

nämlich d. 16. Nisan 1588 (der seleucidischen Aere) = 16. April 1277, was ein Freytag war.

89) Abulfeda l. c. p. 40. Nach Abulfaradsch (Chron. Syr. p. 557. Hist. Dyn. p. 551) wurde Pervaneh in Stücke gehauen; nach Haithon (a. a. O.): Parvanam cum suis sequacibus (Abaga) juxta morem Tartarorum per medium fecit scindi et jussit quod in omnibus cibis, quos erat comesturus, poneretur de carne illa Parvanae proditoris, de qua comedit Abaga et dedit suis proceribus comedendum.

90) Nach Abulfeda (p. 38) blieb Bibars sieben, nach Abulfaradsch (Chron. Syr. p. 556) funfzehn Tage vor Cäsarea, und nach dem letztern Schriftsteller kam er auch ein Mal in die Stadt und saß daselbst auf dem Throne, indem er seinen Soldaten keine Plünderung verstattete. Ebn Ferath (bey Reinaud p. 534) bezeichnet es als eine Merkwürdigkeit, daß die erste Stadt, welche Bibars eroberte, Cäsarea in Phönicien, und seine letzte Eroberung Cäsarea in Cappadocien war.

91) Nach Hugo Plagon (p. 746) durchstreifte der Sultan die Ebene von Armenien und tödtete mit dem Schwerte jeden Einwohner des Landes, welchen er antraf; die Zahl der damals getödteten Armenier betrug der Sage nach 200,000, die Zahl der gefangenen Knaben und Mädchen 10,000, und die Zahl der erbeuteten Lastthiere und andern großen und kleinen Viehes 400,000. Der König

J. Chr. 1277. Thale bey der Burg Harem, wo er, die fernern Bewegungen der Mogolen abwartend, so lange blieb, bis ihn Mangel sowohl an Lebensmitteln für seine Krieger, als an Futter für die Pferde nöthigte, im Anfange des Monats Junius nach Damascus zurückzukehren [92]).

Der Sultan Bibars hatte in der Burg zu Damascus [93]), wo er am 8. Junius eingetroffen war [94]), nur wenige Tage von den Anstrengungen des letzten tatarischen Feldzugs geruht, als er am 17. Junius plötzlich erkrankte und zwey Tage hernach, am Sonnabende, dem 19. Junius, sein unruhiges Leben endigte [95]). Ueber die Ursache seines Todes sind sehr abweichende Meldungen überliefert worden; nach einigen Nachrichten soll sein Tod die Folge einer Wunde gewesen seyn, welche er in dem letzten tatarischen Kriege am Schenkel erhalten hatte [96]); nach andern Nachrichten tödtete ihn eine furchtbare Angst vor dem Tode, welche in dem Gemüthe des abergläubigen Sultans erweckt worden war durch die Weissagung eines Sterndeuters, daß ein großer Mann

Leo von Armenien zog sich mit seinen bewaffneten Leuten in die Gebirge seines Landes zurück; andere Einwohner, zum Theil Kaufleute, suchten über das Meer zu entfliehen, fielen aber in die Hände von Seeräubern (corsaires desrobeors).

92) Abulfeda l. c. p. 38. 40.

93) Elkasr elablak d. i. das bunte Schloß. Abulfeda p. 40.

94) Am 5. Moharrem 676 = 8. Junius 1277. Abulfeda a. a. O.

95) Ebn Ferath bey Reinaud p. 537. Der Tag, an welchem Bibars starb, wird sehr abweichend angegeben; nach Abulfeda (a. a. O.) starb er um die Abendzeit am Donnerstage 27 Moharrem 676 = 1. Jul. 1277; nach Hugo Plagon (p. 746) am 25. Mai 1275, nach Marinus Sanutus am 15. April 1277. Nach Abulfaradsch starb Bibars in der Nähe von Hamah (Chron. Syr. p. 558) oder Emessa (Hist. Dyn. p. 551), bevor er nach Damascus gelangte.

96) Abulfarag. Chron. Syr. und Hist. Dynast. a. a. O. Auch Marinus Sanutus (p. 228) sagt: Bendocdar .... reperit sex mille Mugulos, qui illi multam intulere molestiam, et amissis copiis vulneratus Damascum rediit, et accedente ventris profluvio XV. Aprilis exstinctus est. Abulfaradsch selbst aber erklärt diese Nachricht für ungegründet.

in diesem Jahre durch Gift sterben würde[97]). Die meisten Schriftsteller stimmen zwar darin überein, daß der unerwartete Tod des Sultans durch eine Vergiftung bewirkt wurde; sehr abweichend sind aber die Meldungen auch dieser Schriftsteller über die Veranlassung und die einzelnen Umstände. Nach Einer Nachricht hatte der Sultan durch seine Erpressungen, welche er gegen Christen und Juden sowohl als gegen seine moslemischen Unterthanen übte, nicht nur im Allgemeinen sich sehr verhaßt gemacht; sondern insbesondere auch die Einwohner von Damascus durch eine schnöde Behandlung erbittert. Als er seinen letzten Feldzug gegen die Mogolen unternahm, so erhob er von den Einwohnern jener Stadt eine außerordentliche Kriegssteuer und beruhigte den Imam Mohieddin, einen einsichtsvollen und sehr geachteten Mann, welcher ihm deshalb Vorstellungen machte, mit der Versicherung, daß die Steuer sogleich mit der Beendigung des tatarischen Krieges aufhören würde. Da er aber siegreich zurückkehrte, so erließ er an den Vorsitzenden des Divans von Damascus einen Befehl des Inhalts: „wir werden nicht eher vom Rosse steigen, als wenn die Stadt Damascus zweyhundert Tausend Silbermünzen, deren Landschaft dreyhundert Tausend, eben so viele deren Ortschaften und Dörfer, und das mittägliche Syrien eine Million bezahlt J. Chr. 1277.

97) Chronik des Kotbeddin ben Ebn Jerath. Reinaud p. 537. Nach Abulfeda beruhte jene Weissagung auf einer totalen Mondfinsterniß, welche (18. Mai 1277) nicht lange vor dem Tode des Sultans Statt gefunden hatte. Schon Wilhelm von Tripolis (Duchesne T. V p. 435) erwähnt in seinen im Jahre 1273 niedergeschriebenen Nachrichten einer Weissagung von dem bevorstehenden Tode des Sultans Bibars: Hoc etiam anno, ut sapientes Saracenorum dicunt, Astrologi et Mathematici, moriturus est (Soltanus Bondogar), et post ejus obitum alius exsurgit Turchus, qui infra dominii sui annum morietur. Et post haec debet exsurgere dominium Christi et vexillum crucis elevari et deferri per totam Syriam usque ad Caesaream Cappadociae, et tunc erit magna commotio in terra; horum cognitor verus Deus.

J. Chr. 1277. haben werden." Diese leidenschaftliche und unzeitige Strenge verwandelte die Freude der Einwohner von Syrien über die Siege des Sultans in Traurigkeit, von allen Seiten gelangten Klagen an den Imam Mohieddin, das Volk wünschte den Tod des Sultans, und die ausgeschriebene Steuer war noch nicht erhoben worden, als Bibars schon nicht mehr unter den Lebenden war [98]). Nach einer andern Meldung zog sich der Sultan bey einem Gastmahle, zu welchem er seine Emire versammelt hatte, durch unmäßigen Genuß des tatarischen Getränks Kumis ein Fieber zu, und eine Arzney, welche in Abwesenheit seines Leibarztes ihm gereicht wurde, verschlimmerte seine Krankheit und beschleunigte seinen Tod [99]). Nach einer andern Nachricht endlich geschah es, daß der Sultan aus einem Becher, in welchem er selbst oder sein Mundschenk dem Malek al kaher Bohaeddin, einem jungen Emir aus dem Geschlechte des Sultans Saladin, vergifteten Kumis gereicht hatte, durch Unvorsichtigkeit trank, bevor jener Becher wieder gereinigt worden war, und dadurch selbst der Urheber seines Todes wurde; diesen jungen Emir vergiftete Bibars entweder aus Eifersucht über die tapferen Thaten, durch welche derselbe sich in dem letzten tatarischen Kriege ausgezeichnet und den Ruhm des Sultans verdunkelt hatte, und weil ihn die Eitelkeit, mit welcher der Jüngling seiner Thaten sich rühmte, beleidigt hatte, oder um durch dessen Tod die Weissagung des Sterndeuters, welche sein eigenes Gemüth ängstigte, in Erfüllung zu bringen [100]).

98) Ebn Ferath bey Reinaud p. 536 537.

99) Ebn Ferath a. a. O.

100) Abulfeda l. c. p. 40. 42; und noch ausführlicher Ebn Ferath a. a. O p. 537. 538. Nach einer abweichenden Erzählung, welche Abulfaradsch (Chron. Syr. p. 552) mittheilt und als die wahre Erzählung des Hergangs bezeichnet, reichte dem Sultan sein Schatzmeister Gift in Stutenmilch (d. i. Kumis), und als Bibars die Vergiftung merkte, so zwang er den Schatzmeister, ebenfalls davon zu trinken, und beyde starben. In dem arabischen Werke des Abulfa-

Nach dem Tode des Sultans bemächtigte sich der Chasnudar oder Schatzmeister Bedreddin Bilik der Regierung und führte, den Tod des Bibars sorgfältig verheimlichend, die Truppen aus Damascus nach Kahirah, indem er, um sein Geheimniß desto sicherer zu verbergen, eine Sänfte mit sich nahm, in welcher dem Vorgeben nach der kranke Sultan getragen wurde. Der Leichnam des Sultans wurde indeß einbalsamirt und im Schlosse von Damascus aufbewahrt, bis ein prachtvolles Grabmal in der Nähe der großen Moschee zu Damascus zu Stande gebracht worden war [101]. Erst zu Kahirah machte der treue und vorsichtige Schatzmeister Bilik den Tod des Sultans bekannt und ließ dem Sohne des Bibars, dem unbesonnenen Malek as Said, huldigen [102]; der junge Sultan beschleunigte jedoch das Ende seiner Herrschaft durch ähnliche Unvorsichtigkeit wie ehemals der Sultan Turanschah von Aegypten. J. Chr. 1277.

Die syrischen Christen frohlockten zwar über den Tod ihres furchtbaren Feindes [103]; sie benutzten aber den verwirrten Zustand, in welchen das Reich des Sultans Bibars sehr bald nach dem Ableben seines kräftigen Beherrschers versank, nicht mit Klugheit und Geschicklichkeit.

radsch (Hist. Dynast. p. 531) findet sich dieselbe Erzählung ebenfalls, jedoch mit dem Unterschiede, daß die Person, welche die vergiftete Stutenmilch dem Sultan reichte, nicht bezeichnet wird. Auch nach Haithon (hist. orient. c. 35): Benedecdar fuit veneno potatus et subito obiit in Damasco.

101) Abulfeda l. c. p. 42.

102) Abulfeda l. c. Vgl. Marin. San. p. 228. Haithon l. c.

103) De quo (sc. obitu Soldani) Christiani partium orientis fuerunt valde gavisi et Saraceni coeperunt multipliciter contristari; nam post mortem Soldani non habuerunt tam bonum Soldanum, ut Saraceni communiter asserunt. Haithon l. c. Super quo (obitu) Christiani ineffabiliter laetati sunt. Marin. Sanut. l. c.

## Neunzehntes Kapitel.

Während der fast dreyjährigen Erledigung des päpstlichen Stuhls [1]) nach dem Tode des Papstes Clemens des Vierten hatte das Collegium der Cardinäle, da es durch seine eignen innern Streitigkeiten beschäftigt wurde, die Angelegenheiten des heiligen Landes gänzlich aus den Augen verloren. Als endlich die zu Viterbo versammelten Cardinäle, nachdem vielfältige Berathungen über die Wahl eines neuen Oberhauptes der Kirche zu keinem Beschlusse geführt hatten [2]), durch die von allen Seiten an sie gelangten Mahnungen waren bewogen worden, einem Ausschusse von sechs Mitgliedern ihres Collegiums die Wahl zu übertragen [3]), so erhielt die Kirche an Gregor dem Zehnten einen Papst, welcher zwar nicht durch eine tiefe oder ausgebreitete Gelehrsamkeit sich auszeichnete, in weltlichen Geschäften aber große Erfahrung sich erworben hatte und eben so uneigennützig als freygebig und

1) Clemens IV. war am 29. November 1268 gestorben, und die Wahl seines Nachfolgers Gregor X. erfolgte am 1. Sept. 1271; der päpstliche Stuhl war also zwey Jahre, neun Monate und zwey Tage erledigt. Rainaldi ann. eccles. ad a. 1271. §. 13.

2) Den Cardinalbischof Johann von Porto sollen die Schwierigkeiten der damaligen Papstwahl zu der spöttischen Bemerkung veranlaßt haben, man werde wohl das Dach des Palastes, in welchem das Conclave gehalten würde, wegnehmen müssen, damit der heilige Geist zu den Cardinälen gelangen könne. Rainald. l. c. §. 12.

3) S. die Verhandlungen bey Rainaldus a. a. O. §. 7—12.

mildthätig war[4]). Gregor, vor seiner Erhebung auf den apostolischen Stuhl Thealduk, war aus dem edlen Geschlechte der Vizgrafen von Piacenza entsprossen[5]), früher Stiftsherr der Kirche von Lyon gewesen[6]) und später zum Archidiakonus der Kirche von Lüttich erkoren worden; als ihn aber der Bischof von Lüttich, welchem er wegen seines ärgerlichen und eines Prälaten unwürdigen Lebens heftige Vorwürfe gemacht hatte[7]), aus seinem Amte vertrieb[8]), begab er sich nach England mit dem apostolischen Legaten Cardinal Guido von Sabina, welcher daselbst im Auftrage des Papstes Urban außer andern kirchlichen Angelegenheiten die Bewaffnung für das heilige Land befördern sollte, und empfing schon im Jahre 1267 in Sanct Pauls Münster zu London aus den Händen des Legaten das Zeichen des heiligen Kreuzes, worauf er bald hernach die Meerfahrt nach dem heiligen Lande antrat[9]). Während er noch zu Ptolemais sich aufhielt, brachten ihm im Herbste des Jahrs 1271 der Templer Stephan von Sissy und der Ritter Fulco von Puetricart das Schreiben der Cardinäle, in welchem seine Wahl zum Oberhaupte der Kirche ihm gemeldet wurde, so wie auch einen Brief des Königs Karl von Sicilien, welcher die Bitte enthielt, daß der neu erwählte Papst seine Rückkehr nach dem Abendlande beschleunigen möchte[10]). Die

4) Ptolemaei Lucensis hist. eccles. Lib. XXIII. cap. 4 (Muratori Scriptor. rer. Ital. T. XI) p. 1166.

5) Ptolem. Luc. Lib. XXIII. c. 1. p. 1165. Nach Hugo Plagon p. 751: Gregoire pape le disimes fu né de Plaisance en Lombardie, gentishons etoit de lignage des contes .... bons hons et de bonne vie. Vgl. die unten Anm. 23 aus der Geschichte des Georgius Pachymeres angeführte Stelle.

6) Schreiben des Papstes Gregor X. an den Dechanten und das Capitel von Lyon bey Rainaldus a. a. O. §. 14. Hugo Plagon a. a. O.

7) Hugo Plagon a. a. O.

8) Rainald. l. c. §. 15.

9) Matth. Westmonast. ad a. 1267 p. 395.

10) Hugo Plagon a. a. O.

Cardinäle äußerten in ihrem Schreiben die Hoffnung, daß ein Papst, welcher mit seinen eigenen Augen die Noth und Bedrängniß des heiligen Landes gesehen hätte, den rechten Weg wählen würde, um die lange ersehnte Errettung des Erbtheils Christi zu bewirken; und sie bezeichneten zugleich die Pilgerfahrt ihres neuen Oberhauptes nach Syrien und seinen mehrjährigen Aufenthalt daselbst, wodurch er Gelegenheit gefunden hätte, den Zustand dieses Landes genau kennen zu lernen, als eine erfreuliche Fügung Gottes und als eine der wichtigsten Ursachen, durch welche ihre Wahl bestimmt worden wäre [11]). Unter den syrischen Christen erweckte die Nachricht von der Wahl des Archidiakonus Thealdus zum Papste große Freude [12]); und ihre Hoffnungen wurden durch seine tröstlichen Zusicherungen gestärkt. Denn noch in der Predigt, in welcher er von den Bewohnern von Ptolemais Abschied nahm, wandte er auf sich die Worte des Psalms an: „Vergesse ich dein Jerusalem, so werde meiner Rechten vergessen; und meine Zunge müsse an meinem Gaumen kleben, wo ich deiner nicht gedenke; wo ich nicht lasse Jerusalem meine höchste Freude seyn [13]).“

Am achten Tage nach dem Feste des heiligen Martin, am 19. November 1271, verließ Thealdus Ptolemais, und am Neujahrstage des Jahrs 1272 landete er im Hafen von Brundusium [14]). Von dort eilte er, ohne in den Staaten des Königs Karl von Sicilien, welcher ihn mit gebührenden Ehrenbezeigungen empfing, lange zu verweilen, auf geradem Wege nach Viterbo, wo noch immer die Cardinäle versammelt waren [15]); und seine erste Thätigkeit,

(Margin: 19. Nov. 1271. — 2. Jan. 1272.)

11) Schreiben der Cardinäle bey Rainaldus l. c. §. 15.

12) Hugo Plagon a. a. O. Marin. San. p. 225.

13) Ps. 137, v. 5. 6. Marin. Sanut. l. c.

14) Hugo Plagon a. a. O.

15) Schreiben des Papstes Gregor X.

bevor er an seine Krönung dachte, war den Angelegenheiten des heiligen Landes zugewendet. Er sandte schon im Monat März des Jahrs 1272 den Bischof von Corinth mit einem Schreiben an den König Philipp von Frankreich [16]), in welchem er diesen König auf das Dringendste ermahnte, nach dem rühmlichen Vorgange seines Vaters Ludwig dem köstlichen Erbtheile des Heilandes mit redlichem und frommen Eifer zu helfen, indem er sowohl in Folge der Erfahrungen, welche er selbst während seines Aufenthaltes zu Ptolemais gemacht hatte, als auch in Uebereinstimmung mit dem Urtheile der Hospitaliter, Templer und aller übrigen syrischen Ritter die Besorgniß äußerte, daß das heilige Land bald für immer und unwiederbringlich verloren seyn würde, wenn nicht schleunigst Rath geschafft werden könnte. Dem Bischofe von Corinth ertheilte Gregor, indem er ihn an den französischen Hof sandte, den Auftrag, von dem Könige Philipp ein Anleihen von fünf und zwanzig Tausend Mark Silbers für die Werbung und Ausrüstung der Miliz, welche der zum Patriarchen von Jerusalem ernannte Erzbischof Thomas nach Syrien führen sollte [17]), zu bewirken und für dieses Darlehn, falls es gefordert würde, die Häuser, Ortschaften und Landgüter der Templer dem Könige zu verpfänden; Gregor aber, indem er von dieser Maßregel den Brüdern des Tempels Nachricht ertheilte, übernahm die Verpflichtung, jenes Darlehn aus den Mitteln der apostolischen Schatzkammer zurückzuzahlen und dem Orden des Tempels in dieser Beziehung keine Last aufzubürden. Gleichzeitig ersuchte er J. Chr. 1272.

an den Prinzen Eduard von England (Viterbo 31. März 1272) bey Rainaldus ad a. 1272 §. 2. 3. Ptolem. Luc. und Hugo Plagon a. a. O. Vgl. Rainald. l. c. §. 7.

16) Schreiben des Papstes vom 4. März 1272 bey Rainaldus a. a. O. §. 5.

17) S. oben Kap. 18. S. 612.

J. Chr. 1272. die Erzbischöfe von Rouen und Langres und den Grafen von Savoyen, die Bemühungen seines Abgeordneten zu unterstützen[18]). Die Sendung des Bischofs von Corinth hatte den Erfolg, daß der König Philipp nicht nur aus den Geldern, welche ihm der König von Tunis bezahlt hatte, das verlangte Darlehn bewilligte, sondern durch den Buttler Johann von Acre und einen andern Botschafter dem Papste seinen lebhaften Wunsch kund that, sobald als möglich in eigner Person eine Meerfahrt zu unternehmen und das heilige Land zu erretten; und Gregor achtete es für nöthig, den König Philipp gegen Uebereilung in der Ausführung dieses löblichen Vorsatzes zu warnen und zur Abwartung der Zeit, in welcher von Seiten der Kirche die beabsichtigten Vorbereitungen bewirkt seyn würden, zu ermahnen[19]). Um dieselbe Zeit wandte sich Gregor an die Pisaner, Genueser, Marseiller und Venetianer mit dem Ansuchen, daß jede dieser vier Handelsstädte drey Galeen zur Vertheidigung des heiligen Landes ausrüsten und über das Meer senden möchte[20]); und den Prinzen Eduard von England ermunterte er in einem Briefe, welchen er mit den Schiffen der Frühlingsmeerfahrt des Jahrs 1272 nach Ptolemais beförderte, noch ferner die Last des Kampfes für den Heiland mit Unverdrossenheit und Wachsamkeit zu tragen[21]). Dieser Brief

18) Rainald. l. c.

19) Rainald. l. c. §. 6—8.

20) Rainald. l. c. §. 4. Dieses Ansuchen scheint aber ohne Erfolg geblieben zu seyn; und am wenigsten konnten die Venetianer, deren Doge Lorenz Tiepolo im Banne war (vgl. Rainald. l. c.), geneigt seyn, der päpstlichen Aufforderung Folge zu leisten.

21) Rainald. l. c. §. 2. 8. Vgl. oben Anm. 15. Durch ein späteres an den Prinzen Eduard erlassenes Schreiben (Orvieto Jul. 1272) nahm Gregor X. alle Güter des Prinzen in England, Wales, Irland, Gascogne, und wo sie sonst sich befinden möchten, in des heil. Petrus und des apostolischen Stuhls besondern Schutz. Rymer Acta publ. T. I. P. 1. (London 1816 fol.) p. 495.

gelangte aber erst dann nach Syrien, als der König Hugo von Cypern und Jerusalem schon einen zehnjährigen Waffenstillstand mit dem Sultan Bibars geschlossen hatte, und der Prinz Eduard zur Rückkehr nach dem Abendlande entschlossen war. J. Chr. 1272.

Neben manchen andern widerwärtigen Erfahrungen, welche Gregor während seines Aufenthaltes im heiligen Lande gemacht hatte, war ihm auch die schmerzliche Bemerkung nicht entgangen, daß abendländische christliche, vornehmlich genuesische Kaufleute, von verächtlicher Gewinnsucht getrieben, den Saracenen die Waffen lieferten, mit welchen die Streiter des Heilandes bekämpft wurden. Er schrieb daher schon in den ersten Monaten seiner päpstlichen Regierung an die Hauptleute, den Rath und die Gemeinde von Genua einen strafenden Brief [22]), in welchem er den heftigsten Unwillen über einen so schändlichen Verkehr der Christen mit den Ungläubigen aussprach und die Grausamkeit und Bosheit des Sultans Bibars mit den stärksten Farben schilderte, indem er den Genuesern einen Zug der Ruchlosigkeit dieses Sultans mittheilte, welchen er selbst im heiligen Lande aus dem Munde eines der Brüder des Ordens der Dreyfaltigkeit, deren Beruf es war, gefangene Christen aus der Sklaverey der Saracenen zu erlösen, vernommen hatte. Als dieser Mönch einen Befehl des Sultans, daß einige gefangene christliche Weiber mit ihren Säuglingen aus dem Gefängnisse entlassen werden sollten, erwirkt hatte: so wurde auf unerwartete Weise die Vollziehung dieses Befehls verweigert; und da der Mönch deshalb Klage bey dem Sultan selbst erhob, so gab dieser zur Antwort, er hätte seinen Befehl zurückgenommen, weil zu befürchten wäre, daß die

22) Erlassen im Lateran am 31. März 1272 bey Rainaldus a. a. O. §. 13—16.

J. Chr. 1272. christlichen Knaben, wenn sie zu kräftigem Alter gelangten, dem Waffendienst und der Bekämpfung der Saracenen sich widmen würden. Gregor gebot daher den Machthabern von Genua, ihren Unterthanen den Verkehr mit einem so grausamen Feinde zu untersagen, und verordnete, daß bey Strafe des kirchlichen Bannes kein Christ den Ungläubigen Waffen, Eisen, Schiffe oder Schiffsbauholz verkaufen und einen Dienst irgend einer Art auf den Kriegsfahrzeugen oder Raubschiffen der Saracenen übernehmen, auch überhaupt irgend einen Beystand den Ungläubigen sollte leisten dürfen, indem er bestimmte, daß diejenigen Christen, welche als Söldlinge der Saracenen gefangen würden, denen, in deren Gewalt sie geriethen, als Sklaven verfallen seyn sollten.

Schon zu dieser Zeit dachte Gregor sehr ernstlich an die Berufung einer allgemeinen Kirchenversammlung, deren Berathungen die Vereinigung der griechischen Kirche mit der römischen [23]) und die Errettung des heiligen Landes zu Hauptgegenständen haben sollten. In den Ausschreiben, durch welche er die Prälaten von diesem Vorhaben vorläufig unterrichtete [24]), wurde zwar der erste Mai des Jahrs 1274 als der Tag der ersten Berathung bezeichnet, dagegen aber die Bestimmung des Orts, wo die Kirchenversammlung Statt finden sollte, noch vorbehalten. Zugleich benachrichtigte er die Prälaten, daß es seine Absicht wäre, in der Zwischenzeit durch tüchtige Prediger das Wort des Kreuzes verkündigen

23) Georgius Pachymeres (Michael Palaeologus Lib. V. c. 11. p. 251) nennt den Papst Gregorius wegen seines Eifers für die Vereinigung der Kirchen ἄνδρα διαβεβοημένον εἰς ἀρετὴν καὶ ζηλωτὸν τῆς ἀρχαίας τῶν ἐκκλησιῶν εἰρήνης καὶ ὁμονοίας.

24) Erlassen im Lateran am 31. März 1272. Rainald. l. c. §. 21—24 und in der Ausfertigung für den König von England in Rymer Acta publ. l. c. p. 493. 494.

zu lassen, damit die Herzen der Fürsten, Prälaten und übrigen Gläubigen für die Sache des heiligen Landes gewonnen werden möchten. Gleichzeitig ertheilte er sowohl dem Könige von Frankreich und andern Königen und Fürsten der abendländischen Kirche als auch dem griechischen Kaiser Michael Paläologus Nachricht von der beabsichtigten Berufung einer allgemeinen Kirchenversammlung und lud sie ein, persönlich oder durch Abgeordnete an den Berathungen über die Wohlfahrt der Kirche und des heiligen Landes Theil zu nehmen [25]. Um alle Hindernisse, welche den Zwecken dieser Kirchenversammlung entgegenstanden, zu entfernen, bemühte sich Gregor eifrig, sowohl in Italien allen Streitigkeiten der Staaten unter einander ein Ende zu machen, und insbesondere die Venetianer mit den Genuesern und ihren übrigen Feinden zu versöhnen [26], als auch den verwirrten Zustand von Deutschland zu bessern und die Wahl eines kräftigen römischen Königs zu befördern. J. Chr. 1272.

Obgleich Gregor noch während dieser Bestrebungen die Nachricht erhielt von dem Waffenstillstande, welcher für einige Zeit die Besitzungen der Christen in Syrien gegen die Angriffe der Saracenen sicherte: so ließ er sich gleichwohl nicht verleiten, seine Bemühungen für das heilige Land einzustellen oder mit geringerer Thätigkeit zu betreiben. Vielmehr wurden die Rüstungen der Miliz, mit welcher der Pa-

25) Rainald. l. c. §. 25—30. Das Schreiben des Papstes an den Kaiser Michael Paläologus wurde zu Orvieto am 24. Oktober 1272 erlassen. Vgl. Georgii Pachymeris Michaël Palaeologus l. c.

26) Gregor bestimmte den Tag des heiligen Lucas (18. Oktober) 1272 als den Tag, an welchem Abgeordnete der Venetianer und ihrer Feinde, der Genueser und Bologneser, am päpstlichen Hofe zu Friedensunterhandlungen sich einfinden sollten. Rainald. l. c. §. 41. 43. Aber nur die Venetianer und Genueser gehorchten nach der von Andreas Dandulo (Chron. bey Muratori T. XII. p. 382) mitgetheilten Nachricht, und ihre Abgeordneten schlossen einen Vergleich: coram Gregorio Papa, qui multum anhelabat ad passagium.

J. Chr. 1272. triarch Thomas nach Ptolemais sich begab, vollendet und dafür sowohl das von dem Könige Philipp von Frankreich bewilligte Darlehn als die Vermächtnisse verwandt, welche der römische König Richard und der Cardinalbischof von Albano, ersterer von acht Tausend, letzterer von Tausend Unzen Gold, in ihren letzten Willensverfügungen zu Gunsten des heiligen Landes gestiftet hatten [27]). Auch wurde der Papst durch die Nachrichten, welche ihm von seinem ehemaligen Mitpilger, dem Prinzen Eduard von England, da dieser Pilgerfürst auf seiner Rückkehr den päpstlichen Hof zu Viterbo besuchte, über den Zustand der Dinge in Syrien mitgetheilt wurden [28]), veranlaßt, seine Thätigkeit für die Angelegenheiten des heiligen Landes zu verdoppeln.

J. Chr. 1273. Die Erwägung, daß von den Fürsten und Völkern jenseit der Alpen die wirksamste Hülfe dem heiligen Lande geleistet werden könnte, bewog den Papst Gregor, in den Ausschreiben, welche er am Donnerstage nach Ostern zu Orvieto erließ [29]), die Stadt Lyon als den Ort der bevorstehenden Kirchenversammlung zu bestimmen. Um die Kosten, welche den Kirchen durch die Reisen ihrer Vorsteher zur Kirchenversammlung aufgebürdet wurden, so viel möglich zu vermindern, verordnete er, daß von den Aebten der Klöster jedes bischöflichen Sprengels nur Einer zu Lyon persönlich sich einzufinden hätte, die übrigen durch Bevollmächtigte sich vertreten lassen, und die Pröpste und andere Prälaten der Kirchen, welche nicht Cathedralkirchen wären, dieselbe Vorschrift befolgen sollten. An den König von Frankreich erneuerte er die frühere Einladung, der Kirchenversammlung beyzuwohnen,

27) Rainald. l. c. §. 4.

28) Idib. Aprilis (13. April) anno II Rainald. ann. eccles. ad a. 1273. § 1—3.

29) Rainald. ad a. 1273. §. 4.

den König von Castilien ermahnte er ebenfalls, durch die J. Chr. 1273.
Theilnahme an den Berathungen der Väter der Kirche, welche zu Lyon gehalten werden sollten, seinen Eifer für die Sache Gottes darzuthun, und nicht nur den König von Armenien [30]), sondern selbst die Tataren [31]) forderte er auf zur Beschickung der Versammlung, in welcher die Angelegenheiten der abendländischen und morgenländischen Kirche erwogen werden sollten. Gleichzeitig wurden von Gregor mehrere durch Umsicht und Erfahrung ausgezeichnete Erzbischöfe und Bischöfe, so wie auch andere kundige Männer zur Mittheilung ihrer Gedanken über die Bedürfnisse der Kirche veranlaßt [32]); und so wie der einsichtsvolle Bischof Bruno von Olmütz in einem ausführlichen Gutachten, welches er dem Papste vorlegte, die Gebrechen der Kirche in Deutschland und den angrenzenden Ländern entwickelte [33]), eben so unterwarf auch Hubertus de Romanis, vormals Provincial des Ordens der Prediger in Frankreich [34]), der Prüfung des

30) Schreiben des Papstes Gregor X. an den König von Armenien, erlassen zu Orvieto am 27. April 1273 in Mansi Conciliis T. XXIV. p. 59. Vgl. Rainald. l. c.

31) Ptolemaei Luc. annales ad a. 1273 (bey Muratori T. XI) p. 1289.

32) Rainald. l. c. §. 6. Vgl. Mansi's Anm. zu dieser Stelle.

33) Vgl. den Auszug aus dem Gutachten des Bischofs von Olmütz bey Rainaldus a. a. O. §. 6—18.

34) Der Meister Hubertus de Romanis, Mönch des Predigerordens, geboren bey Valence im Sprengel von Vienne, wurde, nachdem er seine Studien zu Paris beendigt hatte, zuerst Lector zu Lyon, dann Prior daselbst, hierauf Provincial seines Ordens zuerst in Toscana, dann in Frankreich. Die letztere Stelle legte er schon im Jahre 1263 nieder und starb am 14. Julius 1277 in der Provence. Vgl. Mansi ad Rainaldi annal. eccl. l. c. und Fabricii bibliotheca latina mediae et infimae aetatis, ed Mansi Lib. VIII. T. III. p. 285. 286. Aus seiner Schrift de his quae tractanda videbantur in concilio generali Lugduni celebrando sub Gregorio papa X stehen Auszüge in Edm. Martene et Urs. Durand veterum monumentorum amplissima collectione T. VII. p. 174—198, in Mansi collectione conciliorum T. XXIV. p. 109—132 und in der erwähnten Anmerkung von Mansi zu Rainaldus. Bey Fabricius wird noch überdies eine Schrift des Hubertus oder Humbertus de Romanis ange-

J. Chr. 1273. Papstes eine Reihe von Vorschlägen in Beziehung sowohl auf die Abstellung vieler in der Kirche obwaltender Mißbräuche, als insbesondere auf die Vereinigung der griechischen und römischen Kirchen und die Bewaffnung für das heilige Land. Wenn auch die etwas unbeholfene Gelehrsamkeit, mit welcher Hubertus seine Gedanken umhüllte, nicht geeignet war, die zahlreichen Stimmen, welche sich gegen das Wagniß einer neuen allgemeinen Kreuzfahrt erhoben, zum Schweigen zu bringen und die sieben Einwendungen gegen eine so gefährliche und so oftmals mißglückte Unternehmung, welche von ihm selbst aufgeführt wurden, siegreich zu widerlegen, und das Beyspiel Karl's des Großen, als des ersten Kreuzhelden, welches er den Fürsten und Rittern seiner Zeit zur Nachahmung empfiehlt, die erloschene Begeisterung für das heilige Grab nicht wieder erwecken konnte: so zeugten doch seine Vorschläge von einem lebendigen Eifer für das heilige Land, welches er selbst früher als Pilger besucht hatte[35]). Endlich verordnete noch Gregor, daß die Bot-

führt unter dem Titel: de praedicatione crucis contra Saracenos.

35) Collectio ampliss. l. c. p. 177. Für die Vertheidigung des heiligen Landes und die Aufbringung der dafür erforderlichen Kosten macht Hubert (ebendas. p. 184. 185) folgende Vorschläge: communis opinio sentit quod oporteret illuc continue tenere tot pugnatores quot probabiliter crederentur semper posse resistere Saracenis, ad quod eligerentur non mercenarii homines, habentes solum oculum ad stipendia, sed habentes zelum fidei, nec homicidae aut pessimi, sicut hactenus factum est, sed homines a peccatis abstinentes .... et illis morientibus aut redeuntibus aut ejectis propter malam vitam mox alii substituerentur. Sustentatio autem eorum faciliter posset haberi praeter adjutorium laicale, 1°) si de superfluo thesauro ecclesiarum in lapidibus, vasis et vestimentis hujusmodi emerentur redditus perpetui, 2°) si de collegiis singulis una vel plures praebendae illi usui aptaretur et deputaretur, 3°) si prioratus, in quibus pauci aliquando cum scandalo morantur, illic applicarentur, 4°) si abbatiae destructae, quarum reformatio desperatur, illic similiter applicarentur, 5°) de beneficiis vacantibus fructus unius vel plurium annorum ad hoc servarentur, et multa alia hujusmodi.

schafter, welche zu der allgemeinen Kirchenversammlung würden abgesendet werden, sechs Monate vor dem zur Eröffnung derselben anberaumten Tage zu Lyon sich einzufinden hätten, damit die Gegenstände, welche zur allgemeinen Erwägung gezogen werden sollten, durch vorläufige Berathungen gehörig vorbereitet werden könnten [36]). J. Chr. 1273.

Für keine der bisherigen allgemeinen Kirchenversammlungen waren sorgfältigere Einleitungen getroffen worden als für das zweyte von Gregor dem Zehnten berufene allgemeine Concilium von Lyon; und von mehrern Seiten gelangten an Gregor Verheißungen und Zusicherungen, welche ihm die frohe Ueberzeugung gewährten, daß eine lebhafte Theilnahme an der Sache des heiligen Landes in der Christenheit erweckt worden sey. Schon im Anfange des Sommers des Jahrs 1275 verließ Gregor die Stadt Orvieto, wo er in der letzten Zeit seinen Sitz gehabt hatte, um die Reise nach Lyon über Florenz und durch Piemont und Savoyen anzutreten [37]); indem er, zwar ohne Erfolg, mit redlichem Eifer sich bemühte, die erbitterten Parteyen, welche zu Florenz und in andern italienischen Städten durch blutige Kämpfe die Ruhe störten, mit einander zu versöhnen [38]). Noch auf dieser Reise erhielt er ein Schreiben, in welchem der König Philipp von Frankreich ihm meldete, daß er in Folge des Wunsches, welcher ihm von dem Papste durch einen Legaten, den päpstlichen Capellan Wilhelm von Macon,

36) Rainald. l. c. §. 6.

37) Gregor war am 20. Junius 1273 schon zu Florenz (Rainald. l. c. §. 32), am 28. August erließ er zu Santa Croce das weiter unten im Texte erwähnte Schreiben an den König von Frankreich (ibid. §. 35), ebendaselbst befand er sich noch am 4. September (Wadding, annales minorum T. IV. p. 544), am 3. November verweilte er zu Chambery (Rainald. l. c. §. 59.), und noch vor dem Ende des Monats November traf er zu Lyon ein (ibid. §. 43).

38) Rainald. l. c. §. 27 sq.

J. Chr. 1273. eröffnet worden, beschlossen hätte, in der bevorstehenden Meerfahrt einige kundige Männer nach Syrien zu senden mit dem Auftrage, über den Zustand und die Bedürfnisse des Landes Erkundigung einzuziehen, and demnächst ihm Bericht zu erstatten, damit den syrischen Christen der Beystand, dessen sie für den Augenblick und bevor die Anordnungen der Kirchenversammlung in Wirksamkeit treten könnten, bedürfen möchten, schon mit der Meerfahrt des nächsten März gewährt werden könnte. Worauf Gregor nicht nur den König Philipp in diesem löblichen Vorsatze durch einen liebreichen Brief bestärkte [39]), sondern auch seinen Legaten, den Capellan Wilhelm, beauftragte, den französischen Kriegern, welche der König von Frankreich nach Syrien senden würde, den Ablaß zu ertheilen [40]). Um dieselbe Zeit trug der König Ottocar von Böhmen dem Papste seinen Beystand zur Errettung des heiligen Landes an [41]), jedoch vielleicht mehr in der Absicht, durch diesen Antrag die päpstliche Unterstützung seiner Bewerbung um den erledigten deutschen königlichen Thron zu erwirken, als weil er ernstlich entschlossen war, dem Dienste des Heilandes sich zu weihen. Auf gleiche Weise waren es wahrscheinlich nur eigennützige Absichten, welche den König Alfons von Castilien, der noch immer nicht seinen Ansprüchen auf den deutschen Thron entsagt hatte, bewogen, den Papst zu einer mündlichen Unterredung einzuladen, in welcher er ihm wichtige Geheimnisse in Beziehung auf das heilige Land und die Vereinigung der lateinischen und griechischen Kirchen mitzutheilen versprach; Gregor lehnte aber diese Unterredung ab, indem er dem Könige den Vorschlag machte,

39) Schreiben des Papstes an den König Philipp, erlassen am 28. August 1273 zu Santa Croce, bey Rainaldus a. a. O. §. 35.

40) Rainald. l. c.

41) Schreiben des Papstes an den König Ottokar bey Rainaldus l. c. §. 37.

seine Geheimnisse entweder durch einen seiner vertrauten Räthe zu eröffnen oder einem päpstlichen Rathe, welcher nach Castilien sich begeben sollte, anzuvertrauen [42]). Die Angelegenheiten des heiligen Landes, nachdem es dem Papste gelungen war, durch seine eifrigen Bemühungen die Theilnahme an der Sache des Kreuzes wieder zu erwecken, beschäftigten damals so sehr die Gemüther, daß man wiederum, wie in frühern Zeiten der Begeisterung für das heilige Grab, Zeichen am Himmel auf die bevorstehende Kreuzfahrt deutete. An dem Tage, an welchem der König Rudolf, welcher während der Reise des Papstes nach Lyon von den deutschen Churfürsten zum römischen Könige erwählt wurde, zu Aachen die Krone empfing, erblickte man am Himmel eine weiße und leuchtende Wolke in der Gestalt eines Kreuzes, welche nachher eine blutrothe Farbe annahm, und als die deutschen Fürsten dem Könige von dieser Erscheinung erzählten, so soll Rudolph gesagt haben: „So mir Gott Leben und Gesundheit verleihen wird, so werde ich nach dem Lande jenseit des Meers pilgern und für meine großen Sünden mein Blut dem Heilande zum Opfer bringen [43]).“ J. Chr. 1273.

Noch vor dem Ende des Monats November kam der Papst Gregor nach Lyon, wo nach und nach mehrere Fürsten und eine große Zahl von Prälaten sich einfanden. Es kamen der König Jakob von Aragonien, welcher aus den Händen des Papstes die königliche Krone zu empfangen wünschte [44]), die Prinzessin Maria von Antiochien, um ihre Ansprüche auf die Krone von Jerusalem geltend zu machen [45]),

42) Schreiben des Papstes an den König Alfons, erlassen zu Chambery am 3. Nov. 1273, bey Rainaldus a. a. O. §. 38. 39.

43) Chronicon Colmariense in Urstisii Scriptor. rer. Germ. T. II. (Francof. 1585 fol.) p. 40.

44) Hugo Plagon p. 752.

45) Hugo Plagon p. 747.

J. Chr. 1273. aus Deutschland der Burggraf Friedrich von Nürnberg und der Graf Gottfried von Stettin [46]), und mehrere andere hohe Herren aus verschiedenen Ländern. Als Abgeordnete des Königs Hugo von Cypern und Jerusalem, um dessen Rechte gegen die Ansprüche der Prinzessin Maria zu vertheidigen und zugleich die Angelegenheiten der Christenheit jenseit des Meers wahrzunehmen, erschienen zu Lyon der Erzbischof Bonacourt von Tyrus, der Bischof von Joppe, der Seneschall des Königreichs Jerusalem Johann von Grelly, der Johanniter Wilhelm von Corcelles, die weltlichen Ritter Enguerrand de Jorni und Jakob Visal, und mehrere andere [47]). Auch der neuerwählte Großmeister der Templer Wilhelm von Beaujeu, bisher Comthur des Tempels in Apulien, begab sich zu der Kirchenversammlung, bevor er die Reise nach Ptolemais antrat [48]). Außer vielen andern Prälaten aus Syrien, England, Frankreich, Deutschland, Italien und andern Ländern [49]) waren die griechischen Patriarchen Opizio von Antiochien und Pantaleon von Constantinopel [50]), und aus Norwegen der Bischof Jonas von Drontheim anwesend [51]). Unter den Cardinälen, welche dem Papste nach Lyon gefolgt

46) Rainaldi annal. eccles. ad a. 1274. §. 6. 11.

47) Hugo Plagon a. a. O.

48) Hugo Plagon p. 752 (vgl. p. 746).

49) Die Zahl der Prälaten, welche auf diesem Concilium anwesend waren, wird verschieden angegeben. Nach Hugo Plagon (p. 752) fanden sich daselbst ein: MCCCC cruces (Bischofsstäbe), nach Ptolemäus Lucensis (histor. eccles. XXIII, 3. p. 1166) und dem Magnum Chronicon Belgicum (bey Pistorius ed. Struv. T. III. p. 283): fünfhundert Bischöfe, siebzig Aebte und tausend andere Prälaten; nach Wilhelm von Mangis (Chron. ad a. 1274 p. 45): 560 Bischöfe und ungefähr tausend Aebte und geringere Prälaten; nach Iperii Chronicon S. Bertini (cap. 51. p. 752): 570 Bischöfe und ungefähr tausend Aebte und geringere Prälaten. Andere Angaben s. bey Mansi ad Rainaldi ann. eccles. ad a. 1274 §. 1.

50) Spondani ann. eccles. ad a. 1274 §. 1. Rainaldi annal. eccles. ad a. 1274 §. 3.

51) Fr. Münter's vermischte Beyträge zur Kirchengeschichte (Kopenh. 1798. 8.) p. 567.

waren, befand sich auch der berühmte Cardinalbischof von J. Chr. 1273.
Albano Bonaventura, welcher während der Kirchenversammlung zu Lyon starb [52]); und für die Unterhandlungen mit den Abgeordneten des griechischen Kaisers war der heilige Thomas von Aquino aus Neapel berufen worden; er starb aber auf der Reise nach Lyon am 7. März 1274 in der Abtey Fossa nova im Bisthume Terracina [53]). Als alle Vorbereitungen vollendet waren, so sagte Gregor den Prä- J. Chr. 1274.
laten und Capellänen seines Gefolges ein dreytägiges Fasten an und bestimmte den Montag vor Himmelfahrt zur feyer- 7. Mai
lichen Eröffnung der Kirchenversammlung [54]). An diesem Tage stieg der Papst um die Stunde der Messe, begleitet von zwey Cardinaldiakonen, aus seinem Gemache herab in die Kirche des heiligen Johannes, sprach daselbst, weil dieser Tag ein Fasttag war, die Terze und die Sexte [55]), ließ sich hierauf von einem Subdiakonus beschuhen und wusch seine Hände; worauf ein Diakonus und Subdiakonus, während die päpstlichen Capelläne die gewöhnlichen Psalme sprachen, ihm die vollständige päpstliche Kleidung, und zwar, weil es in der Zeit zwischen Ostern und Himmelfahrt war, von weißer Farbe, so wie auch das Pallium anlegten, als ob er die Messe feyern würde. Dann begab er sich unter Vortragung des Kreuzes auf den Thron, welcher für ihn auf dem Chore der Kirche bereitet und würdig ausgeschmückt war, und der Cardinalpresbyter Simon von St. Martin und fünf Cardinaldiakone bedienten den Papst, welcher daselbst auf einen Sessel sich niederließ [56]). Neben dem päpstlichen Sessel

52) Der heil. Bonaventura starb zu Lyon am 15. Jul. 1274. Rainald. l. c. §. 28.

53) Antonini Summa historialis tit. 23. cap. 7. Rainald. l. c. §. 29. 30.

54) Rainald. l. c. §. 1.

55) Dixit Tertiam et Sextam, quia dies erat jejunii.

56) In faldistorio (fauteuil).

J. Chr. 1274. nahm der König Jakob von Aragonien seinen Sitz, und mehrere Capelläne stellten sich zur Seite des Papstes. Hierauf machte Gregor das Zeichen des Kreuzes über die Prälaten und die ganze Kirchenversammlung, und nach mehrern Gesängen und Gebeten eröffnete der Papst allen Anwesenden in einer Rede, welche er einleitete mit den Worten des Heilandes [57]: „Mich hat herzlich verlangt, dieses Osterlamm mit euch zu essen, ehe denn ich leide und sterbe," die Absichten der Zusammenberufung dieser Versammlung. Als diese Rede beendigt war, so beschied er die versammelten Väter der Kirche zu einer zweyten Berathung auf den Montag der nächsten Woche. Dann begab er sich wieder an den Platz, wo er sich angekleidet hatte, legte die priesterliche Kleidung wieder ab und sprach die None. Die zweyte Berathung fand aber nicht Statt an dem anberaumten Tage, sondern erst vier Tage später, am Freytage den 18. Mai [58]).

So große Vorbereitungen für diese Kirchenversammlung gemacht worden waren: so wurde Gregor doch sehr bald gewahr, daß der Nutzen, welchen er davon für das heilige Land erwartet hatte, nicht erheblich seyn würde. Als er in den Tagen zwischen der ersten und zweyten Berathung aus jedem erzbischöflichen Sprengel den Erzbischof, einen Bischof und einen Abt vor sich und die Cardinäle berief, so bewilligten diese Prälaten zwar zum Vortheile des heiligen Landes den Zehnten von allen Einkünften der Kirchen auf sechs Jahre vom bevorstehenden Feste Johannis des Täufers anfangend [59]); in den fernern Berathungen nahmen aber die Unterhandlungen mit den Abgeordneten des griechischen Kaisers

57) Evangel. Lucä Kap. 22 v. 15.

58) Acta concilii Lugd. in Mansi Conciliis T. XXIV. p. 61, und bey Rainald. l. c. §. 2.

59) Acta Concilii Lugd. bey Mansi Concil. p. 63. Rainald. l. c. §. 8.

Michael Paläologus, so wenig auch dieser Kaiser ernstlich gesonnen war, die redlichen Absichten des Papstes in Beziehung auf die Vereinigung der Kirchen zu befördern [60]), die Angelegenheiten des deutschen Reichs, insbesondere der Widerspruch des Königs Alfons von Castilien gegen die Wahl des römischen Königs Rudolph, die Taufe der mogolischen Gesandten, welche mit Aufträgen des Chans Abaga erschienen waren, die Bestimmungen wegen der zukünftigen Papstwahlen und viele andere Gegenstände der Kirchenzucht die Aufmerksamkeit der versammelten Väter so sehr in Anspruch, daß man des heiligen Landes kaum gedachte; und als nach der sechsten Berathung, welche am 17. Julius Statt fand, die Kirchenversammlung aus einander ging, so war selbst über die Zeit, in welcher eine neue Kreuzfahrt unternommen werden sollte, noch keine Verabredung zu Stande gekommen [61]). Gregor setzte jedoch auch nach der Beendigung der Kirchenversammlung seine Bemühungen für die Errettung des heiligen Landes fort, indem er von den obgleich nur vorläufigen Anordnungen, welche in Beziehung auf eine neue Kreuzfahrt von der Kirchenversammlung waren verfügt worden [62]), J. Chr. 1274.

60) Georgius Pachymeres (Michael Palaeologus Lib. V. c. 11. p. 251) gesteht ein, daß zwar der Papst Gregor mit der Vereinigung der Kirchen es redlich meinte, der Kaiser Michael aber zu diesen Unterhandlungen nur durch die Furcht vor den Rüstungen des Königs Karl von Sicilien bewogen wurde.

61) Noch in dem Umlaufschreiben, welches Gregor am 17. Sept. 1274 zu Lyon an alle Erzbischöfe und Bischöfe erließ, wurde nur eine baldige Bestimmung des Termins der Kreuzfahrt angekündigt: cujus (generalis passagii) celeriter auctore Domino terminum praefigemus. Rainald. ad a. 1274. §. 41. Ueber die mogolische Botschaft, welche zu Lyon sich einfand, vgl. Abel-Rémusat second mémoire sur les relations politiques etc. p. 344. 346.

62) Maxime pro ipsius terrae (sanctae) liberatione, sagt Gregor in seinem Schreiben an den Cardinal Simon (erlassen zu Lyon am 1. August 1274), concilium diebus proximo praeteritis congregari concessit (Jesus Christus), et multa ibidem pro ipsius subsidio feliciter ordinari. Diese Aeußerung bezieht sich jedoch nur auf die Bewilligung des

J. Chr. 1274. dennoch ersprießliche Wirkungen erwartete. Er ermahnte den König von Frankreich von neuem auf das angelegentlichste, den verheißenen und wegen des Todes seines Vaters verschobenen Kreuzzug sobald als möglich zu vollziehen, da die syrischen Christen es nicht vermöchten, Ptolemais und die beyden andern ihnen noch gebliebenen Städte zu behaupten; und zugleich überwies er dem Könige für die Kosten des Kreuzzugs den Ertrag des Zehnten von den Einkünften der französischen Geistlichkeit. Gleichzeitig ernannte er den Cardinal Simon von Sanct Cäcilia, welcher schon zur Zeit des Papstes Clemens des Vierten durch Eifer und Geschicklichkeit um das heilige Land Verdienste sich erworben hatte[63]), zu seinem Legaten mit dem Auftrage, in Frankreich das Kreuz zu predigen[64]), und machte es ihm zur Pflicht, dafür zu sorgen, daß von denen, welche mit dem Kreuze sich bezeichnen würden, das ihnen aus dem Ertrage des Zehnten der kirchlichen Einkünfte anvertraute Geld, welches der Kirche für die Sünden der Abgeschiedenen zugekommen sey und der Ernährung der Armen und den Bedürfnissen der Diener des Altars entzogen werde, auf gewissenhafte Weise für die Zwecke der Kreuzfahrt und nicht für üppige Kleiderpracht, Völlerey oder andere Eitelkeiten und Thorheiten der Welt verwandt würde[65]). Die sämmtlichen Erzbischöfe und Bischöfe wurden ebenfalls durch päpstliche Schreiben aufgefordert, in ihren Sprengeln das Kreuz zu predigen und predigen zu lassen, in den Kirchen Stöcke zur Aufnahme der milden

Zehnten. In den vorhandenen Beschlüssen der Kirchenversammlung findet sich keine Erwähnung der Angelegenheiten des heiligen Landes.

63) S. oben Kap. 15. S. 504.

64) S. die Schreiben des Papstes an den König Philipp von Frankreich und den Cardinal Simon, erlassen zu Lyon am 1. August 1274. bey Rainaldus l. c. §. 34—36.

65) Schreiben des Papstes an den Cardinal Simon, Lyon d. 12. Oktbr. 1274. bey Rainaldus l. c. §. 38. 39.

Gaben, welche die Gläubigen für die Bedürfnisse des heiligen Landes spenden würden, aufzustellen, und zu verkündigen, daß der Papst nicht nur die Kreuzfahrer in den Schutz des apostolischen Stuhls nähme, sondern den Christen, welche der Kreuzfahrt in Person und auf eigene Kosten sich anschließen oder an ihrer Statt Bewaffnete für den Dienst des heiligen Landes ausrüsten und unterhalten würden, vollkommenen Ablaß ihrer Sünden und einen vorzüglichen Antheil an der ewigen Seligkeit zusicherte; auch wurden die Prälaten ermächtigt, in solchen Kirchen, auf welchen das Interdict lastete, falls daselbst Kreuzpredigten zu halten wären, den Gottesdienst wieder zu gestatten[66]). Von der Verbindlichkeit der Entrichtung des Zehnten befreyte Gregor durch eine spätere Verfügung[67]) die Spitäler für Arme und Aussätzige, die Klöster der Nonnen und anderer Ordensgeistlichen von so geringen Einkünften, daß nur durch öffentliches Betteln die Mittel zur Bestreitung ihrer Bedürfnisse gewonnen werden könnten, und die Weltgeistlichen, deren jährliche Einnahme die Summe von sieben Livres Tournois nicht überstiege; gleichzeitig gestattete er es den Geistlichen, welche zur Entrichtung des Zehnten verpflichtet wären, ihre Beyträge entweder für die ganze Dauer der Besteuerung nach Maßgabe einer billigen Schätzung des Ertrags ihrer Einkünfte

J. Chr. 1274.

66) Umlaufschreiben des Papstes vom 17. Sept. 1274 bey Rainaldus l. c. §. 40—42. Der damals angeordneten Aufstellung von Stöcken in den Kirchen erwähnt auch Hugo Plagon (p. 752): Là (au Lion) fu ordené que chascun Crestien donne chascun au premier denier de la monoie qui coroit en la terre où il seroit por le secors de la terre sainte, et qu'il eust en chascune yglise une huche aveo trois clés qui fussent gardées par trois prodomes, où li deniers fussent mis. Nach eben diesem Schriftsteller wurde von dem Concilium zu Lyon den Christen jeder Handel und Verkehr mit den Saracenen untersagt (que nus n'alast por marcheander ne ne portast marchandise en terre des Sarrasins).

67) Verfügung des Papstes, erlassen zu Lyon am 23. Oktober 1274, bey Rainaldus l. c. §. 43.

J. Chr. 1274. auf ein Mal, oder jährlich nach dem Verhältnisse der wirklich erhobenen Einnahme einzuzahlen; jedoch unter der Bedingung, daß jeder Beytragende bey der von ihm gewählten Weise beharrte, und nicht gewechselt werden dürfte.

J. Chr. 1275. Auch in den vielen und mannichfaltigen wichtigen Angelegenheiten, für welche die Thätigkeit des Papstes Gregor während der übrigen Zeit seines Aufenthalts in Frankreich in Anspruch genommen wurde, verlor er die Errettung des heiligen Landes, als das Hauptziel seiner Bestrebungen, niemals aus den Augen. Um den Christen des heiligen Landes aus den Mitteln, welche ihm damals zu Gebote standen, einigen Beystand zu gewähren, sandte er im Sommer des Jahrs 1275 nach Ptolemais den Ritter Wilhelm von Roussillon mit vierzig Rittern, sechszig Serjanten zu Pferde und vierhundert Armbrustschützen, welche von der Kirche besoldet wurden [68]). Indem Gregor in dem deutschen Reiche den Frieden zu befestigen und den König Alfons von Castilien sowohl als den König Ottocar von Böhmen zur Anerkennung des römischen Königs Rudolph zu bewegen sich bemühte, mit dem Könige Alfons im Frühlinge und in einem Theile des Sommers 1275 zu Beaucaire langwierige und mühsame Unterhandlungen pflog [69]), den Streit wegen des Königreichs Navarra zu Gunsten des Königs Philipp von Frankreich dadurch entschied, daß er die kanonischen Hindernisse, welche der Vermählung des Prinzen Philipp, zweyten

68) Hugo Plagon p. 748. Marin. Sanut. p. 226. Wilhelm von Roussillon kam mit seiner Miliz gegen das Ende des Oktobers zu Ptolemais an. Am 12. August desselben Jahrs war daselbst Olivier de Termes gestorben. Weiter unten nennt Marinus Sanutus (p. 227) den Ritter Wilhelm von Roussillon, als er dessen im Jahre 1277 erfolgten Tod berichtet, Capitaneus super gentem Regis Francorum. Noch im Jahre 1278 starb zu Tripolis als Mönch des Ordens der Dreyeinigkeit Julianus, welcher früher Herr von Sidon und Templer gewesen war. Hugo Plagon a. a. O.

69) Rainaldi annal. eccles. ad a. 1275. §. 14.

Sohns des Königs von Frankreich, mit Johanna, der Erbtochter des letzten Königs Heinrich von Navarra, entgegenstanden, aufhob [70]), dann auf seiner Rückkehr nach Italien, im Oktober zu Lausanne mit dem Könige Rudolph zusammenkam und die Verhältnisse des römischen Stuhls zu dem deutschen Reiche ordnete [71]): in allen diesen und vielen andern Verhandlungen betrachtete er als die erfreulichste Belohnung seiner Bemühungen die Hoffnung, daß die Befestigung des Friedens in den christlichen Reichen die allgemeine Bewaffnung der Gläubigen für die Errettung des Erbtheils Christi befördern und beschleunigen würde. J. Chr. 1275.

Von mehrern Seiten erhielt Gregor während seiner Rückkehr nach Italien so bündige Zusicherungen der Theilnahme an der verabredeten Kreuzfahrt, daß seine Hoffnung eines glänzenden Erfolgs seiner bisherigen Bemühungen für das heilige Land immer größere Sicherheit gewann. Zu Lausanne nahmen der König Rudolph, dessen Gemahlin Anna von Hohenberg, die Herzoge von Lothringen und Baiern, und fünfhundert deutsche Ritter das Zeichen des Kreuzes aus den Händen des Papstes [72]); und Gregor übertrug hier-

70) Hugo Plagon p. 749. 750. Rainald. l. c. §. 19.

71) Gregor kam am 6. Oktober und Rudolph am 18. Oktober (die S. Lucae) 1275 nach Lausanne (Annales Colmarienses bey Urstisius T. II. p. 12).

72) Chron. Sampetrinum Erford. in Menckenii Script. rer. Germ. T. III. p. 285; vgl. Chron. Salisburg. ad a. 1275 in Pez Script. Aust. T. I. p. 374. Nach den Annalen von Colmar nahmen auch der comes Phirretensis et comitissa zu Lausanne das Kreuz, und der Papst bestimmte: ut post duos menses a festo purificationis crucesignati pariter transfretarent. Nach der Chronik des Andreas Dandolo (p. 385. 386): Rodulphus comes Habspurgi, Rex Romanorum electus . . . promisit ire in favorem Terrae Sanctae, ad quam plurimum (papa) anhelabat personaliter proficisci; unde ad ejus petitionem Rodulphus cruce signatus est. Vgl. Rainald. l. c. §. 42. Martini Gerbert fasti Rudolphini vor dessen Codex epistolaris Rudolphi I. (S. Blas. 1772 fol.) §. 32. p. 75. 76. J. C. Pfister, Geschichte von Schwaben, Buch II. Abth. II. S. 57. 58.

Ss 2

J. Chr. 1275. auf dem neu ernannten Bischofe Heinrich von Basel aus dem Orden der Minoriten [73]) und dem Erzbischofe von Yverdon [74]) die Erhebung des sechsjährigen Zehnten von den Gütern der deutschen Geistlichkeit. Auch wurde seit dieser Zeit das Kreuz in Deutschland nicht ohne Wirkung gepredigt [75]). Der König Philipp von Frankreich erneuerte ebenfalls seine Verheißung, die gelobte Kreuzfahrt zu vollziehen [76]); der König Jakob von Aragonien, welcher seine Theilnahme an der Meerfahrt schon zu Lyon dem Papste zugesagt hatte, bekräftigte diese Zusage [77]); der König Karl von Sicilien erklärte seine Bereitwilligkeit, zur Errettung des heiligen Landes persönlich mitzuwirken [78]); der König Leo von Armenien verhieß dem abendländischen Kreuzheere, welches nach Syrien kommen würde, seinen nachdrücklichsten Beystand [79]), und auch der König Eduard von England erfreute den Papst durch das Versprechen, zum zweyten Male nach dem heiligen Lande mit einer ansehnlichern Macht als das erste Mal zu wallfahrten. Gregor beauftragte daher den erwählten Bischof von Verdun, dem Könige Eduard für die Rüstungen zur Meerfahrt den sechsjährigen Zehnten der kirchlichen Einkünfte in dessen Königreiche, so wie in Wales, Irland und auch in Schottland, falls der König dieses Reichs daselbst

73) Annales Colmar. l. c. Gerbert fasti Rudolph. p. 76.

74) Das Schreiben des Papstes an den Erzbischof von Yverdon wurde zu Sitten erlassen. Rainald. l. c. §. 43.

75) Annal. Zwifalt. Vgl. J. C. Pfister, Gesch. von Schwaben, S. 58. Anm. 107.

76) Rainald. l. c. §. 42.

77) Rainald. l. c. Der Eifer des Königs Jakob von Aragonien für das heilige Land erkaltete übrigens, als Gregor die Krönung des Königs von einer Bedingung, in welche Jakob nicht eingehen wollte, abhängig machte. Vgl. Navarrete Dissertacion sobre la parte que tuviéron los Españoles en las guerras de ultramar p. 43 und die daselbst angeführten Schriftsteller.

78) Rainald. l. c.

79) Rainald. l. c.

die Erhebung des Zehnten genehmigen würde, zu über- J. Chr. 1275.
weisen [80]).

Die günstigen Aussichten auf einen glücklichen Erfolg J. Chr. 1276.
der vorbereiteten Kreuzfahrt, welche durch die Verheißungen so mächtiger Fürsten eröffnet wurden, brachten den Papst auf den Gedanken, in eigener Person die Könige, wenn sie ihre Gelübde vollziehen würden, nach Syrien zu begleiten [81]), sehr bald wurden aber alle durch seinen Eifer erweckte Hoffnungen für die Errettung des heiligen Landes vereitelt durch seinen Tod. Denn Gregor erkrankte auf der Reise zu Arezzo und starb daselbst am 10. Januar 1276 [82]).

Die Cardinäle vereinigten sich zwar schon am zehnten Tage nach dem Tode des Papstes Gregor, am Vorabende vor dem Feste der heiligen Agnes, zu der Wahl des gelehr- 20. Jan.
ten Erzbischofs von Lyon, Peter von Tarantasia, zum Oberhaupte der Kirche [83]); und der neue Papst, welcher sich Innocenz der Fünfte nannte, begann seine Regierung mit großer Thätigkeit, indem er nach dem Muster seines Vorgängers die Streitigkeiten der Fürsten und Völker auszugleichen und dadurch die allgemeine Bewaffnung wider die Un-

80) Schreiben des Papstes an den Bischof von Verdun, erlassen am 14. November 1275 zu Mailand, bey Rainaldus l. c. §. 43.

81) Daß Gregor die Absicht hatte, nach dem heiligen Lande sich zu begeben, versichern mehrere Chroniken, z. B. Andreas Dandulus an zwey Stellen p. 385. 388 und Magnum Chron. Belg. p. 283. Vgl. Rainald. l. c. §. 42 u. oben S. 643 Anm. 72.

82) Magn. Chron. belg. l. c. Ptolemaei Luc. hist. eccles. L. XXIII. c. 8. p. 1167. Mar. Sanut. p. 225 (cap. 13). Rainald. ad a. 1276. §. 2. 14.

83) Peter von Tarantasia (Tarantaise in Savoyen) gehörte dem Orden der Prediger an und war der Verfasser von Commentaten über die libri sententiarum und die Briefe des Apostels Paulus. Rainald. l. c. §. 15. 25. Den Tag seiner Wahl bezeichnet Innocenz selbst in seinem Notificationsschreiben bey Rainaldus a. a. O. §. 17.

J. Chr. 1270. gläubigen zu befördern sich bemühte; seine Aufmerksamkeit wurde aber bald nach seiner Thronbesteigung von den Angelegenheiten des heiligen Landes abgewendet, als ein Angriff des Königs von Marokko auf die Länder des Königs von Castilien ihn nöthigte, das Kreuz zur Vertheidigung von Spanien auch in Aragonien predigen zu lassen und diejenigen, welche zum Kampfe wider den saracenischen König von Marokko sich waffnen würden, der den Kreuzfahrern bewilligten Rechte und Vorzüge theilhaft zu machen[84]). Nach wenigen Monaten schon unterlag Innocenz, ehe er seine für die Kirche und das heilige Land nützlichen Pläne vollkommen entwickeln konnte, am 22. Junius 1276 dem Tode[85]). Die Cardinäle wählten hierauf, nachdem der apostolische Sitz nur drey Wo-
11. Jul. chen erledigt gewesen war, zum Oberhaupte der Kirche den Cardinaldiakonus Ottobonus von St. Hadrian, welcher nach der Kirche, der er als Cardinal vorgestanden, den Namen Hadrian des Fünften annahm; Hadrian war aber, als ihm die päpstliche Krone übertragen wurde, schon so kränklich und schwach, daß er seinen Verwandten, als sie ihm zu seiner Erhebung Glück wünschten, antwortete: „möchtet ihr doch zu einem gesunden Cardinal und nicht zu einem sterbenden Papste kommen;" und nach einer Regierung von nicht mehr als neun und dreyßig Tagen wurde er am 18. August durch den Tod der Kirche entrissen[86]). In dieser kurzen Regierung gedachte er jedoch des heiligen Landes, indem er die syrischen Christen nicht nur durch trostreiche Briefe zur unverdrossenen Vertheidigung des heiligen Landes

84) Rainald. l. c. §. 20—22.

85) Rainald. l. c. §. 25.

86) Rainald. l. c. §. 26. 27. Der Cardinal Ottobonus war ein Genueser und aus dem Geschlechte des Papstes Innocenz IV. Ptolem. Luc. L. XXIII. c. 20. p. 1175.

ermunterte und ihnen seinen thätigen Beystand zusicherte, J. Chr. 1276.
sondern auch dem Patriarchen von Jerusalem zwölf Tausend Livres Tournois übersandte, um dieselben zur Erbauung von Schiffen oder auf andere dem heiligen Lande noch nützlichere Weise nach dem Rathe einsichtvoller Männer zu verwenden [87]). Nach dem Tode des Papstes Hadrian erhielt die Kirche an dem bisherigen Cardinalbischofe von Tuskulum Peter Juliani, einem Portugiesen, welcher den Namen Johannes des Einundzwanzigsten sich beylegte, zum Oberhaupte zwar einen Mann von großen Kenntnissen in verschiedenen Wissenschaften, vorzüglich in der Arzneykunde [88]); Johannes aber, welcher unvorsichtig in seinen Reden war, in seinem Wandel, obgleich übrigens wohlthätig und freygebig, nicht immer seine Würde gehörig behauptete und die Mönche durch die Geringschätzung, die er ihnen bewies, sich zu Feinden machte [89]), besaß nicht die Eigenschaften, welche erfordert wurden, um das angefangene Werk seines Vorfahren Gregor des Zehnten zu vollenden; und obwohl er den König Philipp von Frankreich ermahnte zur Vollziehung seiner Meerfahrt und die französischen Erzbischöfe und Bischöfe beauftragte, den Kreuzfahrern, welche sich säumig erweisen würden, die zugestandenen Rechte zu entziehen [90]): so blieben dennoch alle seine Bemühungen ohne Erfolg. Der König Philipp

87) Mar. Sanut. p. 227.

88) Hic generalis clericus fuit et praecipue in medicinis, unde et quaedam experimenta scripsit ad curas hominum ac librum composuit qui thesaurus pauperum vocatur; fecit et librum de problematibus juxta modum et formam libri Aristotelis. Ptolem. Luc. hist. eccles. L. XXIII. c. 21. p. 1176.

89) Ptolem. Luc. l. c. und cap. 24. 25. p. 1178. Rainald. ad a. 1277. §. 19.

90) Schreiben des Papstes an den König von Frankreich vom 15. Oktober und an die französischen Erzbischöfe und Bischöfe vom 9. December 1276, erlassen zu Viterbo, bey Rainaldus ad a. 1276 §. 46—48.

J. Chr. 1277. von Frankreich kehrte seine Waffen gegen den König Alfons von Castilien, ohne das mit Drohungen begleitete Verbot des Papstes zu beachten, und gedachte nicht weiter des Gelübdes, durch welches er sich verbindlich gemacht hatte, persönlich nach dem Lande jenseit des Meers zu wallfahrten [91]). Ueberhaupt machte Johannes die Erfahrung, daß die Fürsten, welche seinem Vorgänger Gregor ihre Theilnahme an der Errettung des heiligen Landes zugesagt hatten, nicht geneigt waren, ihr gegebenes Wort zu lösen; und die Regierung ihrer Reiche und die Beschirmung ihrer Unterthanen für eine höhere Pflicht achteten als die Wiederherstellung des Königreichs Jerusalem. Unter solchen Umständen waren auch die von Gregor dem Zehnten angeordneten Kreuzpredigten, wenn sie auch im Anfange einige Wirkung hervorbrachten, eben so unnütz in England, Frankreich und Deutschland als in den nordischen Reichen [92]). Der Papst Johannes scheint daher selbst die weitern Bemühungen für die Bewirkung einer Kreuzfahrt aufgegeben zu haben, und wir finden keine andere Erwähnung einer von ihm erlassenen erneuten Ermahnung an die mit dem Kreuze bezeichneten Könige, als daß er einige tatarische Botschafter, welche im Namen des Chans der Mogolen dem Könige von Frankreich, wenn er nach Syrien käme, einen nachdrücklichen Beystand zusichern sollten, veranlaßte, an den französischen sowohl als englischen Hof sich zu begeben. Die Zusicherungen dieser Botschafter brachten aber

91) Schreiben des Papstes Johannes XXI. an den Cardinal Simon von St. Cäcilia vom 3. März 1277 bey Rainaldus ad a. 1277. §. 5. 4.

92) In Norwegen hätte der Erzbischof Jonas die Kreuzpredigten übernommen; er richtete aber nichts aus. Münter's Beyträge zur Kirchengeschichte S. 267.

um so weniger Wirkung hervor, da sie keine Tataren oder Mogolen, sondern georgische Christen waren, und selbst der Zweifel erhoben wurde, ob sie nicht mehr Ausspäher als Botschafter wären [93]). J. Chr. 1277.

93) Si autem veri nuncii aut exploratores fuerint, Deus novit; non enim erant Tartari natione nec moribus sed de secta Georgianorum Christiani, quae natio Tartaris totaliter est subjecta. Guil. de Nang. de gestis Philippi III. p. 535. 536. Sie kamen in der Fastenzeit des Jahres 1277 nach Frankreich und wohnten zu St. Denys der Feyer des Osterfestes (28. März 1277) bey. S. Abel Rémusat second mémoire p. 345—350.

## Zwanzigstes Kapitel.

J. Chr. 1277. Die Bemühungen des Papstes Gregor des Zehnten, eine allgemeine Bewaffnung der abendländischen Christenheit zur Bekämpfung der Saracenen in Syrien zu Stande zu bringen, würden, da sie ohne Erfolg blieben, die syrischen Christen in große Gefahr gebracht haben, wenn nach dem Tode des Sultans Bibars die Herrschaft über Aegypten und Syrien in die Hände eines kräftigen Fürsten gekommen wäre. Malek as Said Berkeh aber, der Sohn und Nachfolger des furchtbaren Bibars, war eben so unthätig und kraftlos, als unverständig und unbesonnen. So lange der Schatzmeister Bedreddin Bilik ihm zur Seite stand, erlitten Ordnung und Gehorsam in seinem Reiche keine Störung; als aber dieser treue Diener sehr bald entweder eines natürlichen Todes starb oder nach andern Nachrichten durch Gift getödtet wurde: so überließ sich Malek as Said seinen thörichten Launen, kränkte die alten verdienten Emire, die Waffengefährten seines Vaters dadurch, daß er geringere und jüngere Männer ihnen vorzog, und ließ sogar die beyden angesehensten Emire, Sankor alaschkar, den vertrauten Freund des Sultans Bibars, und Baisari verhaften. Obgleich der junge Sultan diesen beyden Emiren sehr bald ihre Freyheit wiedergab, so entfernte er dadurch nicht die schlimme Wirkung jenes unüberlegten Verfahrens; und die Emire vereinigten sich mit derselben Bereit-

willigkeit, mit welcher sie des leichtsinnigen Sultans Turan- J. Chr. 1277.
schah sich entledigt hatten, zu dem Beschlusse, den eben so
unverständigen Malek as Said der Herrschaft zu berauben.
Schon im Sommer des Jahrs 1278, als der junge Sultan J. Chr. 1278.
mit seinen Truppen nach Damascus gezogen war, und während er daselbst blieb, den Emir Saifeddin Kalavun aussandte, um die Länder des Königs von Armenien [1]) zu verwüsten: wurde dieser Auftrag zwar vollzogen; die heimkehrenden Truppen weigerten sich aber, den Sultan nach der gewöhnlichen Sitte in Damascus zu begrüßen, obwohl Malek as Said sie zuerst durch Abgeordnete einlud, dann sich persönlich mit seiner Mutter in ihr Lager begab, um ihre Zuneigung sich wieder zu verschaffen. Da die Truppen
unerbittlich blieben und den Marsch nach Aegypten fortsetz- J. Chr. 1279.
ten, so eilte zwar der Sultan ihnen nach und gelangte noch vor ihnen in die Burg von Kahirah; die Truppen aber belagerten ihn daselbst und zwangen ihn nach kurzem Widerstande, der Regierung über Aegypten und Syrien zu entsagen Julius
und mit der Herrschaft der Burg Krak sich zu begnügen; in dieser Burg starb Malek as Said bald nach seiner Entsetzung an den Folgen eines unglücklichen Falls vom Pferde auf dem Maidan oder der Rennbahn. Der Emir Baisari und dessen Genossen ernannten, nachdem sie den Malek as Said
entsetzt hatten, dessen jüngern Bruder Bedreddin Salamisch, August
einen Knaben von sieben Jahren, zum Sultan, legten ihm den Namen Malek al adel bey und übertrugen die Regierung mit dem Titel Athabek dem Emir Saifeddin Kalavun, einem Mamluken des Sultans Malek asaleh Ejub und sehr tapfern Manne, welcher besonders in den Feldzügen des Sultans Bibars wider die Tataren durch Kühnheit und Unerschrocken-

1) Bilad Sis d. i. die Länder von Sis (Sebaste) bey Abulfeda T. V. p. 46

J. Chr. 1279. heit sich ausgezeichnet hatte [2]); nach wenigen Monaten aber
26. Nov. begnügte sich Kalavun nicht mit der ihm übergebenen Gewalt, sondern entfernte seinen Mündel, nahm selbst den Titel Sultan an und legte den Namen Malek al Mansur, d. i. der siegreiche König, sich bey. In Aegypten fand diese An-
J. Chr. 1280. maßung keinen Widerspruch; von den syrischen Truppen dagegen wurde der Emir Sankor alaschkar, welchen Kalavun noch als Athabek zum Statthalter von Damascus ernannt
28. März hatte, als Sultan mit dem Ehrennamen Malek al Kamel ausgerufen [3]). So standen also zwey Nebenbuhler einander entgegen, deren Streit nur durch die Waffen entschieden werden konnte.

J. Chr. 1277. Während dieses verwirrten Zustandes der saracenischen Reiche von Aegypten und Syrien waren auch die syrischen Christen unter einander im heftigsten Unfrieden. Weil der König Hugo von Cypern und Jerusalem, als er nach dem Tode des Fürsten Boemund des Sechsten nach Tripolis kam [4]), nicht im Stande gewesen war, seine Rechte auf die Vormundschaft für den minderjährigen Fürsten Boemund den Siebenten, seinen nahen Verwandten, geltend zu machen, so

2) Reinaud Extraits p. 532.

3) Die ägyptischen Truppen, welche aus Cilicien zurückkehrten, gelangten im Rebi el ewwel 678 (vom 12. Jul. bis zum 11. Aug. 1279) nach Kahirah; im Monate Rebi elachir (vom 12. August bis zum 10. Sept. 1279) wurde Bedreddin Salamisch zum Sultan ernannt; am Sonntage den 22. Redscheb = 26. November 1279 nahmen Kalavun zu Kahirah, und am 24. Dsulkadeh = 28. März 1280 Sankor alaschkar zu Damascus den Titel Sultan an. Abulfed. Ann. mosl. T. V. p. 46—60. Den Sultan Kalavun nennt Marinus Sanutus (Secreta fidelium crucis Lib. III. Pars 14. cap. 8. p. 239) Elphi, d. i. einen für tausend Dinare gekauften Mamluken, eben so auch Abulfaradsch (Chron. Syr. p. 562 sq. Hist. Dynast. p. 551) und der Mönch Haithon (Histor. orient. cap. 35, wo statt Erai zu verbessern ist Elfi, und cap. 52. 53). An andern Stellen (p. 229. 230) nennt Marinus Sanutus jenen Sultan Melec Messor (Melik elmansur).

4) S. oben Kap. 18 S. 611.

stritten daselbst wider einander zwey erbitterte Parteyen, die J. Chr. 1277. Partey des Bischofs Bartholomäus von Tortosa, welchem die verwittwete Fürstin Sibylla die Vormundschaft über ihren Sohn zugewandt hatte, und die Partey des Bischofs Peter von Tripolis. Der erstere dieser beyden Bischöfe wurde nicht nur unterstützt durch den König Leo von Armenien, den Bruder der Fürstin Sibylla, an dessen Hof er den jungen Fürsten sandte, um die Ritterwürde zu empfangen [5]; sondern auch die Ritter der Grafschaft waren auf seiner Seite, weil sie ihn betrachteten als ihren Beschützer gegen die Anmaßungen des Bischofs von Tripolis, eines geborenen Römers, und der Landsleute desselben, welche, begünstigt sowohl durch den Bischof selbst als dessen Schwester, die Fürstin Lucia, Gemahlin des Fürsten Boemund des Fünften von Antiochien, zu Tripolis sich angesiedelt und zur Zeit des verstorbenen Fürsten Boemund des Sechsten eine große Gewalt daselbst geübt hatten [6]. Dagegen wurde der Bischof von Tripolis durch die Templer, deren Mitbruder er war [7], beschützt, und er verschaffte sich auch durch deren Vermittelung den Beystand des Guido, Herrn von Gibelet, welcher durch diese Verbindung eine heftige und langwierige Feindschaft mit dem Fürsten von Antiochien sich

5) Hugo Plagon p. 748. Marin. Sanut. p. 226.

6) Hugo Plagon p. 749. Marin. San. p. 226. Die Angaben dieser beyden Schriftsteller über diese tripolitanischen Händel sind übrigens zu kurz, als daß sich daraus eine deutliche Kenntniß der damaligen Verhältnisse von Tripolis gewinnen ließe. Der Vater des Bischofs Peter von Tripolis und der Fürstin Lucia war der römische Graf Paul. Vgl. oben Kap. 10. Anm. 20. S. 317. In der Urkunde, welche über den mißlungenen Versuch des Herrn von Gibelet, der Stadt Tripolis sich zu bemächtigen, in dem Schlosse Nephin (in der Grafschaft Tripolis) im J. 1282 abgefaßt wurde (Michaud histoire des crois. T. V. p. 555—562), kommt unter den Zeugen ein Canonicus der Kirche von Tripolis Namens Johann Frangipan vor, welcher vielleicht einer jener eingedrungenen Römer war.

7) Marin. San. p. 228.

J. Chr. 1277. zuzog [8]). Der Streit zwischen den Römern und den eingeborenen Einwohnern von Tripolis kam bald nach dem Tode des Fürsten Boemund des Sechsten zum Ausbruche, als Johannes Petrus und zwey andere Römer ermordet wurden [9]), und nahm mit dem Fortgange der Zeit zu an Heftigkeit, indem der junge Fürst Boemund die Templer durch die Schimpfreden, welche er gegen diesen Orden sich erlaubte, auf das empfindlichste kränkte, die Leute des Fürsten den Brüdern dieses Ritterordens jede Art von Beleidigung zufügten, und der Bischof von Tripolis genöthigt wurde, gegen die Verfolgung, welche wider ihn erhoben wurde, Zuflucht bey den Templern zu suchen [10]). Zu derselben Zeit beleidigte der Fürst Boemund den Meister der Templer Wilhelm von Beaujeu [11]) dadurch, daß er demselben, da er zu Lande nach Tortosa sich begeben wollte, den Einlaß in Tripolis versagte, und der Meister der Templer ließ nicht nur über diese ihm widerfahrene Kränkung eine Urkunde abfassen [12]), sondern beschloß, wider den Fürsten Boemund eine empfindliche Rache zu üben. Zum Werkzeuge wählte er den Ritter Guido, Herrn von Gibelet, welchen er durch einen Bruder des Ordens [13]) auffordern ließ,

8) Hugo Plagon p. 749. Marin. Sanut. p. 226.

9) Hugo Plagon und Marin. Sanut. a. a. O.

10) Marin. San. p. 228.

11) Wilhelm von Beaujeu war, nachdem er dem Concilium zu Lyon beygewohnt hatte, am Michaelistage 1274 in Ptolemais angekommen. Hugo Plagon p. 748.

12) Marin. Sanut. p. 228.

13) Sire Pol Estaffe, homme lige du Temple et du seigneur de Gibler. Siehe Récit fait par Guy, seigneur de Gibelet, de trois tentatives qu'il fit par l'ordre du frère Guillaume de Beaujeu, grand maître du Temple, pour surprendre pendant la nuit la ville de Tripoli, in Michaud histoire des Croisades T. V. p. 555—562. Diese merkwürdige Aussage wurde zwar erst am 27. Februar 1282 in der Burg Nephin in Gegenwart des Fürsten Boemund abgelegt, von Aegidius, öffentlichem Notarius (par l'autorité de l'église Romaine), niedergeschrieben und durch viele Zeugen, unter welchen sich der Bischof

mit seiner Ritterschaft und einem Theile der Miliz der Tem- J. Chr. 1277.
pler, welchen er zu seiner Verfügung stellen würde, die Stadt Tripolis durch unerwarteten Ueberfall zu nehmen, indem er dieses Unternehmen, weil der Fürst Boemund und dessen Ritterschaft auf einen solchen Angriff auf keine Weise gefaßt wären, als ein sehr leichtes darstellte und den Ritter Guido mit dem Verluste der Freundschaft und des Beystandes der Templer bedrohte, falls dieser Aufforderung nicht genügt würde [14]). Guido machte hierauf mit seinen Schiffen, seiner Ritterschaft und der Miliz, welche ihm der Meister der Templer sandte, drey Mal Versuche, die Stadt Tripolis in nächtlicher Zeit zu überrumpeln; zwey Mal aber, obgleich die Brüder des dortigen Tempelhauses bey dem zweyten Versuche ihm meldeten, daß eine gefährliche Krankheit des Fürsten Boemund das Vorhaben begünstigte, wagte er aus Unentschlossenheit und Ungeschicklichkeit es nicht, der Stadt sich zu bemächtigen; und als er mit sechshundert Mann, unter welchen auch Saracenen sich befanden [15]), zum dritten Male, zu einer Zeit, in welcher der Fürst Boemund abwesend war und in der Burg Nephin sich befand, nach Tripolis kam, so ließ er zwar auf den Rath, welchen ihm zwey Comthure der Templer gegeben hatten, bey der

Hugo von Gibelet, ein Patriarch der Maroniten, mehrere andere Geistliche und vornehme Ritter befanden, bekräftigt; die Versuche, Tripolis zu überrumpeln, welche der Ritter Guido bekannte, gehören aber wahrscheinlich noch in das Jahr 1277, wie aus Marinus Sanutus (p. 228) und der Folge der oben im Texte erzählten Ereignisse hervorgeht.

14) Récit bey Michaud p. 556.

15) Récit a. a. O. p. 560. Als Guido von Gibelet zum zweyten Male in der Nacht in die Nähe von Tripolis kam und nur noch zwey Meilen von der Stadt entfernt war, so erblickten die Seeleute einen Stern, welchen sie für den Morgenstern hielten; sie glaubten daher nicht, vor dem Anbruche des Tages Tripolis erreichen zu können. Dies bewog den Ritter Guido, unverrichteter Sache zurückzukehren. Es war aber nicht viel über Mitternacht gewesen (et cela fut un miracle de Dieu). Récit p. 558.

J. Chr. 1277. Landung seine Schiffe durch heftiges Anstoßen an die Küste zertrümmern, um seinen Leuten die Hoffnung der Rettung durch die Flucht zu nehmen; da er aber die Templer von Tripolis nicht an dem Orte fand, wo sie der Verabredung gemäß sich einzustellen hatten, so verzagte er, achtete sich für verrathen, und weil das Schiff, auf welchem er die Fahrt gemacht hatte, so sehr zerstört war, daß er auf demselben die Rückkehr nicht unternehmen konnte, so begab er sich in das Tempelhaus zu Tripolis, bestieg daselbst sein Roß, welches er einige Tage zuvor dahin gesandt hatte, und eilte nach Gibelet [16]). Guido bat hierauf mehrere Male den Meister der Templer, nach Sidon zu kommen und ihn mit dem Fürsten Boemund auszusöhnen, indem er sich erbot, der Herrschaft Gibelet zu entsagen und in der Zurückgezogenheit zu leben unter der Bedingung, daß seinen Erben der Besitz jener Herrschaft verbliebe; der Meister der Tem-

16) Ich bin in der Darstellung der einzelnen Umstände dieser Ereignisse den Angaben des Ritters Guido, welche in dem erwähnten Récit enthalten sind, gefolgt. Nach Marinus Sanutus (p. 228) war das Absehen der Templer gegen die Burg Nephin gerichtet, ihr Plan wurde durch einen Sturm, welcher ihre Schiffe zerstörte, vereitelt, und Guido von Gibelet nahm entweder keinen Antheil daran, oder war wenigstens nicht dabey die Hauptperson: Magister Templi septem galeas armat mittitque ad obsidendum Nephyn, militesque per terram; sed galeae naufragium passae sunt, quia ibant contra Domini voluntatem, et qui per terram ibant, Ptolemaydam rediere. Wenn Marinus Sanutus kurz zuvor, nachdem er die oben im Texte erzählte Kränkung, welche dem Meister der Templer von Tripolis widerfuhr, berichtet hat, fortfährt: Magister reversus est Ptolemaide (Ptolémaidam), ut bellum principi inferret, dimissis aliquibus de confratribus ad principem offendendum in Gibeleth, ipse quoque dominus de Gibeleth de Tripoli recesserat turbatus cum principe; so scheint diese dunkle Aeußerung auf die Sendung des Ritters Pol Estaffe und einige andere von dem Ritter Guido erwähnten Sendungen, welche die Ueberrumpelung von Tripolis betrafen, sich zu beziehen. Die in den damaligen und den nachfolgenden Ereignissen von Tripolis oftmals erwähnte Burg Nephin lag fünf Meilen (miliaria) von Tripolis entfernt. Marin. San. p. 245.

pler gab jedoch diesem Ansuchen kein Gehör [17]). Der Fürst J. Chr. 1277.
Boemund und der Bischof von Tortosa vergalten diese beabsichtigte Ueberrumpelung von Tripolis dadurch, daß sie zuerst die Belagerung von Gibelet unternahmen, dieselbe aber aufgaben, als sie keinen Erfolg gewährte, und der Fürst mehrere seiner Ritter eingebüßt hatte [18]), und hierauf mit Hülfe von Saracenen, welche sie herbeypriefen, das Tempelhaus zu Tripolis belagerten, eroberten und plünderten, selbst die daselbst aufbewahrten Reliquien raubten und die Templer sowohl als den Bischof von Tripolis vertrieben, und indem sie das Tempelhaus mit einer saracenischen Wache besetzten, sogar das Aergerniß gestatteten, daß in der Kirche der Templer das Gesetz des Propheten Mohammed verkündigt wurde. Als der Papst Nikolaus der Dritte, der Nachfolger des Papstes Johann des Einundzwanzigsten, von diesen Vorfällen Kunde erhielt, so beauftragte er die Bischöfe von Sidon und Berytus, dem Bischofe von Tortosa die Ladung zur Verantwortung vor dem apostolischen Stuhle zu verkündigen, und zugleich forderte er die Templer auf, mit einer hinlänglichen Zahl von Truppen zu ihrer Vertheidigung sich zu versehen [19]). Der Fürst Boemund aber trotzte allen

17) Récit p. 561. Sehr naiv fügt Guido selbst hinzu: Le sire de Gibelet se mit donc ensuite, par ordre du dit maitre à guerroyer les Pisans et à les piller; il n'avoit aucun demêlé avec eux, mais il en agissoit ainsi parceque le dit maitre lui avoit demandé du froment et de l'orge pour sa maison et ses gens. Ueber die damaligen Grundsätze der syrischen Ritterschaft und insbesondere des Ordens der Templer giebt diese Aeußerung keineswegs ein günstiges Zeugniß. Nach Ebn Ferath, welcher dieses mißlungenen Versuchs der Templer, die Stadt Tripolis zu überrumpeln, erwähnt (bey Reinaud p. 563), büßte Guido von Gibelet für seine Verrätherey mit dem Tode.

18) Marin. Sanut. p. 228.

19) Rainaldi annal. eccles. ad a. 1278 §. 81. Schreiben des Papstes Nicolaus III. an den Fürsten Boemund vom 1. Junius 1279 bey Rainaldus ad a. 1279 §. 49—51. Der Bischof von Tripolis begab sich, als er von seinem bischöflichen Sitze vertrieben war, an den päpstlichen Hof

J. Chr. 1277. päpstlichen Ermahnungen und Drohungen und selbst dem Banne, welchen der Papst über ihn aussprach, so wie dem Interdicte, womit die Stadt Tripolis belegt wurde, und übte die härtesten Gewaltthätigkeiten sogar gegen Priester, Mönche und Nonnen. Nachdem dieser Streit des Fürsten Boemund mit den Templern und deren Freunden drey Jahre gewährt hatte, so vermittelte endlich Nikolaus Lorgue, Großmeister des Hospitals, einen Austrag [20]).

Nicht minder verwirrt als in Tripolis war der Zustand der Dinge in Ptolemais. Schon im Herbste des Jahrs 1276 gerieth der König Hugo von Cypern und Jerusalem während seines damaligen Aufenthaltes zu Ptolemais in heftigen Streit mit der dortigen Bürgerschaft, so wie den Brüderschaften [21]), den Venetianern und den geistlichen Ritterorden; und mit den Templern insbesondere war er zerfallen wegen der Ortschaft Fauconiere, eines Lehens der Krone Jerusalem, welches der Orden ohne die lehensherrliche Genehmigung des Königs von dem damaligen Besitzer erworben hatte. Da der König nicht seinen Willen durchsetzen und sein Ansehen geltend machen konnte [22]): so verließ er im Oktober des genannten Jahres unwillig die Stadt Ptolemais, ohne daselbst weder einen Statthalter noch andere Beamte einzusetzen, und begab sich nach Tyrus. Es erhob sich aber bald, da kein Recht gesprochen und keine Ordnung gehandhabt wurde, ein solcher Unfrieden in Ptolemais, daß die schleunige Wiederherstellung einer geregelten Verwaltung zum dringendsten Bedürfnisse wurde; und die Freunde des

und übernahm eine Sendung an den deutschen König Rudolph, um zwischen demselben und dem Könige Karl von Sicilien ein Bündniß zu vermitteln. Rainald. ad a. 1279 §. 50.

20) Marin. Sanut. l. c.

21) Fraternitates (Marin. San. p. 226), z. B. die Brüderschaft des heil. Hadrianus; s. Gesch. der Kreuzzüge Buch VII. Kap. XV. S. 533 folg.

22) Nec eos ad libitum regere valebat. Marin. Sanut. p. 226.

Königs Hugo nährten diesen Unfrieden, indem sie die Dienerschaften der Ritterorden des Tempels und Hospitals aufreizten zu einem Kampfe, in welchem einige Dienstleute der Templer erschlagen wurden. Es begaben sich also Abgeordnete der Prälaten, der Johanniter und deutschen Brüder, so wie der weltlichen Ritter, der Bürger, der Pisaner und Genueser zu dem Könige Hugo nach Tyrus mit der Bitte um die Einsetzung königlicher Beamte in Ptolemais; nur die Templer und die Venetianer nahmen an dieser Gesandtschaft keinen Theil, indem sie sprachen: „so der König nach Ptolemais kommen will, so ist es uns recht, wo nicht, so wissen wir uns zu trösten." Der König Hugo gab jedoch dem Ansuchen jener Gesandtschaft kein Gehör und wurde erst durch wiederholte Bitten vermocht, Balian von Ibelin, Herrn von Arsuf, zum Statthalter, und Wilhelm von Flory zum Vizgrafen in Ptolemais zu bestellen und die übrigen dort erledigten Aemter zu besetzen; worauf er heimlich nach Cypern zurückkehrte[23]) und Botschafter an den päpstlichen Hof und an mehrere Könige und Fürsten des Abendlandes sandte, um über die Widerspenstigkeit und den Ungehorsam seiner Unterthanen zu Ptolemais Beschwerde zu führen und Hülfe zur Wiederherstellung einer gesetzmäßigen Ordnung in seinem syrischen Königreiche nachzusuchen[24]). J. Chr. 1277.

Diese Streitigkeiten hatten für den König Hugo sogar den Verlust von Ptolemais zur Folge. Die Botschafter, welche von den Templern nach dem Abendlande gesandt wurden, um den Orden gegen die Anschuldigungen des Königs von Cypern zu rechtfertigen, unterließen es nicht, der Prinzessin Maria von Antiochien, welche noch immer an dem päpstlichen Hofe sich befand, die Ereignisse, welche zu Pto-

23) Marin. Sanut. l. c.
24) Marin. Sanut. p. 227.

J. Chr. 1277. lemals Statt gefunden hatten, zu berichten, und sie zur zuversichtlichen Verfolgung der von ihr erhobenen Ansprüche aufzumuntern; worauf Maria von dem Bischofe von Albano, welcher von dem Papste zum Richter in ihrer Sache war ernannt worden, die Zuerkennung ihres Rechts verlangte. Da der Sachwalter des Königs Hugo aber die Einwendung vortrug, daß in einem Rechtshandel, welcher die Krone von Jerusalem beträfe, nicht dem römischen Hofe, sondern den Baronen des Königreichs Jerusalem das Erkenntniß zustände: so ließ die Prinzessin Maria diese Einwendung gelten und verlangte die Ausstellung einer mit den Siegeln des Bischofs von Albano und der übrigen anwesenden Cardinäle und Prälaten versehenen Urkunde, durch welche ihre Sache an den Lehenshof des Königreichs Jerusalem verwiesen würde. Nicht lange hernach, noch im Jahre 1277, überließ sie ihre Ansprüche an die Krone von Jerusalem, welche bereits mehrere Male von Richtern, Sachwaltern und andern rechtskundigen Männern als gegründet waren anerkannt worden, dem Könige Karl von Sicilien, indem sie dafür von demselben einige Besitzungen und andere Verwilligungen [25]) sich ausbedang; und über diese Abtretung wurde in Gegenwart einiger Cardinäle und Prälaten von öffentlichen Notarien eine Urkunde ausgefertigt und mit den Siegeln der anwesenden Zeugen bekräftigt. Auf diese Weise kam der königliche Titel von Jerusalem zum zweyten Male an die Krone von Sicilien.

Es ist keine Nachricht uns überliefert worden über den Antheil, welchen der damalige Papst Johannes an dieser

25) Possessiones et caetera donaria. Marin. San. l. c. Nach Wilhelm von Nangis (Chron. ad a. 1278 p. 44) machte die Prinzessin zur Bedingung: quod quamdiu ipsa viveret Rex Siciliae eidem annuatim quatuor millia librarum Turonensium super proventus redditumm comitatus sui Andegaviae assignaret.

Wendung des Streits über das Königreich Jerusalem nahm. J. Chr. 1277.
Der Vorgänger dieses Papstes, Gregor der Zehnte, welcher, die Verhältnisse des gelobten Landes genau kennend, die Vereinigung der Krone von Cypern und Jerusalem als sehr vortheilhaft für das heilige Land betrachtete, scheint die Entscheidung über die Ansprüche der Prinzessin Maria absichtlich zurückgehalten zu haben, so wie er auch den Angriff gegen Cypern abwandte, welchen der Graf von Brienne im Jahre 1275 beabsichtigte, und jenen eroberungssüchtigen Grafen durch die Vermittelung des Königs Karl von Sicilien zur Ruhe brachte [26]). Johannes aber, in der Ueberzeugung, daß dem mächtigen und thätigen Könige Karl mehr Mittel zu Gebote ständen, das heilige Land zu vertheidigen, als dem Könige Hugo, einem Fürsten von geringer Macht und mittelmäßigen Fähigkeiten, beförderte vielleicht die Vereinigung der Kronen von Sicilien und Jerusalem.

Da Karl auf die Unterstützung der Templer, der Venetianer und überhaupt aller derer, welche zu Ptolemais an der Widersetzlichkeit gegen den König Hugo Theil genommen hatten, mit Sicherheit rechnen konnte: so sandte er den Grafen Roger von San Severino als seinen Statthalter mit sechs Galeen nach Ptolemais; und der Graf Roger, welcher am 7. Junius 1277 daselbst eintraf, gelangte unmittelbar nach sei- 7. Jun.
ner Ankunft zu dem Besitze der dortigen Burg, welche Balian von Arsuf, der Statthalter des Königs Hugo, räumte, und der sicilische Statthalter nahm hierauf mit dem Beystande der Templer und Venetianer die Regierung und Verwaltung des Landes an sich [27]). Die Barone des Königreichs Jerusalem

26) Rainaldi ann. eccles. ad a. 1275 §. 52—54.

27) Marin. Sanut. p. 227 (cap. 15. 16). Nach diesem Schriftsteller: Rogerius sumit terrae dominium cum auxilio Templariorum suorumque complicum. Nach Andreas Dandulus (Chron. p. 593): Hoc anno (1277)

J. Chr. 1277. weigerten sich zwar, dem Könige von Sicilien zu huldigen, so lange sie von ihrer Verpflichtung gegen den König von Cypern nicht entbunden wären; als aber der sicilische Statthalter ihnen nur die Wahl ließ, entweder ihre Lehen, Häuser und andere Grundstücke aufzugeben oder dem Könige von Sicilien den Lehneid zu schwören, und der König Hugo den beyden Gesandtschaften, durch welche sie zu verschiedenen Zeiten ihn dringend baten, ihrer Verlegenheit ein Ende zu machen, nur ausweichende Antworten ertheilte: so entschlossen sie sich endlich, die verlangte Huldigung zu leisten; und der Graf Roger gelobte dagegen im Namen des Königs von Sicilien die Aufrechthaltung der Satzungen und Ordnungen des heiligen Landes. Auch bestellte er hierauf einen Seneschall, Connetable, Marschall, Vizgrafen und die übrigen Beamte, welche nach der Verfassung des Landes die Verwaltung und Rechtspflege zu besorgen hatten [28]). Nicht lange hernach folgte der Fürst Boemund dem Beyspiele der Barone des Reichs Jerusalem, indem er ebenfalls dem Könige von Sicilien huldigte [29]).

Dem Könige Hugo blieb zwar nach dem Verluste von Ptolemais in Syrien nur noch die Lehenshoheit über Tyrus und Berytus; allein, obgleich sowohl die Venetianer und Templer, als auch die französische Miliz, welche unter der Leitung eines eigenen Hauptmanns seit dem ersten Kreuzzuge

Damisella Maria, filia principis Antiochiae, jus suum in Regno Hierosolymitano dedit Carolo I. Regi Siciliae, et Rex coronatus est et misit Rogerium Comitem Sancti Severini pro bajulo regni, qui a militibus feudatariis homagium suscepit et officiales constituit, cui Albertinus Mauroceno pro Venetis bajulus plurimum favorabilis fuit, sicut idem Rex per suos legatos gratias agens Duci (Jacobo Contareno) singulariter intimavit.

28) Auch in diesen Verhandlungen des Grafen Roger mit den Baronen waren die Templer thätig, indem sie durch ihre Vermittelung die Zustimmung des Grafen zu der Absendung der zweyten Gesandtschaft an den König Hugo erwirkten. Marin. Sanut. p. 227. 228.

29) Marin. Sanut. p. 228.

Ludwig des Neunten zu Ptolemais auf Kosten des Königs J. Chr. 1277.
von Frankreich unterhalten wurde, den Statthalter des Königs Karl von Sicilien unterstützten [30]): so blieb dennoch ein großer Theil der Bewohner von Ptolemais dem Könige von Cypern zugethan, vornehmlich die Pisaner, die Pullanen und andere, welche von ihm Sold empfingen [31]), und Hugo ließ es daher nicht unversucht, sich wieder in den Besitz der verlorenen Stadt zu setzen. Schon im Jahre 1277 kam er mit siebenhundert Rittern nach Tyrus, um von dort gegen Ptolemais zu ziehen. Da aber die vier Monate, in welchen die cyprische Ritterschaft ihrem Könige außerhalb seines Reiches jährlich zu dienen in dem letzten Vertrage sich verpflichtet hatte [32]), verflossen, bevor Hugo sein Vorhaben ausführte: so verließen ihn seine Ritter, und er war genöthigt, unverrichteter Sache nach Cypern zurückzukehren [33]). Erst sechs Jahre später, als der König Karl während der Unruhen, welche in Sicilien ausgebrochen waren, den Grafen Roger von San Severino zurückgerufen und den Hauptmann der französischen Miliz zu Ptolemais, Hugo von Pelichin, zu seinem Statthalter ernannt hatte [34]), kam Hugo
im Januar 1283 wieder nach Syrien, landete zu Berytus, J. Chr. 1283.
wohin ein heftiger Sturm seine Flotte verschlagen hatte, und begab sich, weil der Sultan Kalavun, welcher damals in

30) So wie früher Gottfried von Sergines und Olivier von Termes († 12. August 1275. Hugo Plagon p. 748), so war hernach Wilhelm von Roussillon, als dieser im Jahre 1277 starb (Marin. Sanut. p. 227. cap. 16), Hugo Pelichin (Marin. Sanut. p. 229 cap. 19), welchem späterhin der König Karl von Sicilien die Statthalterschaft (Bailivatum) zu Ptolemais übertrug, und nach demselben Johannes von Greul seit dem Jahre 1287 (Marin. Sanut. p. 229 cap. 20) Hauptmann der französischen Miliz zu Ptolemais (capitaneus super gentem Regis Francorum, capitaneus Soldatorum Franciae). Johann von Grelly war zugleich Seneschall des Königreichs Jerusalem. S. oben Kap. XIX. S. 636.

31) Marin. Sanut. p. 228 cap. 17.

32) S. oben Kap. XVIII. S. 614.

33) Marin. Sanut. p. 229. cap. 19.

34) Marin. Sanut. l. c.

J. Chr. 1283. gutem Vernehmen mit dem sicilischen Statthalter von Ptolemais stand, durch seine Truppen den Weg versperren ließ [35]), erst im September desselben Jahrs nach Tyrus; auch dort blieb er längere Zeit unthätig, seine Ritterschaft wurde eines großen Theils ihrer Pferde, welche auf das umliegende Land zur Weide waren ausgesandt worden, durch Saracenen, welche vom Gebirge herabkamen, in der Nähe von Sidon [36]) beraubt, er selbst erkrankte, während er um die Freundschaft und Unterstützung der Templer zu Sidon sich bewarb, und da seine Krankheit durch den Kummer über den damals erfolgten Tod seines zweyten Sohns Boemund und seines Freundes und Schwähers, Johann von Montfort, Herrn von Tyrus, verschlimmert wurde: so endigte
26. März 1284. er am 26. März 1284 zu Tyrus sein Leben [37]). Sein Sohn und Nachfolger Johannes regierte zu kurze Zeit, um seine Rechte in Ptolemais geltend zu machen. Erst der König Heinrich, der Bruder des Königs Hugo, welcher nach dem am 11. Mai 1286 erfolgten Tode seines Neffen, des Königs Johannes, den cyprischen Thron bestieg, kam am
24. Jun. 1286. Johannistage des ersten Jahrs seiner Regierung mit einer trefflichen Flotte nach Ptolemais und gelangte durch den Beystand der dortigen cyprischen Partey zu dem Besitze der Stadt; der sicilische Statthalter Hugo von Pelichin versuchte es zwar, mit der französischen Miliz und den Anhän-

35) Lebensbeschreibung des Sultans Kalavun bey Reinaud p. 547.

36) In pasu Daugiae prope Sidonem. Mar. Sanut.

37) Marin. Sanut. l. c. Guil. de Nang. chron. ad a. 1287 p. 47. Jordani chronicon apud Rainaldum ad a. 1286 §. 38. Der König von Cypern, sagt der Lebensbeschreiber des Sultans Kalavun (bey Reinaud a. a. O.), begab sich, nachdem er von den muselmännischen Truppen überall war zurückgetrieben worden, nach Tyrus und starb daselbst, wie man behauptet, durch Kummer. Johann von Montfort hatte zur Gemahlin Margaretha, die Schwester des Königs Hugo von Cypern. Lignages d'Outremer, chap. 12.

gern der sicilischen Partey die Burg zu behaupten, wurde J. Chr. 1286.
aber durch eine fünftägige Belagerung gezwungen, dieselbe zu räumen; worauf Heinrich am Feste Mariä Himmelfahrt 15. Aug. 1286.
zu Tyrus als König von Jerusalem gekrönt wurde, und am vorletzten Tage des Monats November, nachdem er seinen 29. Nov. 1286.
Oheim Philipp von Ibelin als seinen Statthalter zu Ptolemais eingesetzt hatte, nach Cypern zurückkehrte[38]).

Von diesen Verwirrungen, durch welche die christliche Herrschaft in Syrien zu der Zeit, als ihr Untergang nicht mehr fern war, zerrüttet wurde, gewannen nur die Venetianer einigen Vortheil. Nachdem der König Hugo von Cypern alles Ansehen im Reiche Jerusalem verloren hatte, so benutzten sie das Uebergewicht, welches sie und ihre Freunde damals besaßen, zur Wiedererlangung der Besitzungen und Rechte, welche ihnen ehemals in Tyrus zugestanden und auf Betrieb der Genueser von Philipp von Montfort, Herrn von Tyrus, entzogen worden waren; und der venetianische Bailo von Syrien, Albertinus Morosini, und dessen beyde Räthe schlossen unter Vermittelung des Patriarchen Thomas von Jerusalem und mehrerer anderer Prälaten, so wie der drey geistlichen Ritterorden und des pisanischen Consuls Jakobus Rubeus und im Beyseyn mehrerer Rechtsgelehrten[39]) und

38) Marin Sanut. l. c. Nach dem Lebensbeschreiber des Sultans Kalavun (a. a. O.) bemächtigte sich der König Heinrich der Stadt Ptolemais, nachdem er die Zustimmung des Sultans durch reiche Geschenke erwirkt hatte. Obgleich nach Makrisi (bey Reinaud p. 545) die Christen von Ptolemais, seitdem sie den König von Sicilien zum Herrn hatten, die Verträge mit den Saracenen weit gewissenhafter als zuvor beobachteten und dem Sultan Bibars sogar von einer Verschwörung der Mamluken wider sein Leben, die zu ihrer Kenntniß gekommen war, Nachricht gegeben hatten: so war der Sultan Kalavun (nach dessen Lebensbeschreiber bey Reinaud p. 547) doch weit mehr auf der Seite des Königs von Cypern als des Königs von Sicilien (wahrscheinlich weil er die Macht des Letztern für bedeutender hielt), und er hatte nur aus Besorgniß für die Sicherheit seiner eigenen Staaten die Unternehmung des Königs Hugo im Jahre 1283 gehindert.

39) D. Accursio de Arretio, Bi-

J. Chr. 1277. Bürger von Ptolemais am 1. Julius 1277 bey der dem Tempel gehörigen Ortschaft Somelaria im Gebiete von Ptolemais [40]) mit Johann von Montfort, Herrn von Tyrus und Coron, einen Vertrag, durch welchen die Gemeinde von Venedig wieder in den Besitz des vertragsmäßig ihr gebührenden Dritttheils von Tyrus und aller dazu gehörigen Gerechtsame gesetzt, und ihr für die Zeit, in welcher sie dieses Besitzes entbehrt hatte, eine billige Entschädigung zugesichert wurde, deren Betrag durch den Patriarchen von Jerusalem und die Meister des Tempels und Hospitals ermittelt werden sollte [41]).

J. Chr. 1280. Da die syrischen Christen durch so mannichfaltige innere Händel und Streitigkeiten beschäftigt wurden, und aus dem Abendlande keine erhebliche Unterstützung zu ihnen gelangte:

zardo de Brundusio et Aldebrandino de Florentia jurisperitis.

40) Acta sunt haec in campis in territorio Acconensi sub tentorio scilicet domus Templi juxta casale ipsius quod dicitur Somelaria Templi. Eine merkwürdige Verhandlung, welche in diesem Streite der drey italiänischen Handelsstaaten vor dem päpstlichen Legaten Thomas, damaligem Bischof von Bethlehem, am 11. Jan. 1261 zu Ptolemais gehalten wurde, ist kürzlich nach einer Urkunde des Archivs zu Genua mitgetheilt worden in Lodov. Sauli della colonia dei Genovesi in Galata. Torin. 1831. Tom. I. p. 199—204.

41) Andreae Danduli chron. p. 693. Marin. Sanut. p. 227 (cap. 16). Die Verhandlungen wegen dieses Vertrages waren schon unter dem Ballo Johannes Dandolo, dem Vorgänger des Albertinus Morosini, angefangen worden. Die merkwürdige Urkunde dieses Vertrags, aus welcher die in den beyden vorhergehenden Anmerkungen enthaltenen Stellen entnommen sind, trägt zwar in der ambrosischen Handschrift, aus welcher Muratori sie mitgetheilt hat (ad Danduli chron. p. 381—386), das Datum: Anno Domini MCCLXXII Indictione V. Kal. Julii; Muratori hat aber schon selbst bemerkt, daß die angegebene Jahrzahl unrichtig seyn müsse, weil der Doge Johann Contarenus, in dessen Namen dieser Vertrag geschlossen wurde, erst im Jahre 1275 sein Amt antrat, und aus der beygefügten Indiction geht hervor, daß MCCLXXVII zu verbessern ist. Denn das Jahr 1272 war Indictio XV, 1277 ist aber wirklich Indictio V. Auch erhellt es aus der oben Kap. XVIII. S. 615 erzählten Verhandlung hinlänglich, daß im Jahre 1275 die Venetianer noch nicht wieder in den Besitz ihrer verlorenen Rechte und Besitzungen zu Tyrus waren gesetzt worden.

so waren sie nicht im Stande, während des Kriegs, welchen J. Chr. 1280. die beyden Sultane Kalavun und Sankor alaschkar wider einander führten, irgend einen bedeutenden Vortheil sich anzueignen; und sehr bald erlangte Kalavun die Oberhand und die Anerkennung als Sultan auch in Syrien. Schon am 19. Junius 1280[42]) wurde Sankor alaschkar von den ägyptischen Truppen, welche der Sultan Kalavun unter der Anführung des Statthalters Almedin Sandschar von Haleb nach Syrien gesandt hatte, in einer Schlacht bey Damascus überwunden und zur Flucht nach den nördlichen Gegenden von Syrien genöthigt[43]); er suchte hierauf zwar die Hülfe des mogolischen Chans Abaga, welche ihm gewährt wurde; weil aber die Mogolen, welche schon im Herbste 1280 nach Syrien kamen, das Land von Haleb auf eine schreckliche Weise verwüsteten, so entsagte Sankor der Verbindung mit so schlimmen Bundesgenossen[44]), verglich sich mit seinem Nebenbuhler, begnügte sich, indem er den Titel eines Sultans ablegte und den Sultan Kalavun als seinen Herrn anerkannte, mit dem ruhigen Besitze der beyden Burgen Schogr und Bakas[45]) und vereinigte sich mit seinem bisherigen Widersacher zur gemeinschaftlichen Bekämpfung der Mogolen, welche er selbst nach Syrien gerufen hatte. Sankor stritt, nachdem er sich unterworfen hatte, wider die Mogolen und deren armenische und georgische Bundesgenossen im Herbste 1281[46]) in der großen J. Chr. 1281.

42) Am 19. Safar 679. Abulfed. T. V. p. 50, 52.

43) Sankor floh zuerst nach Rahabah, im Monate Dschemadi el ewwel 679 (vom 29. August bis zum 27. September 1280) begab er sich nach Sehjun und bemächtigte sich dieser Stadt, so wie der Städte und Burgen Borsiah, Blatanus, Schogr, Bakas, Aksar, Schelsar und Apamea. Abulfed. l. c. p. 52. Nach Marinus Sanutus (p. 228): Tuno (anno 1278) Saugulascar ivit ante Damascum ad impugnandum Saracenos et debellatus fugit ad Aquas frigidas.

44) Abulfaragii Chron. Syr. p. 563.

45) Abulfeda l. c. p. 54. Der Vertrag wurde zu Schelsar (wahrscheinlich im Mai 1281) geschlossen.

46) Im Monate Redschеb 680 (vom

J. Chr. 1281. Schlacht bey Emessa, in welcher zwar der von ihm angeführte linke Flügel des Heers der Moslims zurückgedrängt wurde, die übrigen moslemischen Scharen aber unter der Anführung des Sultans Kalavun über Mangutimur, den Bruder des Chans Abaga, und dessen funfzig Tausend Mogolen und dreyßig Tausend Bundesgenossen einen glänzenden Sieg gewannen [47]), durch welchen Syrien für lange Zeit von den mogolischen Verwüstungen befreyt wurde, dergestalt, daß die Saracenen seit jenem Siege ihre ganze Macht gegen die geringen Ueberbleibsel der christlichen Herrschaft in Syrien richten konnten.

J. Chr. 1280. Die Ritter des Hospitals kamen zu der Zeit, als die Mogolen das Land von Haleb verwüsteten, auf den Gedanken, den mit dem Sultan Bibars geschlossenen zehnjährigen Waffenstillstand zu brechen und von ihrer festen Burg Markab aus zwey Streifzüge in das benachbarte Gebiet der Saracenen zu unternehmen, weil sie hofften, daß es dem Sultan von Aegypten schwer fallen würde, die Mogolen wieder aus Syrien zu vertreiben; und es gelang ihnen, weil ein solcher Einbruch nicht erwartet wurde, großen Schaden in dem Lande der Saracenen zu stiften. Auf dem ersten Streifzuge nahmen sie einen saracenischen Richter [48]) gefangen; auf dem zweyten, welchen sie am Ende des Monats Oktober

16. Oktober bis zum 15. November 1281). Abulfeda l. c. p. 56.

47) Abulfeda l. c. p. 56 – 58. Abulfaragii Chron. syr. p. 564. 565 (wo die Schlacht in den Herbst des Jahrs 1282 gesetzt wird) und Histor. Dynast. p. 352. Nach dem Mönche Haithon (Histor. orient. cap. 56) und Marinus Sanutus (p. 228. 229. 230), welcher aus Haithon seine Nachricht geschöpft hat, gewannen die Mogolen in der Schlacht bey Emessa (in partibus Calamele) den Sieg, und Mangutimur verstand es nur nicht, den Sieg zu verfolgen.

48) Bayliuum Saracenorum. Marin. San. p. 228, wo dieser Zug zwar in das Jahr 1278 gesetzt, aber zugleich bemerkt wird, daß um dieselbe Zeit Sankor bey Damascus überwunden wurde, was erst im Jahre 1280 geschah. Vgl. oben Anm. 41.

1280 unternahmen [49]), zerstörten sie die Mühlen, und als J. Chr. 1280.
auf das Geschrey, welches im Lande erhoben wurde [50]), fünfhundert muselmännische Reiter, theils Türken, theils Turkomanen, sich sammelten und die christlichen Plünderer auf ihrer Rückkehr verfolgten: so kam es zu einem heftigen Kampfe, in welchem die Miliz des Hospitals mit dem Verluste Eines Mannes den Sieg gewann. Als die Mogolen das Gebiet von Haleb verlassen hatten [51]), so erbat sich der Emir Balban Tabbachi, Befehlshaber des Schlosses der Kurden, von dem Sultan Kalavun die Erlaubniß, den Hospitalitern von Markab die von ihnen verübte Beschädigung des Landes der Moslims zu vergelten; und nachdem er diese Erlaubniß erhalten hatte: so zog er im Februar 1281 mit zwey Tausend Reitern und drey Tausend zu Fuß und allen erforderlichen Belagerungswerkzeugen aus, um die Burg Markab zu berennen [52]). Die Hospitaliter aber, da ihnen von seinem Anzuge Kunde gegeben war, zogen ihm in der Nacht aus Markab entgegen, legten sich in einer Höhle in Hinterhalt, überfielen die Saracenen, welche von ihren Pferden herabgestiegen und mit der Errichtung ihrer Zelte beschäftigt waren [53]),

49) Discurrerunt terram Coible et invenerunt contratam bene munitam. Marin. Sanut. l. c. Abulfeda erwähnt der damals von den Christen geübten Plünderungen (l. c. p. 54) nur beyläufig in seinem Berichte über den Zug des Emirs Balban Tabbachi. Vgl. Reinaud Extraits p. 540.

50) Tunc clamor exortus est per terram castri Blanchi. Marin. Sanut. l. c.

51) Abulfaragii Chron. Syr. p. 563.

52) Marin. Sanut. l. c. Nach Abulfaradsch a. a. O. zogen gegen die am Meere gelegene Burg Markab 7000 ägyptische Reiter. Nach Marinus Sanutus: venit exercitus Soldani ante Margath ex parte Maracleae.

53) Diese Umstände berichtet Abulfaradsch, nach dessen Angabe die Tempelherren (welche er hier mit den Hospitalitern verwechselt) mit ungefähr zweyhundert Reitern und Fünfhundert zu Fuß aus Markab ausgezogen waren. Nach Marinus Sanutus (l. c.) unternahmen die Saracenen wirklich eine Berennung der Burg Markab (dederunt insultum illis qui erant in Margath), und die Hospitaliter gewannen in einem Ausfalle den Sieg. Die Nachricht des Abulfaradsch wird aber durch die Aussage

J. Chr. 1281. und erschlugen den größten Theil derselben, indem sie selbst nicht mehr als elf Mann einbüßten [54]).

Die Hospitaliter bereuten, als durch den Ausgang der Schlacht bey Emessa ihre Hoffnungen vereitelt worden waren, den von ihnen begangenen unbesonnenen Bruch des Waffenstillstandes, und sie säumten daher nicht, Botschafter an den Sultan Kalavun zu senden und um die Erneuerung des Waffenstillstandes zu bitten. Dasselbe thaten auch der Fürst Boemund, welcher ebenfalls während des tatarischen Kriegs den Waffenstillstand gebrochen hatte, und die Templer. Kalavun war anfangs nicht geneigt, ihre Bitten zu gewähren. Als ein Botschafter des Fürsten Boemund erschien, so richtete der Sultan in türkischer Sprache, weil er der arabischen nicht vollkommen mächtig war, an den Dolmetscher die Frage, was das Begehren des Botschafters wäre, und als der Dolmetscher diese Frage in die arabische Sprache übertragen hatte, so erhielt der Sultan von dem fränkischen Abgeordneten die Antwort, daß der Fürst Boemund die Landschaft von Arka, den einträglichsten Theil seines Gebietes, welche ihm von dem Sultan Bibars einige Zeit vor dessen Tode war entrissen worden [55]), zurückfordere und um die

von Reinaud (p. 540) bestätigt, wo zwar die Quelle nicht angegeben wird, wahrscheinlich aber die Lebensbeschreibung des Sultans Kalavun, welche vielleicht den Kadi Mohieddin zum Verfasser hat (Reinaud observations préliminaires p. XXXII), benutzt worden ist: Celui qui comandait pour le Sultan dans le château des Kurdes, étant venu dévaster le territoire du château de Marcab, les hospitaliers qui l'occupaient attirérent l'émir dans une embuscade, l'attaquérent par surprise et le mirent en déroute; la plus grande partie de ses troupes fut détruite; le reste se sauva avec beaucoup de peine. Vgl. Abulfeda l. c. p. 54.

54) De coelo sibi data victoria, de Christianis tantum XI periere. Marin. Sanut. l. c.

55) Der Fürst Boemund hatte die Ungunst des Sultans Bibars dadurch sich zugezogen, daß er den jährlichen Tribut von 20,000 Goldstücken und die jährliche Auslieferung von zwanzig gefangenen Moslims, wozu er sich

Wiederherstellung des Waffenstillstandes unter den früheren J. Chr. 1281. Bedingungen bitte. Dieses Ansuchen erwiederte Kalavun durch Beschwerden über die häufigen Verletzungen des Waffenstillstandes, welche von dem Fürsten Boemund begangen worden wären, und durch die offene Erklärung, daß es seine Absicht wäre, durch die Eroberung von Tripolis den Anfang seiner Regierung zu verherrlichen. Da Kalavun aber nicht in gleichem Maße wie sein Vorfahr Bibars kriegslustig, sondern vielmehr, obgleich ein tapferer Krieger, dennoch ein Fürst von sanfter und milder Gesinnung war, so ließ er sich durch die Bitten des Botschafters von Tripolis und das Zureden seiner Emire bewegen, dem Fürsten Boemund die nachgesuchte Erneuerung des Waffenstillstandes zu bewilligen; worauf dieselbe Vergünstigung auch den Hospitalitern und Templern zugestanden wurde [56]).

Es wurde also zwischen dem Sultan Malek al Mansur J. Chr. 1282. Abu'lfatah Kalavun und dessen Sohn und Mitregenten Malek asfaleh Alaeddin Ali [57]) einerseits und dem Meister der Templer, Wilhelm von Beaujeu, andererseits der Vertrag über einen Waffenstillstand, welcher, anfangend vom 5. Moharrem des Jahrs der Hedschrah 681 oder 15. Nisan des Jahrs 1593 der seleucidischen Zeitrechnung (d. i. dem 15. April des christlichen Jahrs 1282), zehn Jahre, zehn Monate, zehn Tage und zehn Stunden beobachtet werden sollte, unter folgenden vier Bedingungen verabredet [58]): 1. Es soll zwi-

verpflichtet hatte, verweigerte. Reinaud p. 540.

56) Reinaud p. 540. 541. Ueber den Charakter des Sultans Kalavun s. Abulfeda T. V. p. 92.

57) Schon im Jahre d. H. 680 hatte Kalavun seinen Sohn Ali zum Thronfolger und Sultan ernannt. Abulfeda T. V. p. 54.

58) Reinaud p. 543—545. Weder bey Marinus Sanutus noch in den geschichtlichen Werken des Abulfeda und Abulfaradsch findet sich eine Erwähnung dieses und des nachfolgenden Vertrags. Nur die Reimchronik des Ottokar von Hornek (cap. 407 in Pez Scriptor. Austr. T. III. p. 390) erwähnt des zehnjährigen Friedens,

J. Chr. 1282. schen sämmtlichen Ländern des Sultans und dem Gebiete der Templer, welches in der Stadt Tortosa und drey und dreyßig dazu gehörigen Dorfschaften 58) besteht, Friede und Freundschaft aufrecht erhalten werden. 2. Die Christen von Tortosa und dem dazu gehörigen Lande sollen das Gebiet des Sultans nicht mit feindlichem Ueberfalle belästigen oder

welchen die Christen von Ptolemais mit dem Sultan Kalaoun schlossen, als einer Wirkung der im Morgenlande von den syrischen Christen listiger Weise verbreiteten Kunde von der Kreuzfahrt, mit welcher der deutsche König Rudolph umgehen sollte, in folgender Weise:

Nu haten si (die Christen und die Helden) ainen Sit,
Swenn si Frid wolden haben,
Als wenig Jar als si den gaben,
Als vil wart darczu gesprochen
Manöd (Monat), Tag und Wochen.
Also geschah auch do,
Si varainten sich also
Als man noch zu thun pfligt,
Also ward bestetigt
Der Frid za zehen Jarn,
Und swaz da Manöd warn,
Und auch Wochen darczu derzalt (gezählt).

Herr Reinaud wirft (p. 544 Anm. 2) die Frage auf, ob in der Bestimmung der Dauer des Vertrags Sonnenjahre oder Mondjahre gemeint worden. In dem Texte des Vertrages, welchen Kalaoun mit den Behörden von Ptolemais schloß, wird zwar die Dauer (nach dem Texte bey Ebn Ferath) also bestimmt: لمدة عشر سنين كوامل وعشرة أشهر وعشرة أيام وعشرة ساعات; der Zusatz كوامل (vollständige) bezeichnet aber nur die volle Dauer der Jahre, und ich zweifle nicht, daß Mondjahre zu verstehen sind. Sollten Sonnenjahre gemeint seyn, so würde eine ausdrückliche Bestimmung, wie in dem Vertrage von Tunis (s. oben S. 578) nicht haben fehlen dürfen.

59) Herr Reinaud bezeichnet es als eine Eigenthümlichkeit der Verträge, welche der Sultan Kalaoun mit den Christen schloß, daß die einzelnen christlichen Ortschaften, welche in dem Frieden begriffen seyn sollen, aufgezählt werden, indem er hinzufügt: Rien n'a moins l'apparence d'une paix faite de puissance à puissance; ce sont des espèces de baux entre un maitre et ses fermiers. Eine solche Aufzählung scheint damals zur Form gehört zu haben; denn in dem Vertrage mit Ptolemais läßt der Sultan Kalaoun mit großer Vollständigkeit die Provinzen seines Reichs verzeichnen.

dasselbe beschädigen, und die Unterthanen des Sultans sollen dagegen die Bewohner von Tortosa als Freunde behandeln. 3. In dem Falle, daß ein den Unterthanen des Sultans oder eines mit ihm verbündeten Fürsten gehöriges Schiff an der Küste von Tortosa Schiffbruch leiden oder untergehen sollte, sind die Christen von Tortosa verbunden, jede mögliche Hülfe zu leisten und die Mannschaft, so wie deren Güter, Waaren und sonstiges Eigenthum für unverletzlich zu achten, und die Behörden von Tortosa haben ein gestrandetes saracenisches Schiff nebst allem Zubehör entweder dem Eigenthümer, oder falls dieser seinen Anspruch nicht geltend machen sollte, dem Sultan zu überantworten. Dieselbe Verbindlichkeit übernimmt der Sultan in Beziehung auf die den Christen von Tortosa gehörigen Schiffe, welche an den Küsten seiner Staaten Schiffbruch erleiden werden. 4. Die Templer dürfen weder die Festungswerke von Tortosa ausbessern, noch neue Werke aufführen, so wie auch keine neue Gräben anlegen. J. Chr. 1283.

Hierauf wurde auf einen gleichen Zeitraum, anfangend vom Donnerstage dem 5. Rebi el ewwel des Jahrs der Hedschrah 682, oder dem 3. Hasiran des seleucidischen Jahrs 1594 (d. i. dem 3. Junius des christlichen Jahrs 1283)[60], J. Chr. 1283.

60) In dem Auszuge, welchen Reinaud (p. 545—547) aus diesem Vertrage giebt, fehlt diese Zeitbestimmung. Der nachfolgende Auszug ist aus dem Texte des Vertrages bey Ebn Ferath (Handschrift der k. k. Hofbibliothek zu Wien T. VII. p. 325—330) entnommen, mit Weglassung eines nicht sehr wesentlichen Artikels, welcher sich auf solche Unterthanen des Sultans, die in Ptolemais für Schuldforderungen sich zum Unterpfand gestellt haben, bezieht, zwischen dem neunten und zehnten der nachfolgenden Artikel steht und folgenden Inhalts ist: Für diejenigen, welche in Ptolemais und den Ländern, die in diesem Frieden begriffen sind, sich als Pfänder (رهاين) für eine Schuld an Geld oder Früchten gestellt haben, soll der Vorsteher (والى) des Orts, welchem ein solcher Schuldner angehört, nebst dem Sachwalter (مباشر)

J. Chr. 1281. der Stadt Ptolemais, so wie den damit verbundenen Städten Sidon und Atelits und den zu diesen drey Städten gehörigen Landschaften von dem Sultan Kalavun ein Waffenstillstand bewilligt. Den Vertrag wegen dieses Waffenstillstandes errichteten mit dem Sultan und dessen Sohne von christlicher Seite Odo, Seneschall des Königreichs Jerusalem und Statthalter zu Ptolemais [61]), Wilhelm von Beaujeu, Meister der Templer, Nicolaus Lorgne, Meister der Hospitaliter, und der Marschall Conrad, Stellvertreter des Meisters der deutschen Ritter [62]), unter folgenden Bedingungen:

und dem Schreiber schwören, daß die Schuld so und soviel an Dirhems, Früchten, Rindvieh oder andern Dingen beträgt; wenn ein solcher Eid vor dem Statthalter des Sultans geleistet worden ist, so soll der Schuldner aus seiner Haft entlassen werden. Haben aber solche Schuldner sich besonders verpflichtet, nicht in das Land des Islams entfliehen zu wollen, und weigern sich die Vorsteher und Sachwalter, den schuldigen Eid zu leisten, so mögen sie entlassen werden (فاولیک ینلقون). Dieser Artikel ist mir nicht ganz klar, und es scheint entweder die Mittheilung des Ebn Ferath nicht ganz vollständig oder meine Abschrift unrichtig zu seyn. Auch in Beziehung auf einige andere Artikel bin ich, weil die wiener Handschrift des Ebn Ferath nicht überall sehr leserlich ist, nicht ganz sicher, ob ich den Sinn richtig gefaßt habe. Die Texte des Ebn Ferath und der Lebensbeschreibung des Kalavun (aus welcher Reinaud seine Auszüge entnommen hat), sind übrigens, wie es scheint, in einzelnen Artikeln abweichend.

61) السنجال اود كفيل مملكة بعكا. Herr Reinaud vermuthet, daß statt اود (Odo) zu lesen sey اوك (Hugo Pelechin); es steht aber in dem Texte des Ebn Ferath der Name Eud oder Odo an zwey Stellen; Hugo Pelechin, Hauptmann der französischen Miliz zu Ptolemais, führt zwar bey Marinus Sanutus nicht den Titel Seneschall, es ist aber sehr möglich, daß ihm dieses Amt auf gleiche Weise übertragen war wie seinem Vorgänger und Nachfolger in der Feldhauptmannschaft über die französische Miliz zu Ptolemais, Gottfried von Sergines und Johann von Grelli. Vgl. oben Kap. 11 S. 352 Anm. 3 und Kap. 18 S. 613. Vielleicht war Odo der von dem Grafen Roger ernannte Seneschall (s. oben S. 662), welcher nach der Abberufung des Grafen Roger die Statthalterschaft so lange verwaltete, bis dieselbe dem Ritter Hugo von Pelechin übertragen wurde.

62) المرشان (المرشال) الاجل

1. Die Christen der genannten Städte und Landschaften J. Chr. 1283. sollen dem Gebiete des Sultans und seinen Unterthanen, sie mögen Araber, Kurden, Turkomanen oder anderer Herkunft seyn, keinen Schaden irgend einer Art zufügen, den saracenischen Kaufleuten weder bey Tage noch bey Nacht auflauern und überhaupt den Handel und Verkehr der Saracenen nicht hindern; der Sultan verspricht dagegen, jeder Beschädigung des Gebietes jener drey christlichen Städte und jeder Störung ihres Verkehrs mit den übrigen fränkischen Ländern ebenfalls sich zu enthalten. 2. Die Christen von Ptolemais, Sidon und Atslits sollen außerhalb der Mauern dieser drey Städte weder eine alte Burg, einen alten Thurm oder eine alte Veste wieder herstellen, noch ein neues Werk dieser Art erbauen. 3. Wenn ein Moslim in das Gebiet der Christen, welches in diesem Vertrage begriffen ist, entflieht und daselbst freywillig den christlichen Glauben annimmt, so soll alles, was er mit sich gebracht hat, an die Behörden des Sultans zurückgegeben werden, dergestalt, daß einem solchen Flüchtlinge nichts übrig bleibe[63]); so ein solcher Flüchtling aber nicht zum Christenthume übertritt, so wird er mit allen seinen Habseligkeiten an den Hof der beyden Sultane, jedoch mit der Fürbitte um Begnadigung, zurückgesandt[64]). Nach denselben Grundsätzen soll gegenseitig auch von den Moslims mit christlichen Flüchtlingen, welche in das Gebiet des Sultans sich begeben, verfahren werden.

63) يرد جميع ما يروح معه ويبقى عريانا.

64) رد الى ابوابهما العالية بجميع معه بشفاعة *معه بعد ان يعطى الامان.

*) افرير كورات نايب مقدم بيت الاسبتار الامن. Die beyden Großmeister des Tempels und Hospitals erhalten in dieser Urkunde den Ehrentitel: حضرة المقدم الجليل افرير. Das Wort افرير ist frère (Bruder).

J. Chr. 1283. 4. Die Waaren und Gegenstände, gegen welche früher, sey es von Seiten des Sultans oder der Christen, ein Verbot verfügt worden ist, bleiben fernerhin verboten; und wenn bey einem Kaufmanne aus dem Gebiete des Sultans, zu welchem Glauben oder Volke er gehören möge, im Lande der Christen verbotene Waaren, wie Kriegswaffen oder andere solche Gegenstände, angetroffen werden: so sind dieselben demjenigen, von welchem er sie erkauft hat, zurückzugeben, und dem Kaufmanne ist der bezahlte Preis ohne irgend einen Abzug zu erstatten. Dasselbe Verfahren soll auch in Beziehung auf Kaufleute aus dem Gebiete der Christen, bey welchen man in den Ländern des Sultans verbotene Waaren entdeckt, beobachtet werden. Sowohl dem Sultan als den christlichen Behörden bleibt es überlassen, wider diejenigen ihrer Unterthanen, welche aus ihren Staaten verbotene Waaren auszuführen versuchen, das Erforderliche zu verfügen. 5. Wenn von Moslims wider Christen und von Christen wider Saracenen ein Raub oder Todtschlag begangen werden sollte, so ist die geraubte Sache, wenn sie noch vorhanden, selbst, oder, wenn sie nicht mehr vorhanden ist, deren Werth zu erstatten, und für einen Getödteten ist ein anderer seines gleichen als Ersatz von der Gegenpartey einzustellen, ein Reuter für einen Reuter, ein Schiffer für einen Schiffer, ein Kaufmann für einen Kaufmann, ein Fußknecht für einen Fußknecht und ein Bauer für einen Bauer [63]). So aber der Thatbestand des Todtschlags nicht im Klaren, oder die geraubte Sache verborgen seyn sollte, so ist eine Frist von vierzig Tagen zur Nachforschung bestimmt; und wenn innerhalb derselben nichts ermittelt wird, so haben der Vor-

63) والقتيل يكون العوض عنه بنظيره من جنسه فارس بفارس وتاجر بتاجر وراجل براجل وبركيل ببركيل وفلاح بفلاح.

steher des Orts, wo der Thäter des Vergehens wohnhaft ist, J. Chr. 1283.
und mit ihm drey andere Männer desselben Orts nach der Wahl des Klägers, und, in dem Falle, daß der Vorsteher den Eid verweigert, an dessen Stelle drey andere Männer desselben Orts ebenfalls nach der Wahl des Klägers den Werth der geraubten Sache eidlich zu bestimmen. Sollte ein Vorsteher es versäumen, Recht zu schaffen, so steht es dem Kläger frey, seine Sache den höchsten Beamten beyder Theile, des Sultans und der Christen, vorzutragen, welche verbunden sind, innerhalb einer Frist von vierzig Tagen seine Klage zu erledigen. Wenn derjenige, welcher einen Raub begangen hat, zwar einen Theil dessen, was von ihm zurückgefordert wird, zurückerstattet, die übrige Forderung aber nicht anerkennt, so hat entweder er selbst oder, falls der Kläger damit nicht zufrieden ist, der Vorsteher des Beklagten eidlich zu erhärten, daß nicht mehr geraubt wurde, als zurückgegeben worden ist. Dasselbe Verfahren ist zu beobachten, wenn überhaupt der angeschuldigte Raub abgeläugnet wird.
6. In Beziehung auf die beyderseitigen Schiffe, welche an den Küsten des einen oder des andern Theils stranden oder Schiffbruch erleiden, wurde die Bestimmung, welche im dritten Artikel des mit den Templern geschlossenen Vertrags enthalten ist, angenommen, mit dem Zusatze, daß die Hinterlassenschaft eines Kaufmanns aus den Ländern des Sultans, welcher zu Ptolemais, Sidon, Atslits und den dazu gehörigen Ortschaften mit Tode abgeht, so lange daselbst aufbewahrt werden soll, bis sie den Beamten des Sultans überliefert werden kann. Nach demselben Grundsatze soll mit der Verlassenschaft eines christlichen Kaufmanns, welcher innerhalb des saracenischen Gebiets stirbt, verfahren werden.
7. Wenn die Kriegsschiffe des Sultans gegen einen mit den

J. Chr. 1283. Christen von Ptolemais befreundeten Fürsten ausgesandt werden, so ist es denselben nicht verstattet, in einen der christlichen Häfen, welche in diesem Vertrage begriffen sind, einzulaufen und daselbst Lebensmittel einzunehmen; so aber der Fürst, gegen welchen die Kriegsschiffe des Sultans feindselig verfahren sollen, nicht mit den Christen verbündet ist, so steht es den Schiffen frey, in jenen Häfen mit ihren Bedürfnissen sich zu versehen. Wenn dagegen die Kriegsschiffe des Sultans an den christlichen Küsten Beschädigung erleiden, so darf es, ihre Bestimmung mag gegen ein den Behörden von Ptolemais befreundetes oder nicht befreundetes Land gerichtet seyn, der Mannschaft nicht gewehrt werden, in den christlichen Häfen die nöthigen Ausbesserungen zu bewirken und mit Lebensmitteln sich zu versehen, um entweder nach den Ländern des Islam zurückzukehren oder ihre Fahrt nach dem Orte ihrer Bestimmung fortzusetzen. 8. Sollte ein fränkischer oder anderer König von der Seite des Meers einen kriegerischen Anfall wider die Länder des Sultans und seines Sohns, welche in diesem Vertrage begriffen sind, beabsichtigen, so liegt es dem christlichen Statthalter zu Ptolemais und den Meistern der Orden ob, den Sultan davon zwey Monate vor der Ausführung eines solchen Angriffs zu benachrichtigen. Sollten aber von der Landseite die Tataren oder ein anderes Volk in Syrien einbrechen wollen, so ist von demjenigen Theile, welcher zuerst davon Kunde erhält, dem andern zu rechter Zeit Nachricht davon zu geben, und so dem muselmännischen Heere es nicht gelingt, die Tataren von dem Eindringen in Syrien abzuwehren, so bleibt den christlichen Behörden zu Ptolemais die Vertheidigung ihres Landes mit eigenen Mitteln überlassen. 9. Keiner der beyden Theile soll zum Schaden des andern die Seeräuber hegen und schützen, und so ein Seeräuber seinen Raub verkauft oder sonst ergriffen wird, so sollen die geraubten Gegenstände angehalten und so lange aufbewahrt werden, bis der Eigenthümer ermittelt wird. 10. Von keinem der beyden Theile sollen den Kaufleuten, weder den saracenischen, welche die christlichen Länder, noch den christlichen, welche die Staaten des Sultans besuchen, neue oder höhere Abgaben aufgelegt, sondern in dieser Beziehung während der ganzen Dauer dieses Waffenstillstandes eben sowohl die frühern Gewohnheiten aufrecht erhalten werden, als die übrigen den Kaufleuten bisher zugestandenen Rechte und Freyheiten ungekränkt bleiben, vorausgesetzt, daß die Kaufleute nicht verbotene Waaren führen. 11. Es soll von beyden Seiten den Bauern, welche aus einem Gebiete in das andere übergegangen sind, von welcher Religion sie auch seyn mögen, befohlen werden, in ihre Heimath zurückzukehren und für diejenigen, welche dieser Aufforderung Folge leisten, ihr Austritt weder eine Beschränkung der Freyheit des Glaubens, noch irgend einen andern Nachtheil zur Folge haben; diejenigen Bauern aber, welche dieser Aufforderung nicht gehorchen, werden ausgestoßen und in keinem der beyderseitigen Gebiete ferner geduldet. 12. Der Sultan überläßt den Christen die Kirche zu Nazareth zu ihrem Gottesdienste, und vier der nächsten Häuser zur Aufnahme der Pilger, sie mögen gehören, zu welchem Volke es auch sey, der armen und reichen, doch unter der Bedingung, daß ein Stein, welcher von der Kirche abfällt, weggeworfen und nicht den Priestern und Mönchen, welche den Gottesdienst daselbst versehen, überliefert oder zur Ausbesserung der Kirche verwandt werde. Diese Verwilligung wurde in dem Vertrage ausdrücklich bezeichnet als ein freywilliges Geschenk des Sultans zu Gunsten der christlichen Pilger, welches nicht als ein

J. Chr. 1283.

J. Chr. 1283. Recht in Anspruch genommen werden könnte 66). 13. Dieser Vertrag soll von beyden Seiten, sowohl von Seiten des Sultans, seines Sohns und ihrer Nachfolger, als von Seiten der christlichen Behörden, nach allen einzelnen Bedingungen und Bestimmungen für die ganze Dauer der bestimmten Zeit unverbrüchlich gehalten, und insbesondere die Verpflichtung der Christen, diesen Vertrag zu erfüllen, durch Veränderungen, welche in den Personen der Beamten zu Ptolemais, Sidon und Atelits, sey es durch Todesfälle oder Entfernung vom Amte, eintreten könnten, nicht aufgehoben werden. Wenn aber die Zeit des Waffenstillstandes abgelaufen seyn wird, oder wider Erwarten von der einen oder andern Seite durch Uebertretung des Vertrags die Aufhebung des Waffenstillstandes vor der Zeit veranlaßt werden sollte, so soll dennoch der Anfang der Feindseligkeiten noch um vierzig Tage verschoben, und an die beyderseitigen Unterthanen, welche sich im fremden Gebiete befinden, die Aufforderung, binnen dieser Frist in ihre Heimath zurückzukehren und sich selbst und das Ihrige in Sicherheit zu bringen, erlassen, auch ihrer Rückkehr aus dem einen Gebiete in das andere kein Hinderniß in den Weg gelegt werden.

Nachdem diese Bedingungen festgestellt worden waren, so verpflichteten sich der Sultan Kalavun und sein Sohn Ali, mit einem feyerlichen Schwure bey Gott und der Wahrheit des Korans und des Propheten Mohammed, den Vertrag, welchen sie mit den Christen geschlossen hatten, gewissenhaft zu erfüllen, indem sie gelobten, die Verletzung ihres Eides durch dreyßig Pilgerfahrten nach Mekka baarfuß und mit entblößtem Haupte und durch lebenslängliches Fasten, mit Ausnahme der Tage, an welchen das Fasten durch das

66) وذلك بغير حق على وجه الهبة لاجل زوار دين الصليب.

Gesetz des Propheten untersagt wäre, zu büßen. Der Sultan sandte hierauf zwey Emire nach Ptolemais, um der Eidesleistung des Statthalters und der Meister der drey geistlichen Ritterorden beyzuwohnen [67]); und die christlichen Behörden verpflichteten sich zur Erfüllung des geschlossenen Vertrags durch einen Schwur bey Gott, der Wahrheit des Messias, der Wahrheit des heiligen Kreuzes, der Wahrheit der drey Personen der Gottheit, der Wahrheit der christlichen Lehre und der vier Evangelien, so wie der zwölf Apostel und der dreyhundert und achtzehn Väter der Kirchenversammlung von Nicäa, der Stimme, welche am Jordan vom Himmel herabkam und das Wasser des Flusses zurücktrieb, der Frau Maria, Mutter des Lichts, und anderer Heiligthümer des christlichen Glaubens. Auch gelobten sie, falls sie den Vertrag verletzen würden, nicht nur sich zu betrachten als solche, welche ihren Glauben verläugnet hätten und von Gott und der Kirche abgefallen wären, sondern auch dreyßig Pilgerfahrten nach Jerusalem baarfuß und mit entblößten Häuptern zu unternehmen, und tausend gefangene Moslims aus der Sklaverey zu entlassen [68]).

Den syrischen Christen stand damals kein anderes Mittel, ihr geringes Besitzthum zu behaupten, zu Gebote, als die Unterhaltung eines friedlichen Verhältnisses mit den Saracenen. Auf den Beystand der Mogolen durften sie nicht mehr rechnen, weil der Chan Abaga bald nach der Nieder-

67) Reinaud p. 547.

68) Die Formeln der Schwüre der beyden Sultane so wie der christlichen Behörden sind von Ebn Ferath a. a. O. p. 336 — 339 mitgetheilt worden. Der Schwur der Christen ist ähnlich dem von Silvestre de Sacy mitgetheilten Schwure, welchen die genuesischen Abgeordneten im Jahre 689 d. H. (Chr. 1290) nach dem Abschlusse eines Vertrags mit dem Sultan Kalaun leisteten; die Formel bey Ebn Ferath ist jedoch länger. Notices et Extraits des Manuscrits de la Bibliothèque du Roi, T. XI. p. 45. 46.

lage seiner Truppen bey Emessa durch seinen Vesir Schamseddin vergiftet wurde, und dessen Sohn und Nachfolger Nikudar, welcher in seiner Jugend Christ geworden war und den christlichen Namen Nikolaus angenommen hatte, zum Islam sich wandte, den moslemischen Namen Ahmed sich beylegte, die Christen aus seinen Ländern vertrieb und ihre Kirchen zu Tebris zerstören ließ, und die Freundschaft des Sultans Bibars sich zu verschaffen bemüht war [69]). Argun, der Bruder und Nachfolger des Ahmed Chan, war zwar den Christen gewogen, setzte sie wieder in ihre Rechte ein, ließ ihre Kirchen wieder herstellen, verfolgte dagegen die Moslims, trat mit dem päpstlichen Hofe durch Gesandtschaften in Unterhandlungen [70]) und rüstete sich, auf die Bitte der Könige von Armenien und Georgien und anderer morgenländischer Christen, zu einem Kriegszuge gegen den Sultan von Aegypten und Syrien; seine Rüstungen fielen aber erst in die Zeit, in welcher der Untergang der christlichen Herrschaft in Syrien nicht mehr abgewandt werden konnte, und waren noch nicht beendigt, als Argun zwey Monate vor der Vertreibung der Christen aus dem heiligen Lande an einer Krankheit sein Leben endigte [71]). Im Abendlande bewirkten

69) Haithoni historia orient. cap. 87. Ahmed Chan wurde im Jahre 1284 von seinem Bruder Argun des Throns beraubt und getödtet. Abulfaragii Chron. syr. p. 570 sq. Hist. Dynast. p. 560 — 564. Abulfedae ann. T. V. p. 66. 68. De Guignes, histoire des Huns (T. III) Livre 17. p. 264. Ueber die Verhandlungen des Chans Ahmed mit dem Sultan Bibars s. Abel-Remusat, second mémoire p. 352 — 353.

70) Rainaldi annales eccles. ad a. 1288. §. 35 — 40. S. Abel-Remusat, second mémoire, p. 356 sq. Auch Reinaud (p. 563) erwähnt der Unterhandlungen des Chans Argun mit dem päpstlichen Hofe nach morgenländischen Nachrichten.

71) Haithoni histor. orient. cap. 38. Argun starb nach Abulfeda (T. V. p. 100) im Monate Rebi el ewwel 690 d. H. (vom 2. bis zum 31. März 1291), vgl. Abulfaragii chron. Syr. p. 593. 594. De Guignes a. a. O. p. 266. Ptolemais wurde von den Saracenen am Freytage d. 18. Mai 1291 (17. Dschemadi el ewwel 690) er-

die beweglichsten Klagen über die Noth der syrischen Christen keinen kräftigen Entschluß zu deren Errettung; weder der Papst Nikolaus der Dritte, welcher den päpstlichen Thron bestieg [72]), als Johannes der Einundzwanzigste zu Viterbo durch den Einsturz eines neuen Gemachs, in welchem er sich befand, war getödtet worden [73]), noch sein Nachfolger Martin der Vierte, welcher als Cardinal Simon von Sanct Cäcilia seinen Eifer für das heilige Land vielfältig erprobt hatte, vernachlässigten die Angelegenheiten der syrischen Christen, wenn sie auch nicht von einem so glühenden Eifer als ihr Vorfahr Gregor der Zehnte durchdrungen waren; sie erlangten aber nichts anders als fruchtlose Wiederholungen früherer Zusagen. Der König Eduard der Erste von England versprach im Jahre 1278 das Kreuz zu nehmen, bat, daß ihm für die Kosten seiner Kreuzfahrt der Betrag des Zehnten, welcher in Folge des Beschlusses der letzten Kirchenversammlung von Lyon in England erhoben würde, überwiesen werden möchte, und erlangte von dem Papste Nikolaus nicht nur die Zusicherung, daß der vollständige Betrag des englischen Zehnten aufbewahrt und ihm, sobald er die Meerfahrt antreten würde, überliefert werden sollte, sondern auch die vorläufige Auszahlung von fünf und zwanzig Tausend Mark Silbers zum Behufe seiner Rüstungen [74]). Eduard erfüllte aber so wenig dieses erste Versprechen als die zweyte Zusage, das heilige Land zu erretten, welche er

obert. Haithon setzt den Tod des Argun schon in das Jahr Chr. 1288.

72) Vor seiner Thronbesteigung Cardinal Johann Cajetan, Diakonus von Sanct Nikolaus in carcere Tulliano. Ptolem. Luc. hist. eccles. Lib. XXIII. c. 28. p. 1179. Guil. de Nang. de gestis Philippi III. p. 536.

73) Guil. de Nang. chron. ad a. 1277 p. 44. Ej. de gestis Philippi III. l. c. Ptolem. Luc. l. c. cap. 24. p. 1178.

74) Schreiben des Papstes Nikolaus III. an den König Eduard, Viterbo am 1. August 1278. bey Rainaldus ad a. 1278 §. 82—84.

im Jahre 1284 dem Papste Martin dem Vierten gab und mit so eigennützigen und übertriebenen Forderungen begleitete, daß der Papst kaum eine einzige derselben bewilligen konnte[75]). Der Papst Martin hatte außerdem den Verdruß, daß einen beträchtlichen Theil des Zehnten der geistlichen Güter, welcher zur Errettung des heiligen Landes verwandt werden sollte, einige habsüchtige Kaufleute aus Lucca, Pisa und Florenz an sich zu bringen wußten, welche wegen dieses Frevels zur Verantwortung nach Rom beschieden wurden[76]); und da zu dieser Zeit alle Fürsten, welche Gregor dem Zehnten die Kreuzfahrt zugesagt hatten, durch triftige Gründe an der Erfüllung ihrer Verheißungen gehindert wurden, so trug Martin kein Bedenken, den Zehnten der kirchlichen Güter, soviel davon in den päpstlichen Schatz geflossen war, für die Kosten des Kriegs gegen den König Pedro von Aragonien und andere Feinde der Kirche zu verwenden[77]).

J. Chr. 1279. Der König Philipp der Kühne von Frankreich fand zwar in den innern und äußern Verhältnissen seines Königreichs eben so gut als der deutsche König Rudolph und der König Karl von Sicilien eine hinlängliche Entschuldigung für die Unterlassung der verheißenen Kreuzfahrt; die französische Ritterschaft aber wurde zu der Zeit, als Karl von Sicilien, der Oheim ihres Herrn, den königlichen Titel von Jerusalem angenommen und in den Besitz von Ptolemais sich gesetzt hatte, von einer lebhaften Begeisterung für das heilige Grab ergriffen, welche jedoch keinen ernstlichen Entschluß zu einer Meerfahrt zur Folge hatte. Denn die französischen Ritter benutzten nur ihr Gelübde, um dem Verbote der Kir-

75) S. zwey Schreiben des Papstes Martin IV. an den König Eduard, Orvieto vom 26. Mai 1284, bey Rainaldus ad a. 1284 §. 53—43.

76) Rainald. ad a. 1284 §. 52.

77) Rainald. l. c.

chenversammlung von Lyon zum Trotze mit einem bis dahin J. Chr. 1279.
unerhörten Aufwande Turniere zu halten, in welchen zwey tausend Ritter wider einander kämpften; indem sie den Vorwand gebrauchten, daß diese Waffenübungen ihnen als Vorbereitungen zum Kampfe wider die Ungläubigen dienten; sie bewirkten sogar einen Befehl des Königs Philipp, durch welchen geboten wurde, solche Turniere drey Mal im Jahre anzustellen; und der König ermunterte seine Ritter zu diesen Kampfspielen dadurch, daß er denen, welche nicht beritten waren, Pferde schenkte [78]). Der Cardinal Simon von Sanct Cäcilia, damaliger apostolischer Legat in Frankreich, versäumte es zwar nicht, den König Philipp zur Zurücknahme jenes Befehls, welcher mit den Geboten der Kirche im Widerspruche stand, zu bewegen; er hinderte aber gleichwohl nicht die fernere Abhaltung der Turniere [79]), obgleich bey einem derselben das Unglück sich ereignete, daß der Graf Robert von Clermont, ein trefflicher Ritter, welcher zwar erst nicht lange zuvor die Ritterwürde empfangen hatte, aber große Erwartungen erweckte, von seinen Gegnern mit Streitkolben auf den Kopf so heftig geschlagen wurde, daß er in lebenslänglichen Wahnsinn verfiel [80]). Der Papst Nikolaus der Dritte erließ wegen solcher unzeitigen Nachgiebigkeit einen strafenden Brief an seinen Legaten und befahl ihm, das von der Kirchenversammlung zu Lyon gegen die Turniere ausgesprochene Verbot geltend zu machen, wider alle Grafen, Barone, Ritter und Andere, welche ferner an den verbotenen Waffenspielen Antheil nehmen würden, den kirchlichen Bann zu verfügen und an jedem Sonntage und Festtage unter dem Geläute der Glocken und bey angezündeten Wachskerzen

78) Guil. de Nangiaco de gestis Philippi III. (apud Duchesne T. V.) p. 537.

79) Rainald. ad a. 1279 §. 16.

80) Guil. de Nang. l. c. ad a. 1279.

an allen dazu geeigneten Orten so lange verkündigen zu lassen, bis die Widerspenstigen zum Gehorsame sich würden bequemt haben[81]). Sobald als die französische Ritterschaft nicht mehr mit Turnieren sich belustigen durfte, so dachte sie nicht weiter an die Errettung des heiligen Landes.

Obwohl unter solchen Umständen die Saracenen keine Ursache hatten, zu fürchten, daß der Islam durch eine Kreuzfahrt der Christen in neue Gefahr gebracht werden könnte: so richtete dennoch der Sultan Kalavun nach dem Beyspiele seines Vorgängers Bibars auf die Angelegenheiten des Abendlandes eine unverwandte Aufmerksamkeit. Schon im Jahre 1281 sandte er an den König Alfons von Castilien und Leon einige Botschafter, welche in Spanien zu der Zeit eintrafen, als Don Sancho, Sohn des Königs Alfons, wider seinen Vater sich empört hatte, zu Sevilla drey Jahre blieben und an dem königlichen Hofe mit vieler Achtung behandelt wurden. An die Höfe des Kaisers von Byzanz und mehrerer anderer christlicher Fürsten sandte er ebenfalls Botschafter, welche ihm den genauesten Bericht über alles erstatteten, was am Hofe des Papstes und in den Ländern der abendländischen Christenheit sich ereignete, dergestalt, daß er von jeder Verhandlung und jeder Verabredung der christlichen Fürsten, welche sich auf die Angelegenheiten des Morgenlandes bezog, auf das schleunigste unterrichtet wurde[82]). Die Meldungen, welche Kalavun aus dem Abend-

81) Schreiben des Papstes Nikolaus des Dritten an den Cardinal Simon, apud S. Petrum X kal. Maji pontificatus nostri anno II (22. April 1279) bey Rainaldus a. a. O. §. 17—20.

82) Reinaud Extraits p. 541, wo noch folgender Zug aus der arabischen Lebensbeschreibung des Kalavun mitgetheilt wird. Im Jahre 1281 erhielt der Sultan Nachricht, daß der König von Georgien heimlich und verkleidet, nur von Einem Diener begleitet, nach Jerusalem wallfahrte. Kalavun ließ nach demselben spähen, indem er eine genaue Beschreibung der Personen des Königs sowohl als seines Dieners allen Befehlshabern und bürgerlichen Beamten mittheilte. Der

lande von seinen Gesandten erhielt, waren jedoch keinesweges geeignet, ihn zu einem schonenden und vorsichtigen Betragen gegen die syrischen Christen zu bestimmen; diese Meldungen waren vielmehr geeignet, ihn zu überzeugen, daß die Zeit gekommen war, in welcher die Saracenen die christliche Herrschaft in Syrien, welche jeder Moslim als unerträglich und höchst schimpflich für alle Bekenner des Islam betrachtete, vernichten konnten, ohne wie in früherer Zeit die Rache der abendländischen Ritterschaft fürchten zu müssen.

König von Georgien wurde wirklich aufgefangen, mit seinem Diener nach Aegypten geführt und daselbst zur Strafe für seinen Haß gegen den Islam in ein Gefängniß eingesperrt.

## Einundzwanzigstes Kapitel.

J. Chr. 1285. Die Bedingungen der Verträge, welche Kalavun mit den verschiedenen christlichen Fürsten und Behörden nach und nach geschlossen hatte, waren so beschaffen, daß sie die Gelegenheiten zu gegenseitigen Beschwerden der Christen und Saracenen vervielfältigten, und daher dem Sultane scheinbare Vorwände nicht leicht fehlen konnten, wenn er die gelegene Zeit, die geringe Macht der syrischen Christen noch mehr zu schwächen, gefunden zu haben glaubte; und es ist allerdings nicht unglaublich, daß die Christen, so wie sie in früherer Zeit oftmals mit großem Leichtsinne Verträge gebrochen und dadurch großes Unglück sich zugezogen hatten, so auch damals unbesonnen genug waren, durch Verletzung des Waffenstillstandes den Untergang ihrer Herrschaft im gelobten Lande zu beschleunigen. Nach der Behauptung der arabischen Geschichtschreiber hatten die Ritter des Hospitals den Waffenstillstand, welcher ihnen auf ihre Bitte im Jahre 1283 von dem Sultan Kalavun bewilligt worden war, von Anfange an nicht gehalten und keine Gelegenheit, den Moslims durch Räuberey und Plünderung Schaden zuzufügen, unbenutzt gelassen [1]). Kalavun beschloß, diese Wortbrüchigkeit durch die

1) Lebensbeschreibung des Sultans Kalavun bey Reinaud p. 548. Auch Ebn Ferath (Handschrift der k. k. Bibliothek zu Wien T. VIII. p. 28) behauptet, daß die Hospitaliter durch ihr Betragen die Aufhebung des Waffenstillstandes verschuldeten.

Eroberung der Burg Markab, welche eine Meile südlich von Balanea entfernt auf einem steilen Berge am Ufer des Meers lag und für eine der festesten Burgen in Syrien geachtet wurde [2]), zu rächen; und der Sultan wünschte um so mehr durch diese Eroberung seine Regierung zu verherrlichen, als einerseits die Hospitaliter, welchen Markab gehörte, im Vertrauen auf die Festigkeit dieser Burg, das ganze umliegende saracenische Land durch stets wiederholte Streifzüge ängstigten und die Moslims nöthigten, in ihre Ortschaften und Häuser wie in Gefängnisse sich einzuschließen [3]), andererseits aber weder der große Sultan Saladin [4]) noch der kühne Bibars [5]) es gewagt hatten, die Burg Markab zu belagern. Der Sultan rüstete sich zu dieser Unternehmung mit einer solchen Heimlichkeit, daß die Belagerungswerkzeuge [6]) vor Markab ankamen und die syrischen und ägyptischen Truppen in der Nähe der Burg sich versammelten, ehe der Zweck dieser Anstalten bekannt geworden war. Am 18. April 1285 [7]) J. Chr. 1285.

2) Gesch. der Kreuzzüge Buch V. Kap. VI. S. 237. Vgl. unten Anmerk. 5.

3) Lebensbeschr. des Sultans Kalaun bey Reinaud a. a. O.

4) Abulfeda T. IV. p. 88, vgl. T. V. p. 82 und Gesch. der Kreuzz. a. a. O..

5) Reinaud a. a. O. „Wie oft ist es versucht worden," schrieb der Fürst von Hamah an seinen Vesir in einem Briefe, welchen der Geschichtschreiber Abdorrahim, ein Augenzeuge dieser Belagerung, verfaßte, „zu den Thürmen dieser Burg zu gelangen, und wie oft fielen diejenigen, welche es versuchten, in die Abgründe, welche Markab umgeben! Markab gleicht einer Stadt, welche als Warte auf der Höhe eines Felsens angelegt ist; diese Burg ist zugänglich für die Hülfe zum Entsatze und unzugänglich für Angriffe, sie übertrifft die Stadt Palmyra an der Höhe ihrer Säulen und an der Größe ihrer Steinmassen, und man kann sie nicht mit dem Gedanken, vielweniger mit den Händen erreichen. Wenn man diese Stadt sieht, so glaubt man, um einen poetischen Ausdruck zu gebrauchen, die Sonne durch ein Gewölk zu erblicken. Nur die Hunde können ihre Mauern anbellen und der Adler und der Geyer im Fluge zu ihren Wällen sich erheben." Reinaud p. 550. 551.

6) Die Waffen, das Naphtha und die Kriegsmaschinen. Reinaud p. 548.

7) Am Mittwoch 10. Safar 684 d. H. Reinaud a. a. O. Der 10. Safar

J. Chr. 1285. lagerte sich Kalavun mit seinem Heere, in welchem auch der Geschichtschreiber Ismail Abulfeda, nachheriger Fürst von Hamah, damals ein zwölfjähriger Knabe, mit seinem Vater Malek al Afdal Ali sich befand, vor Markab, und noch an demselben Tage wurde die Belagerung begonnen. Die Mauer der Burg wurde in ihrem ganzen Umfange mit angestrengter Arbeit untergraben, und obgleich die Wurfmaschinen der Belagerten großen Schaden stifteten, und die Belagerungswerkzeuge des Sultans zum Theil zerstört wurden, so brachten die Belagerer es dennoch dahin, daß sie am 23. Mai [8]) einen beträchtlichen Theil der untergrabenen Mauer niederwarfen, indem sie das Holzwerk, mit welchem sie in der unterirdischen Grube die Mauer unterstützt hatten, verbrannten; und die Bestürmung sollte unter dem lauten Gebete der Fakirs und frommen Männer, welche das Heer der Moslims begleiteten, ihren Anfang nehmen, als ein Thurm der Burg einstürzte und die Oeffnung der Mauer dergestalt ausfüllte, daß der Sultan in demselben Augenblicke, in welchem er Herr der Burg zu werden hoffte, alle bisherigen Anstrengungen vereitelt sah [9]). Schon verzwei-

(17. April) dieses Jahrs war kein Mittwoch, sondern ein Dienstag. Daher ist wohl der 11. Safar anzunehmen. Nach Abulfeda T. V. p. 82 zog Kalavun erst im Anfange des folgenden Monats Rebi el ewwel gegen Markab. Der erste Rebi el ewwel 684 war der 7. Mai 1285.

8) Am Mittwoch 17. Rebi el ewwel. Reinaud a. a. O., wo unrichtig der 25. Mai als der correspondirende Tag des christlichen Jahrs angegeben wird.

9) Lebensbeschr. des Sultans Kalavun bey Reinaud p. 549. Vgl. das Schreiben des Fürsten von Hamah ebendas p. 551. „Wir alle," schreibt der Fürst von Hamah, „riefen, als die Mine gesprengt werden sollte, mit Einer Stimme: o Engel des Himmels, kommt zu uns herab, ihr Tapfern sammelt euch, strengt euch an mit aller Kraft und bringt das Gute, was euch vor Augen steht, zum Ziele." Nach den Lebensbeschreibungen des Kalavun (Reinaud p. 549) kamen die vier Erzengel (Mokarrebin), als der Sturm mißlang, den Muselmännern zu Hülfe und ängstigten die Belagerten, welche sahen, daß die von den Moslims gegrabene Mine sehr weit in die Burg

fehlten die Muselmänner an der Möglichkeit, diese Burg zu erobern, als am 25. Mai [10]) die Hospitaliter sich erboten, diesen letzten festen Platz ihres Ordens dem Sultan zu überliefern, falls ihnen und den übrigen christlichen Einwohnern freyer Abzug gewährt würde. Diesen Antrag nahm Kalavun mit großer Bereitwilligkeit an, weil es ihm lieber war, diese treffliche Festung, deren bisherige Beschädigung leicht ausgebessert werden konnte, durch einen Vertrag in seinen Besitz zu bringen, als mit stürmender Hand einen Haufen von Trümmern zu erobern [11]). Der freye Abzug wurde den Belagerten zugestanden, und ein lautes Jubelgeschrey von den Moslims erhoben, als die heilige Fahne des Propheten [12]) auf der Mauer von Markab aufgepflanzt wurde [13]). Funfzehn Rittern des Hospitals gestattete es der Sultan, die Burg zu Pferde und mit ihren Waffen zu verlassen; der übrigen Besatzung aber wurde es nicht erlaubt, J. Chr. 1285.

sich erstreckte, so sehr, daß dieselben zur Uebergabe sich entschlossen.

10) Am Freytage 19. Rebi el ewwel. Abulfeda T. V. p. 84. In der achten Stunde dieses Tages wurde die Burg übergeben. Reinaud (a. a. O.) setzt unrichtig den 27. Mai als den übereinstimmenden christlichen Tag.

11) Abulfeda l. c. p. 82. 84. Reinaud a. a. O. Marinus Sanutus (p. 220) giebt von dem Verluste von Markab nur folgende kurze mit den arabischen Nachrichten sehr übereinstimmende Nachricht: Sequenti anno (1285) Soldanus Babyloniae obsedit Margath, et XXVII (leg. XXV) Madii salvis personis reddidere castrum; jam enim usque ad barbacana processerant, et una turris ceciderat, quae vocabatur Josperon.

12) Sandschak aschscherif, welches jetzt zu Constantinopel aufbewahrt wird.

13) Lebensbeschr. des Kalavun bey Reinaud p. 549. Auch Abulfeda (T. V. p. 84) sagt: „es war ein herrlicher Tag, an welchem Rache geübt wurde an dem Hause des Hospitals.“ Statt اخذ فيه النار, d. i. es ergriff an diesem Tage das Feuer, ist in dieser Stelle nach einer Verbesserung von Silvestre de Sacy zu lesen: أُخِذَ فيه الثار, was in unserer Uebersetzung ausgedrückt worden ist. Abulfeda fügt dann (mit einer Anspielung auf Koran Sure 17 v. 13) hinzu: „es wurde das Zeichen der Nacht vertilgt durch das Zeichen des Tages.“

J. Chr. 1285. als sie abzog, ihre Waffen und ihre fahrende Habe mit sich zu nehmen. Kalavun versah hierauf diese wichtige Burg mit einer zahlreichen Besatzung [14]).

Nachdem der Sultan die Burg Markab erobert hatte, so stieg er mit seinem Heere in die Ebene herab und lagerte sich vor der Veste von Marakia zwischen Markab und Tortosa. Diese Feste war von Bartholomäus, Herrn von Marakia, welcher, um den Dolchen der Assassinen, von denen er auf Anstiften des Sultans Bibars verfolgt wurde, auszuweichen, zu den Mogolen entflohen und erst nach dem Tode dieses Sultans in sein Land zurückgekehrt war [15]), auf einem künstlichen Grunde im Meere, zwey Bogenschußweiten vom Ufer, der Stadt Marakia gegenüber, mit dem Beystande des Fürsten von Antiochien und Grafen von Tripolis und der Johanniter erbaut worden. Sie bestand aus einem viereckigen Hauptthurme, welcher fast so breit als lang [16]), und aus sieben Stockwerken bestehend, mit großer Sorgfalt und Geschicklichkeit angelegt und eingerichtet worden war; die Mauern dieses Thurms waren sieben Klafter dick, die Steine der Außenwerke wurden durch eiserne Klammern zusammengehalten, und jede Lage dieser Steine war mit einem Aufgusse von Bley bedeckt, und im Innern des Thurms eine Cisterne angebracht worden, welche für die Bedürfnisse der Besatzung ausreichte. Hinter dem Hauptthurme war ein zweyter Thurm erbaut worden, um im Falle der Noth der Besatzung zur Zuflucht zu dienen. Obgleich diese Veste nur von hundert Bewaffneten vertheidigt wurde, so

14) Lebensbeschr. des Kalavun bey Reinaud p. 549. 550.

15) Reinaud p. 529. 551.

16) Nach der Angabe bey Reinaud (p. 551) war jede Seite des Thurm 25½ Klafter lang (ayant sur chaque face vingt cinq coudées et demie en oeuvre); diese Länge steht aber mit der angegebenen Dicke der Mauern in keinem passenden Verhältnisse.

hielt dennoch der Sultan Kalavun, welcher über keine Flotte gebieten konnte, deren Eroberung für unmöglich; aber er bediente sich eines andern Mittels, welches bey der damaligen Muthlosigkeit und Kraftlosigkeit der syrischen Christen seine Wirkung nicht verfehlte. Er schrieb an den Fürsten Boemund einen Brief folgenden Inhalts: „ich habe erreicht, was ich mir vorgesetzt hatte, und es ist mir nur noch übrig, dich zu bezwingen; thue was du willst, du hast diesen Thurm gebaut, welcher ohne dich nicht zu Stande gekommen seyn würde, und du sollst also dafür büßen; ich verlange, daß dieser Thurm geschleift werde, und so meinem Verlangen nicht genügt wird, so werde ich in dein Land kommen.“ Dieser Brief setzte den Fürsten Boemund in solche Furcht, daß er den Ritter Bartholomäus mit Versprechungen und Drohungen zur Schleifung der Burg von Marakia aufforderte; Bartholomäus widersetzte sich dieser Aufforderung zwar anfangs hartnäckig, und als sein Sohn ihn aus Zaghaftigkeit verließ, so eilte er demselben nach und erdolchte ihn zu Ptolemais mit eigener Hand; endlich aber sah er sich genöthigt, nachzugeben und seine Veste zu räumen. Der Fürst Boemund selbst lieferte, wie ein arabischer Geschichtschreiber [17]) berichtet, zur Schleifung der Veste von Marakia die erforderlichen Werkzeuge, und seine Leute leisteten den Moslims bey dieser Zerstörung Hülfe, so daß auf sie die Worte des Korans angewendet werden konnten: „sie werden ihre Häuser mit ihren eigenen Händen zerstören.“ J. Chr. 1285.

Der unerwartete Angriff, durch welchen Kalavun den Orden der Johanniter überraschte, brachte eine große Be-

17) Der Lebensbeschreiber des Kalavun, aus welchem diese Nachricht über die Uebergabe und Schleifung der Veste von Marakia (Maraklea) entnommen ist, bey Reinaud p. 559. Nach Abulmahasen (bey Reinaud p. 561) hatte der Sohn des Bartholomäus die Absicht, die Veste von Marakia an den Sultan von Aegypten durch Verrath zu überliefern.

J. Chr. 1285. stürzung unter allen morgenländischen Christen hervor. Der König Leo von Armenien, dessen Länder schon mehrere Male durch die Truppen des Sultans verwüstet worden waren, fürchtete, da Kalavun seinen Gränzen sich genähert hatte, um so mehr einen feindlichen Ueberzug seines Reichs, als alle seine bisherigen Bitten um Frieden bey dem Sultan kein Gehör gefunden hatten, und sogar seine Gesandten zurückgehalten worden waren; er entschloß sich daher, den Frieden mit jedem Opfer und jeder Demüthigung, welche gefordert werden könnten, zu erkaufen, und verschaffte sich die Vermittelung der Templer, welche nicht lange zuvor dem Sultan wichtige Dienste geleistet hatten und deshalb bey ihm in großer Gunst standen [18]). Der Comthur des Templerordens in Armenien, welcher mit Briefen des Königs Leo und des Meisters der Templer in das Lager des Sultans bey Markab kam, fand zwar geneigte Aufnahme; es wurde aber der Friede auf zehn Jahre, zehn Monate und zehn Tage dem Könige von Armenien nicht anders bewilligt, als gegen die Verpflichtung zur Entrichtung eines jährlichen Tributs von einer Million Dirhems und zur Erfüllung anderer schimpflicher Bedingungen, so daß nach dem Urtheile eines arabischen Schriftstellers [19]) dieser Vertrag dem Sultan mehr einbrachte, als wenn er das armenische Land selbst an sich genommen und in den besten Jahren alle Einkünfte desselben bezogen hätte. Seit dieser Zeit war der König von Armenien völlig abhängig von dem Sultan Kalavun. Als der König Leo in einen Krieg mit dem Sultan von Iconium verwickelt war, so verlangte Kalavun die Auslieferung aller Muselmänner, welche in Gefangenschaft gerathen waren, indem er behauptete, daß diese Forderung in der durch den

18) Reinaud Extraits p. 552.

19) Des Lebensbeschreibers des Sultans Kalavun bey Reinaud p. 556.

Friedensvertrag verabredeten Auswechslung der Gefangenen J. Chr. 1285. begründet wäre. Der König von Armenien wandte zwar dagegen ein, daß er sich nur zur Freylassung der gefangenen Unterthanen des Sultans verpflichtet hätte, und daß auch die gefangenen Armenier von dem Sultan von Ikonium entlassen werden müßten, wenn der Vertrag auf die Unterthanen dieses Fürsten ausgedehnt werden sollte. Kalavun ließ aber diese Einwendung nicht gelten, sondern erwiederte, daß er als Sultan der Beschützer aller Moslims wäre, und zwang den König von Armenien, seine Forderung zu erfüllen.

So wie der König Leo von Armenien, eben so bat damals auch Margaretha [20]), Wittwe Johanns von Montfort, welche nach dem Tode ihres Gemahls die Herrschaft Tyrus verwaltete, um Frieden, und unterwarf sich schimpflichen Bedingungen. Für den zehnjährigen Frieden, welchen ihr Kalavun auf zehn Jahre, vom 14. Dschemadi el ewwel des arabischen Jahrs 684 bis zum 14. Dschemadi el ewwel 694, oder vom 18. Julius 1285 bis zum 10. April 1294 der christlichen Zeitrechnung, bewilligte, überließ sie dem Sultan die Hälfte der jährlichen Einkünfte aller derjenigen Städte und Ortschaften ihres Gebiets, in welchen Muselmänner mit Christen zusammen wohnten; sie verpflichtete sich ferner, in ihrem Gebiete weder neue Burgen oder Festungen zu erbauen, noch die schon vorhandenen auszubessern oder zu verstärken, und mit den christlichen Fürsten, welche feindselige Absichten wider den Sultan und dessen Verbündete hegen würden, keine Gemeinschaft zu unterhalten; und sie unterwarf sich überhaupt fast denselben Verbindlichkeiten, welche den Behörden von Ptolemais in ihrem letzten Vertrage mit

20) Ueber Margarethe von Tyrus s. oben Kap. XX. Anmerk. 37. S. 664. Späterhin führte Amalrich von Lusignan, der Bruder des Königs Heinrich von Cypern, den Titel eines Herrn von Tyrus. Marin. Sanut. p. 238.

J. Chr. 1285. dem Sultan waren aufgedrungen worden, und in einem Lande, wo es an einer festen Ordnung gebrach und verschiedene Gewalten nach verschiedenen Grundsätzen, Rücksichten oder Launen verfuhren, nicht vollständig und beharrlich erfüllt werden konnten [21]).

Die syrischen Christen sahen unter solchen Umständen mit desto ängstlicherer Besorgniß der nächsten Zukunft entgegen, als alle Klagen und Bitten, welche sie nach dem Verluste der Veste Markab an ihre abendländischen Glaubensgenossen richteten, keine Theilnahme an der traurigen Lage des heiligen Landes erweckten; und selbst dem päpstlichen Hofe waren der Krieg der Könige von Frankreich und Sicilien wider den König von Aragonien, und die Streitigkeiten der Welfen und Gibellinen viel wichtigere Angelegenheiten als die Unterstützung der syrischen Christen. Der Papst Honorius der Vierte, der Nachfolger Martin's des Vierten, ließ zwar die Einsammlung des Zehnten zu Gunsten des heiligen Landes in den Ländern, wo sie gestattet wurde, fortsetzen [22]), und sein Nachfolger Nikolaus der Vierte [23]) ermahnte sowohl den

21) Die Verträge des Königs Leo von Armenien und der Margarethe von Tyrus s. in der Beylage III.

22) Im Jahre 1286 verlangte Honorius IV. von dem Könige von Norwegen sowohl die Erlassung einer Verfügung, wodurch die Ausführung der gesammelten Zehntengelder aus seinem Reiche erlaubt würde, als auch die Aufhebung einer frühern Verordnung des Königs, wodurch es den Layen in Norwegen untersagt worden war, den dortigen Geistlichen Sterlinge oder anderes Silber zu verkaufen, indem Honorius bemerkt, daß dieses Verbot dem heiligen Lande großen Nachtheil bringe. Auch in Schweden wurde der Zehnte von den Einkünften der Kirchen damals erhoben. Rainaldi ann. eccles. ad a. 1286 §. 34. Honorius IV. (zuvor Jakob de Sabello, ein geborener Römer) bestieg einige Tage nach Ostern 1285 den päpstlichen Stuhl. Ptolemaei Luc. histor. eccles. Lib. XXIII. cap. 13. p. 1191.

23) Nikolaus IV. (vorher Hieronymus, nach andern Johannes, Bischof von Sabina, und Minorit aus Ascoli in der Mark Ancona) bestieg den päpstlichen Stuhl am Tage Petri Stuhlfeyer (22. Febr.) 1288. Annal. Genuens. (bey Muratori T. VI.) p. 594. Ptolem. Luc. histor. eccles.

König von Cypern, als den Patriarchen Nikolaus von Jerusalem und die Meister der drey geistlichen Ritterorden, welche ihm in beweglichen Briefen ihre bedrängte Lage geschildert hatten, zur Ausharrung in der Vertheidigung des ihnen anvertrauten heiligen Landes, und versprach ihnen, daß er mit seinen Cardinälen sich über die Mittel zur Errettung des Erbtheils Christi besprechen würde[24]); vergeblich aber erwarteten die syrischen Christen die Ankunft eines wohlgerüsteten Heeres, und es ist uns keine andere Nachricht von einer damaligen Pilgerfahrt nach Syrien, welche den dortigen Christen Nutzen gebracht hätte, überliefert worden, als die Nachricht von der Meerfahrt der Gräfin von Blois, welche im Jahre 1287 nach Ptolemais kam, daselbst einen trefflichen Thurm an der Vormauer in der Nähe des Thurms von St. Nikolaus und eine neue Vormauer zwischen den Thoren von St. Thomas und Malpas auf ihre Kosten erbaute, und am 2. August desselben Jahres zu Ptolemais starb[25]). J. Chr. 1288.

Sehr bald fand der Sultan Kalavun einen Vorwand für die Aufhebung des Waffenstillstandes, welchen er dem Fürsten Boemund von Antiochien und Tripolis bewilligt hatte, indem er behauptete, daß in den Ländern dieses Fürsten muselmännische Kaufleute widerrechtlich angehalten worden wären[26]). Schon seit längerer Zeit hatte der blühende J. Chr. 1287.

l. c. cap. 20. p. 1194. Rainaldi ann. eccles. ad a. 1288 §. 1. 2. Das Schreiben an den König von Cypern wurde am 1. Oktober 1288 zu Rieti erlassen.

24) Rainaldi l. c. §. 41. Der Patriarch Nikolaus (aus Hanapes in der Diöcese von Rheims), ein Predigermönch, war nicht lange zuvor von dem Papste Nikolaus IV. den Kirchen von Jerusalem und Ptolemais vorgesetzt worden. S. J. Echard Scriptor. ord. Praedicatorum T. I. p. 420 sq.

25) Marin. Sanut. p. 229.

26) Dieser Anschuldigung erwähnt Makrisi bey Reinaud p. 560, und auch Ebn Ferath (Handschr. der k. k. Hofbibliothek zu Wien T. VIII. p. 125) behauptet, daß von Seiten des Grafen von Tripolis zuerst der Waffen-

J. Chr. 1287. Handel von Laodicea die Eifersucht der Kaufleute von Alexandrien erregt [27]), und Kalavun würde längst diese Stadt belagert haben, wenn er ihre Eroberung ohne die Unterstützung einer Flotte, woran es ihm noch immer gebrach, für möglich gehalten hätte. Als aber im Jahre 1287 die auf einer Insel im Meere gelegene Veste, durch welche der Hafen von Laodicea geschützt wurde, so wie der Leuchtthurm und die auf dem Lande gelegene Burg, der Thurm der Tauben genannt, großen Theils durch ein Erdbeben zerstört worden waren [28]), so befahl der Sultan Kalavun seinem Statthalter Husameddin Tarantai, welcher damals den Krieg gegen den Emir Sankor Alaschkar siegreich beendigt hatte [29]), mit den ägyptischen Scharen, welche unter seinem Befehle standen, die Stadt Laodicea zu belagern; und der Emir Husameddin, indem er einen Steindamm im Meere anlegte und auf demselben seine Kriegsmaschinen [30]) aufstellte [31]), betrieb diese

stillstand gebrochen worden sey; sonst findet sich nirgends eine Angabe über die Veranlassung der Aufhebung des mit dem Fürsten Boemund geschlossenen Waffenstillstandes.

27) Lebensbeschreibung des Kalavun bey Reinaud p. 560. 561. Vgl. Geschichte der Kreuzz. Buch V. Kap. VI. S. 238.

28) Lebensbeschr. des Kalavun bey Reinaud p. 561. Ueber die beyden Burgen von Laodicea vgl. Bohaeddini vita Saladini p. 81. Abulfedae Annal. mosl. T. IV. p. 88.

29) Der Emir Sankor Alaschkar, welcher wieder von dem Sultan Kalavun abgefallen war, übergab sich selbst und seine Burg Sehiun (vgl. Gesch. der Kreuzz. a. a. O.) im Rebi el ewwel 686 d. H. (vom 16. April bis 15. Mai 1287), und wurde, nachdem er der Belagerung von Laodicea beygewohnt hatte, von dem Emir Husameddin nach Aegypten geführt, wo ihn der Sultan mit großer Achtung empfing und behandelte. Abulfedae Ann. mosl. T. V. p. 86. 88. Der Eroberung von Sehiun erwähnt auch Marinus Sanutus p. 229: Admiraldus vocatus Leteratayn (anno) 1187 missus est a Soldano Babyloniae ad obsidendum castrum unum, quod Sangolascar tenebat contra Soldanum praedictum; habito autem castro cepit XIII die Aprilis castrum Liciae principis Antiochiae.

30) Ces redoutables machines dont les langues chantent les succes et les doigts font signe à la victoire. Lebensbeschr. des Kalavun bey Reinaud p. 561.

31) Abulfeda l. c. p. 88. Reinaud a. a. O.

Belagerung mit einer solchen Thätigkeit und Geschicklichkeit, daß in kurzer Zeit ein beträchtlicher Theil der im Meere gelegenen Burg niedergeworfen wurde. Hierauf übergaben die Christen, welche nach dem Ausdrucke eines arabischen Geschichtschreibers [32]) es nicht wagten, wider ein Heer, dem sowohl die Engel des Himmels als Erdbeben zu Hülfe kämen, zu streiten, die Stadt Laodicea nebst den dazu gehörigen Burgen vermittelst eines Vertrages, in welchem ihnen von dem Emir Husameddin freyer Abzug mit ihrer fahrenden Habe zugestanden wurde. Nachdem die Uebergabe geschehen war, so wurde die auf der Insel liegende Burg geschleift und die Stadt mit einer saracenischen Besatzung versehen [33]). J. Chr. 1287.

Seit dieser Zeit dachte der Sultan Kalavun auf die Belagerung der Stadt Tripolis, nach deren Besitze schon sein Vorgänger Bibars das heftigste Verlangen geäußert hatte, und da der Sultan diese Unternehmung wegen der Festigkeit der Stadt für sehr schwierig achtete, so ließ er in der Burg der Kurden eine beträchtliche Zahl von Belagerungswerkzeugen erbauen [34]). Der Fürst Boemund, als er durch einen ihm befreundeten Emir die Absicht des Sultans erfuhr, versah schleunigst die nahe gelegene Burg Nephin mit Lebensmitteln und traf auch in der Stadt Tripolis selbst Anstalten

32) Des Lebensbeschr. des Sultans Kalavun bey Reinaud a. a. O.

33) Abulfeda und Reinaud a. a. O. Die arabischen Geschichtschreiber bezeichnen nicht den Tag, an welchem Laodicea von den Christen übergeben wurde; nach Marinus Sanutus (s. Anm. 30) war es der 13. April, diese Angabe kann nicht richtig seyn, wenn der Emir Husameddin erst im Rebi el ewwel, also nach dem 16. April, den Emir Sankor Alaschkar bezwungen hatte, wie Abulfeda berichtet.

34) Nach Marinus Sanutus (a. a. O.) begab sich der Emir Husameddin nach der Eroberung von Laodicea sogleich nach Hesn al Akrad (Crac), et ibi mandavit fieri magnum apparatum machinarum et aliorum necessariorum ad obsidendum Tripolim.

J. Chr. 1287. zur Vertheidigung [35]. Den Sultan soll aber der Kummer über den Tod seines Sohns Alaeddin Ali, welcher schon im Jahre 1281 von ihm zum Mitregenten angenommen war [36]) und im Jahre 1288 starb, bewogen haben, die beschlossene und schon vorbereitete Belagerung noch zu verschieben [37]). Mittlerweile erhoben sich in Tripolis Streitigkeiten, welche den Verlust dieser wichtigen Stadt beschleunigten. Denn als am 19. Oktober 1287 der Fürst Boemund der Siebente ohne Nachkommen starb, so wurden von seiner Mutter, der armenischen Prinzessin Sibylla, Ansprüche auf die Nachfolge in der Grafschaft Tripolis erhoben; die Ritterschaft von Tripolis erkannte aber diese Ansprüche nicht als gültig an, indem sie behauptete, daß der Prinzessin Lucia, der Schwester des verstorbenen Fürsten, welche mit dem sicilischen Großadmiral Nargat de Touci vermählt und damals nicht in Syrien anwesend war, ein näheres Recht zustände; Sibylla erlangte auch nicht mehr, als daß ihr für die Dauer der Abwesenheit der Prinzessin Lucia gehuldigt wurde; und man setzte ausdrücklich als Bedingung fest, daß Lucia, sobald sie mit ihrem Gemahle nach Tripolis kommen würde, als die rechtmäßige Erbin in den Besitz der Grafschaft gesetzt werden und die Huldigung empfangen sollte [38]). Aus diesen Streitigkeiten suchte Bertram von Gibelet Vortheil zu ziehen,

35) Marin. Sanut. l. c. Boemund ließ in der Stadt Tripolis sechszig Roßmühlen (pistrina) errichten.

36) S. oben Kap. XX. Anm. 57. S. 671.

37) Venit itaque Soldanus ad obsidendum Tripolim, sed interim filius ejus moritur et prae dolore apposito resiliit. Marin. Sanut. l. c. Daß der Sultan Kalavun schon im Jahre 1288 (denn in diesem Jahre starb sein Sohn Ali, vgl. Abulfedae ann. mosl. ad a. 687 T. V. p. 88) die Absicht gehabt habe, Tripolis zu belagern, berichten die morgenländischen Schriftsteller nicht.

38) Marin. Sanut. l. c. Lignages d'Outremer ch. 4, wo die Prinzessin Lucia durch den Namen Livie bezeichnet wird. Ueber das Geschlecht der Touci s. oben Kap. IX Anm. 12. S. 301.

indem er den Sultan Kalavun um Unterstützung bat und J. Chr. 1287.
demselben die Abtretung der Hälfte von Tripolis zusicherte, falls es ihm gelingen würde, der Stadt Tripolis sich zu bemächtigen [39]). Als Bertram aber von Lucia, welche nach Syrien kam, um ihre Ansprüche geltend zu machen, mit der Verwaltung der Grafschaft Tripolis bis zur Ankunft ihres Gemahls beauftragt worden war [40]), so dachte er nicht an die Erfüllung der Zusage, welche er dem Sultan gegeben hatte; und durch diese Wortbrüchigkeit soll nach den arabischen Nachrichten Kalavun bestimmt worden seyn, die seit zwey Jahren vorbereitete Belagerung von Tripolis im Jahre 1289 zu unternehmen [41]).

Im Frühlinge des Jahrs 1289 zog der Sultan mit den J. Chr. 1289.
ägyptischen Truppen aus Kahirah nach Syrien, und nachdem die syrischen Truppen zu seinen Panieren sich versammelt hatten, so errichtete er am 25. März [42]) sein Lager vor Tri-

39) Abulmahasen bey Reinaud p. 561, wo dieses erzählt wird von Bartholomäus Giblet, Herrn von Tellma, welcher als ein ehemaliger Diener des Bartholomäus von Marakia (s. oben S. 692) bezeichnet wird; es läßt sich wohl nicht bezweifeln, daß dieser Bartholomäus Giblet der von Marinus Sanutus (s. die folg. Anmerk.) erwähnte Bertrandus de Gibeleth ist. Bertram scheint der in den Lignages d'Outremer ch. 19 vorkommende Gemahl der Douce, einer Nichte des Königs Leo von Armenien, zu seyn.

40) Marinus Sanutus (p. 229) sagt, ohne in das Einzelne der damals in Tripolis obwaltenden Händel einzugehen, blos: illa (Lucia) Bertrandum de Gibeleth statuit loco sui, donec maritus advenerit. Daß aber Lucia im Jahre 1289 in Syrien sich befand, geht aus den Annalibus Genuensibus (bey Muratori T. VI. p. 595) hervor; denn nach dieser Chronik schloß der genuesische Admiral Benedictus Zacharias (Jacharia) mit ihr im Schlosse Nephin im Jahre 1289 einen Vertrag ab, durch welchen die Irrungen, die damals zwischen den Tripolitanern und Genuesern entstanden waren, beygelegt wurden: ivit ad castrum Nephini, ubi domina Luciana cum magistro Hospitalis venerat, cum qua foedus et pactiones inivit.

41) Quand le sire de Télima fut le maitre, il ne voulut plus remplir sa parole. Ce fut alors que le sultan, plein de colére, s'avança contre Tripoli. Abulmahasen bey Reinaud a. a. O.

42) Am Freytage den 1. Rebi el ewwel 688 = 25. März 1289. Abul-

J. Chr. 1289. polis. Die Belagerung dieser Stadt war nach dem Berichte des Abulfeda, welcher seinen Vater Malek al Afdal Ali auch auf diesem Kriegszuge begleitete, mit großen Schwierigkeiten verknüpft, weil Tripolis, fast von allen Seiten vom Meere umflossen, nur an der östlichen Seite durch eine schmale Landenge mit der Küste zusammenhing[43]); und da Kalavun keine Flotte besaß, so konnte er nur auf dieser Landenge die neunzehn Kriegsmaschinen, welche im Schloß der Kurden für diese Belagerung waren erbaut worden[44]), aufrichten, und nur in einem beengten Raume die Untergrabung der Mauer unternehmen. Die Mauern von Tripolis waren von solcher Dicke, daß auf ihrer Höhe drey Reiter neben einander Platz hatten[45]). Der Sultan konnte vorhersehen, daß die Christen diese Stadt mit der ganzen Anstrengung ihrer Macht vertheidigen würden; denn Tripolis war durch Handel und Kunstfleiß blühend, und von einer zahlreichen christlichen Einwohnerschaft bevölkert[46]).

Da Kalavun die Vorbereitungen zu dieser schwierigen Belagerung nicht so geheim gehalten hatte, als seinen Zug gegen die Veste Markab, so fand er die Christen zu Tripolis

fedae ann. mosl. T. V. p. 90. Nach Marinus Sanutus (p. 229) und der epitome belli sacri (p. 459) nahm die Belagerung schon am 17. März ihren Anfang. Ueber die Verschiedenheit der chronologischen Angaben von der Eroberung von Tripolis durch den Sultan Kalavun s. Mansi ad Rainaldi annal. eccles. ad a. 1289 §. 65.

43) Abulfeda l. c.

44) Makrisi bey Reinaud p. 562. Vgl. oben S. 699.

45) Makrisi a. a. O.

46) Es befanden sich zu Tripolis nach Makrisi (a. a. O.) 4000 Seidenweberstühle. Der Papst Nikolaus IV. nennt in seinem Schreiben an den Bischof von Tripolis (Rieti, 1. Sept. 1289) diese Stadt: civitatem Tripolitanam multitudine populi praeditam, multae nobilitatis titulis insignitam et bonorum ubertate foecundam. Rainaldi ann. eccles. ad a. 1289 §. 66. Vgl. das allgemeine Schreiben desselben Papstes an alle Christen (Rom bey S. Maria maggiore, 5. Jan. 1290) ebendas. ad a. 1290 §. 2.

nicht ungerüstet zur Vertheidigung. Die Parteyen der Fürstinnen Sidylla und Lucia ließen, als die gemeinschaftliche Gefahr sie bedrohte, ihre Streitigkeiten ruhen [47]); und von der Ritterschaft von Tripolis wurde die Hülfe des Königs von Cypern und der Ritterschaft von Ptolemais nachgesucht. Der König Heinrich von Cypern gab diesem Ansuchen gern Gehör und unterstützte die Ritterschaft von Tripolis mit vier Schiffen [48]) und einer beträchtlichen Schar zu Fuß und zu Pferde unter der Anführung seines Bruders [49]); die Hospitaliter und Templer, die weltliche syrische Ritterschaft, selbst die Pisaner und Venetianer eilten von Ptolemais nach Tripolis, um an der Vertheidigung dieser Stadt gegen das zahlreiche Heer des Sultans von Aegypten Theil zu nehmen; und der genuesische Admiral Benedictus Zacharias, welcher nicht lange zuvor mit einigen Schiffen nach Tripolis gekommen war, um die Einwohner zur Erfüllung ihrer Verpflichtungen gegen die Gemeinde von Genua anzuhalten, entzog der bedrängten Stadt seinen Beystand nicht [50]). J. Chr. 1289.

Die vereinten Kräfte der Christen vermochten aber nicht, den Verlust von Tripolis abzuwenden. Mit furchtbarer Wirkung wurde die Mauer der Stadt aus den Kriegsmaschinen des Sultans beschossen, und gleichzeitig waren funf-

47) Die Annales Genuenses (l. c.) meinen jedoch, daß der Sultan, als er damals die Belagerung von Tripolis unternahm, sehr darauf rechnete, daß die dortigen Christen wegen der unter ihnen herrschenden Parteyung nicht sehr beharrlich die Stadt vertheidigen würden: Soldanus Aegypti potentissimus nomine Alfir (Elfi), attendens civitatem Tripolis in multa turbatione et permutatione manere, accessit ad obsidionem ipsius cum infinito exercitu.

48) Makrisi bey Reinaud p. 563.

49) Wahrscheinlich Amalrich, welcher nach Marinus Sanutus (p. 230) damals mit dem Könige Heinrich zu Ptolemais sich befand.

50) Annales Genuens. l. c. Vgl. das oben erwähnte Schreiben des Papstes Nikolaus IV. bey Rainaldus a. a. O. Es ist also unrichtig, wenn Makrisi (a. a. O.) behauptet, daß Niemand außer dem Könige von Cypern der Stadt Tripolis sich annahm.

J. Chr. 1289. zehnhundert Moslims theils mit der Untergrabung der Mauer, theils mit dem Werfen des griechischen Feuers beschäftigt [51]). Die Vormauer [52]) wurde von dem Heere des Sultans erobert, bald auch der Thurm des Bischofs ungeachtet der Stärke seiner Mauer zur Hälfte niedergeworfen, und die Scharen des Sultans fingen an in die Stadt einzudringen. Die Christen vertheidigten sich zwar mit rühmlicher Tapferkeit noch bis zur neunten Stunde des Tages, und die Hospitaliter trieben die Saracenen, welche von der Seite des Meers der Stadt sich zu bemächtigen suchten, zurück, erschlugen ihrer viele und jagten andere in das Meer; endlich aber wurden die Saracenen Herren der ganzen Mauer, und den Christen blieb keine andere Rettung als die Flucht [53]). Die genuesischen Schiffe sowohl als die übrigen Fahrzeuge, welche in dem Hafen sich befanden, nahmen zwar so viele der flüchtigen Männer, Weiber und Kinder auf, als sie fassen konnten, und brachten sie nach Cypern [54]); eine große Zahl der unglücklichen Einwohner von Tripolis war jedoch dem Schwerte der Saracenen preisgegeben. Da in dem blutigen Kampfe des Tages, an welchem Tripolis in die Gewalt des Sultans fiel und sieben tausend Christen tapfer streitend die Märtyrerpalme erlangten [55]), auch der Verlust der Saracenen beträchtlich gewesen war [56]), so wurde wider die Christen, welche der Willkühr ihrer ergrimmten Feinde überlassen

51) Makrisi bey Reinaud p. 562.

52) Barbacana.

53) Marin. Sanut. p. 229. 230. Jordani Chronicon in Rainaldi annal. eccles. ad a. 1289 §. 65.

54) Annales Genuens. l. c. p 596. Abulfarag. Chron. syr. p. 584, vgl. Marin. Sanut. p. 230. Nach der Lebensbeschreibung des Sultans Kalavun (Silvestre de Sacy in den Notices et Extraits des Manuscrits de la Biblioth. du Roy T. XI. p. 41. 47. Reinaud p. 562 Anm. 2) versuchte Bertram von Gibelet, zu Meere zu entfliehen, es erging ihm aber wie dem Pharao, d. i. er ertrank im Meere.

55) Marin. Sanut. und Jordani Chron. l. c.

56) Abulfarag. Chron. Syr. l. c.

waren, eine schonungslose Rache geübt; nicht nur die christlichen Priester und Mönche, welche in der Stadt noch angetroffen wurden, sondern auch alle erwachsene Männer wurden getödtet, und die Weiber und Kinder als Sklaven weggeführt [57]. Getrieben durch wilde Rachsucht gingen die Saracenen auf ihren Rossen schwimmend nach der Insel des heiligen Nikolaus, welche an der westlichen Seite des Hafens von Tripolis lag, über, mordeten die christlichen Männer, welche in der dortigen Kirche des heiligen Thomas Schutz gesucht hatten, und theilten unter sich die Weiber und Kinder; und Abulfeda, welcher nach einigen Tagen diese Insel besuchte, fand sie ganz mit Leichnamen der erschlagenen Christen bedeckt, und den Geruch, welchen die umher liegenden Leichen verbreiteten, so unerträglich, daß kein Mensch daselbst auszudauern vermochte [58]. Die Beute, welche die Moslims in der eroberten Stadt fanden, war nach dem Zeugnisse der morgenländischen Schriftsteller unermeßlich [59]. J. Chr. 1289.

Auf solche Weise wurde Tripolis am 27. April 1289 [60]) nach einer Belagerung von neun und zwanzig Tagen von den Saracenen erobert, nachdem die Christen daselbst seit

57) Abulfedae ann. mosl. und Abulfarag. l. c. Makrisi bey Reinaud a. a. O.

58) Abulfeda l. c.

59) Makrisi und Abulfarag. a. a. O. Nach Matthäus von Westminster ad a. 1289 p. 414: In vituperium insuper et contemptum nominis Jesu Christi (Soldanus) per civitatem destructam ad caudas equorum imagines sanctorum jussit trahi.

60) An einem Dienstage d. 4. Rebi el achir 688. Abulfeda a. a. O. übereinstimmend mit Marinus Sanutus p. 230. der epitome belli sacri l. c. und den annalibus Genuens. p. 596. Nach Abulfaradsch (a. a. O.) am Ende des Monats Nisan im Jahre der Griechen 1600., d. i. des Aprils 1289. Nach der Erzählung des Anonymus de excidio Acconis (in Edm. Martene et Urs. Durand collect. ampl. T. V. p. 759) wurde Tripolis dem Sultan von einigen ruchlosen Christen verrathen: Soldanus Babylonis Tripolim civitatem (cum) quibusdam civibus ejusdem inito foedere proditionali viribus suis exploravit (expugnavit).

J. Chr. 1289 dem zehnten Tage des Junius 1109 [61]) fast hundert und achtzig Jahre [62]) geherrscht hatten. So wie Bibars mit der Stadt Antiochien verfahren war, also verfuhr Kalavun auch mit Tripolis; die Stadt wurde, damit es den Christen nicht wieder möglich seyn möchte, daselbst festen Fuß zu gewinnen, dem Erdboden gleich gemacht [63]); und dasselbe Schicksal traf die fünf Meilen entlegene Burg Nephin, welche einige Tage nach der Erstürmung von Tripolis für die Freylassung einiger wenigen gefangenen Christen dem Sultan überliefert wurde. Dagegen ließ Kalavun auf dem Pilgerberge eine neue Stadt des Namens Tripolis erbauen [64]).

Der König Heinrich von Cypern und Jerusalem, welcher in der Zeit, in welcher Tripolis verloren wurde, zu Ptolemais sich befand, fürchtete mit Recht, daß der Sultan von Aegypten den Beystand, welchen die Ritterschaft von Ptolemais den Tripolitanern geleistet hatte, als eine Verletzung des Waffenstillstandes betrachten und durch Feindseligkeiten ahnden würde. Obgleich der genuesische Admiral Benedictus Zacharias, nachdem er die Flüchtlinge von Tripolis in Sicherheit gebracht hatte, mit seiner Flotte von Cypern nach Tyrus und Ptolemais sich begab und seine Hülfe den syrischen Christen antrug [65]), so knüpfte der König Heinrich dennoch mit dem Sultan Kalavun Unterhandlungen an, durch welche er die Erneuerung des Waffenstillstandes für zwey Jahre erlangte, worauf er im August des Jahrs 1289

61) Gesch. der Kreuzzüge Buch II. S. 210.

62) Hundert und fünf und achtzig arabische Mondjahre und einige Monate nach Abulfeda l. c. p. 92.

63) Annal. Genuens. und Matthaeus Westmonast. l. c. Marin. San. p. 230. Jordani Chronicon l. c. Abulfeda l. c. p. 90. Abulfarag. Chron. Syr. p. 584.

64) In loco vocato Mons peregrinus qui uno tantum milliari distat a mari. Marin. Sanut. und Jordani chron. l. c. Ueber den Pilgerberg s. Gesch. der Kreuzz. Buch II. S. 199.

65) Annales Genuens. l. c.

nach Cypern zurückkehrte und seinen Bruder Amalrich als J. Chr. 1289.
Statthalter in Syrien zurückließ [66]). Noch während dieser Unterhandlungen begaben sich Johannes von Grelly, der damalige Hauptmann der französischen Miliz zu Ptolemais und Seneschall des Königreichs Jerusalem nebst mehreren anderen Botschaftern [67]) nach dem Abendlande, um im Namen des Königs Heinrich und sämmtlicher syrischen Christen dem Papste Nikolaus dem Vierten und andern abendländischen Fürsten vorzustellen, daß nunmehr die Noth des heiligen Landes auf das höchste gestiegen wäre, und der Verlust desselben ohne die kräftige und schleunige Hülfe der abendländischen Christenheit nicht mehr abgewandt werden könnte. Nikolaus nahm die Vorstellungen dieser Botschafter sehr zu Herzen. Er beauftragte unverzüglich den Bischof Peter von Tripolis, welcher noch im Abendlande sich aufhielt, in Sclavonien und der Mark von Treviso, so wie in den Städten Venedig und Ferrara das Kreuz zu predigen [68]); er ließ gleichzeitig auch in den übrigen Landschaften von Italien die Ritter und das Volk zur Bewaffnung für das heilige Land ermahnen [69]) und gab dem Patriarchen Nikolaus von Je-

66) Marin. Sanut. p. 230. Nach dem Anonymus de excidio Acconis l. c. kündigte der Sultan Kalavun nach der Eroberung von Tripolis zwar den Hauptleuten von Ptolemais (capitaneis Acconis) durch ein Schreiben feyerlich an, daß er nach dem Ablaufe eines Jahrs ihre Stadt belagern würde; er bewilligte ihnen aber dennoch treugas pacificas usque ad duos annos, duos menses, duas hebdomadas, duos dies et duas horas.

67) Daß außer Johann von Grelly (Marin. Sanut. l. c.) noch die beyden Predigermönche Hugo von Macon und Johannes, der Hospitaliter Peter von Hezkam und der Templer Hertand im Sommer 1289 als Botschafter der syrischen Christen im Abendlande sich befanden, erhellt aus dem Schreiben des Papstes Nikolaus IV. an den König Eduard von England (Rieti 13. August 1289), welches in Rymeri Actis publ. (Vol. I. P. 2. Londini 1816 fol. p. 712) mitgetheilt worden ist.

68) Schreiben des Papstes Nikolaus IV. an den Bischof von Tripolis, Rieti 1. Sept. 1289, bey Raynaldus ad a. 1289 §. 66. 67.

69) Marin. Sanut. p. 230.

J. Chr. 1289. rusalem in einem Schreiben das feyerliche Versprechen, zwanzig Galeen in Folge der ihm von den Botschaftern der syrischen Christen vorgetragenen Bitte vermittelst des aus dem Zehnten der kirchlichen Güter gewonnenen Geldes auszurüsten und zur Unterstützung des heiligen Landes binnen der Frist Eines Jahres nach Ptolemais zu senden, und überhaupt den Angelegenheiten der Christen im Lande der Verheißung unausgesetzte Sorgfalt zu widmen. Er verhieß zugleich in diesem Schreiben, die Verfügung über jene Schiffe dem Bischof von Tripolis und dem Ritter Johann von Grelly, welche mit denselben nach Syrien zurückkehren würden, so wie dem Patriarchen zu übertragen [70]). Da der König Eduard der Erste von England sein den Päpsten Nikolaus dem Dritten und Martin dem Vierten gegebenes Versprechen, eine zweyte Meerfahrt zu unternehmen, nicht lange vor der Ankunft der Nachricht von dem Verluste von Tripolis erneuert und die Ausführung dieses Versprechens von Bedingungen, welche vornehmlich die Ueberlassung des Zehnten der kirchlichen Güter in England, Wales, Schottland und Irland betrafen, abhängig gemacht hatte: so genehmigte Nikolaus der Vierte diese Bedingungen [71]) und empfahl dem Könige die Botschafter der syrischen Christen, welche nach England sich begaben, um dem Könige die beklagenswerthe Lage des heiligen Landes vorzustellen und ihn

70) Schreiben des Papstes Nikolaus IV. an den Patriarchen von Jerusalem, Rieti 13. Sept. 1289, bey Rainaldus ad a. 1989 §. 69.

71) Nach zwey Urkunden vom 17. Februar 1288 (wofür wahrscheinlich 1289 gelesen werden muß), welche von Rymer (a. a. O. p. 705) mitgetheilt worden sind, wurde zu Westminster ein Vertrag über den Antheil am Zehnten, welcher dem Könige Eduard bewilligt werden sollte, abgeschlossen, und zugleich bestimmt, daß die Meerfahrt am bevorstehenden St. Johannistage unternommen werden und drey Jahre dauern sollte. Es heißt in diesem Vertrage: in tres annos, quod erit anno Domini 1293; diese Jahreszahl scheint gleichfalls unrichtig zu seyn.

um schleunige Hülfe zu bitten, zu freundlicher Aufnahme in J. Chr. 1289.
einem eindringlichen Schreiben [72]). Dem Prinzen Edmund, dem Bruder des Königs Eduard, welcher ebenfalls das Kreuz genommen und sein Gelübde nicht zu der festgesetzten Zeit vollzogen hatte, erließ der Papst zwar die verwirkten kirchlichen Strafen, er bestimmte aber zugleich, daß weder der Prinz Edmund noch die vornehmen und geringen waffenfähigen Männer, welche mit demselben zur Meerfahrt sich verpflichtet hätten, von der Verbindlichkeit, ihr Gelübde zu erfüllen, entbunden werden sollten [73]).

Der Papst erfüllte getreulich das Versprechen, welches er dem Patriarchen von Jerusalem gegeben hatte; er ließ nicht nur zu Venedig zwanzig Galeen ausrüsten, deren Anführung dem Schiffshauptmann Nicolo Tiepolo mit dem Beynamen Scopolo übertragen wurde, sondern vertraute dem Seneschall Johann von Grelly aus dem Schatze des kirchlichen Zehnten drey Tausend Unzen Gold an, und dem Ritter Rubeus de Sully, welcher seine Dienste zur Vertheidigung des heiligen Landes angetragen hatte, tausend Unzen, um dieses Geld zum Besten der syrischen Christen zu verwenden; er ließ zugleich seit dem Anfange des Jahrs 1290 mit verstärkter Thätigkeit das Wort des Kreuzes verkündigen und denen, welche für den Heiland sich bewaffnen würden, die Rechte und Vortheile zusichern, welche die erste Kirchenversammlung von Lyon den Kreuzfahrern zugestanden hatte [74]); er ermahnte den König Philipp von Frankreich, nach Syrien einige Scharen von Rittern, Armbrustschützen und Serjanten,

72) Schreiben des Papstes an den König Eduard vom 21. August 1289 bey Rymer a. a. O. p. 712.

73) Schreiben des Papstes Nikolaus IV. an den Bischof von Bath und Welles vom 23. December 1289, bey Rainaldus l. a. §. 73.

74) Allgemeine päpstliche Bulle an alle Gläubigen, Rom bey S. Maria Maggiore vom 5. Jan. 1290, bey Rainaldus ad a. 1290 §. 2—6.

J. Chr. 1289. so wie einige Kriegsschiffe zu senden, um die Vertheidigung des heiligen Landes so lange zu besorgen, bis die angekündigte große Kreuzfahrt zu Stande käme; und vornehmlich suchte er den Eifer des Königs Eduard von England für die Sache des Heilandes zu erhalten und zu stärken, indem er den Wünschen des Königs durch die Ueberweisung des Zehnten der kirchlichen Güter zur Bestreitung der Kosten der Kreuzfahrt entgegen kam [75]) und dem Könige die frohe Meldung, welche Biscarellus de Gisulfo, ein genuesischer Bürger, an den päpstlichen Hof gebracht hatte, mittheilte, daß der mogolische Chan Argun bereit wäre, das Heer der christlichen Kreuzfahrer, sobald es nach Syrien käme, mit einer beträchtlichen Macht im Kampfe wider die Saracenen zu unterstützen. Zugleich empfahl er diesen genuesischen Bürger, welcher im Begriff stand, mit Aufträgen und Briefen des Chans Argun nach Frankreich und England sich zu begeben, und dessen Begleiter dem Könige Eduard zu freundlicher Aufnahme [76]).

Alle diese Bemühungen des Papstes Nikolaus des Vierten blieben ohne Erfolg. Der König Jakob von Sicilien verstärkte zwar ungeachtet des feindseligen Verhältnisses, in welchem er mit dem römischen Hofe stand, auf die Bitte des Seneschalls Johann von Grelly das päpstliche Geschwa-

75) Eine große Zahl von Verfügungen über den Zehnten der kirchlichen Güter in England, Wales, Schottland und Irland zu Gunsten des Königs Eduard I., aus den Jahren 1289, 1290 und 1291, sind von Rymer mitgetheilt worden a. a. O. p. 708 folg.

76) Schreiben des Papstes an den König Eduard von England, Rieti vom 30. September 1289, bey Rymer a. a. O. p. 713. Vgl. Abel-Rémusat, second mémoire p. 362—381, wo eine sehr merkwürdige Nachricht über den im königlichen Archive zu Paris aufbewahrten Brief des Chans Argun an den König Philipp den Schönen von Frankreich, welchen Biscarellus de Gisulfo überreichte, und eine hinzugefügte Note in französischer Sprache mitgetheilt wird.

der durch einige Kriegsschiffe [77]); als aber die päpstlichen Schiffe zu Ptolemais angelangt, und die Pilger, welche sich auf diesen Schiffen befanden, gelandet waren, so zeigte es sich, daß die übrig bleibende Mannschaft kaum für dreyzehn Schiffe ausreichte, und daß es den päpstlichen Schiffen an Waffen, vorzüglich Armbrüsten mangelte; und Nikolaus forderte daher den Bischof von Tripolis, welcher die Ausrüstung dieser Schiffe besorgt und dieselben nach Ptolemais geführt hatte, auf, über die ungeschickte oder gewissenlose Verwendung des ihm für die Vollziehung dieses Auftrages anvertrauten Geldes in Gegenwart des Patriarchen von Jerusalem und apostolischen Legaten Nikolaus Rechenschaft ab zulegen [78]. Die Pilger, welche mit diesen Schiffen nach Syrien gekommen waren, selbst der Ritter Rubeus de Sully, kehrten sehr bald in ihre Heimath zurück, weil sie sahen, daß der Sultan von Aegypten noch keine Anstalten zur Belagerung von Ptolemais machte. Der Schiffshauptmann Scopolo begab sich nach einigen Monaten mit zwey Galeen wieder nach Italien und kam mit einer ansehnlichen Geldhülfe, welche ihm der Papst Nikolaus zur fernern Unterhaltung der päpstlichen Seemacht im gelobten Lande übergeben hatte, zurück nach Ptolemais; weil aber mittlerweile die päpstlichen Schiffe nach Italien zurückgekehrt waren, so ließ Scopolo durch keine Bitten sich bewegen, noch länger in Syrien zu bleiben; sondern er überlieferte das ihm anvertraute päpstliche Geld in die Hände des Patriarchen von

J. Chr. 1290.

77) Marin. Sanut. p. 230.

78) Schreiben des Papstes an den Bischof von Tripolis vom 20. Oktober 1290, bey Rainaldus ad a. 1290 §. 8. Die Zahl der päpstlichen Söldlinge (stipendiarii), welche mit dem Bischof von Tripolis nach Ptolemais kamen, wird von dem Anonymus de excidio Acconis l. c. zu 1600, von Wilhelm von Nangis (Chron. ad a. 1289 p. 48) zu 1500, von Herrmann Corneruſ (Eccardi Corpus historicum medii aevi T. I. p. 943) zu 1200 angegeben.

J. Chr. 1290 Jerusalem und folgte seinen Landsleuten, welche Ptolemais bereits verlassen hatten, nach, obgleich es damals schon ruchtbar war, daß der Sultan Kalavun zur Belagerung von Ptolemais sich rüstete [79]). Der König Philipp von Frankreich lehnte das Ansuchen des Papstes um Unterstützung des heiligen Landes ab mit der Erklärung, daß er nicht geneigt wäre, die Verantwortlichkeit für das Unglück, welches über jenes Land kommen könnte, auf sich zu nehmen; und die erneuerte Bitte des Papstes fand bey dem Könige Philipp eben so wenig Gehör [80]). Die allgemeine Kreuzfahrt unter der Anführung des Königs Eduard von England sollte nach der eigenen Bestimmung des Papstes Nikolaus erst am Tage St. Johannis des Täufers im Jahre 1293 begonnen werden [81]); und ehe diese Zeit eintrat, war das heilige Land schon verloren.

Während Nikolaus der Vierte durch dieselben Mittel und

79) Ipse quoque (Scopulus), licet fama de Soldani ferveret adventu, assignatis patriarchae dictis stipendiis, nullis precibus quin post suos abiret potuit retineri. Jo. Iperii Chronicon Bertinianum (in Edm. Martene et Urs. Durand Thes. anecdot. T. III.) p. 770. Marinus Sanutus l. c. erzählt dasselbe mit denselben Worten irrthümlich von Johann von Grelly. Dieser war aber noch zu Ptolemais zu der Zeit, als die Verhandlungen wegen der Genugthuung, welche der Sultan Kalavun für die im J. 1290 geschehene Verletzung des Waffenstillstandes forderte, Statt fanden. S. Anon. de excidio Acconis p. 763, wo er Johannes de Gerliaco (Grilliaoe), miles, Christianorum terrae sanctae capitaneus ex parte regis Franciae deputatus, genannt wird.

80). Schreiben des Papstes Nikolaus IV. an den König Philipp von Frankreich, Orvieto 5. December 1290, welches der Minorit und päpstliche Poenitentiarius Johannes de Sarmesio überbrachte, bey Rainaldus ad a. 1290 §. 9. 10.

81) S. die päpstlichen Verfügungen, erlassen zu Orvieto am 16. März 1291, bey Rymer a. a. O. p. 746. 747 (vgl. unten Kap. XXII. Anm. 16). Durch eine frühere Verfügung, erlassen zu Rieti am 5. Oktober 1289 (bey Rymer a. a. O. p. 714), hatte Nikolaus IV. den St. Johannistag 1292 als den Termin der Kreuzfahrt des Königs Eduard festgesetzt, indem er bemerkte, daß das heilige Land, nachdem Tripolis verloren worden, der schleunigsten Hülfe bedürfte.

Beweggründe, durch welche seinen Vorfahren es so oft ge- n. Chr. 1290.
lungen war, Wunder der Begeisterung hervorzubringen, vergeblich sich bemühte, Theilnahme an der Noth des heiligen Landes in der abendländischen Christenheit zu erwecken, sandten der König Alfons der Dritte von Aragonien und dessen Bruder, der König Jacob von Sicilien, Botschafter mit reichen Geschenken an den Sultan von Aegypten, überlieferten ihm siebzig gefangene Muselmänner, welche seit langer Zeit in der Sklaverey gewesen waren, und ließen ihn bitten, ihren Unterthanen in seinen Staaten dieselben Vortheile zu bewilligen, welche der Sultan Malek al Kamel den Unterthanen des Kaisers Friedrich des Zweyten zugestanden hätte [82]); und in derselben Zeit, in welcher der Papst mit Eifer das Kreuz zur Errettung des heiligen Landes predigen ließ, schlossen diese beyden christlichen Könige am 25. April 1290 [83]) mit dem Sultan Kalavun einen Handelsvertrag, in welchem sie sich verpflichteten, den Papst und jeden andern gekrönten oder nicht gekrönten christlichen Fürsten mit Einschluß der Genueser, Venetianer, Griechen, Tempelherren und Hospitaliter von Feindseligkeiten gegen den Sultan und dessen Länder abzuhalten und sogar diejenigen Christen, welche einen Krieg gegen den Sultan unternehmen würden, zu Wasser und zu Lande anzugreifen, den Sultan von allen Plänen, welche zu dessen Nachtheil im Abendlande verabredet werden möchten, frühzeitig zu unterrichten und den syrischen Christen, falls der damals bestehende Waffenstillstand gebrochen oder aufgehoben werden sollte, eben so wenig Beystand irgend einer Art, weder an Waffen noch an Geld oder in anderer

82) Lebensbeschreibung des Sultans Kalavun in dem von Silvestre de Sacy in Magasin encyclopedique VIIme année 1801 T. II. p. 145 — 161 mitgetheilten Auszuge; vgl. Reinaud p. 664.

83) Am Dienstage 13. Rebi el achir 689. Silv. de Sacy a. a. O. p. 147.

J. Chr. 1290. Weise, zu gewähren, als dem Papste, den christlichen Königen, den Griechen und den Tataren, wenn es diesen Fürsten und Völkern in den Sinn kommen sollte, den Sultan und dessen Unterthanen zu bekriegen. Für solche erniedrigende Bedingungen erlangten die Könige von Aragonien und Sicilien keine andern Vortheile, als daß der Sultan Kalavun versprach, den aragonischen und sicilischen Pilgern, welche mit beglaubigenden Briefen ihrer Könige versehen seyn würden, den Besuch des heiligen Grabes und der andern christlichen Wallfahrtörter seines Reiches zu gestatten und die Abgaben, welche von den aragonischen und sicilischen Schiffen in den Häfen seines Reichs entrichtet würden, eben so wenig zu erhöhen, als den beyden christlichen Königen es erlaubt seyn sollte, in ihren Häfen von den Schiffen der Unterthanen des Sultans höhere Steuern als die bisher üblichen zu erheben [84]).

Dieser Vertrag war kaum abgeschlossen worden, als der Genueser Albertus Spinula in Begleitung einiger genuesischen Consuln und Kaufleute zu Kahirah sich einfand und im Namen der Gemeinde von Genua den Sultan Kalavun um Frieden bat. Das damalige Mißverhältniß zwischen dem Sultan und den Genuesern, welche seit langer Zeit einen sehr bedeutenden Handelsverkehr mit den ägyptischen Häfen, vornehmlich Alexandrien, unterhielten und selbst von dem Sultan Bibars manche Begünstigungen erlangt hatten [85]), war durch folgende Veranlassung entstanden. Der genuesische Schiffshauptmann Benedictus Zacharias, welcher den Christen zu Tripolis Beystand geleistet hatte, glaubte, nachdem

84) S. diesen Vertrag, welchen de Sacy a. a. O. vollständig und Reinaud p. 563. 566 im Auszuge mitgetheilt haben, in der Beylage III.

85) Reinaud p. 566.

er einmal wider den Sultan von Aegypten gestritten hatte, J. Chr. 1290. den Krieg noch ferner fortsetzen zu können, und bot zuerst, wie oben berichtet worden ist [86]), den syrischen Christen seine Hülfe an, welche wegen des erneuerten Waffenstillstandes nicht angenommen wurde. Er begab sich hierauf nach Armenien und verabredete daselbst einen für die Gemeinde von Genua vortheilhaften Handelsvertrag [87]). Mittlerweile mietheten die Bürger und Kaufleute von Caffa am schwarzen Meere auf Antrieb des genuesischen Consuls Paulinus einige genuesische Schiffe, welche dahin Kaufleute gebracht hatten, um nach der Stadt Tripolis, von deren Belagerung die Kunde nach Caffa gelangt war, eine Schar von Bogenschützen und Geld [88]) zur Unterstützung der bedrängten Stadt zu überbringen, und erwählten den Consul Paulinus zum Anführer dieser Unternehmung. Zu der Zeit aber, als diese Schiffe an der syrischen Küste ankamen, lag Tripolis bereits in Trümmern; und da Paulinus hörte, daß Benedictus Zacharias in einem armenischen Hafen sich befände, so begab er sich dahin und vermochte jenen Schiffshauptmann, mit ihm zu einem Streifzuge nach den westlichen Küsten von Kleinasien sich zu vereinigen [89]). Auf diesem Streifzuge eroberten sie ein saracenisches Handelsschiff, welches von Alexandrien kam, nach heftigem Kampfe, erschlugen einen Theil der Kaufleute und Seefahrer, welche auf demselben sich be-

86) S. 706.

87) Colloquio habito cum Antonio filio Regis Leonis qui nuper decesserat, impetravit ab eo pro communi Januae quemdam fundicum, qui fuerat uxoris quondam Guilelmi Strejaporci sive Salvatici, et quod homines Januae possent ascendere in Turchiam cum suis ballis et mercibus pro satis minori pretio quam solvere solebant. Annales Genuenses bey Muratori T. VI. p. 596.

88) Collectis asperis (drachmis) sex millibus et balistariis. Annal. Gen. l. c.

89) Annales Genuenses l. c.

J. Chr. 1290. fanden, machten die übrigen zu Sklaven und raubten alles Geld und alle Güter [90]). Die Gewalthaber von Genua billigten zwar im Anfange diese eigenmächtige Verletzung des Friedens und erstatteten den Bürgern und Kaufleuten von Caffa die Kosten, welche sie auf diese Unternehmung gewandt hatten, um alle ihre Unterthanen zur Nachahmung eines so löblichen Beyspiels aufzumuntern [91]). Als sie aber hörten, daß der Sultan Kalavun, um den Raub jenes Schiffes zu rächen, alle in seinen Staaten sich aufhaltenden Genueser, welchen es nicht gelungen war, zu rechter Zeit zu entfliehen, verhaftet hatte [92]): so entschlossen sie sich, dem Sultan Genugthuung anzubieten. Sie nahmen dem Schiffshauptmann Zacharias, welcher nach Genua zurückgekommen war, und dessen Genossen die gefangenen Muselmänner und die übrige Beute ab [93]), rüsteten eine Galee aus [94]) und sandten mit

90) Annales Genuens. l. c. und Lebensbeschreibung des Sultans Kalavun in dem Auszuge, welchen Silvestre de Sacy mitgetheilt hat, in den Notices et Extraits des Manuscrits de la Bibliothèque du Roi T. XI. p. 41, beyde vollkommen übereinstimmend. Der Raub des Schiffes geschah nach den genuesischen Annalen bey Candelorum in Turchia, d. i. Kleinasien. Marinus Sanutus scheint (p. 230) auf dieses Ereigniß hinzudeuten, wenn er von den Kreuzfahrern redet, qui in processu eorum terram Candelorii sunt aggressi, licet nequiverint obtinere.

91) Annales Genuenses l. c.

92) „Als der Sultan solches hörte, so ließ er die Genueser, welche noch in seinen Plätzen sich befanden, verhaften; doch vergriff er sich nicht an ihren Gütern.“ Lebensbeschr. des Kalavun a. a. O. Anders die Annales Genuenses l. c.: Soldanus his auditis omnes Januenses, quos in terra Aegypti invenit, fecit detineri in personis et rebus.

93) Lebensbeschr. des Sultans Kalavun a. a. O. Nach diesem Schriftsteller war Benedictus Zacharias genöthigt, nach Genua zurückzukehren, weil sowohl die Franken von Ptolemais als alle übrige Franken und selbst der griechische Kaiser ihm ihre Häfen verschlossen und keine Gemeinschaft mit ihm haben wollten. Die Franken durften allerdings in Folge des mit dem Sultan geschlossenen Vertrages keinen Seeräuber hegen und pflegen.

94) Die Ausrüstung der Galee geschah im December 1289. Annal. Gen. l. c.

derselben den Albertus Spinula als ihren Botschafter nach Aegypten, mit dem Auftrage, an den Sultan die gefangenen Muselmänner und die von Benedictus Zacharias geraubte Beute zurückzubringen, zugleich feyerlichst zu erklären, daß die Gemeinde von Genua die Eroberung und Plünderung des Schiffes, welche den Unwillen des Sultans erregt hätte, als eine sträfliche Handlung widerspenstiger Unterthanen mißbilligte, und um die Entlassung der verhafteten Genueser und die Wiederherstellung des freundschaftlichen Verhältnisses zu bitten [95]). Der Sultan war anfänglich nicht geneigt, das Gesuch des genuesischen Botschafters zu gewähren; die Erwägung aber, daß der Handel der Genueser mit seinen Staaten sowohl seinen eigenen Schatz als seine Unterthanen bereicherte, bewog ihn, den Genuesern die Erneuerung des Friedens zu bewilligen, und am 13. Mai 1290 [96]) beschwor Albertus Spinula in Gegenwart des koptischen Bischofs Peter von Misr, einiger koptischer Priester und Mönche, so wie mehrerer Genueser, eines Schiffs- J. Chr. 1290.

95) Lebensbeschr. des Sultans Kalavun a. a. O. Zugleich wurde auch der frühere Versuch des Genuesers Belanger, Sohns des Bansal, der Stadt Tinah sich zu bemächtigen, feierlichst gemißbilligt. Nach den Annal. Genuens. l. c.: Missaticus pro communi Albertus Spinula pergens ad Soldanum relaxationem nostrorum plenarie impetravit; und von den Demüthigungen, zu welchen die Genueser sich verstanden, ist daselbst nicht die Rede.

96) Die Eidesleistung des genuesischen Gesandten geschah am 13. Mai 1290. Die Unterschrift des Bischofs von Misr ist vom folgenden Tage, 14. Jiar des Jahrs der Welt 6798, datirt, und an demselben Tage, dem Sonntage 2. Dschemadi el ewwel 689 = 14. Mai 1290, wurden die Worte des Schwurs in arabischer Sprache, wie sie die Lebensbeschreibung des Kalaoun mittheilt, niedergeschrieben. Notices et Extraits l. c. p. 45. Eben diese Mittheilung enthält nur die Formel der Verpflichtung, welche Albertus Spinula und dessen Mitbotschafter beschwuren. Die lateinische Uebersetzung des vollständigen Vertrags ist aus einer Handschrift des Archivs zu Genua ebenfalls von Silvestre de Sacy mitgetheilt worden in den Notices et Extraits a. a. O. p. 33—41.

J. Chr. 1290. hauptmanns, zweyer Consuln und einiger Kaufleute einen Vertrag, durch welchen die Gemeinde von Genua sich verpflichtete, die reisenden Moslims, sowohl Gesandte als Kaufleute und andere Personen, überall, wo sich die Gelegenheit darböte, gewissenhaft und mit aller Anstrengung ihrer Macht zu beschützen und gegen jede Beschädigung zu bewahren.

## Zweyundzwanzigstes Kapitel.

So wie der Sultan Kalavun in den Unterhandlungen so- J. Chr. 1290.
wohl mit den Königen von Aragonien und Sicilien als mit den Genuesern, von welchen in dem vorhergehenden Kapitel berichtet worden ist, Gelegenheit hatte, aufs neue die Ueberzeugung zu gewinnen, daß die abendländischen Christen die Vortheile, welche der Handel mit den saracenischen Ländern gewährte, höher achteten als das Verdienst und den Ruhm des Kampfes wider die Feinde ihres Glaubens; eben so boten ihm die Bemühungen des Papstes Nikolaus des Vierten, eine allgemeine Kreuzfahrt zu bewirken, einen hinlänglichen Beweggrund dar, der christlichen Herrschaft in Syrien baldigst ein Ende zu machen; und die syrischen Christen beschleunigten durch unbesonnene Verletzung des Friedens den gänzlichen Verlust des heiligen Landes [1]).

1) Die Quellen für die Geschichte der Begebenheiten, welche in dem nachfolgenden Kapitel behandelt werden, sind, außer den morgenländischen Nachrichten des Abulfeda und Abulfaradsch und den Auszügen von Reinaud, so wie dem Berichte des Marinus Sanutus (in den Secretis fidelium crucis Lib. III. Pars XII. cap. 21. 22. p. 230—232) und den Meldungen der Chroniken des Wilhelm von Nangis (in D'Achery Spicileg. T. III.), des Ptolemaeus Lucensis (Histor. eccles. XXIII. 23—25), bey Muratori T. XI. p. 1196. 1197, des Johannes von Winterthur (in Eccardi corpore histor. medii aevi T. I. p. 1761—1763), des Hermann Corner (in J. G. Eccardi corporis historici medii aevi T. I), und des Johannes Iperius (in Edm. Martene et Urs. Durand Thes. anecdotor. T. III), so wie des Chronicon equestris ordinis Teutonici (in Antonii Mat-

J. Chr. 1290.

Ueber die Verletzung des Waffenstillstandes, deren die Christen im Jahre 1290 sich schuldig machten, sind sehr ab-

thaei veteris aevi analectis T. V. p. 748—764), des Chronicon S. Petri Erfortense (in Mencken Scriptor. T. III. p. 299. 300) und anderer Zeitbücher, vornehmlich folgende: 1) De excidio urbis Acconis Libri duo von einem gleichzeitigen ungenannten Verfasser, welcher zwar nicht als Augenzeuge, aber, wie er versichert, nach glaubwürdigen Nachrichten den Verlust des heiligen Landes erzählt, nach drey Handschriften herausgegeben in Edm. Martene et Ursini Durand collectione amplissima T. V. Einige Auszüge aus dieser Schrift, nach der auch in der collectio amplissima benutzten Handschrift der Bibliothek von St. Victor zu Paris, finden sich in Jacobi Echard Scriptores ordinis Praemonstratensis T. I (in dem Artikel des Nicolaus de Hanapis, des Patriarchen von Jerusalem zu der Zeit, als das heilige Land verloren wurde) p. 422 — 425. Aus einer handschriftlichen französischen Bearbeitung dieser Schrift hat Michaud Auszüge mitgetheilt, Histoire des croisades (IV$^{me}$ édition T. V. p. 562—571), und nach einer Angabe dieser Handschrift hat der ungenannte Verfasser seine Erzählung aus einem Briefe des Meisters der Johanniter Johann de Villiers an seinen Bruder Wilhelm de Villiers und den Prior von St. Gilles in der Provence entnommen. Aus dem Berichte dieses Anonymus haben Wilhelm von Nangis und Nikolaus Trivettus (in D'Achery Spicileg. T. III. p. 211) die in ihren Chroniken mitgetheilte Nachricht von dem Verluste von Ptolemais geschöpft. 2) Des Bruders Arsenius (eines griechischen Mönchs vom Orden des heiligen Basilius), welcher selbst im heiligen Lande gewesen war, Rede an den Papst Nikolaus IV. über den Verlust von Ptolemais, in Bartholomaei de Neocastro Historiae Siculae cap. 120 (in Muratori Scriptor. rer. Italic. T. XIII. p. 1182—1184). 3) Die Episode über den Krieg von Ptolemais (Vrieug zwischen Kunig Soldan und den von Ackers in der Ueberschrift von Kap. 464), welche die Kapitel 405 — 463 von Ottokar von Horneck's Chroniken des edlen Landes Oesterreich (in Pezii Scriptor. Austr. T. III. p. 388 — 465) enthalten. Dieselbe Episode war schon früher, ohne Angabe der Quelle, unvollständig (im Anfange und am Schlusse) und lückenhaft in J. G. Eccardi corp. histor. medii aevi T. II. p. 1455—1576 nach einer wolfenbütteler Handschrift herausgegeben worden; und Ergänzungen dieses Eccardischen Abdrucks aus einer Handschrift der Universitätsbibliothek zu Jena finden sich in B. C. B. Wiedeburg's ausführlicher Nachricht von einigen alten teutschen poetischen Manuscripten aus dem 13. und 14. Jahrhundert, welche in der jenaischen akademischen Bibliothek aufbewahrt werden (Jena 1754. 4.) p. 76—118. Da Ottokar von Horneck, welcher am Ende des dreyzehnten und im Anfange des vierzehnten Jahrhunderts zur Zeit der römischen Könige Rudolph I. und Albrecht I. lebte (s. Pezii praefat. p. 8), versichert, seine Nachrichten über den Verlust des heiligen Landes von Au-

weichende Nachrichten überliefert worden. Nach der Erzählung mehrerer christlichen Geschichtschreiber brachen die Söldner der Kirche, welche der Papst Nikolaus der Vierte mit dem Bischofe von Tripolis nach Ptolemais gesandt hatte, den Waffenstillstand, indem diese Söldner, meistens Menschen von der verworfensten Art, welche zu Ptolemais Tage und Nächte in Schenken und liederlichen Häusern zubrachten, so wie sie überhaupt Ausschweifungen aller Art begingen und christliche Kaufleute und Pilger auf den Straßen beraubten, eben so auch gegen die Saracenen Muthwillen und Frevel übten [9]) und wider den Willen der Ritterschaft von Ptolemais die benachbarten von Saracenen bewohnten Ortschaften mit gewaffneter Hand überfielen und daselbst die Männer, Weiber und Kinder ermordeten, welche, vertrauend J. Chr. 1290.

genzeugen, insbesondere von Brüdern des Templerordens erhalten zu haben (s. Kap. 425 S. 407, Kap. 430 S. 416, Kap. 435 S. 420. 421): so ist seine Erzählung, mit Ausnahme einiger Fabeln, welche am Ende sich finden (z. B. von der Ableitung des Nilflusses durch den König von Mohrenland), und der Erzählung im Anfange von der großen Schlacht, in welcher die Christen nur zwey tausend Mann verloren und zwanzig tausend Saracenen erschlugen, so wie einzelner fantastischer Ausschmückungen, keinesweges ohne Glaubwürdigkeit; und seine Erzählung wird auch in den Hauptsachen durch die Nachrichten anderer Schriftsteller bestätigt. Die Nachricht von dem Verluste des heiligen Landes, welche in Thomae Ebendorfferi de Haselbach chronicon Austriacum (Pezii Scriptor. Austr. T. II. p. 778–781) unter der Rubrik: de perditione Accharon civitatis, sich findet, ist nichts anders als eine abgekürzte Uebertragung der Episode des Ottokar von Horneck in lateinische Prosa; und auch die Erzählung des Chronicon Leobiense (in Pezii Scriptor. Austr. T. I. p. 865. 866) von dem Verluste von Ptolemais ist aus der Chronik des Ottokar entnommen.

9) Qui (stipendiarii) per mare in Acaron venientes nihil boni ibidem operati sunt, sed die noctuque in tabernis et locis impudicis immorantes peccata peccatis junxerunt et iram Dei contra urbem et inhabitatores ejus acrius provocaverunt; mercatores etiam et peregrinos in stratis publicis depraedati sunt, et pacem urbis perturbantes, multos interficiebant ac de honestissimo loco quasi latronum speluncam faciebant. Hermanni Corneri chronicon p. 943.

J. Chr. 1290. auf die Sicherheit, die der Waffenstillstand ihnen gewährte, eines solchen Ueberfalls sich nicht versahen [3]). Nach der Erzählung anderer christlicher Schriftsteller störte der Patriarch von Jerusalem und päpstliche Legat Nikolaus die Waffenruhe in Syrien, indem er nach einem Befehle des Papstes die fernere Beobachtung des Waffenstillstandes untersagte und den hundert Söldnern, welche für seinen Dienst auf Kosten der Kirche unterhalten wurden, heimlich befahl, die saracenischen Kaufleute, wo sie angetroffen würden, niederzuwerfen und zu berauben [4]). Die arabischen Geschichtschreiber behaupten einmüthig, daß die Verletzung des Waffenstillstandes von den syrischen Franken begangen wurde, und daß es eine ungegründete Ausrede war, wenn die Ritterschaft von Ptolemais die Schuld auf Christen, welche erst vor kurzem aus dem Abendlande nach Syrien gekommen waren, zu bringen suchte [5]); und ein gleichzeitiger moslemischer Schriftsteller [6]) berichtet nach der Erzählung eines seiner Glaubensgenossen, welcher zu dieser Zeit in Ptolemais sich befand, von der Veranlassung der Aufhebung des Friedens

3) Guil. de Nang. chron. ad a. 1289 p. 48. Anonymus de excidio Acconis Lib. I. p. 759. 760.

4) Ottokar von Horneck cap. 408. 409. Der Dichter zeigt sich aber überall als Feind des Papstes und der Geistlichkeit und schreibt eben deswegen dem Patriarchen Nikolaus, welchen er einen Cardinal nennt, einen größern Theil der Schuld zu, als billig war. Dagegen preist er mit Lobeserhebungen die Gewissenhaftigkeit, mit welcher der Sultan die Bedingungen des Waffenstillstandes erfüllt hatte, S. 391. Vgl. Chron. Leob. p. 865.

5) „In dem Jahre 689," sagt Ebn Ferath (Handschr. der k. k. Hofbibliothek zu Wien T. VIII p. 144), „brach eine Schar der Franken von Ptolemais hervor (ثار جماعة الفرنج بعكا) und tödtete mehrere moslemische Kaufleute. Obgleich die Franken einwandten, daß es Franken aus dem Abendlande (فرنج الغرب) gewesen wären, welche den Waffenstillstand verletzt hätten: so war dennoch diese That die Hauptveranlassung der Eroberung von Ptolemais."

6) Lebensbeschr. des Sultans Kalavun bey Reinaud p. 567.

in folgender Weise: „Ein Moslim, welcher die Gattin eines reichen Bürgers von Ptolemais verführt hatte, begab sich mit seiner Geliebten nach einem Garten außerhalb der Stadt; plötzlich erschien der Ehemann der verführten Frau, tödtete mit seinem Dolche sowohl seine Gattin als den Verführer kehrte dann in sinnloser Wuth mit dem Dolche in der Hand in die Stadt zurück und ermordete mehrere Moslims, welche er auf dem Wege antraf." Wie es immerhin mit diesen verschiedenen Erzählungen sich verhalten mag, so ist es doch sicher, daß die Christen durch die Ermordung mehrerer moslemischer Unterthanen des Sultans von Aegypten den Waffenstillstand, welchen der König Heinrich von Cypern und Jerusalem beschworen hatte, verletzten [7]). J. Chr. 1290.

Der Sultan Kalavun verfuhr in dem Gefühle seiner Ueberlegenheit dieses Mal nach dem eigenen Zeugniß der christlichen Geschichtschreiber mit großer Mäßigung. Er rächte nicht, als er die von den Christen verübte Ermordung seiner Unterthanen vernahm, den frevelhaften Friedensbruch mit leidenschaftlicher Hastigkeit, sondern er sandte Botschafter nach Ptolemais und ließ die Auslieferung der Mörder fordern, mit der Drohung, daß er im März des nächsten Jahrs 1291 Ptolemais belagern würde, wenn die Christen seine Forderung nicht erfüllten [8]); und erst, als diese Forderung abgelehnt wurde und christliche Botschafter, welche nach

7) Soldanus, sagt Marinus Sanutus (p. 230), eo ardentius commotus, quod XIX Saracenos mercatores Ptolemaide in loco vocato La Funda juxta cambium contra fidem treugarum crucesignati gladio peremerunt, ac poscenti justitia denegata sit. Dieselbe Nachricht findet sich bey Johann Iperius p. 770, dessen Erzählung von diesen Ereignissen überhaupt nur eine Abkürzung des von Marinus Sanutus mitgetheilten Berichtes ist.

8) Anonymus de excidio Acconis p. 761. 762. Nach Ottokar von Horneck (cap. 409. p. 393) verbot der Sultan damals seinen Unterthanen, durch Tödtung oder Beraubung christlicher Kaufleute Wiedervergeltung zu üben.

J. Chr. 1290. Kahirah kamen, meldeten, daß die Hauptleute von Ptolemais zu nichts anderm sich verstehen könnten, als die Verbrecher so lange, als der Waffenstillstand dauern würde, in der Haft zu halten und nach dem Ablaufe des Friedens aus dem Lande zu verweisen und deren Häupter mit ewiger Gefangenschaft zu strafen, weil sie fürchten müßten, durch größere Nachgiebigkeit den Unwillen ihres Volks zu erregen: so erwiederte der Sultan diese Meldung mit der Erklärung des Kriegs [9]).

9) Anonymus de excidio Acconis p. 762. 763. Nach Ottokar von Horneck sandte der Sultan unmittelbar, nachdem er die Nachricht von dem Friedensbruche erhalten hatte, Boten nach Akers „mit einer bescheidenlichen (d. i. verständigen oder billigen) Botschaft;" dieser Botschafter aber, obgleich es angesehene Männer waren, wurden von den Leuten des päpstlichen Legaten sieben erschlagen, und die übrigen, nachdem sie auf eine solche Weise waren mißhandelt worden, daß ihnen „wär für das Genesen der Tod lieber gewesen," auf ihre Kameele gebunden und heim zu Lande geführt. Dieser Unfug des Legaten erregte allgemeine Erbitterung wider die Christen unter den Saracenen, welche es auch dem Sultan verargten, daß er keine Rache nahm, und der Sultan rieth daher den Christen, welche in seinem Lande „des Kaufes pflogen," heimzukehren und das Ihrige in Sicherheit zu bringen. Die Christen dagegen wurden sehr unwillig über den Cardinal, welcher den ihnen bisher so nützlichen Frieden störte und ihnen den Vorwurf zuzog, daß sie in treuer Erfüllung des Friedens von den Saracenen übertroffen würden (Kap. 409. p. 393. 394). Hierauf sandte der Sultan zwölf der besten Fürsten seines Hofs heimlich nach Akers zu den Meistern der drey Ritterorden und forderte in Folge der Bestimmungen des Waffenstillstandes (S. oben S. 676) für seine zehn von den Christen erschlagenen Serjanten die Auslieferung von eben so vielen Christen; die saracenischen Gesandten waren jedoch bereitwillig, sich selbst als Pfand so lange in die Gewalt der Ritterorden zu geben, bis die ausgelieferten Christen, und wären es die allerreichsten, mit gesunden Gliedern zurückgekehrt seyn würden. Dieser Antrag wurde durch die Könige von Cypern und Armenien und die Meister der drey Ritterorden dem Legaten mitgetheilt, indem der Meister der Templer das Wort führte; der Antrag erregte aber den heftigsten Unwillen des Legaten (Kap. 412 S. 395 — 397). Der Dichter erzählt hierauf sehr ausführlich (Kap. 413 S. 397 bis Kap. 418 S. 401) die Verhandlungen, welche zwischen dem Legaten einerseits und den Königen und den Ritterorden andererseits Statt fanden, indem die letztern meinten, daß die Ehre und das Wohl der Christen es nothwendig machte, die Forderung des Sultans zu erfüllen; der Cardi-

Nach dem Berichte der arabischen Geschichtschreiber war J. Chr. 1290.
Kalavun zwar längst entschlossen, den ersten Vorwand, welcher ihm dargeboten würde, zu benutzen, um den Krieg wider die syrischen Christen zu erneuern und die Vernichtung ihrer Herrschaft zu vollenden; er versammelte aber dennoch, als er die Kunde erhielt von der Verletzung des Friedens, welche die Christen begangen hatten, seine Emire und Rechtsgelehr=

nal blieb aber, obgleich der Potestat von Akers und die Höchsten der Stadt der Meinung der Ritterorden beytraten, dabey, daß er lieber sterben wollte, als seinen Willen dazu geben, „daß man der Helden Zorn also wende, daß man ihn'n Christen sende." Diese Halsstarrigkeit des Legaten brachte eine so heftige Gährung in dem Volke von Ptolemais hervor, daß die Könige von Cypern und Armenien nur mit Mühe den Legaten gegen Mißhandlungen schützten; gleichwohl bestand „der Pfaff Neides voll" wider den Rath der beyden Könige darauf, „die Boten des Sultans zu gevahen." Er beschied die Meister der drey Ritterorden, jeden mit acht der Besten seines Ordens, zu sich, verlangte von ihnen die Auslieferung der saracenischen Botschafter und sprach, als dieselbe verweigert wurde, indem er seinen Stab in die Hand nahm und die Infel auf sein Haupt setzte, den Bann Sanct Peters, des Papstes, der Cardinäle und aller Bischöfe, so wie die Acht Gottes über alle diejenigen aus, welche ungehorsam wider sein Gebot sich finden ließen; worauf „derselbe Wuterich," als der Grimm des Volks von Akers noch heftiger als zuvor wider ihn sich äußerte, in der Nacht heimlich Ptolemais verließ und nach Rom zurückkehrte (Kap. 419—421 S. 401—403, vgl. Kap. 433 S. 418). Der angedrohte Bann hatte jedoch die Wirkung, daß sowohl die beyden Könige von Cypern und Armenien, als die Meister der drey Orden und der Potestat und die Höchsten von Ptolemais sich entschlossen, die von dem Sultan geforderte Genugthuung abzulehnen und die Gesandten zu entlassen, zu großem Verdrusse der Gemeinde der Stadt: „Do man die Boten der Helden sah von dannen scheiden mit unverrichten End: sie wunden die Händ' die Christen allgemein, beyde groß und klein" u. s. w. (Kap. 422—424 S. 403—406). Daß der Sultan, nachdem seine ersten Botschafter die schlimmste Behandlung erfahren hatten, zum zweyten Male eine Gesandtschaft nach Ptolemais habe abgehen lassen, ist nicht sehr glaublich. Die morgenländischen Nachrichten erwähnen keiner Gesandtschaft des Sultans, durch welche von den Christen Genugthuung für die Verletzung des Waffenstillstandes gefordert worden sey. Ueberhaupt ist die ganze obige Erzählung des Ottokar von Horneck mehr poetisch als historisch. So wenig der päpstliche Legat Nikolaus ein Cardinal war und damals heimlich aus Ptolemais entwich, eben so wenig waren damals die Könige von Cypern und Armenien in Ptolemais anwesend. S. unten Anm. 18.

J. Chr. 1290. ten erst zu einer Berathung, bevor er einen Entschluß faßte. Da die Emire nicht geneigt waren, den Gefahren und Mühseligkeiten eines neuen Krieges sich auszusetzen, sondern ihre Reichthümer in Ruhe zu genießen wünschten, so waren die meisten, als man die Urkunde des letzten mit den Christen geschlossenen Vertrages vorlegte und die einzelnen Bedingungen erwog, der Meinung, daß kein hinreichender Beweggrund zur Aufhebung des Waffenstillstandes vorhanden wäre; und dieser Meinung trat selbst Fatheddin bey, welcher die schriftliche Abfassung jener Urkunde besorgt hatte. Fatheddin wandte sich hierauf an den Kadi Mohieddin, den Verfasser einer Lebensbeschreibung des Sultans Kalavun, mit der Frage: „was dünkt euch über diese Angelegenheit?" worauf Mohieddin antwortete: „ich bin stets der Meinung des Sultans; wenn er den Vertrag aufheben will, so ist er nichtig, und wenn er denselben aufrecht erhalten will, so bleibt er gültig." Fatheddin aber fuhr fort: „Davon handelt es sich nicht; denn wir wissen, daß der Sultan den Krieg will." „So wiederhole ich es," sprach Mohieddin, „daß ich der Meinung des Sultans bin. Da die Franken durch den Vertrag verpflichtet waren, jede Feindseligkeit der aus dem Abendlande nach Syrien kommenden Christen zu hindern, so wäre es ihre Schuldigkeit gewesen, entweder die Ermordung der Muselmänner abzuwenden oder sie zu bestrafen, und wenn sie die Macht dazu nicht besaßen, zu gehöriger Zeit dem Sultan Anzeige zu machen. Da von allem diesen nichts geschehen ist, so haben die Franken den Frieden gebrochen." Diese Rede des Kadi erfüllte den Sultan mit großer Freude; und die Rüstungen zum Kriege wider die Christen wurden unverzüglich angefangen [10]).

10) Lebensbeschr. des Sultans Kalavun bey Reinaud p. 568. Ottokar von Horneck erzählt (Kap. 425—430 S. 406—416) sehr ausführlich von

Die christlichen Botschafter meldeten, als sie nach Ptolemais zurückgekommen waren, die Kriegserklärung des Sultans in einer Versammlung, in welcher der Patriarch Nikolaus von Jerusalem, die Beamten der drey geistlichen Ritterorden, die Ritter Johann von Grelly, Seneschall des Reichs Jerusalem und Hauptmann der französischen Miliz, und Otto von Grandison, welcher nebst einigen andern Rittern von dem Könige Eduard von England nach dem heiligen Lande war gesandt worden [11]), die Häupter der Bürger- J. Chr. 1290.

den Berathungen des Sultans, welcher „von Tobsucht und des Zorns Ungenucht" krank geworden war, mit den saracenischen Königen und benutzt diese Berathungen, um dem Sultan oder dessen Emiren Gedanken in den Mund zu legen, welche er für sich selbst gern zu Tage fördern wollte, z. B. das Lob des Herzogs Leopold von Oestreich und der Thaten desselben bey Damiette (p. 411), und manche Ausfälle gegen den Papst und die Pfaffheit. So spricht der Sultan über den Papst Honorius p. 408 also: „Ist auch dem alsus, Daß von Nazareth Jesus Sein Ehr und sein Gewalt Einem hat bezahlt, Der ist da zu Rom wohl erkannt, Honorius ist er genannt, Dem die Christen folgen müssen. An Händen und an Füßen Ist er krumm und lahm. Deß mag sich immer scham Jesus der Christen Herr, Daß er hat sein Ehr Und sein selbs Gewalt Einem solchen Schameler hat bezahlt, Der lahm ist und krumm. Daß die Christen sein dumm, Das soll man kiesen daran, Daß sie den betent an, Der so lützel Witze hat Und mit ihn'n umgaht Anders denn ihn wohl ansteht," u. s. w. Offenbar hat Ottokar bey dieser Schilderung den kränklichen Papst Hadrian V. im Sinne, s. oben Kap. XIX S. 636, und es ist merkwürdig, daß er des Papstes Nikolaus IV., in dessen Regierung der Verlust des heiligen Landes fiel, gar nicht erwähnt. Weiter unten p. 413) nennt der König oder Admiral von Modon den Papst: „den alten Ketzer krumm, den Jesus an seiner Statt Hinz Rom gesetzet hat." Nach Ebn Ferath (Handschr. der k. k. Hofbibliothek zu Wien T. VIII. p. 144) erließ der Sultan Malek al Mansur Kalavun, sobald er die Nachricht von dem durch die Franken verübten Friedensbruch erhalten hatte, an den Emir Husameddin (Latschin d. i. der Mamluk oder Sklav, Abulfeda T. V. p. 100), Statthalter zu Damascus, und den Emir Schemseddin schriftliche Befehle, Maschinen für die Belagerung von Ptolemais zu erbauen.

11) Otto de Grancione (Grandisono, bey Michaud T. V. p. 565. Hott de Grandson) miles ex parte Regis Angliae cum quibusdam aliis in subsidium terrae sanctae deputatus. Anon. de excidio Acconis p. 763. In dem von dem Könige Eduard von England am 18. Junius

J. Chr. 1290. schaft von Ptolemais [12]) und viele andere Bürger, Söldner und Pilger gegenwärtig waren [13]). Ihre Meldung erregte zwar große Bestürzung, eine kraftvolle Rede aber, welche der Patriarch in dieser Versammlung hielt, belebte aufs neue den Muth der Anwesenden; und die Bürger von Ptolemais, nachdem sie eine Berathung mit einander gehalten hatten, begaben sich zu dem Patriarchen und den übrigen Vorstehern der Pilger und trugen denselben ihren einmüthigen Beschluß in folgender Weise vor: „Die Drohungen des grausamen Sultans und das Beyspiel der gräuelvollen Verwüstung von Tripolis wären zwar wohl geeignet, uns eben so zaghaft zu machen, als andere es schon sind; wir aber als gläubige Christen sind der Meinung, daß die treffliche Stadt Ptolemais, die Pforte zu den heiligen Stätten des gelobten Landes, welche unserer Obhut anvertraut ist, den boshaften und treulosen Feinden nicht leichtsinniger Weise preisgegeben werden müsse; denn ein solches Verfahren würde man nicht ansehen als eine Wirkung unserer Schwäche und Hülflosigkeit, sondern als einen Beweis unserer Untreue. Auch würde es schimpflich seyn, wenn wir uns in die Sklaverey der Heiden überantworten wollten, da wir gelernt haben, für unsere Freyheit zu kämpfen. Es liegt uns vielmehr ob, unsere Stadt tapfer und unverdrossen zu vertheidigen und lieber von den Schwertern der Ungläubigen zu

1272 zu Ptolemais errichteten Testamente heißt er Otes de Grauntson. Rymer Act. publ. T. I. P. 1. (London 1816 fol.) p. 495.

12) Majores civitatis cohortibus ejusdem in ministeriis praesidentes. Ibid. Bey Michaud a. a. O. les principaus de la ville.

13) Die Bürger von Ptolemais sagen in der nachfolgenden Erklärung: praesertim cum capiat istud negotium inducias semis anni; da der Sultan gedroht hatte, Ptolemais im März 1291 zu belagern (de excid. Acconis l. c. §. p. 761, s. vorhin S. 723), so folgt aus jener Stelle, daß die Gesandten am Ende des August oder im Anfange des September 1290 aus Aegypten nach Ptolemais zurückkamen.

sterben, als durch feige Flucht oder treulosen Verrath ewige Schande auf uns zu laden, zumal da uns noch eine Frist von sechs Monaten vergönnt ist, in welcher dem Papste und den Königen und Fürsten der abendländischen Christenheit Nachricht gegeben werden kann von der Gefahr, welche uns bedroht. Denn wir zweifeln nicht, daß der Papst und unsere übrigen Glaubensgenossen unsere Noth, sobald sie davon hören, zu Herzen nehmen und uns schleunige Hülfe senden werden. Deshalb bitten wir euch, einige gelehrte Männer mit Briefen an den Papst zu Rom, die Cardinäle und die Könige und die Fürsten der Reiche jenseit des Meers zu senden, mittlerweile für die Ausbesserung und Verstärkung der Vormauern, Mauern und Thürme Sorge zu tragen, jeden Einwohner der Stadt zur Theilnahme an der Vertheidigung derselben nach dem Verhältnisse seines Vermögens anzuhalten, und überhaupt alles, was euch nützlich und nothwendig in dieser Zeit der Gefahr zu seyn dünkt, ohne Verzug anzuordnen [14])." Als der Patriarch diese Worte vernommen hatte, so erhob er sich von seinem Sitze, richtete seine Augen gen Himmel, faltete seine Hände über seiner Brust und dankte Gott in einem inbrünstigen Gebete dafür, daß er den Bürgern von Ptolemais einen so einmüthigen und trefflichen Entschluß eingeflößt hätte. Dann richtete er seine Rede an die Bürger, lobte sie wegen ihres rühmlichen Eifers für die Sache des heiligen Landes, ermahnte sie, in solchem Eifer zu beharren, und entließ sie, nachdem er ihnen den Segen ertheilt hatte [15]). J. Chr. 1290.

Der Patriarch und die übrigen Vorsteher säumten nicht, nach dem Antrage der Bürger von Ptolemais Botschafter an den Papst Nikolaus und die Könige und Fürsten des Abend-

14) Anon. de excidio Acconis l. 6. p. 764.

15) Ibid. cap. 7. p. 765. 766.

J. Chr. 1290. Landes zu senden und um schleunige Hülfe für das heilige Land zu bitten [16]). Gleichzeitig sprachen sie auch den König

16) Ibid. cap 8. p. 766. Nach Ottokar von Horneck (Kap. 413 S. 418 – 420) begaben sich aus Ptolemais von jedem der drey geistlichen Ritterorden zwey Brüder, Ein Botschafter der Venetianer und Ein Botschafter der Genueser nach dem Abendlande, um dem Papste und den übrigen christlichen Fürsten die Noth des heiligen Landes vorzutragen. Der Papst Honorius (Nikolaus IV.) sandte auch auf ihre Bitte Briefe an die Könige von England, Spanien und Frankreich, so wie auch einen Boten an den römischen König Rudolf, um sie zur Errettung des heiligen Landes aufzufordern, obgleich die Cardinäle ihm riethen, die Beschimpfung, welche seinem Legaten widerfahren war (s. Anm. 9), dadurch zu strafen, daß er seine Fürsprache den Christen von Ptolemais versagte. Die Brüder der drey Ritterorden durchzogen hierauf die Reiche des Abendlandes und sandten aus den dortigen Häusern ihres Ordens alle Brüder, welche entbehrt werden konnten, nach Syrien, „Und wer den Orden wollt' empfahen, Die ließen sie ihn'n nicht verschmahen. Die deß waren werth, Daß sie Schild oder Schwert mochten getragen." Der teutsche Orden sandte „tausend Brüder werleicher Mann." welche zu Venedig sich einschifften, nach Akers; „ihr Meister auch von Preußen, Gewann der chechen (kecken) und der heissen (eifrigen) Wol sieben hundert oder mehr. Die gegen Akers thät'n die Kehr;" die Johanniter brachten zwey tausend Brüder zusammen, und die Templer eben so viele. Die Venetianer sandten „manigen Kiel schwer" und Galeyen „mit kostleicher Zer (Zehrung) Gegen Akers übers Meer. San thäten auch nu, Die Herren von Jenu (Genua), Die hießen übergaben Swas sie mochten verfahen. Das sandten sie hin Den Akresern zu Gewinn, liderleicher Leute genug, Die auf dem Wasser trug Manich Galey und Kokch (Kogge)." Man zählte überhaupt nach Ottokar von Horneck zu Ptolemais in der Zeit, als der Sultan die Belagerung anfing, „hundert tausend Mann wehrleich bereit In eisnelnem (eisernem) Kleid," d. i. geharnischte Männer. Es ist auffallend, daß der Papst Nikolaus IV. in seiner Bulle vom 1. April 1291 (bey Rainaldus ad a. 1291 §. 9), in welcher er die Christen zur Bewaffnung für das heilige Land nach dem Beispiele des Königs von England (qui vulnerum in eadem terra sibi Assassini cujusdam insidiis inflictorum, quae mortem proximam potius minabantur quam spem vitae praetenderent, quasi post tergum abjecta memoria, vitam sibi a domino non solum misericorditer verum etiam mirabiliter reservatam debita gratitudine recognoscens illam exponere ipsius obsequiis terrae praefatae personaliter subveniendo disposuit) aufs neue ermahnt, so wie auch in den oben Kap. XXI Anm. 81 S. 712 angeführten Verfügungen vom 16. März 1291, dieser Gesandtschaft, welche im Herbste 1290 an seinen Hof kam, gar nicht erwähnt, sondern, ohne einer neu eingetretenen dringendern Gefahr zu gedenken, das St. Johannisfest 1293 als den Termin der bevorstehenden

Heinrich von Cypern und die Barone und Ritterschaften des Königreichs Jerusalem, welche außerhalb Ptolemais den Besitz einzelner syrischen Städte oder Burgen noch behaupteten [17]), um ihren Beystand an. Im Abendlande bewirkten zwar ihre Bitten nicht die nöthige Beschleunigung der dort begonnenen Vorbereitungen zu einer allgemeinen Kreuzfahrt; der König von Cypern aber sandte sehr bald dreyhundert Ritter nach Ptolemais, und die Barone des Königreichs Jerusalem säumten eben so wenig, die Mannschaft zu senden, welche sie durch die Verfassung des Landes zu stellen verpflichtet waren [18]). Hierauf wurde die Ausbesserung der Mauern der Stadt mit der eifrigsten Thätigkeit begonnen, jede Ritterschaft besetzte den von alten Zeiten her ihr zugewiesenen Theil der Mauern und der Thürme, brachte dahin die erforderlichen Armbrüste und andere Waffen und errichtete auf der Vormauer ihr Panier [19]); und die sämmt-

J. Chr. 1290.

allgemeinen Kreuzfahrt verkündigt; ich vermuthe daher, daß diese päpstlichen Schreiben nicht in das vierte Regierungsjahr des Papstes Nikolaus IV. (1291), sondern noch in das dritte (1290) gehören. Denn die Glaubwürdigkeit der Nachricht des Anonymus de excidio Acconis von der damals nach dem Abendlande gesandten Botschaft läßt sich schwerlich in Anspruch nehmen, wenn man auch in die ausgeschmückte Meldung des Ottokar von Horneck Mißtrauen setzen will. Daß die syrischen Christen in ihrer damaligen Noth ihre abendländischen Glaubensgenossen um Hülfe ansprachen, ist mehr als wahrscheinlich.

17) Vicinas civitates, terras et insulas maritimas in principum subditas Christianorum ditione. Anon. de excid. Acconis I. 8. p. 765. Daß hierunter Tyrus, Sidon, Berytus, Tortosa und andere Herrschaften von Phönicien und Palästina verstanden werden, geht daraus hervor, daß der Verfasser dieselben Inseln und Städte in dem unmittelbar folgenden Satze also bezeichnet: insulae urbesque maritimae, quae cum Accone quodam jugo servitutis mutuo sunt foederatae, (et milites) sibi invicem tenentur ministrare.

18) Anon. de excidio Acconis l. c. Nach diesem Schriftsteller kam damals auch der König Heinrich von Cypern selbst nach Ptolemais, was unrichtig ist; denn die Meldung des Marinus Sanutus (p. 231), daß der König von Cypern erst am 4. Mai 1291 dahin kam, wird auch durch die arabischen Nachrichten bestätigt. Vgl. Reinaud p. 570.

19) Quorum (militum Cypri et

J. Chr. 1290. liche in Ptolemais versammelte waffenfähige Mannschaft, neunhundert Ritter und achtzehn tausend zu Fuß[20]), theilte sich in vier Scharen, um abwechselnd die Mauer zu bewachen. Zum Haupte der ersten Wachtschar wurde der Seneschall Johann von Grelly ernannt, welcher den englischen Ritter Otto von Grandison zu seinem Stellvertreter erwählte; der Hauptmann der cyprischen Ritterschaft übernahm als Stellvertreter des Königs Heinrich die Leitung der zweyten Schar mit dem Beystande des Meisters der deutschen Ritter; an die Spitze der dritten Schar traten der Meister der Johanniter und ein Beamter des Schwertordens[21]), und die vierte Schar stand unter dem Befehle des Meisters der Templer und eines Beamten des Ritterordens vom heiligen Geiste. Es wurde die Anordnung getroffen, daß je vier dieser acht Hauptleute, jeder mit der Hälfte der Schar, welche unter seiner Leitung stand, acht Stunden des Tages oder der Nacht die Bewachung der Mauer besorgte, dergestalt, daß die ganze Zeit des Tages und der Nacht in drey Wachen getheilt war, von welchen die erste von Sonnenaufgang

civitatum vicinarum) quilibet ad partem moenium civitatis ab antiquo sibi debitam defensuri ad defensionis aptitudinem parati perrexerunt, portantes ibidem lapides cujuslibet quantitatis, balistas et quarellas (Wurfspieße), lanceas et falcastra, cassides et loricas, scamata (scammata) et propunctos (perpuncta, Panzer und Panzerhemde), scuta cum clypeis et alia quorumcumque armorum genera, quibus moenium propugnacula (muniri solent), et portarum antemuralia vexillis cum propriis munierunt. Anon. de excidio Acconis l. c.

20) Anon. de excidio Acconis l. c. Vgl. die Angabe des Ottokar von Horneck oben Anm. 16.

21) Minister militiae Spathae. Anon. de excid. Acconis l. c. Eben so unmittelbar darauf minister militiae S. Spiritus. Derselbe ungenannte Schriftsteller nennt den König Heinrich von Cypern schon damals als den Anführer der zweyten Wachtschar, was aber nicht richtig seyn kann, da der König Heinrich erst im Anfange des Mai's nach Ptolemais kam (vgl. Anm. 18). Wahrscheinlich wurde seine Stelle bis zu seiner Ankunft durch den Hauptmann der cyprischen Miliz versehen, wie oben im Texte angenommen worden ist.

oder der ersten Tagesstunde bis zur neunten Stunde dauerte, J. Chr. 1290.
die zweyte von der neunten Stunde des Tages bis zur fünften Stunde der Nacht, und die dritte von der fünften Stunde der Nacht bis zum Aufgange der Sonne. Die Bewachung der Thore blieb denen überlassen, welchen dieselbe von früherer Zeit her zugetheilt war [22]). Diese Eintracht der Gewalthaber in Ptolemais begründete die frohe Hoffnung, daß es möglich seyn würde, die Gefahr, von welcher die Christen bedroht wurden, durch einen rühmlichen Kampf zu überwältigen; und der Patriarch von Jerusalem unterließ es nicht, in seinen Predigten die Vertheidiger der Stadt fleißig und angelegentlich zur einmüthigen und unverdrossenen Erfüllung ihrer Pflicht zu ermahnen; es trat aber sehr bald an die Stelle einer solchen löblichen Eintracht die verderblichste Parteyung [23]).

Während die Christen mit angestrengter Thätigkeit zur Vertheidigung von Ptolemais gegen die angedrohte Belagerung sich vorbereiteten, betrieb der Sultan Kalavun ebenfalls seine Rüstungen mit großem Eifer. Alle moslemische Scharen in Damascus, Hamah und den übrigen syrischen Landschaften, so wie in Aegypten und Arabien wurden zu der Theilnahme an dem Kriege gegen die Christen aufgeboten, und die Wälder des Libanons lieferten das Holz zu dem Baue von Kriegsmaschinen und Wurfgerüsten [24]). Schon im Oktober 1290 zog Kalavun mit den ägyptischen Truppen von Kahirah aus, um sich nach Syrien zu begeben; er erkrankte aber, noch ehe er die Grenze von Aegypten erreichte, und starb am 11. November desselben Jahrs [25]).

22) Anon. de excidio Acconis p. 766. Als die Zeit des Sonnenaufganges wurde sechs Uhr Morgens angenommen.

23) Anon. de excidio Acconis l. c.

24) Ebn Ferath bey Reinaud p. 569. Vgl. oben S. 727 Anm. 10 am Ende.

25) Am Sonnabend 6. Dsulkadah.

J. Chr. 1290. Den Christen brachte jedoch der Tod des Sultans keinen Vortheil; denn Malek al aschraf, der Sohn und Nachfolger des milden Kalavun [26]), beharrte bey dem Plane seines Vaters, Ptolemais mit der ganzen Macht des Reiches von Aegypten und Syrien zu belagern, und wies die Bitte um Wiederherstellung des Waffenstillstandes, welche christliche

689; er war erkrankt in der letzten Dekade des Schewwal, also nach dem 26. Oktober 1290. Abulfeda T. V. p. 92. Ganz übereinstimmend Marinus Sanutus cap. 21 p. 230 und Johannes Iperius (p. 770): Meleo Messor Soldanus ... MCCXC de mense Octobris movit exercitum .... et mortuus est Messor in itinere successitque illi filius vocatus Seraf. Den Ort, wo der Sultan in seinem Zelte (Dehliz) starb, nennt Abulfeda Mesdsched eltiben d. i. die Strohmoschee. Dieser Ort lag nach de Guignes (Histoire des Huns T. IV. p. 161) in der Nähe von Kahirah. Wenn Haithon (hist. orient. cap. 52) erzählt: Soldanus Elfi dum in quodam amoeno loco requiesceret quadam die, per quendam servum suum quem totius exercitus sui constituerat ducem et rectorem (wodurch wahrscheinlich der Emir Husameddin Tarantai, welchen der Sultan Malek al aschraf sogleich nach seiner Thronbesteigung verhaften ließ, nach Abulfeda a. a. O. p. 94, angedeutet wird) fuit veneno potatus: so mag diese Erzählung nur auf einer Vermuthung beruhen. Auch das Chronicon S. Petri Erfurtense (p. 299) spricht von einer Vergiftung des Sultans Kalavun: Sed cum dictus tyrannus, Christianorum sanguinem nimis sitiens, ea quae mente conceperat etiam opere satageret implere, quidam de baronibus ejus, qui dicuntur Amirati, quem olim turbaverat, venenum sub sella equestri virulento serpenti subtiliter propinavit, qui mox acerbo viscerum dolore afflictus de temporali poena transivit ad aeternam, mortem animae morti corporis continuando.

26) Malek al aschraf Salaheddin Chalil, welcher am folgenden Tage nach dem Tode seines Vaters (12. November 1290) die Regierung übernahm. Abulfeda a. a. O. p. 94. Nach dem Anonym. de excidio Acconis II. 2. p. 768. 769 berief Kalavun, als er die Annäherung seines Todes fühlte, seine Emire zu sich und vermochte sie, schon vor seinem Tode seinem Sohne Alaschraf zu huldigen und denselben als Sultan anzuerkennen, worauf der junge Sultan mit einem feierlichen Schwure seinem Vater gelobte, die beschlossene Belagerung von Ptolemais auszuführen und diese Stadt, wenn sie erobert würde, dem Erdboden gleich zu machen. Aschraf war aber schon früher, wie aus dem Vertrage des Sultans Kalavun mit dem Könige Alfons von Castilien hervorgeht (s. Beylage III), zum Thronfolger ernannt worden. Der ungenannte Verfasser setzt den Tod des Sultans Kalavun in eine spätere Zeit, nicht lange vor dem Anfange der Belagerung von Ptolemais.

Botschafter ihm vortrugen, von sich [27]). Als die Rüstungen für den Krieg wider die Christen vollendet, und die moslemischen Scharen zum Auszuge bereit waren, so versammelte der junge Sultan in der Kapelle, in welcher der Leichnam seines Vaters beygesetzt war, die Kadi's, die Vorleser des Korans und die Rechtsgelehrten, ließ während einer ganzen Nacht Stellen aus dem Koran vorlesen, vertheilte Geld unter das Volk und reichliche Almosen an die Armen und trat am 7. März 1291 [28]) den Zug aus Aegypten nach Syrien an. J. Chr. 1291.

Schon in der Mitte des Märzmonates 1291 erschienen zahlreiche saracenische Scharen in der Ebene von Ptolemais und lagerten sich daselbst, worauf sie unverzüglich anfingen, durch tägliche Angriffe unter dem gewaltigen Schalle zahlreicher Heerpauken und mit wildem Geschreye die Christen zu beunruhigen [29]). Die Christen stritten wider diese Heiden standhaft und tapfer, und wenn auch einzelne christliche

27) Die Einwohner von Ptolemais baten nach Ebn Ferath den Sultan Malek al aschraf mehrere Male um Frieden; ihre Entschuldigungen fanden aber kein Gehör. Reinaud p. 569. S. unten die Erzählung von den Unterhandlungen des Meisters der Templer mit dem Sultan Al aschraf.

28) Am 4. Rebi elewwel 690. Ebn Ferath bey Reinaud a. a. O.

29) Veniebat quilibet admiratus cum sibi subditis congressoribus vice sua impetum faciens per sex horas, ita quod tam die quam de nocte nullam paene civibus habere requiem permittebant. Transibant enim per fines custodiarum moenium civitatis explorantes, alii more canum oblatrando, alii more leonum rugiendo voces emittebant terribiles, ut moris est eorum, maximaque percutientes tympana cum baculis retortis ad terrendum inimicos. Anon. de excid. Acconis II. 1. p. 767. 768. Nach eben diesem Schriftsteller standen diese Scharen unter sieben Emiren, welche noch von dem Sultan Kalavun vorausgesandt waren, und die Schar eines jeden dieser Emire zählte 4000 Reiter und 20,000 zu Fuß. Auch Ottokar von Horneck (cap. 435 p. 421) berichtet, daß Ptolemais von saracenischen Scharen beunruhigt wurde wohl vierzehn Tage, ehe der Sultan selbst dahin kam. Nach dem Berichte des Arsenius (p. 1182) erschienen die Saracenen am 25. März plötzlich vor Ptolemais und umzingelten die Stadt.

J. Chr. 1291. Kämpfer auf den Mauern durch die feindlichen Geschosse verwundet oder getödtet wurden: so fügten die Christen dagegen den Saracenen ebenfalls manchen Schaden zu, und die christliche Ritterschaft nahm mehr als ein Mal günstige Gelegenheiten wahr, den Feinden, wenn sie in ihr Lager zurückkehrten, nachzueilen, ihre hintersten Scharen zu überfallen und einzelne Saracenen zu verwunden oder zu tödten, ohne selbst Beschädigung zu erleiden; und nach solchen gelungenen Waffenthaten kehrte die christliche Ritterschaft unter dem Schalle der Trompeten zurück in die Stadt. Diese täglichen Kämpfe dauerten während mehrerer Wochen, vom März bis zum April [30]), ohne merkwürdige Ereignisse und ohne erheblichen Schaden oder Vortheil weder für die eine noch für die andere Partey. Im April aber kam der Sultan Malek al aschraf mit seinen zahlreichen Scharen [31]), und nachdem er drey Tage sich ausgeruht und mit seinen Emiren Berathungen gehalten hatte, so führte er am vierten Tage sein Heer in die Nähe von Ptolemais und errichtete in der Entfernung einer Meile von den Mauern der Stadt sein Lager unter dem furchtbaren Schalle von Pauken, Trommeln und saracenischen Hörnern und unter dem wilden Geschrey der kampflustigen muselmännischen Krieger [32]). Am Donnerstage vor dem Sonntage der Passion, am 5. April 1291 [33]), nahm die Belagerung von Ptolemais ihren Anfang.

30) A medio Martii usque ad medium Aprilis. Anon. de excidio Acconis l. c. Vgl. Anm. 29 und 33.

31) Nach dem Anonymus de excid. Acconis II. 3. p. 769 kamen mit dem Sultan zehn Emire, deren jeder 4000 zu Pferde und 20,000 zu Fuß führte, nebst einer Zahl von Wurfgerüsten (sicut sunt petrariae, biblicae, perticetae et mangonelli). Marinus Sanutus giebt (p. 230) die Zahl der Belagerer zu 60,000 zu Pferde und 160,000 zu Fuß an, Johannes Iperius (p. 770) nur zu 60,000 zu Pferde und eben so vielen zu Fuß. Nach der übertriebenen Angabe des Cornerius (p. 944) zählte das Heer des Sultans 600,000 Mann.

32) Anon. de excid. Acconis l. c.

33) Am 4. Rebi el achir 690. Abul-

Wenn die Beschreibungen der Zeitbücher von der damaligen Pracht und dem Reichthume von Ptolemais nicht übertrieben sind, so konnte dieser Stadt in jener Zeit keine andere an Schönheit und Bequemlichkeiten gleich gestellt werden; und da diese Stadt seit der Wiedereroberung durch die Könige Philipp August von Frankreich und Richard Löwenherz von England der Mittelpunct des Verkehrs der Abendländer mit dem Morgenlande war, und die wohlhabenden Einwohner der übrigen syrischen Städte, so wie diese verloren wurden, großentheils in Ptolemais sich niedergelassen hatten: so ist es begreiflich, daß daselbst beträchtliche Reichthümer zusammengeflossen waren [34]). Die Häuser waren von gleicher Höhe, aus gehauenen Steinen erbaut und mit gläsernen Fenstern und mancherley Gemälden verziert; sie waren nach der Sitte des Landes oben flach, auf ihrer Höhe mit schönen Blumengärten, zum Theil selbst mit Lusthäusern ge- J. Chr. 1291.

mahasen bey Reinaud p. 570. Ganz übereinstimmend Marinus Sanutus (p. 230, vgl. Jo. Iper. p. 770): MCCXCI quinto Aprilis. Wenn Abulfeda (T. V. p. 96), welcher selbst dieser Belagerung beywohnte, die Eröffnung derselben erst in den Anfang des Monats Dschemadi el ewwel (dessen erster Tag der erste Mai 1291 war) setzt: so könnte diese Angabe auf den Anfang der eigentlichen Berennung der Stadt bezogen werden, womit auch der Anonymus de excidio Acconis (II. 8. p. 770) und Wilhelm von Nangis (Chron. ad a. 1290. p. 44) übereinstimmen, indem sie erzählen, daß die Saracenen vom 4. Mai an zehn Tage lang aus ihren Wurfgerüsten die Stadt beschossen. Abulfeda setzt jedoch auch die Eroberung von Ptolemais um Einen Monat zu spät, auf den Freytag 17. Dschemadi elachir 690 = 17. Jun. 1291 (einen Sonntag), statt des 17. Dschemadi elewwel = 18. Mai 1291, welches wirklich ein Freytag war. Ueber die Zeitbestimmung der einzelnen Ereignisse dieser Belagerung vgl. Mansi ad Rainaldi annal. eccles. ad a. 1291. §. 7.

34) Die einzelnen Züge der nachfolgenden Schilderung sind aus der Chronik des Hermann Corner (p. 941. 942), welcher nach seiner Angabe den damaligen Zustand und den Verlust von Ptolemais secundum Egghardum beschreibt, entlehnt worden. Die von Corner aufgenommene Schilderung findet sich mit einigen Abweichungen in deutscher Sprache auch in dem Chronicon equestris ordinis Teutonici in Matthaei analectis T. V. p. 749—752.

J. Chr. 1291. schmückt, und künstliche Leitungen führten in diese anmuthigen Gärten erfrischendes Wasser. Prachtvolle Paläste, gleichwie Burgen mit Mauern und Gräben umgeben, welche an den äußern Enden der Stadt von dem Könige von Jerusalem, dem Fürsten von Antiochien, dem Grafen von Joppe, dem Feldhauptmann des Königs von Frankreich, den Herren von Tyrus, Arsuf, Cäsarea, Ibelin und andern syrischen Baronen waren erbaut worden, gaben den Theilen der Stadt, in welchen sie sich befanden, ein eben so eigenthümliches als stattliches Ansehen. In der Mitte der Stadt hatten die Kaufleute und Handwerker ihre Wohnungen, jedes Gewerbe in einer eigenen nach demselben benannten Straße: die Kaufleute, welche aus verschiedenen Gegenden, nicht nur aus Venedig, Genua und Pisa, sondern auch aus Rom, Florenz, Paris, Constantinopel, selbst aus Damascus, Aegypten und dem nördlichen Africa nach Ptolemais gekommen waren und daselbst sich angesiedelt hatten, bewohnten bequeme und zierliche Häuser, und ihre gefüllten Waarenläger zeugten von ihrem Wohlstande und der Lebendigkeit ihres Handels. Die Straßen waren breit und geräumig und von der äußersten Reinlichkeit; über denselben wurden zum Schutze gegen die Hitze der Sonne seidene oder andere zierliche Tücher ausgespannt, und an der Ecke jeder Straße befand sich ein Thurm, welcher durch eiserne Pforten und starke Ketten gesichert war. Da aus allen Gegenden des Abendlandes und Morgenlandes nach dieser reichen Stadt die Erzeugnisse der Natur und des Kunstfleißes zu Lande und zur See im Ueberflusse gebracht wurden: so waren daselbst stets nicht nur die reichlichsten Mittel zur Befriedigung jedes nothwendigen Bedürfnisses des Lebens vorhanden, sondern auch alles, was zu einem verfeinerten Lebensgenusse gehörte; und Ptolemais war daher der Sitz jeder Ueppigkeit. Keine andere Stadt bot eine solche Mannichfaltigkeit und Abwechselung der Unterhaltung und des Zeitvertreibs dar; täglich, vornehmlich in der Jahreszeit der offenen Schifffahrt und der gewöhnlichen jährlichen Meerfahrten oder Passagien, fanden sich Fremde aus allen Weltgegenden daselbst ein, Pilger aus allen christlichen Ländern in ihren Trachten, fränkische und morgenländische Kaufleute, jeder in der Kleidung seines Landes, selbst manche Reisende ritterlichen und bürgerlichen Standes, welche Neugier und Schaulust nach dieser üppigen Stadt zog.[35]); die verschiedensten Sprachen des Abendlandes und Morgenlandes wurden von diesen Fremdlingen geredet, und jeder Reisende, welcher nach Ptolemais kam, fand daselbst für seine Sprache einen kundigen Dolmetscher. Die zahlreiche Ritterschaft, welche in Ptolemais versammelt war, gewährte dem Schaulustigen nicht minder mannichfaltige Unterhaltung, bald sah man die syrischen Barone mit einem zahlreichen Gefolge von Rittern, Serjanten und Bedienten, in reicher Kleidung und trefflicher Rüstung mit blinkenden Waffen, auf stattlichen und prunkvoll gezierten Rossen durch die Straßen reiten[36]), bald wurden Turniere, Lanzenstechen und andere ritterliche Spiele und Uebungen gehalten. J. Chr. 1291.

35) Nach dem Chronicon ordinis equestris Teutonici p. 750: Die Vorst van Vaus was daer comen woenen uyt Indien om det wonders wil, dat daer was; ende dese Vorst was van Meschiers geslacht, die onsen Heere God offerden.

36) Allzu dichterisch sagt Hermann Corner (p. 942): Hi omnes principes et domini (nämlich die oben im Texte genannten, welche zu Ptolemais Paläste besaßen) coronis aureis insigniti more Regio in plateis procedebant; und Michaud (Hist. des crois. T. V. p. 160): on lit dans une vieille chronique que tous ces princes et seigneurs se promenaient sur les places publiques, portant des couronnes d'or comme des rois. Der Verfasser der Chronik des deutschen Ordens ist verständig genug gewesen, der Spaziergänge der syrischen Barone mit goldenen Kronen auf den Häuptern nicht zu erwähnen.

J. Chr. 1291. Der Anblick von Ptolemais war prachtvoll; so wie Cöln längs dem Ufer des Rheins, eben so erstreckte sich Ptolemais in einer weiten Ausdehnung längs der Küste des Meers[37]. Aus der unübersehbaren Menge von Häusern gleicher Höhe ragten zahlreiche Kirchen mit ihren Kuppeln oder Thürmen hervor, so wie auch die Häuser der geistlichen Ritterorden mit ihren Thürmen und Zinnen und die Paläste der syrischen Barone. Die Mauern und übrigen Befestigungen der Stadt waren mit Sorgfalt unterhalten worden; mancher wohlhabende Pilger hatte, seitdem die Möglichkeit für die Christen, den Rest ihrer syrischen Eroberungen zu behaupten, auf dem Besitze von Ptolemais beruhte, gern eine Beysteuer zur Wiederherstellung oder zweckmäßigern Einrichtung der Befestigungen dieser Stadt beygetragen; und so wie der König Ludwig der Neunte von Frankreich während seines Aufenthalts im heiligen Lande der Ausbesserung der Mauern und Bollwerke von Ptolemais seine Sorgfalt gewidmet hatte, eben so hatte noch in den letzten Zeiten die Gräfin von Blois durch die Erbauung eines neuen Thurms und einer neuen Vormauer ein rühmliches Denkmal sich gestiftet[38]. Ptolemais war damals sicherlich viel zweckmäßiger befestigt, als in den Zeiten des Sultans Saladin, in welchen diese Stadt zwey Jahre den mühevollen Anstrengungen dreyer christlicher Könige und der trefflichsten Krieger des Abendlandes widerstand. Die Mauer an der Seeseite war von solcher Dicke, daß zwey Wagen, welche auf deren Höhe sich begegnet wären, einander hätten ausweichen können; von den Landseiten war die Stadt durch eine doppelte Mauer und tiefe Gräben

37) Dese Stat leghet mitter eynre side op dat meyr gelyk Colen op den Ryn doet. Chron. equestr. ord. Teut. cap. 261. p. 749.

38) Gesch. der Kreuzz. Buch VIII. Kap. VIII. S. 285. Kap. XXI. S. 607.

geschützt, den Eingang jedes Thors deckten zwey Thürme, und die ganze Stadtmauer war mit so zahlreichen Thürmen versehen, daß jeder Thurm von dem andern kaum Einen Steinwurf entfernt war [39]). J. Chr. 1291.

Die Rüstungen und Vorbereitungen, welche Kalavun und nach ihm sein Sohn Alaschraf für die Belagerung von Ptolemais gemacht hatten, waren für eine höchst schwierige Unternehmung berechnet. Noch für keine Belagerung waren so viele Wurfgerüste und andere Kriegsmaschinen erbaut worden; denn die Zahl der großen Maschinen verschiedener Art, welche vor Ptolemais aufgestellt wurden, betrug nach den morgenländischen Nachrichten nicht weniger als zwey und neunzig [40]), und unter denselben befand sich eine Maschine, welche nach dem Namen ihres Erbauers, des Sultans Malek al Mansur Kalavun, die Mansurische genannt wurde und von so ungeheurer Größe war, daß hundert mit Ochsen bespannte Wagen erforderlich wurden, um die einzelnen

39) Hermann. Corner. p. 941. Nach Ottokar von Horneck (cap. 433 p. 420) hatte Akers drey Mauern und „als manigen (eben so viele) Graben.“

40) اثنين وتسعين منجنيقا ما بين افرطى وقرابغا وشيطانى. Ebn Ferath (Handschr. der k. k. Hofbibliothek zu Wien T. VIII. p. 178) nach der Erzählung der Chronik des Eldschusi (الجوزى), welcher diese Nachricht von Saifeddin Ebn Alhemkah (الحمقة) erhalten hatte. Vgl. Abulmahasen bey Reinaud p. 570. Marinus Sanutus (p. 230) nennt zwey Arten von Maschinen, welche der Sultan in der Belagerung von Ptolemais anwandte: Bouchiers (weiter unten Lebouchiers und bey Johannes Iperius p. 770 Banchios), welche an der Oeffnung der Gräben (oder Minen, in orificio fossarum) aufgestellt wurden, und die von Ebn Ferath erwähnten Carabagas projicientes magnos lapides. Statt Bouchiers oder Banchios ist vielleicht Trebuchos oder Trebuccos zu lesen. Das in der angeführten Stelle des Ebn Ferath vorkommende Wort افرطى ist mir nicht bekannt, auch bin ich nicht sicher, ob es richtig gelesen worden ist. Nach Abulfaradsch (Chron. Syr. p. 596) betrug die Zahl der (großen und kleinen) Maschinen des Sultans dreyhundert, nach dem Anon. de excid. Accon. (II. 3. p. 769) sechshundert sechs und sechzig.

J. Chr. 1291. Theile derselben von dem Schlosse der Kurden nach Ptolemais zu bringen. Der Geschichtschreiber Abulfeda, damals ein Emir über zehn Mann, war unter den Truppen von Hamah, welchen der Sultan die Begleitung dieser Maschine übertragen hatte, und besorgte die Bewachung eines jener hundert Wagen. Mit sehr großen Schwierigkeiten wurde diese Last nach Ptolemais gebracht, weil die Straßen in der damals noch winterlichen Jahreszeit kaum fahrbar waren, heftiger Regen und Schnee auf dem ersten Theile des Weges vom Schlosse der Kurden bis Damascus die Fortbringung erschwerten, und die Ochsen, welche vor die Wagen gespannt waren, durch die heftige Kälte getödtet wurden; dergestalt, daß die Truppen von Hamah, welche die große Mansurische Maschine begleiteten, auf dem Wege vom Schlosse der Kurden nach Ptolemais, den Reiterscharen gewöhnlich in acht Tagen zurücklegten, einen ganzen Monat zubrachten [41]). Die Wurfgerüste, welche von den Moslims vor Ptolemais aufgerichtet wurden, waren zum Theil in den frühern Kriegen den Christen abgenommen worden, und einige derselben waren von so großer Kraft, daß sie Steine von einem Centner Gewichts schleuderten. Die Moslims hatten zur Theilnahme an dieser Belagerung mit einem solchen Eifer sich gedrängt, daß die Zahl der freywilligen Kämpfer bey weitem größer war als die Zahl der Heerscharen des Sultans [42]).

Sobald die saracenischen Scharen vor den Mauern von Ptolemais sich gelagert hatten, so ließ der Sultan Alaschraf die Umgebungen der Stadt ohne Schonung mit Feuer und Schwert verheeren, die Mühlen zerstören und die Weinberge,

41) Abulfedae ann. mosl. T. V. p. 96.

42) Abulmahasen bey Reinaud a. a. O.

Gärten und Saatfelder verwüsten [43]). Obgleich der Anblick J. Chr. 1291. sowohl des verheerten Landes als der zahllosen Scharen des Sultans und der gewaltigen Anstalten, welche zu der Berennung der Stadt gemacht wurden, die Christen überzeugen konnte, daß sie wider einen furchtbaren Feind sich zu vertheidigen hatten, und daß nur die vollkommenste Eintracht und Uebereinstimmung in einem zweckmäßig geleiteten Widerstande den Verlust von Ptolemais abzuwenden vermochte; so herrschte gleichwohl schon bey dem Anbeginne der Belagerung in der Stadt Mißverständniß und Parteyung. Die Pisaner und Venetianer widersetzten sich den Anordnungen der geistlichen Ritterorden, die Johanniter und Templer waren mit einander in so heftigem Unfrieden, daß sie sich weigerten, gemeinschaftlich mit einander zu kämpfen [44]); und die Wirkungen dieser verderblichen Streitigkeiten wurden noch verschlimmert durch die Sittenlosigkeit, welche unter den Kreuzfahrern herrschte, und den gänzlichen Mangel an Zucht und Ordnung in den christlichen Scharen, welchen die Oberhäupter bey ihrer eigenen Uneinigkeit nicht zu bessern vermochten [45]).

43) Hermanni Corneri chron. p. 941. Chron. ord. eq. Teuton p. 784.

44) Arsenius p. 1183. Vgl. Herm. Corner. l. c. Nach Ottokar von Horneck (Kap. 435. 436 S. 421 — 423) stritten die Bürger von Akers wider die Heiden „auf dem Plan leicht fünf Meil herdan;" als sie aber die Hospitaliter und Templer um Beystand baten, so gaben diese beyden Orden zur Antwort: sie könnten sich des Kampfes nicht annehmen, weil die Bürger nicht ihrem Rathe gefolgt wären, sondern nach dem Rathe der deutschen Herren dem Sultan von Aegypten die geforderte Genugthuung (Besserung) verweigert hätten; sie möchten sich also an die deutschen Herren wenden. Die deutschen Herren dagegen waren bereitwillig zur Theilnahme an der Vertheidigung der Stadt. Das Chronicon equestris ordinis Teutonici (p. 757 sq.) schiebt die ganze Schuld des Verlustes von Ptolemais auf die Bürger dieser Stadt, indem es behauptet, daß sie aus Bosheit die Ritterorden in der Vertheidigung der Stadt nicht unterstützten.

45) „Crucesignati tui," sprach der Mönch Arsenius (p. 1183) zu dem Papste Nikolaus IV., „dum orede-

J. Chr. 1291. Da unter solchen Umständen das schlimmste Schicksal für die belagerte Stadt befürchtet werden mußte: so begab sich der Meister der Templer [46]), nachdem er mit den Meistern und Brüdern der andern Orden sich berathen hatte, in das Lager der Saracenen, um noch einmal es zu versuchen, ob nicht der Sultan bewogen werden könnte, einen Waffenstillstand zu bewilligen; und weil die Templer seit längerer Zeit mit den Saracenen in besserm Vernehmen standen als die übrigen syrischen Barone und Ritter [47]), so fand der Meister geneigte Aufnahme, und der Sultan Alaschraf erklärte sich bereit, den Christen Frieden zu gewähren unter der Bedingung, daß für jeden christlichen Einwohner von Ptolemais eine venetianische Zechine [48]) als Buße bezahlt würde. Als aber der Meister der Templer dem Volke, welches in der Kirche des heiligen Kreuzes sich versammelt hatte, über den Erfolg seiner Unterhandlungen mit dem Sultan Bericht erstattete, und wegen des innern Unfriedens, welcher in der Stadt täglich heftiger würde, die angebotene Be-

mus pro victoria crucis animas tradere, Baccho vacabant, et cum tuba ad arma populum excitaret, illi circa mollia dediti, Marte postposito, ab amplexibus Veneris pectus et brachia non solvebant."

46) Als der damalige Meister der Templer, also als Nachfolger des Wilhelm von Beaujeu, wird von Hermann Corneruß (p. 943. 944), bey welchem sich die einzige Nachricht über diese Verhandlungen findet, genannt Polycarpus, miles multum astutus et strenuus. Vgl. Chron. ord. eq. Teuton. p. 754. 755. Nach der gewöhnlichen Annahme aber kam der Meister Wilhelm von Beaujeu erst während der Belagerung von Ptolemais um, und an dessen Stelle wurde sofort noch zu Ptolemais Monachus Gaudini gewählt. Aber weder der Anonymus de excidio Acconis (p. 783. 784), noch Marinus Sanutus (p. 231), welche den Tod des damaligen Meisters der Templer erzählen, nennen bey dieser Gelegenheit seinen Namen. Vgl. W. F. Wilke, Gesch. des Tempelherrnordens I. S. 217. 223. 224.

47) Nach Corneruß war der Meister der Templer für seine Person mit dem Sultan befreundet (Soldanus sibi valde amicus erat et familiaris). Ueber das damalige gute Verhältniß der Templer mit den Saracenen s. oben Kap. XXI. S. 604.

48) Unus denarius Venetianus. Herm. Corner.

dingung anzunehmen rieth: so wurde das Volk sehr unwil- J. Chr. 1291.
lig und rief wie mit einer Stimme, der Meister der Templer sey ein Verräther der Stadt und des Todes schuldig. Der Meister, welcher, um Mißhandlungen zu entgehen, aus der Kirche entfloh, begab sich hierauf wieder zum Sultan und gab ihm Nachricht von der Verblendung und Halsstarrigkeit des Volks von Ptolemais.

So sehr auch die Kräfte der Christen durch Parteyung und Unfrieden geschwächt wurden, so war dennoch die Besatzung der belagerten Stadt in den ersten Wochen der Belagerung so kühn und verwegen, daß sie nicht einmal die Thore weder bey Tage noch bey Nacht verschloß und einen Ausfall nach dem andern unternahm[40]); und mehrere Male fügten die Christen, vornehmlich durch nächtliche Ueberfälle, den Saracenen großen Schaden zu. Der schlimmste Stand im Heere des Sultans Alaschraf war den Truppen von Hamah angewiesen, welche dem Herkommen gemäß am rechten Flügel standen, unfern von dem Ufer des Meeres, und deshalb nicht nur gegen die christlichen Truppen, welche aus der Stadt hervorbrachen, sich zu vertheidigen hatten, sondern auch auf das heftigste belästigt wurden durch die Würfe von Pfeilen, Wurfspießen und Steinen, welche von christlichen Schiffen, die längs der Küste aufgestellt waren, wider sie geschleudert wurden. Unter diesen Schiffen, auf welchen die Schützen unter Sturmdächern standen, die durch den Ueberzug von

40) Abulfeda T. V. p. 96. Abulfarag. Chron. Syr. p. 595. Dasselbe erzählt Hermann Corner p. 943: Nec tamen propter hoc periculosissimum malum portae civitatis claudebantur, nec erat diei hora, quacumque vel per Templarios aut per alios fratres ordinum in urbe commorantium (non) fierent cum Saracenis gravissima bella. Vgl. Chron. ord. eq. Teuton. p. 756. Nach Abulfaradsch wurden die Saracenen vor Ptolemais von den christlichen Rittern wie mit Sicheln weggemäht, und 20,000 Araber sollen daselbst von den Christen erschlagen worden seyn.

J. Chr. 1291. Ochsenhäuten gegen das griechische Feuer der Belagerer geschützt wurden, war besonders ein Fahrzeug von ungewöhnlicher Größe den Truppen von Hamah sehr beschwerlich, weil auf demselben ein größeres Wurfgerüst aufgestellt war, aus welchem die Christen mit nicht geringer Wirkung das Lager der Saracenen beschossen; und die Moslims betrachteten es daher als ein Zeichen des Wohlgefallens Gottes an ihrer Unternehmung, daß dieses Fahrzeug durch einen heftigen Sturm zerstört wurde [50]). Am thätigsten in der Bekämpfung der Saracenen waren die geistlichen Ritterorden; da jeder Orden aber für sich handelte und die Unternehmungen weder nach gemeinsam verabredetem Plane angeordnet noch mit vereinten Kräften ausgeführt wurden, so brachten sie keine erhebliche Wirkung hervor. Außerdem wurden die Ausfälle der christlichen Besatzung nicht immer mit gehöriger Vorsicht und Geschicklichkeit geleitet; bey einem ihrer nächtlichen Ausfälle gelangten zwar die Ritter in die Mitte des Lagers der Truppen von Hamah, nachdem sie die ausgestellten saracenischen Wächter [51]) verjagt hatten; als sie aber in der Dunkelheit der Nacht in den Seilen der Zelte sich verwickelten, so wurden die Moslims aus dem Schlafe auf-

50) Abulfeda l. c. Das zuletzt beschriebene Fahrzeug nennt Abulfeda Bostah, und Reiske (Annotat. histor. ad Abulfed. T. V. p. 402) erklärt diesen Namen gewiß sehr richtig durch das in den spätesten lateinischen Schriftstellern vorkommende Wort fusta (französ. fuste), wodurch ein niedriges Corsarenschiff bezeichnet wird.

51) اليزكية bey Abulfeda a. a. O. Dieses bey Abulfeda, Bohaeddin und andern Geschichtschreibern oft vorkommende persische (oder türkische) Wort bedeutet überhaupt Wächter, oft aber auch die Vorwache (Avantgarde), und findet sich auch bey Marinus Sanutus (Lib. III. Pars 12. cap. 2. p. 218) in der Erzählung von dem Zusammentreffen des Heers des Königs Ludwig des Neunten mit dem ägyptischen Heere bey Scharmesah (s. oben Kap. V. S. 132) und wird richtig also erklärt: Lysao id est anterior custodia Saracenorum.

gewerkt; die Scharen von Hamah waffneten sich auf das schnellste und kämpften mit solcher Tapferkeit, daß sie viele christliche Ritter erschlugen und deren Rosse erbeuteten, die übrigen aber zwangen, ihre Rettung in einer eiligen und verwirrten Flucht zu suchen. Am andern Morgen führte Malek al Mansur, Fürst von Homah, die erbeuteten Rosse mit den Köpfen der erschlagenen christlichen Ritter, welche an den Hälsen der Rosse hingen, zu dem Sultan Aschraf [52]). J. Chr. 1291.

Durch diese Ausfälle der Besatzung von Ptolemais wurden die Belagerer nicht an der raschen Fortsetzung der angefangenen Vorbereitungen zur Berennung der belagerten Stadt gehindert. Ihre Belagerungsgerüste wurden mit unausgesetzter Thätigkeit aufgerichtet und in Stand gesetzt, eine große Zahl von Schanzgräbern war beschäftigt, die Mauern und Thürme von Ptolemais zu untergraben [53]), und die Zahl der Scharen des Sultans mehrte sich täglich [54]). Die Zuversicht und Kühnheit, mit welcher die Christen in den ersten Wochen der Belagerung gekämpft hatten,

52) Abulfeda a. a. O., wo noch erzählt wird, daß einer der christlichen Ritter in der Dunkelheit der Nacht in die Latrine (جورة مستراح fosse d'aisance bey Reinaud p. 572) eines Emirs fiel und daselbst getödtet wurde. Dieser Ueberfall fand nach Abulfeda Statt in der Mitte der Belagerung, also gegen das Ende des Monats April. Ottokar von Horneck (Kap. 440 — 442 p. 435 — 437) erwähnt eines nächtlichen Ueberfalls, in welchem der Templer Bertram, welcher hernach Meister seines Ordens wurde (Kap. 443 p. 437), einen saracenischen König (Emir) in dessen Zelte mit großer Kühnheit gefangen nahm.

53) Nach der übertriebenen Angabe des Abulfaradsch (a. a. O.) tausend Schanzgräber für jeden Thurm.

54) Sed Paganorum in tantum crevit numerus, quod centum millibus interfectis mox ducenta millia redirent. Herm. Corner. p. 944. Adeo Saracenorum multitudo fuit terribilis, quod quamquam voluissent, portas exire non poterant seu de muris ostendere vires suas. Arsen. p. 1183. Nach Ottokar von Horneck (Kap. 435 S. 421) vergingen seit der Ankunft des Sultans vor Akers wohl fünf Wochen, bis in seinem Lager alle die heidnischen Könige sich einfanden, welche ihm ihren Beystand zugesagt hatten.

J. Chr. 1291. minderte sich dagegen, als die Saracenen die Stadt so enge eingeschlossen hatten, daß Ausfälle nicht mehr möglich waren,
5. Mai und am 5. Mai anfingen, aus ihren Wurfgerüsten ungeheure Steinmassen gegen die Mauer zu werfen, die Beschießung der Stadt zehn Tage lang fortsetzten [55]) und gleichzeitig aus Bögen, Armbrüsten und andern kleinern Werkzeugen eine gewaltige Menge von Pfeilen, Wurfspießen und griechischem Feuer, gleich einem dichten Regen von Feuer und Wurfgeschossen, gegen die Vertheidiger der Mauer schleuderten [56]). Nicht nur verzagten damals die Bürger von Ptolemais, und die wohlhabenden Einwohner brachten ihre Weiber und Kinder, ihre Waaren, Reliquien der Heiligen und andere Besitzthümer auf Schiffe und sandten sie nach Cypern; sondern auch viele waffenfähige Männer, sowohl Ritter als solche, welche zu Fuß stritten, verließen in jenen zehn Tagen die belagerte Stadt, dergestalt, daß nicht mehr als zwölf tausend größtentheils zum Kriegsdienste verpflichtete streitbare Männer, außer diesen wenige freywillige bewaffnete Pilger und nicht mehr als achthundert Ritter in der Stadt zurückblieben [57]). Der König Heinrich von Cypern und Jerusalem, welcher am Tage vor dem Anfange der Berennung, am 4. Mai, mit zweyhundert Rittern und fünfhundert zu Fuß nach Ptolemais kam, bemühte sich zwar, in diesen Tagen des ununterbrochenen Kampfes die Eintracht unter den Hauptleuten der Pilger wieder herzustellen, und ermunterte die Vertheidiger der Mauern, indem er beständig

65) Anon. de excid. Acconis II. 3. p. 770.

56) Quidam honestus miles, qui pro tunc in quadam turri civitatis stabat, retulit quod cum lanceam contra Sarracenos projicere vellet de turri, quod antequam lancea terram attingeret, crepuit in plurimas partes divisa telorum impulsu. Herm. Corner. l. c. (Chron. ord. eq. Teuton. p. 755. 756). Vgl. Arsenius l. c.

57) Anon. de excid. Acconis l. c.

in der Stadt umherging und von einem Posten zum andern J. Chr. 1291. sich begab, zu unverdrossenem Streite [58]); als er aber sah, daß alle seine Ermahnungen zur Eintracht fruchtlos blieben, und daß die Templer und Hospitaliter in diesen Tagen der höchsten Gefahr weniger lebhaften Theil denn zuvor am Kampfe nahmen [59]), als ein großer Theil der Vertheidiger von Ptolemais zur See oder zu Lande heimlich entfloh [60]), als die Mauer der Stadt bereits an mehreren Stellen durch die Belagerer niedergeworfen war [61]), und am 15. Mai der 15. Mai

58) Dieses Zeugniß giebt ihm der Mönch Arsenius p. 1183. Nach Abulmahasen (bey Reinaud p. 570) zündeten die Christen zu Ptolemais in der Nacht nach der Ankunft des Königs von Cypern große Feuer an, als Zeichen ihrer Freude.

59) Arsenius l. c.

60) Arsenius l. c.

61) Nach Marinus Sanutus (p. 230) ließ der Sultan besonders an den Stellen, wo frisch aufgegrabenes Erdreich das Eindringen in den Boden erleichterte, nämlich vor dem Thurme des Fluchs, bey der Vormauer des Königs Hugo und bey den Thürmen der Gräfin von Blois und des heiligen Nikolaus die Schanzgräber ihre Minen machen (fecit plures mines seu cuniculos respondentes ad terram novam factam nuper ante turrim maledictam et ad-sbaralium sive barbacanum Regis Hugonis et ad turrim Comitissae de Blois et ad turrim S. Nicolai). Seine Wurfmaschinen (s. oben Anm. 40) errichtete er vor dem Thurme des heil. Nikolaus bis zur Vormauer des Herrn Eduard (domini Edwardi, wahrscheinlich des Königs von England) dergestalt, daß die Karabagen hinter den Maschinen standen, welche von Marinus Sanutus Boachiers genannt werden und sehr dicht an einander (multum sibi vicini) aufgestellt waren. Am achten Mai wurde (nach Marin. Sanut. p. 231) von den Saracenen die Vormauer des Königs Hugo niedergeworfen, so wie auch die Brücke zerstört, welche von dieser Vormauer zu der innern Mauer führte. Ottokar von Horneck beschreibt an mehreren Stellen sehr deutlich das Verfahren der Saracenen bey der Niederwerfung der Mauer, z. B. S. 424: „Darzu was die Heidenschaft Zu weis und zu schalkhaft, Daß sie's nicht also übergaben. Sie fuhr'n enhalb (jenseits) des Graben Unter die Erden, Sie wollten wissenhaft werden, Worauf stund (stände) der Grund. Das ward ihn'n kurzleichen kund, Wenn sie viel schier (sehr schnell) waren Unz (bis) an den Grund gefahren Unter der Christen Dank (wider der Christen Willen) Wohl funfzig Klafter lang. Sie unterwerchten das Gemäuer Und zunden da mit Feuer Das Gerüst an. Do das verbrann, Do thät dew (die) Mauer Fall In den Graben zu Thal, Der heran zenächst lag.“ (Vgl. Kap. 438 S. 426

J. Chr. 1291. neue Thurm des Königs, welcher vor dem Thurme des Fluchs stand, von den Saracenen erobert und besetzt wurde [62]): so verließ der König Heinrich in der Nacht vom 15. auf den 16. Mai, nachdem die Stunden, in welchen er die Bewachung der Mauer zu besorgen hatte, abgelaufen waren, und die Templer in der angeordneten Reihefolge die Wache übernommen hatten, die Stadt mit seiner sämmtlichen Miliz und drey tausend andern angesehenen Bewohnern von Ptolemais, welche sich ihm anschlossen, schiffte sich ein und kehrte zurück nach Cypern [63]). Die Christen schrieben es nur der ungewöhnlichen Dunkelheit dieser Nacht zu, daß der schimpfliche Abzug des Königs von Cypern nicht von den Saracenen benutzt wurde, der Stadt sich zu bemächtigen, bevor die Besatzung von ihrer Bestürzung, der nothwendigen Folge eines so unerwarteten verrätherischen Verfahrens, sich erholt hatte [64]).

16. Mai Schon am folgenden Tage, dem 16. Mai, unternahm

— 428). Nach Ottokar (p. 435) ließ der Sultan wohl an zehn Enden die Mauer untergraben: „Das thät er auf den Sinn, Daß in der Stadt die Christen Der rechten Sach nicht em wüßten Da ihn'n die Heiden schaden wollten." Nach Abulmahasen (bey Reinaud p. 570): Les musulmans firent des brèches en différens endroits (schon vor dem Tage der großen Berennung).

62) Marin. Sanut. p. 231.

63) Anon. de excid. Acconis II. 3. p. 770. Guil. de Nang. Chron. p. 48. Nach Marinus Sanutus (a. a. O.) verließ der König von Cypern die Stadt Ptolemais erst am 18. Mai, als die Saracenen schon in die Stadt eingedrungen waren. Nach Ottokar von Horneck, welcher ebenfalls der Flucht des Königs von Cypern (Kap. 443. p. 439) erwähnt, waren zuvor auch schon die Venetianer entwichen. Nach Abulmahasen (bey Reinaud a. a. O.) blieb der König nur drey Tage in Ptolemais, weil er sah, daß für die Belagerten keine Rettung mehr vorhanden war, und er eben deswegen sich scheute, an ihren Gefahren Theil zu nehmen. Der Anonymus fügt zu seiner Erzählung von dem Abzuge des Königs von Cypern den frommen Wunsch: O utinam tunc flasset turbinis ventus et operuisset eos mare et in aquis vehementibus submersi fuissent quasi plumbum!

64) Anon. de excid. Acconis und Guil. de Nang. a. a. O.

das saracenische Heer die Bestürmung der Stadt [65]). In J. Chr. 1291. der Frühe dieses Tages drangen die heidnischen Scharen unter dem Schutze ihrer Schilde bis an die Mauer vor und beschossen aus unzähligen großen und kleinen Wurfgerüsten, Armbrüsten und Bögen die christlichen Streiter. Da sie bald bemerkten, daß an diesem Tage die Mauer nicht mit so zahlreichen Vertheidigern besetzt war als in den vorhergehenden Tagen: so fingen sie an, unfern von dem Thore des heiligen Antonius den Graben anzufüllen, indem sie Steine, Holz, Erde [66]), todte Pferde und Cameele herbeyschleppten, und in kurzer Zeit gelang es ihnen, den Graben in einer Ausdehnung von mehr als hundert Klaftern zu verstopfen [67]); worauf sie vermittelst ihrer Sturmleitern sowohl die innere als die äußere Mauer erstiegen und die geringe Zahl der Christen, welche es noch wagten, ihnen zu widerstehen, vertrieben. Dann warfen sie die eroberte Mauer in einer Länge von sechszig Klaftern nieder und öffneten ihren Kampfgenossen eine weite Straße. In großer Zahl drangen sogleich die Saracenen ein, und zwischen den heid-

65) Anonymus de excid. Acconis II. 4. p. 770 und Guil. de Nang. l. c.

66) Terram et bombacem. Anon. de excid. Accon. l. c. Was unter bombax verstanden werde, läßt sich nicht mit Sicherheit bestimmen, vielleicht Werg. Nach Ottokar von Horneck Kap. 437 p. 423. 424 wurde in den Graben geworfen: „Swaz man Holzes fand, Stroh, Wasen und Graß, Das zu führen gut was, Sacher, Rohr und Laub;" nach S. 426: „Holz, Erde und Graß, Was, Werch und jazz," und nach S. 428: „Flachs, Hanf, Oel, Wachs, Staudelch, Stein und Erden." Nach Otto von Horneck wurden die Steine zur Ausfüllung des Grabens herbeygetragen von Eseln, Maulthieren, Elefanten (Olwendin), Dromedaren, Kameelen, und mehr Rindern, starken Leuten und nicht Kindern; und des Viehes, welches auf diese Weise gebraucht wurde, waren wohl dreyßig tausend Stück; gleichwohl dauerte die Ausfüllung des Grabens vierzehn Tage. Auch das Chronicon S. Petri Erfurtense (p. 800) erzählt, daß 20,000 oder 30,000 Kameele, Pferde und Maulthiere Holz und Bäume zur Ausfüllung des Grabens unausgesetzt herbeytrugen.

67) Anon. de excid. Acconis l. c.

J. Chr. 1291. nischen Armbrustschützen, Bogenschützen und Schleuderern, welche die vorderste Schar bildeten, und den Christen, welche unverdrossen die Vertheidigung fortsetzten, entspann sich ein heftiges Gefecht, in welchem von beyden Seiten viele getödtet wurden; allein obgleich die Christen, als sie in dem Kampfe mit Wurfgeschossen der überlegenen Zahl ihrer Feinde nicht gewachsen waren, sich entschlossen, mit Schwertern, Lanzen, Sicheln und großen Knüppeln die Saracenen anzufallen, so unterlagen sie dennoch auch in diesem Streite den zahllosen Lanzen der Heiden und waren genöthigt, so weit als der Schuß einer Armbrust reichte, in das Innere der Stadt sich zurückzuziehen [68]).

Die Brüder der geistlichen Orden hatten noch nicht an dem Kampfe dieses Tages Theil genommen, als sie durch die Nachricht erschreckt wurden, daß die Saracenen schon in die Stadt eingedrungen waren; und obgleich sie durch den unverständigen Wahn, daß der Sultan, wie auch das Schicksal von Ptolemais sich entwickeln möchte, ihnen, weil sie ohne Schuld wären an der Verletzung des Waffenstillstandes, Schonung gewähren würde, sich hatten verleiten lassen, in den letzten gefahrvollen Tagen dem Kampfe sich soviel möglich zu entziehen: so wurden sie doch nunmehr, als das Angstgeschrey der Einwohner von Ptolemais und der Siegesruf der Saracenen zu ihren Ohren drang, anderes Sinnes und bedachten, daß es nicht die Weise eines türkischen Sultans wäre, die Feinde, welche ihm nicht mehr furchtbar

68) Anonym. de excidio Acconis p. 770. 771. Die Waffe, welche im Texte durch Sichel bezeichnet wird, heißt in dieser Stelle und in andern Stellen bey diesem Schriftsteller falcastrum. Nach Ottokar von Horneck (Kap. 443 S. 439) hatten „die Heiden bey der Nacht (d. i. in der Nacht vom 15. auf den 16. Mai), Deß man darum nicht enweſt Von Cipper des Kunigs Weſ' Durchbrochen mir drey'n weiten Lochen;" und in der Nähe von dem Hause des Königs von Cypern drangen die Saracenen in die Stadt ein.

waren, mit Milde zu behandeln [69]). Der Marschall der Hospitaliter, Matthäus [70]) von Clermont, und dessen Ordensbrüder waffneten sich unverzüglich, bestiegen ihre Rosse, eilten nach dem Orte der Gefahr und bewogen die christlichen Flüchtlinge, welche ihnen begegneten, zum Kampfe zurückzukehren. Der Marschall Matthäus, als er in die Nähe der Saracenen, die schon bis in die Mitte der Stadt vorgedrungen waren, gelangte, rannte sogleich mit heftigem Ungestüme wider eine feindliche Schar, in welcher nach seiner Meinung der Sultan Aschraf sich befand, tödtete mit seiner Lanze einen vornehmen Saracenen und verwundete oder entwaffnete viele andere heidnische Kämpfer, und durch dieses rühmliche Beyspiel wurden sowohl die Hospitaliter als die übrigen christlichen Streiter, Ritter, Serjanten und Knechte zu Fuß, welche schon vor den Saracenen zurückgewichen waren, ermuntert, dem tapfern Marschall mit lautem Kampfgeschrey zu Hülfe zu eilen und die Saracenen mit solcher Gewalt zu drängen, daß dieselben nicht im Stande waren, ihren Platz zu behaupten, sondern von einer Straße zur andern zurückwichen und, verfolgt von den christlichen Streitern, theils durch die Oeffnung der Mauer, durch welche sie in die Stadt eingedrungen waren, theils durch das benachbarte Thor des heiligen Antonius entflohen; und als hierauf die Dunkelheit der Nacht eintrat, so ließ der Sultan allen seinen Scharen durch den Schall der Trompeten das Zeichen zum Rückzuge in das Lager geben [71]). J. Chr. 1291.

69) Anon. de excidio Acconis II. 6. p. 771. 772.

70) In der Lütticher Handschrift des Anonymus: Wilhelm.

71) Anon. de excid. Acconis l. c. p. 772. 773. Ottokar von Horneck berichtet von dem Kampfe dieses Tages mit großer Unklarheit Kap. 445 p. 441 — 443, nachdem er in dem vorhergehenden Kapitel erzählt hat, wie durch die Rede eines Emirs im Rathe des Sultans, in welcher auseinandergesetzt wurde, daß in jeglichem alten Kreuzfahrer „durch Jesu's

J. Chr. 1291. Der unerwartete glückliche Ausgang dieses Kampfes erweckte wieder neuen Muth, ja selbst Begeisterung unter den Christen, und viele Hauptleute [72]), welche in den letzten gefahrvollen Tagen vom Kampfe sich fern gehalten und die Vertheidigung der Mauer blos ihren Leuten überlassen hatten, kamen aus den Thürmen hervor, bestiegen ihre Schlachtrosse, gingen mit fliegenden Panieren ihren siegreichen Waffenbrüdern entgegen und sahen mit Erstaunen die große Zahl von erschlagenen Christen und die viel größere Zahl von getödteten Saracenen, welche den Kampfplatz bedeckten. Sie sandten hierauf ihre Schlachtrosse zurück, schafften mit ihren eigenen Händen die Leichname der Saracenen aus der Stadt,

List" ein junger stecke und „die schönsten Junckherrn" (d. i. Engel) auf den Wahlplatz zu kommen und aus dem Munde eines erschlagenen Christen ein Kindlein zu nehmen pflegten, der abtrünnige deutsche Ritter Hermann von Sachsen sich bewegen ließ, den Sultan zu verlassen und zu seinem Orden zurückzukehren. Ottokar gedenkt nicht einmal der Tapferkeit des Marschalls Matthäus, sondern rühmt nur im Allgemeinen die geistlichen Brüderschaften wegen ihres muthigen Kampfes an diesem Tage und fügt folgende Züge hinzu, p. 440: „Dieweil die wehrlichen stritten, Die Pfaffen das nicht vermiten (vermieden), An ihr Gebet sie sich legten, Sie mahnten und flegten (flehten) Gott vom Himmelreich, Daß er sich gütleich Bedächt gegen den Seinen, Die sich tödten und peinen Ließen durch sein Willen. Sie ließen sich des nicht bewillen (verdrießen) Wan es ihn'n wohl gezam, Sie trugen Gottes Leichnam Für die Kirchen heraus, Da die Helden den Strauß Hätten mit den Christen; Was sie Glocken wißten Die wurden alle erschellt, Daß Gott desto schier fällt Der unreinen Helden Leib. Kinder und Weib, waren auch nicht saine (träge), Sie trugen große Steine In Fenster und auf Zinnen; Swa sie das Statt möchten gewinnen Daß Schaden käm davon, Do thäten sie Gedon (Gewalt) Mit werfen den Helden." Im folgenden Kapitel (436 p. 443. 444) gedenkt Ottokar noch der tapfern Thaten, durch welche der in den Orden der deutschen Herren wieder aufgenommene Bruder Hermann von Sachsen an diesem Tage großen Ruhm erwarb. Vgl. Thomas Ebendorffer p. 780. Ohne Zweifel ist dieser Kampf derselbe, von welchem das Chronicon ordinis equestris Teutonici cap. 272 berichtet, indem es die Ehre des Sieges dem Landmeister von Preußen zuschreibt.

72) Capitanei. Anon. de excid. Acconis II. 6. p. 775.

arbeiteten selbst bis zur Mitte der Nacht an dem Bau einer J. Chr. 1291.
Nothmauer aus Steinen, Brettern und Thüren der Häuser, um die von den Saracenen durchbrochene Oeffnung der Mauer wieder zu schließen, und errichteten hinter dieser Nothmauer, in welcher die gehörigen Schießscharten angebracht wurden, zwanzig treffliche Wurfgerüste [73]), die sie aus den Thürmen holen ließen, so wie funfzig kleinere Geschütze [74]). Auch versahen sie alle diese Maschinen mit den gehörigen Geschossen, übertrugen die Bedienung derselben geübten Schützen und stellten zu jedem Wurfgerüste eine hinlängliche Bedeckung von Bewaffneten. Nachdem sie mit solchen Anordnungen bis zu der letzten Stunde vor dem Aufgange der Sonne sich beschäftigt hatten, ruhten sie in ihren Herbergen nur kurze Zeit, und die Morgenröthe war noch 17. Mai
nicht sichtbar, als alle Hauptleute zu einem Kriegsrathe im Hause der Johanniter sich versammelten [75]).

Viele erfahrene Männer äußerten in diesem Rathe die Meinung, daß es unmöglich wäre, Ptolemais länger zu behaupten, nachdem in dem Kampfe des vorhergehenden Tages zwey tausend christliche Streiter wären erschlagen worden [76]), und daß kein anderes Mittel, das noch übrige Volk zu retten, sich erdenken ließe, als die Räumung der Stadt. Dieser Vorschlag konnte aber nicht ausgeführt werden; denn obgleich das Meer frey war, so besaßen die Christen doch nicht mehr die erforderlichen Fahrzeuge, und in dem Hafen von Ptolemais lagen nur zwey kleine Frachtschiffe [77]), auf welchen kaum zweyhundert Menschen Platz finden konnten.

73) Ballistas vertiginales pretiosissimas Ibid.

74) De bipedibus (sonst z. B. p. 777 bipedalibus) quinquaginta sed de communibus. Ibid. p. 774.

75) Ibid. II. 6. 7. p. 774.

76) Ibid. II. 6. p. 774.

77) Duos parvos dromones. Ibid. II. 7. p. 774.

J. Chr. 1291. Da keiner der versammelten Hauptleute einen zweckmäßigen Rath anzugeben wußte, so trat der Patriarch Nikolaus auf und hielt eine verständige Rede, in welcher er mit eben so großer Klarheit als Beredsamkeit den versammelten Kriegsmännern vorstellte, daß für die Christen kein anderes Mittel der Rettung aus dieser Noth vorhanden wäre, als tapferer Kampf und Vertrauen zu Gott; denn von den Saracenen sey Schonung nicht zu erwarten, da in der ausgeleerten Stadt weder ihre Habsucht durch Geld und Waaren, noch ihre Wollust durch schöne Frauen Befriedigung finden würde, und ein Ausweg zur Flucht stehe den Christen nicht offen. Er ermahnte sie zugleich in dieser Rede, den verdienstlichen Tod für den Heiland nicht zu scheuen. „So einer von euch," sprach der Patriarch, „von seinem Lehensherrn aufgeboten würde, dessen Ehre wider Einen Feind oder mehrere zu vertheidigen, so würde er sicherlich, sowohl um seine Treue zu bewahren als um Schimpf von sich und seinen Nachkommen abzuwenden, lieber im tapfern Kampfe sterben als den Vorwurf der Feigheit auf sich laden. Christus aber ist unser aller Lehensherr, und Jeder möge denken, daß ihn der Heiland aufgeboten habe, sein Erbtheil nach der durch den Lehenseid beschworenen Pflicht gegen die Ungläubigen zu vertheidigen." Der Patriarch Nikolaus fügte zu dieser Ermahnung den Trost, daß trotz der zahllosen Menge der Feinde der geringen Zahl der christlichen Krieger, wenn sie mit wahrem Vertrauen zu Gott des Kampfes sich unterwänden, es nicht unmöglich seyn würde, den Sieg zu erlangen, wie der Ausgang des Kampfes am vorhergehenden Tage bewiese; denn nicht mehr als sieben tausend christliche Streiter hätten in diesem Kampfe zwanzig tausend Saracenen erschlagen und das feindliche Heer wieder aus der Stadt vertrieben [78]). Diese Rede des Patriarchen brachte eine große Wirkung hervor. Nachdem die Messe war gefeiert worden [79]): so beichteten die Anwesenden ihre Sünden, gaben sich einander den Kuß des Friedens, umarmten sich unter Thränen und Schluchzen und versprachen sich wechselseitig, einander in dem bevorstehenden Kampfe nicht zu verlassen, sondern ihr Leben für Gott zum Opfer zu bringen; und durch dieses feierliche Bündniß verpflichteten sich zur Ausharrung in der Gefahr selbst manche von denen, welche zuvor schon heimliche Anstalten zur Flucht getroffen hatten. Sie bekräftigten hierauf dieses Bündniß durch den Genuß des heiligen Abendmahls [80]). Als diejenigen, welche in der Zeit, in welcher die Christen zu solchem rühmlichen Vorsatze sich vereinigten, auf der Mauer und an den Thoren Wache gehalten hatten, vernahmen, was im Hause der Johanniter geschehen war: so gewannen auch sie guten Muth, bekannten einander ihre Sünden und ermahnten sich gegenseitig zu redlichem Kampfe. In der ganzen Stadt sah man überall Rüstungen und Vorbereitungen zu dem bevorstehenden Streite, die Waffen wurden in Stand gesetzt, den Kämpfern ihre Plätze an den Thoren, auf der Mauer oder in den Straßen angewiesen und Steine auf die Dächer der Häuser, welche in der Nähe der Thore lagen, gebracht, um dieselben von der Höhe herab wider die Saracenen zu schleudern, falls es ihnen wiederum gelingen sollte, in die Stadt einzudringen [81]). J. Chr. 1291.

78) Die Rede des Patriarchen wird von dem Anonymus mitgetheilt a. a. O. p. 774—776.

79) Expletis breviter missarum solemniis. Ibid. II. 7. p. 776.

80) Anon de excidio Acconis l. c. Auch Ottokar von Horneck erwähnt der in der Geschichte der Kreuzzüge oft vorkommenden Sitte, durch den Genuß des heiligen Abendmahls zum Kampfe sich vorzubereiten, in seiner Erzählung von dem Verluste von Ptolemais, Kap 444 p. 439.

81) Anon de excid Acconis l. c.

J. Chr. 1291. 18. Mai

Der achtzehnte Tag des Maimonats 1291, ein Freytag [82]), war der unglückliche Tag, an welchem Ptolemais in die Gewalt der Saracenen fiel. Noch war an diesem Tage die Sonne nicht aufgegangen, als der Sultan Aschraf sein zahlloses Heer scharte und zum Sturme gegen die Mauer der belagerten Stadt führte. Um die Ohren der Christen zu betäuben, ließ der Sultan durch dreyhundert Trommelschläger, welche auf Kameelen reitend das stürmende Heer begleiteten, die Trommeln mit furchtbarem Geräusche schlagen [83]), und unter dem lärmenden Schalle der Heerpauken und Trompeten und mit wildem Geschrey rannten die Saracenen wider die Stadt [84]). So wie sie an andern Orten

82) Nach Abulmahasen bey Reinaud p. 750 fand die letzte Bestürmung von Ptolemais und die Eroberung der Stadt durch die Moslims Statt am Freytage 17. Dschemadi el ewwel, womit auch Arsenius (die Veneris XVIII mensis Maji p. 1183), das Chronicon S. Petri Erfurtense (in vigilia S. Potentianae scilicet XVIII mensis Maji p. 300), die Epitome historiae bellorum sacrorum (in Canisii lection. ant. T. VI. p. 439) und Marinus Sanutus (p. 231) übereinstimmen. Nach dem Anonymus de excidio Acconis II. 8. p 776 geschah die letzte Bestürmung an demselben Tage, an welchem der im Texte erzählte Kriegsrath war gehalten worden, d. i. am 17. Mai. An diesem Tage scheint aber kein erheblicher Kampf vorgefallen zu seyn, und auch nach Ottokar von Horneck (p. 444) „blieben die Akerser zween Tage ungestritten.“ Nach Arsenius hatten die Saracenen vor dem 18. Mai die Stadt drey Tage und eben so viele Nächte unablässig beunruhigt (bellorum variis vexabant stimulis). Wilhelm von Nangis (Chron. p. 49), welcher seine Nachricht aus dem Anonymus de excidio Acconis geschöpft hat, erzählt, daß der Marschall der Hospitaliter am zweyten Tage, also am 17. Mai, eben so als am vorhergehenden Tage die Saracenen wieder aus der Stadt vertrieben habe, worauf am folgenden Tage (18. Mai) die Feinde durch das Thor des heil. Antonius eindrangen und der Stadt sich bemächtigten. Auch Nikolaus Trivettus (p. 221) theilt eben so wie Wilhelm von Nangis jene Begebenheiten in zwey Tage, indem er sagt: proelio ancipiti cum Christianis duobus diebus, nunc his, nunc illis praevalentibus dimicarunt; tertia tandem die . . . . . urbem capiunt. Der Anonymus erzählt aber diese Ereignisse fortlaufend als die Begebenheiten Eines Tages. Vgl. oben Anmerk. 33 S. 736. 737.

83) Makrisi bey Reinaud p. 572.

84) Ecce in solis ortu concutitur aër verbere penetrantissimo tubici-

in dichten Scharen die Mauer bestürmten, so richtete eine zahlreiche Abtheilung des saracenischen Heers insbesondere ihren Angriff gegen die von den Christen erbaute Nothmauer; die Schützen und übrigen Streiter, welchen die Vertheidigung dieser Nothmauer übertragen war, wehrten zwar die Saracenen ab, so lange es ihnen nicht an Geschossen gebrach, indem sie oft mit Einem Schusse drey Wurfspieße gegen die Feinde schleuderten [85]); als aber ihr Vorrath von Geschossen erschöpft war, so gelang es den Saracenen, bis an die Nothmauer zu kommen, dieselbe mit eisernen Haken, Spathen und andern Werkzeugen niederzuwerfen und die christlichen Streiter zurückzudrängen, obwohl dieselben nicht im Widerstande nachließen und mit Lanzen, Sicheln, großen Knüppeln und Steinwürfen sich vertheidigten. Der tapfere Marschall der Hospitaliter, Matthäus von Clermont, vertrieb auch dieses Mal die Saracenen wieder aus der Stadt und nöthigte mit dem Beystande einiger Knechte zu Fuß eine andere feindliche Schar, welche des Thors des heiligen Antonius sich bemächtigt und die Pforte mit Feuer zerstört hatte, ebenfalls zur Flucht [86]). J. Chr. 1291.

narum Soldani et tympanorum terribili percussione ac vocum emissione brutalibus similium horribili, multitudine perfidorum procedente adversus Acconem expugnandum. Anon. de excid. Accon. II. 8. p. 776. Au point du jour, tout étant prêt pour un assaut général, le sultan monta à cheval avec ses troupes; on entendit le bruit du tambour mêlé à des cris horribles. Abulmahasen bey Reinaud p. 570.

85) A qualibet balista vertiginali trinos simul quarellos in primam aciem emiserunt. Anon. de excid. Accon. p. 777. Nach diesem Schriftsteller waren es 150 saracenische Scharen (acies), von welchen die Nothmauer angegriffen wurde, und jede Schar bestand aus 200 Mann; und diese Scharen waren so aufgestellt, daß die zweyte hinter der ersten, die dritte hinter der zweyten u. s. w. standen. Die Scharen mit ungeraden Zahlen bestanden aus solchen, welche große Schilde trugen, und in denen mit geraden Zahlen standen die Schützen (balearii). Hinter jenen 150 Scharen stand noch eine Reserve von 160 andern Scharen.

86) Anon. de excid. Acconis II. 8—10. p. 777—779. Nach der Er-

J. Chr. 1291 Nachdem dieser zweymalige Versuch der Saracenen, die Christen zu überwältigen, mißlungen war, so rief der Sultan Aschraf seine Scharen, welche in verschiedenen Gegenden die Mauer von Ptolemais bestürmten, zu sich, um mit seiner ganzen Heeresmacht durch die durchbrochene Oeffnung der Mauer und das offene Thor des heiligen Antonius in die Stadt einzudringen. Die vordersten Scharen des saracenischen Heers wurden für diesen neuen Angriff gebildet theils durch christliche Unterthanen des Sultans [87]), welchen, falls Ptolemais erobert würde, die Befreyung von allen Abgaben verheißen, und wenn der Angriff mißlänge, die Verdoppelung ihrer bisherigen Steuern angedroht war, theils durch abtrünnige Christen [88]), theils durch schwärmerische Moslims, welche durch ein Gelübde sich verpflichtet hatten, für ihren Glauben und den Propheten Mohammed ihr Leben zu opfern [89]). Ein dichter Nebel, welcher sich

zählung dieses Schriftstellers betete der Patriarch Nikolaus, als die Saracenen die Nothmauer zerstörten, zu Gott mit den Worten: „O Herr, umgieb uns mit einer unzerstörbaren Mauer und beschirme uns mit den Waffen deiner Allmacht."

87) Erant inter illos plures servi et ut dicitur falsi Christiani etc. Anon. de excid. Acconis II. 11. p. 779.

88) Renegatos et peregrinos primos opposuit (Soldanus) et eis introeuntibus peregrini Aegyptii in ipso furoris impetu subierunt. Arsenius p. 1181.

89) Dirus Soldanus vocatis Chagiis qui mundo mortuos se dicebant, fossas in circuitu urbis, unde ex ruina murorum patens erat in urbem introitus, vivis eorum replevit corporibus et desuper perambulare mandavit equites suos et in urbem ingredi violenter. Arsenius p. 1183. Das Wort Chagius kann zwar nichts anders bedeuten als einen Moslim, welcher die Pilgerfahrt zur Kaabah unternommen hat (حاجى), obgleich die von Arsenius hinzugefügte Erklärung auf einen Sufi paßt. Ohne Zweifel sollen solche Moslims angedeutet werden, welche durch ein Gelübde sich verpflichtet hatten, in diesem Kampfe zu sterben (Fedawi's). Im Anfange seiner Rede (p. 1182) giebt Arsenius selbst die richtige Erklärung des Worts: Chagi eorum nudi quos alii nuncupant peregrinatores. Ottokar von Horneck (Kap. 438 p. 499)

erhoben hatte und die Stadt bedeckte, begünstigte den An- J. Chr. 1291.
griff der Saracenen und machte es den Christen unmöglich, die Bewegungen der Feinde zu beobachten und die Vertheidigung zweckmäßig anzuordnen [90]). Die Christen, obgleich sie auch in diesem Kampfe mit rühmlicher Tapferkeit stritten, waren um so weniger im Stande diesem Angriffe der zahllosen saracenischen Scharen zu widerstehen, als viele christliche Streiter in den vorhergehenden Kämpfen schon von den feindlichen Schwertern, Lanzen und Geschossen waren getödtet worden; und mit furchtbarem Geschrey drangen die Saracenen durch das Thor des heiligen Antonius in die Stadt ein [91]). Der Meister der Templer [92]) kam zwar mit seinen Ordensbrüdern herbey, um das Thor zu vertheidigen; als aber die Templer endlich sich entschlossen, ihren bedrängten Waffenbrüdern zu helfen, da waren die Saracenen schon innerhalb der Stadt; und die Templer fanden eben so wie die Hospitaliter, welche gleichfalls zu spät ihrer Pflicht gedachten, nur Gelegenheit, durch einen rühmlichen Tod der Schande sich zu entziehen, welche ihr tadelnswerthes Betragen während dieser Belagerung über ihren Orden gebracht hatte. Der Meister der Templer selbst fiel im Anfange des Kampfes, von einer feindlichen Lanze durchbohrt, und nur zehn seiner Ordensbrüder entgingen dem Tode;

bezeichnet ebenfalls solche saracenische Schwärmer, wenn er sagt: „Etleich durch groß Gier, Daß sie ot (nur) kümen schier (schnell) Desselben Tags zu Machmetten Als sie Gedingen (Hoffnung) hätten, Auf sich wurfen die Burden (Bürden), Daß sie desto balder würden In den Graben erdrückt, Daß sie Machmet zückt In den Himmel zu sich." Vgl. Thomas Ebendorffer p. 780.

90) Aër tam obscurus et nebulosus factus est, ut dum unum castrum vel palatium expugnaretur, in alio castro videri non posset, quousque etiam et ipsorum castrum vel domus alia impugnaretur vel incenderetur. Herm. Corneri chron. p. 945.

91) Anon. de excid. Acconis II. 11. p. 779—781. Vgl. Guil. de Nang. p. 49.

92) S. oben Anm. 46. S. 744.

J. Chr. 1291. auch von den Hospitalitern retteten nicht mehr als sieben Brüder ihr Leben, und ihr Meister, Johann de Villiers, wurde schwer verwundet aus dem Kampfe hinweggetragen und auf ein Schiff gebracht. Der Marschall der Hospitaliter, Matthäus von Clermont, bewährte auch an diesem Tage seine früher erprobte Tapferkeit; er stürzte sich, als alle Hoffnung, die Stadt zu retten, verschwunden war, in die saracenischen Scharen, jeden Feind, auf den er stieß, tödtend und verwundend; und als er durch das Thor des heiligen Antonius bis zu dem äußersten Ende des eindringenden saracenischen Heers gelangt war, so kehrte er um und durchrannte auf gleiche Weise zum zweyten Male die feindlichen Scharen, welche zaghaft dem ungestüm rennenden Ritter auswichen, bis in die Mitte der Stadt. Endlich wurde der tapfere Marschall in einer Straße von mehreren feindlichen Lanzen durchbohrt, als sein Schlachtroß verwundet war und ihn nicht weiter zu tragen vermochte [93]). Andere Ritter, deren Betragen in dieser Belagerung ebenfalls nicht rühmlich gewesen war, bewiesen an diesem Tage nicht eine solche Bereitwilligkeit, durch den Tod im tapfern Kampfe für ihre frühere Verdrossenheit zu büßen, als jene beyden geistlichen Ritterorden. Der Seneschall und Hauptmann der französischen Miliz, Johann von Grelly, und der englische Ritter Otto von Grandison verließen mit ihren Milizen, als die Saracenen in die Stadt eingedrungen waren, ihre Posten, eilten zu einem Schiffe und entflohen [94]). Der Patriarch Nikolaus, welcher bis zu dem letzten Augenblicke,

93) Anon. de excid. Acconis II. 12. p. 781. 782. Auch die deutschen Ritter starben wahrscheinlich in diesem Kampfe als Märtyrer. Nam, sagt Hermann Corner p. 944, magister et fratres de domo Teutonica cum eorum familiis omnes simul una hora interfecti sunt.

94) Heu! hi omnes in Galliis dum vigerent inter Gallos aeque pares, ferrum simulantes fera cum dentibus audacia corrasuri, linguae pro-

in welchem noch Hoffnung der Errettung vorhanden war, die Kämpfenden durch seinen Zuspruch ermuntert hatte, wurde von seinen Freunden mit Gewalt, da er sich nicht bereden ließ, willig das seiner geistlichen Obhut anvertraute unglückliche Volk zu verlassen, an den Hafen geführt und auf ein Schiff gebracht; er entging aber dennoch nicht dem Tode. Denn da er keinen der christlichen Flüchtlinge, welche ihn um Aufnahme auf sein Schiff baten, zurückwies, so wurde das Fahrzeug so überfüllt, daß es versank; und alle diejenigen, welche auf demselben sich befanden, ertranken im Meere, mit Ausnahme des Geistlichen, welcher vor dem Patriarchen das Kreuz und das Bild des Gekreuzigten getragen hatte und gerettet wurde[95]). Von den übrigen christlichen Kämpfern, welche an diesem Tage den Heiden einen tapfern und kräftigen Widerstand entgegengesetzt hatten, gelang es, da sie überwältigt wurden, nur einigen Tausenden, sich in das wohl befestigte Haus der Templer, welches nahe an der Küste des Meeres lag, zurückzuziehen[96]). J. Chr. 1291.

cacis jactatione inaniter asserebant, se potius mortem pati quam fugere a conflictu quoquo modo. Vere non fugerunt a conflictu, quia numquam in conflictum intraverunt; sed intacti recedentes quos regebant relinquendo, effugerunt prae timore desperantes de seipsis, sicut credo, nec quaerentes quae in Deo firmarentur. Anon. de excid. Accon. p. 781.

95) Anon. de excid. Acconis p. 781, 782. (Nach diesem Schriftsteller wurde der Untergang des Schiffes, auf welchem sich der Patriarch befand, veranlaßt durch Flüchtlinge aus der Zahl der Kreuzfahrer, welche in das Haus der Templer sich zurückgezogen hatten und von dort entflohen.) Marin. San. p. 231.

96) Nach dem Anonymus de excid. Acconis II. 11. p. 780 waren es adhuc mille vel circiter Christiani, welche in das Haus oder die Burg der Templer sich zurückzogen; nach dem Chronicon S. Petri Erfurtense (p. 299) paene septem millia. Vgl. Herm. Corneri chron. p. 945. Nach Abulmahasen (bey Reinaud p. 571) betrug die Zahl dieser Christen wenigstens vier Tausend. Das Haus der Templer (im Chronicon ord. eq. Teutonici: der Templieren Borch), von welchem hier die Rede ist, war ohne Zweifel dasselbe, welches auf dem Plane des Marinus Sanutus

J. Chr. 1291. Als die Saracenen, welche durch das Thor des heiligen Antonius eingedrungen waren, in Ptolemais sich festgesetzt hatten, so drangen andere feindliche Scharen auch von anderen Seiten in die Stadt. Einige gelangten durch die Oeffnung, welche durch die Niederwerfung des neuen Thurms entstanden war[97]), zu der Vormauer und bemächtigten sich derselben, worauf sie vermittelst der von den Christen daselbst angebrachten steinernen Brücke die Hauptmauer erstiegen und in die Stadt herabkamen; andere erbrachen das Thor des heiligen Nikolaus, andere das Thor des Legaten, und andere erstiegen die Mauer an verschiedenen Orten vermittelst Sturmleitern[98]). Den noch übrigen wehrlosen christlichen Einwohnern von Ptolemais blieb, als die Saracenen mit schrecklicher Erbitterung und wildem Geschrey durch die Straßen der eroberten Stadt rannten, an mehreren Orten Feuer anlegten und jeden Christen, welchen sie innerhalb oder außerhalb der Häuser antrafen, erwürgten, kein anderes Mittel der Rettung als die Flucht über das Meer; aber nur wenigen war es möglich zu entkommen, weil zu wenige Fahrzeuge vorhanden waren, um die Flüchtlinge aufnehmen zu können, und durch den heftigen Sturm, welcher an diesem Tage auf dem Meere tobte, die kleinern Fahrzeuge verhindert wurden, den größern Schiffen sich zu nähern. Die meisten christlichen Flüchtlinge wurden von den nacheilenden Saracenen getödtet oder ertranken im Meere[99]). Die

von Ptolemais burgus Templi genannt wird.

97) S. oben S. 749. 750.

98) Marin. Sanut. p. 231 Jo. Iper. p. 771.

99) Marin. Sanut. und Jo. Iper. l. c. Epitome histor. bellor. sacror. p. 439. Herm. Corner. chron. p. 945 (Chron. ord. eq. Teuton. p. 760), wo noch eine Legende von einem unbekannten Schiffer, der viele Jungfrauen mit ihren Kleinodien nach Cypern brachte, als sie sonst kein Schiff finden konnten, mitgetheilt wird.

arabischen Geschichtschreiber betrachten es als eine wunder- J. Chr. 1291.
bare Fügung Gottes, daß die Moslims eben so an einem Freytage in der dritten Stunde des Tags die Stadt Ptolemais wieder eroberten, wie die Christen zur Zeit Saladins diese Stadt in der dritten Stunde eines Freytags in Besitz genommen hatten [100].

Nachdem die meisten christlichen Einwohner theils durch die Flucht sich gerettet hatten, theils getödtet worden waren, so blieb den Saracenen nur noch übrig, das befestigte Haus der Templer, die sogenannte Burg dieses Ordens, so wie auch die Häuser der Johanniter und deutschen Herren und einige andere feste Paläste, in welchen einzelne Haufen von Kreuzfahrern noch sich vertheidigten, zu überwältigen [101]. Als am folgenden Tage eine saracenische Schar Anstalten 19. Mai
machte, das Haus der Templer zu belagern: so erbot sich der Meister der Templer, Monachus Gaudini, welchen die zehn noch übrigen Tempelbrüder in der vorhergehenden Nacht zum Meister ihres Ordens erwählt hatten [102], das Haus unter billigen Bedingungen zu übergeben; und es wurde ein Vertrag geschlossen, in welchem der Sultan allen im Tempelhause befindlichen Christen freyen Abzug, die Erlaubniß, von ihrer fahrenden Habe so viel, als sie mit einem Male tragen könnten, mit sich zu nehmen und ungehinderte Ein-

100) Abulfedae annales mosl. T. V. p. 98. Abulmahasen bey Reinaud p. 571.

101) Nam licet tota civitas ad intra esset combusta, tamen adhuc turres urbis a multis nobilibus et fratribus ordinum illaesae tenebantur. Herm. Corneri chron. l. c. Vgl. Epitome historiae bellor. sacror. p. 439. Uebereinstimmend Abulfeda a. a. O. Nach Abulfaradsch (Chron. Syr. p. 305) begaben sich die Templer und andere vornehme Ritter in feste Häuser und stritten aus denselben. Nach Abulmahasen (bey Reinaud p. 570. 571) wurden von den Christen noch vier Thürme behauptet, welche den Templern, Johannitern und deutschen Rittern gehörten.

102) Anon. de excid. Acconis p. 782.

J. Chr. 1291. schiffung zugestand [103]). Hierauf sandte der Sultan den Christen als Zeichen seines Schutzes eine weiße Fahne, welche auf der Höhe des Tempelhauses aufgesteckt wurde [104]), und dreyhundert Türken besetzten dieses Haus, um darüber zu wachen, daß von den Christen nicht mehr fortgeschafft würde, als in dem Vertrage ihnen eingeräumt war [105]). Als aber die Thore des Tempelhauses geöffnet wurden, so drang das geringe Volk der Muselmänner in dasselbe ein, übte Raub und Plünderung, mißhandelte die christlichen Weiber und Knaben und schändete durch grobe Ausschweifungen der Sinnlichkeit sogar die Tempelkirche [106]). Die Christen erhoben zuerst eine Beschwerde über dieses ruchlose Betragen der Ungläubigen bey dem Meister der Templer; und als dieser erklärte, daß er nicht im Stande wäre zu helfen [107]), so verschlossen sie die Thore des Tempelhauses, warfen die Fahne des Sultans herab und erwürgten alle dreyhundert Türken, welche das Haus besetzt hatten [108]). Der Sultan

103) Anon. de excid. Acconis l. c. Vgl. Marin. Sanut. p. 231 cap. 22.

104) Abulmahasen bey Reinaud p. 571.

105) Anon. de excid. Accon. l. c.

106) Dum igitur navigium exspectant Christi, maledicti mulieres et pueros ad loca domus secretiora eisdem abusuri distrahere conabantur, turpibus ecclesiam obscoenitatibus cum nihil possent aliud maculantes. Anon. de excid. Acconis l. c. Vgl. Marin. Sanut. l. c. Lorsque les portes furent ouvertes, les musulmans s'y jetant en désordre, se disposèrent à piller la tour et à faire violence aux femmes qui s'y étoient réfugiées. Abulmahasen bey Reinaud a. a. O. „Die Moslims," sagt Abulfaradsch (Chron. Syr. p. 595. 596), „beredeten, als sie die Stadt erobert hatten, die Christen mit freundlichen Worten, ihre festen Häuser zu verlassen, indem sie versprachen, daß Niemand ihnen Leid zufügen, sondern es ihnen frey stehen sollte, mit ihren Weibern und Kindern abzuziehen, jedoch mit Zurücklassung ihrer Güter. Als aber die Thore geöffnet wurden, und sie die schönen Knaben und Mädchen der Christen erblickten, so legten sie an dieselben ihre Hände. Hierauf zogen die Franken, solches nicht ertragend, die Schwerter, und es kam zu einem Kampfe, in welchem von beyden Seiten Viele getödtet wurden."

107) Anonymus de excid. Acconis l. c.

108) Anon. de excid. Acconis und Abulmahasen a. a. O.

Aschraf ließ, als ihm dieser Vorfall gemeldet wurde, unver- J. Chr. 1291.
züglich die Belagerung des Tempelhauses wieder beginnen und es während eines ganzen Tages aus verschiedenen Wurfgerüsten beschießen [109]); und der Meister der Templer, als er ohne Erfolg sich bemüht hatte, von den Saracenen die Erneuerung des frühern Vertrages zu erlangen, verließ mit seinen Brüdern und einigen wenigen andern Christen in der Nacht das Tempelhaus, indem er von den noch vorhandenen Reliquien und andern Schätzen seines Ordens mit sich nahm, so viel er konnte, begab sich auf ein Schiff und fuhr nach
Cypern [110]). Als am Morgen des folgenden Tages die 20. Mai
übrigen unglücklichen Christen von dem Meister und den Brüdern des Tempels sich verlassen sahen, so sandten sie Botschafter an die Saracenen und baten um Gnade; und da der Sultan ihnen Sicherheit des Lebens und freyen Abzug verhieß, so öffneten sie die Thore des Tempelhauses. Kaum waren sie aber ausgezogen, so wurden sie auf Befehl des Sultans von den Saracenen überfallen, ihrer zwey tausend erwürgt und eben so viele gefangen, und ihre Weiber und Kinder wurden zu dem Zelte des Sultans gebracht.

109) Abulmahasen a. a. O. Nach dem Anon. de excid. Acconis wurde an diesem Tage die Belagerung des Hauses der Templer noch nicht begonnen, sondern der Sultan hatte sie erst für den folgenden Tag angeordnet. Nach Marinus Sanutus a. a. O. verbarg der Sultan im Anfange seinen Zorn und war selbst geneigt, die Friedenshandlungen fortzusetzen, worauf der Marschall der Templer mit einigen andern Christen zu ihm sich begab, aber enthauptet wurde. Hierauf zogen sich die Christen, welche im Tempel geblieben waren, zurück nach der Turris Magistri.

110) Anonymus de excidio Acconis (l. c.) schließt mit der Erwähnung der Flucht des Hochmeisters der Templer und der Brüder dieses Ordens seine Erzählung von der Belagerung des Tempelhauses und fügt die Worte hinzu: De his quidem qui in castro Templi remanserunt, ac ipsos in Dei dispensatione defendentes, nescitur certitudinaliter quid acciderit. Deus novit, nisi quia pie creditur pro sanctiori quod jure belli se vendiderunt.

J. Chr. 1291. Die arabischen Geschichtschreiber rechtfertigen diese grausame Wortbrüchigkeit durch die Behauptung, daß die Christen nicht nur nach dem Abschlusse des ersten Vertrages die dreyhundert Türken, welche als Besatzung in das Tempelhaus gelegt waren, tödteten, sondern auch einen Emir erschlugen, welcher von dem Sultan gesandt war, um den Frieden wieder herzustellen, außerdem auch vor ihrem Abzuge aus dem Tempelhause allen Lastthieren, welche sie zurückließen, die Sehnen der Füße abgeschnitten hatten, um sie unbrauchbar zu machen [xxx]). Die Wortbrüchigkeit des Sultans Aschraf

xxx) Abulmahasen bey Reinaud a. a. O. Vgl. Abulfeda l. c. p. 98. Nach dem Chronicon S. Petri Erfortense (p. 299) wurde das Haus der Templer vertheidigt gegen die Saracenen zwölf Tage. Nach Hermann Corner (p. 945 946) waren die Saracenen zum Theil sogar genöthigt, die Stadt wieder zu verlassen, als sie die Burg der Templer nicht bezwingen konnten. Als hierauf die Templer sahen, daß die Saracenen in den Minen, welche sie unter dem größern Thurme des Schlosses oder Hauses gemacht hatten, sich verborgen hielten und daselbst gegen Steine und andere Werkzeuge sicher waren: so untergruben sie selbst jenen größern Thurm und tödteten dadurch alle Saracenen, welche noch in der Stadt waren (majorem turrim castri suffoderunt et super minas et Sarracenos eam cadere fecerunt et sic indifferenter omnes mortui sunt intra urbem existentes). Dadurch geschreckt boten die Saracenen, welche außerhalb der Stadt waren, den Templern einen Vertrag an, nach welchem das Haus der Templer den Saracenen zur Verwüstung überantwortet, und den Templern freyer Abzug mit allen ihren Gütern zugestanden werden sollte (omnia bona sua deportarent securi de vita). Zugleich versprachen die Saracenen, die Christen, sobald die Burg zerstört seyn würde, nicht in der Wiederaufbauung und ruhigen Bewohnung von Ptolemais zu stören. Als die Templer durch diese Versprechungen sich bewegen ließen, die Burg und alle übrige Thürme zu übergeben, so erwürgten die Saracenen alle Christen mit Ausnahme einiger wenigen, welche sie als Gefangene nach Babylonien (Aegypten) sandten. Ohne Zweifel ist der Thurm, welchen nach dieser Erzählung des Hermann Corner die Templer selbst untergruben und niederwarfen, derselbe, von welchem im Verfolge unsers Textes nach dem Berichte des Abulmahasen die Rede ist. Marinus Sanutus nennt diesen Thurm Turris Magistri. Ottokar von Horneck (Kap. 448 p. 446—449) redet zwar, indem er den Abzug der geistlichen Brüderschaften aus Ptolemais beschreibt, von den Belagerungen der einzelnen Thürme oder Häuser, welche nach der Eroberung

hatte zwar die Folge, daß die Christen, welche in den übrigen J. Chr. 1291.
festen Häusern und Palästen sich noch vertheidigten, in keinen Vertrag sich einließen, sondern den Entschluß faßten, mit den Waffen in der Hand zu sterben; sie wurden aber nach und nach überwältigt [112]); und als die Saracenen eines jener festen Häuser bereits untergraben hatten und hierauf den Christen, welche in demselben sich befanden, freyen Abzug und Sicherheit des Lebens bewilligten, so stürzte dieses Gebäude in demselben Augenblicke ein, in welchem die Saracenen heranzogen, um davon Besitz zu nehmen; und die Christen, da sie dasselbe noch nicht verlassen hatten, starben sämmtlich eines kläglichen Todes unter den Trümmern [113]).

Als Aschraf endlich über die ganze Stadt Ptolemais herrschte, und der Kampf mit den Christen im Innern derselben ein Ende genommen hatte, so ließ der Sultan alle christlichen Männer, welche bey der Einnahme der Stadt dem Schwerte entgangen und in Gefangenschaft gerathen waren, erwürgen; „denn Gott," sagt ein arabischer Geschichtschreiber, „gestattete es, daß auf gleiche Weise, wie die Christen zur Zeit des Sultans Saladin den Vertrag gebrochen und die moslemische Besatzung von Ptolemais getödtet hatten, auch der Sultan Aschraf den Christen einen Vertrag zugestand und sie dennoch mit dem Tode strafte; und auf solche Weise züchtigte sie Gott am Ende für ihre Treulosig-

der Stadt von den Saracenen unternommen wurde; seine Erzählung ist aber weder deutlich noch vollständig und richtig.

112) Abulmahasen und Herm. Corner a. a. O.

113) Abulmahasen a. a. O. Vgl. oben Anm. 109. Im wesentlichen übereinstimmend mit Abulmahasen erzählt Marinus Sanutus l. c. Saraceni turrim suffoderunt trabibus sustentantes, et tunc, cum Christiani se redderent, tot Saraceni turrim ascenderunt, ut ruptis scalis ex pondere turrique ruente cum Christianis non solum qui intra sed etiam qui erant exterius Saraceni exstincti sunt.

J. Chr. 1291. keit[114])." Die Beute, welche die Saracenen in Ptolemais gewannen, war, obgleich die Christen während der vierzigtägigen Belagerung[115]) viele Güter und Schätze nach Cypern und andern Ländern in Sicherheit gebracht hatten, dennoch sehr beträchtlich; und nachdem die Saracenen die reiche Beute sich zugeeignet hatten, so ließ der Sultan Aschraf nach der von seinen Vorgängern angenommenen Weise die vorhin prachtvolle Stadt Ptolemais an allen Enden anzünden, die Mauern derselben abtragen, die Kirchen und festen Paläste niederreißen und überhaupt die Stadt dem Erdboden gleich machen[116]).

114) Abulmahasen bey Reinaud p. 572. Nach Hermann Corner (p. 946) betrug die Zahl der Christen, welche in Ptolemais getödtet wurden, 106000, nach Johann von Winterthur (p. 1763) 70000. Nach Hermann Corner retteten sich ungefähr 3000 Christen durch die Flucht. Die Zahl der Saracenen, welche während der Belagerung von Ptolemais erschlagen wurden, betrug nach Corner 300000. Ueber die von den Saracenen in Ptolemais begangenen Grausamkeiten s. Arsenius p. 1284, Ottokar von Horneck Kap. 450—452 p. 450—454, und Jacobi Vitodurani chron. p. 1763.

115) Nach der Berechnung sowohl von Makrisi bey Reinaud p. 572, als von Hermann Corner p. 944. Vgl. Thom. Ebendorffer p. 780. Genau genommen dauerte die Belagerung vom 5. April bis zum 18. Mai vier und vierzig Tage (wie der Papst Nikolaus IV. in seinem am 1. August 1291 zu Orvieto erlassenen Schreiben, so wie in dem Briefe an den König Philipp von Frankreich vom 23. August bey Rainaldus ad a. 1291 §§. 7. 20 richtig bemerkt); Arsenius (p. 1283) berechnet die Dauer der Belagerung nur zu sieben Wochen.

116) Post autem ab iis, qui per mare saepius se transferunt, visum est, quod ipsi Saraceni totam aequam solo deleverant civitatem (Acconis). Anon. de excid. Accon. p. 782. 783. Vgl. Abulfedae ann. mosl. T. V. p. 98. Abulfaragii chron. syr. p. 606. Makrisi bey Reinaud p. 572. Nach Makrisi wurde in einer Kirche von Ptolemais ein Grabdenkmal von rothem Marmor gefunden, und auf demselben eine Inschrift in griechischer Sprache des Inhalts, daß dieses Land durch ein Volk arabischen Stammes, welches durch das Licht der wahren Religion erleuchtet wäre, erobert werden würde, daß dieses Volk alle andere Völker besiegen, und dessen Religion die Herrschaft gewinnen würde, daß eben dieses Volk alle Provinzen des persischen und griechischen Reichs unterjochen und gegen das Jahr 700 der arabischen Zeitrechnung die Franken gänzlich vertilgen und deren Kirchen zerstören würde. Einige Zeilen dieser Inschrift waren verlöscht, die übrigen wurden dem

Der Verlust von Ptolemais erregte eine so allgemeine J. Chr. 1291.
Bestürzung und Verzweiflung unter den Christen, welche
bis dahin noch einzelne syrische Städte und Burgen behauptet hatten, daß sie jeden fernern Widerstand gegen die Macht
des Sultans Aschraf für unnütz achteten. Schon am Abende
des Tages, an welchem Ptolemais von den Saracenen er- 18. Mai
obert wurde, schifften die bisherigen fränkischen Bewohner
von Tyrus sich ein und überließen diese wichtige Stadt den
Saracenen, welche am andern Tage davon Besitz nah- 19 Mai
men [117]). Die Templer, welche aus Ptolemais entflohen
waren und nach Sidon sich begeben hatten, machten zwar
Anstalten, diese Stadt zu vertheidigen, und befestigten die dortige auf einer Insel liegende Burg; als aber der Emir
Schadschai [118]), welchem der Sultan Aschraf die Beendi-

Sultan vorgelesen und setzten ihn in Erstaunen. Makrisi führt hierauf einige Verse an, in welchen die Vertreibung der Christen aus Syrien vorhergesagt wurde. Diese Verse, welche bey Rainaud p. 573. 574 arabisch und in französischer Uebersetzung sich finden, hatte der Scheich Scherfeddin Busiri, Verfasser des Gedichtes, welches den Namen Bordah führt, aus dem Munde eines Mannes, der ihm im Traume erschien, gehört zu der Zeit, als der Sultan zur Belagerung von Ptolemais auszog; sie sind aber sehr unerheblich. Nach dem Chronicon ord eq. Teuton. p. 763 hielt der Sultan zu Ptolemais nach der Zerstörung der Stadt noch 60 oder 80 Söldner zur Bewachung, welche gegen die dahin kommenden deutschen Pilger, die sie an ihrem Gange erkannten, freundlich sich betrugen, ihnen sicheres Geleit gaben und mit denselben wider das Verbot ihres Gesetzes Wein zu trinken pflegten.

117) Marin. Sanut. p. 231 (cap. 22). Jo. Iper. p. 771. Epitome histor. bellor. sacr p. 469. Auch nach Abulfeda (T. V. p. 98) entflohen die Franken aus Tyrus. Nach dem Chronicon S. Petri Erfurtense (p. 299): Acquisita civitate Acconensi Soldanus obsedit civitatem Tyri, quae infra paucos dies a Saracenis similiter capta fuit. Nach Abulfeda fiel die Einnahme von Sidon, Berytus und Tyrus (in dieser Ordnung werden diese Städte genannt) in den Monat Radscheb 690 (vom 30. Jun. bis zum 29 Jul. 1291). Nach Abulmahasen (bey Reinaud p. 575) dauerte die Zerstörung der christlichen Herrschaft in Syrien noch ungefähr einen Monat; und diese chronologischen Angaben des Abulfeda scheinen daher eben so wie die oben (Anm. 33) bezeichneten um Einen Monat zu spät zu fallen.

118) Abulfeda l. c. Bey Marinus Sanutus: Segei.

J. Chr. 1291. gung des Krieges wider die Christen übertragen hatte, zu Laodicea Schiffe ausrüstete, um Sidon zu Lande und zur See zu belagern: so verzagten die Templer und entwichen zuerst nach Tortosa, dann nach Cypern, und die Burg von Sidon wurde von dem Emir Schadschai geschleift [119]). Den christlichen Bewohnern von Berytus [120]) sagte dieser Emir, als sie zu ihm sandten und seinem Schutze sich empfahlen, zwar die Fortdauer des Waffenstillstandes zu, welchen ihnen der Sultan bewilligt hatte; aber zugleich forderte er sie auf, ihm vertrauensvoll entgegen zu kommen, als er ihrer Stadt sich näherte. Da sie diesen Zusicherungen trauten und in feyerlichem Zuge den Emir außerhalb ihrer Stadt empfingen: so wurden sie alle theils getödtet, theils gefesselt; worauf der Emir sowohl der Stadt als der Burg von Berytus sich bemächtigte und beyde zerstörte [121]). Als aber die gefangenen Einwohner von Berytus nach Aegypten geführt wurden, so erweckte das Schicksal dieser unglücklichen Christen das Mitleid des Sultans, und es wurde ihnen die Wahl freygestellt, entweder nach Berytus zurückzukehren oder nach Cypern sich zu begeben; und die meisten wählten das letztere [122]). Nach wenigen Wochen wurde auch die Burg Atslits oder das Schloß der Pilger von den Christen verlassen und von den Saracenen zer-

119) Marin. Sanut. p. 231.

120) Baructus habebat suum principatum per se et vocabatur dominus Baructi qui occisus fuit in Cypro MCCCX (der Connetable Guido, s. Reinhard, Gesch. von Cypern I. S. 230) et erat frater Regis Cypri. Ptolem. Lucens. XXIV. 24. p. 1197.

121) Marin. Sanut. p. 232. Epitome hist. bell. sacr. p. 459. Im allgemeinen übereinstimmend Makrisi bey Reinaud p. 573: „Ein muselmännischer Emir kam nach Berytus, um Besitz von der Stadt zu nehmen; die Einwohner kamen ihm entgegen und bewiesen ihm große Unterwürfigkeit, worauf er friedlich der Stadt sich bemächtigte, die Männer zu Gefangenen machte und die Greise, Weiber und Kinder mit Fesseln beladen zuerst nach Damascus, dann nach Aegypten sandte."

122) Makrisi a. a. O.

stört [123]); und als die Kreuzfahrer diese Burg und nach J. Chr. 1291. wenigen Tagen auch Tortosa verlassen hatten, so war das ganze heilige Land für die abendländische Christenheit verloren, und die wenigen lateinischen Christen, welche in Syrien blieben, wurden eben so wie ihre morgenländischen Glaubensgenossen zinsbare Unterthanen des Sultans von Aegypten [124]).

Der Sultan Aschraf feierte die Eroberung von Ptolemais durch einen glänzenden Einzug in Damascus. Die gefangenen Christen wurden vor ihm gefesselt an den Füßen auf Pferden geführt; von den Soldaten der Scharen, welche an diesem Einzuge Theil nahmen, trugen einige in ihren Händen christliche Paniere, jedoch umgekehrt, andere auf Lanzen die Köpfe getödteter Kreuzfahrer. Die Straßen der Stadt waren mit Teppichen geschmückt, und eine unermeßliche Zahl von Bewohnern der benachbarten Städte und Ortschaften war nach Damascus geeilt, um den Siegeszug zu schauen [125]). Einen großen Theil der Beute von Ptolemais verwandte Aschraf theils zur Begründung frommer Stiftungen, theils zur Ausschmückung der Grabdenkmäler, welche er sowohl für seinen Vater als für sich selbst erbaute [126]). Zu Damascus verweilte der Sultan so lange, bis die Zerstörung

123) Marin. Sanut. p. 232. Nach Abulfeda a. a. O. wurde Atlits am 1. Schaban 690 (30. Jul. 1291) und am 5. desselben Monats (3. August) Tortosa von den Moslims eingenommen. Auffallend ist die Behauptung des Chronicon S. Petri Erfurtense (p. 299): Sic Soldanus totam terram ultramarinam, quam Christiani habuerant, occupavit, exceptis Insula Cypri et duobus castris scilicet castro Peregrini et castro Sidonis, quae adhuc retinent Christiani. Ottokar von Horneck erwähnt unter diesen letzten Begebenheiten nur der Einnahme und Zerstörung von Chastpilgrim („das was auch ein schöne Stadt") und Süders (Sidon) durch den Sultan. Kap. 453 S. 454. Vgl. Thom. Ebendorffer p. 781.

124) Makrisi bey Reinaud p. 578.

125) Abulmahasen bey Reinaud p. 575.

126) Nuwairi bey Reinaud p. 574. 575.

J. Chr. 1291. der christlichen Herrschaft in Syrien durch den Emir Schadschai vollendet war. Dann kehrte er nach Kahirah zurück und hielt daselbst einen noch glänzendern Siegeszug als zu Damascus[127]). „Diesem Sultan," sagt Abulfeda, „wurde ein Glück zu Theil, welches keinem andern war gewährt worden, daß er so viele große und feste Städte ohne Kampf und Mühe sich unterwarf und verwüsten ließ, wodurch ganz Syrien wieder für den Islam gewonnen und auf eine unerwartete Weise von den Franken gereinigt wurde, welche schon darauf gedacht hatten, Aegypten, Damascus und alles übrige syrische Land zu unterjochen[128])."

Als die Nachricht von dem Verluste des heiligen Landes nach dem Abendlande gelangte, so wurde ein heftiges Geschrey gegen den Papst und die Geistlichkeit erhoben. Wenn auch weder die Pilger, welche Augenzeugen des Unglücks von Ptolemais gewesen waren und in ihre Heimath zurückkehrten, noch die in Syrien ehemals angesiedelten lateinischen Christen, welche im Abendlande Zuflucht suchten[129]), es läugnen konnten, daß der Verlust von Ptolemais zunächst die Folge der Uneinigkeit war, welche unter den Anführern und

127) Abulmahasen bey Reinaud p. 575. Vgl. Abulfeda l. c. p. 100.

128) Abulfeda l. c. p. 98.

129) Viele der Christen, welche das heilige Land verließen, als es in die Gewalt der Saracenen fiel, begaben sich zwar nach Cypern (s. Siffridi Presbyteri epitome ad a. 1291 in Pistorii Scriptor. rer. Germ. ed. Struv. T. I. p. 1050); doch läßt es sich wohl nicht bezweifeln, daß manche in Syrien bis dahin angesiedelte Christen nach dem Abendlande sich wandten, wenn auch darüber bey den Geschichtschreibern keine ausdrückliche Nachricht vorhanden ist. Ottokar von Horneck (Kap. 449 p. 450) spricht jedoch über das Schicksal der Christen, welche aus Akers entflohen, also: „Do sew (sie) von dannen mußten scheiden Und Akers lassen den Heiden, Do sew (sie) pflegen großer Ehrn, Welchen End sie nu kehrn, Das will ich eu (euch) sagen. Etleich komen in kurzen Tagen Hinz (hin zu) Peis (Pisa) und Janow (Genua) gefahrn; Etwaz aber der Brüder war'n, Die kehrten nach ihr Muth Swar je den Meisier dunket gut, Und dar in trug sein Sinn Da kehrten sie hin."

Hauptleuten der Kreuzfahrer geherrscht hatte [130]), und daß die Einwohner der reichen Stadt durch ihre Ueppigkeit und Lasterhaftigkeit das göttliche Strafgericht, welches über sie ergangen war, sich zugezogen hatten [131]): so wurde dennoch die Anschuldigung ausgesprochen, daß der Papst, die Cardinäle und alle übrige Prälaten nicht weniger als die Könige, Fürsten, Barone und Ritter einer strafbaren Fahrlässigkeit sich schuldig gemacht hätten, indem von ihnen die unglückliche Stadt Ptolemais einsam und verlassen, wie ein Schaf unter Wölfen, den Feinden des christlichen Glaubens preisgegeben worden sey [132]). Die Vorwürfe, welche dem Papste J. Chr. 1291.

130) Unsere obige Erzählung des Verlustes von Ptolemais giebt hinlängliche Beweise von der Zwietracht, durch welche die Anwendung zweckmäßiger Maßregeln zur Vertheidigung der Stadt gehindert wurde, und alle Chroniken klagen über die Uneinigkeit der Gewalthaber von Ptolemais. Causa autem captionis Achon, sagt Ptolemäus von Lucca (Hist. eccles. XXIV. 23. p. 1196) fertur duplex. Una fuit diversitas voluntatum in dominis, quia non simul concordabant in regimine sive defensione terrae. Erant autem ibidem sex vel septem domini, videlicet templarii, hospitalarii, theutonici, consul Pisanus, Rex Cypri, Rex Carolus, item patriarcha. Propter hanc igitur diversitatem Soldanus invalescit ad expugnandum civitatem, cum tamen inexpugnabilis diceretur. Secunda (causa) fuit stultitia crucesignatorum. Uebrigens ist es übertrieben, wenn Villani (Historie fiorentine VII. 144 p. 337) sagt, daß in Ptolemais siebzehn Gerichte über Leben und Tod erkannten (haveano 17 signorie di sangue), was im Widerspruche steht mit der oben Kap. XI S. 557 folg. entwickelten Gerichtsverfassung des Königreichs Jerusalem. Vgl. Annales Henrici Steronis (in Canisii lection. antiq. T. IV p. 209 und Freheri Scriptor. rer. Germ. ed. Struve T. I, p. 574) ad a. 1291 und viele andere Chroniken.

131) Jordani Chron. apud Rainaldum ad a. 1291 §. 7 und viele andere Chroniken.

132) Anon. de excid. Acconis II. 15. p. 783. 784. Dieser Schriftsteller erhebt, nachdem er diese Anschuldigung ausgesprochen hat, bittere Klagen über die zu seiner Zeit herrschende Prachtliebe der geistlichen und weltlichen Großen, welche von den Gütern des Gekreuzigten, die zu frommen Zwecken verwandt werden sollten, Thürme und hohe Paläste (aulas summas) bauen und dieselben mit kostbaren Gemälden schmücken (picturarum pretiosarum varietate exornant), fleischlichen Lüsten und der Habsucht ergeben sind, ihre Unterthanen durch Erpressungen quälen, den Frieden ihrer Nachbaren stören und die Belustigung der Jagd höher ach-

J. Chr. 1291. Nikolaus dem Vierten gemacht wurden, waren aber keinesweges gegründet; denn Nikolaus hatte es an Ermahnungen zur Bewaffnung für das heilige Land nicht fehlen lassen, und es war nicht seine Schuld, daß ihn der König Eduard von England mit Versprechungen hinhielt, und daß die übrigen abendländischen Könige eben so wenig als die Fürsten und Ritter geneigt waren, Gut und Blut für die Wiedereroberung eines Landes darzubringen, das während der zwey Jahrhunderte, in welchen die abendländische Christenheit den Besitz desselben durch beyspiellose Anstrengung errungen und ungeachtet aller Aufopferungen nicht zu behaupten vermocht

ten als die Erfüllung der ihnen obliegenden Pflichten (Alii primo juventutis flore vigentes nobilissimam rationem aut vilitate vitiorum et mollitie animi lacessitam aut cursibus quasi continuis post feras insistendo cum canibus tota die cornicinantes ut vilem capiant avem aut cervulum scabiosum, irritant et hebescunt, sui principatus gubernacula in sui culminis vilipensionem negligendo, non solum corpus et familiam fatiscentes, sed mortis periculis exponendo). Der Mönch Arsenius hatte die Kühnheit, dem Papste Nikolaus IV. zu sagen: Utinam (solers Christianorum Acon sedulitas) notos tibi melius fecisset, quod forte super ultramarinorum salute saniori consilio providisses; sed mentem tuam adeo cura Siciliae torpuit, circa cujus recuperationem toto cordis affectu et excogitatae studio solicitudinis anhelabas, quod licet haec sciveris, circa mundi totius discrimina singula dormitabas, sic quod invalescente perfidia Babylonis a tua desidia, furor Aegyptius saeviit, ac elevatis saevis ad coelos clamoribus viam illi per deserta jam subeunt; und weiter unten (p. 1183) fügt Arsenius noch hinzu: Visum est propter peccata populi et Romanae sedis inconstantiam miserorum preces Deum non sumere, sed ut corripias temet ipsum, eos Deus deseruit filiis pravitatis. Ottokar von Horneck, so wie er den Cardinal Nikolaus als den Anstifter des Unglücks von Ptolemais mit Schmähungen überhäuft, eben so schiebt er an mehreren Stellen die Schuld von dem Verluste des heiligen Landes auf den Papst, z. B. Kap. 448 S. 447, wo er mit seinen Anklagen sogar bis zu Constantin dem Großen, als dem Begründer der weltlichen Macht des Papstes, zurückgeht: „Constantin, nu sich an, Hättest du zu Latran Den Papst den Salter lassen lesen Und den Kaiser gewaltig wesen Als er vor deinen Zeiten was, So wär' unser Spiegelglas Akers die werth Stadt Nicht verlohren so drat (schnell)" u. s. w.

hatte, der Sitz fortwährender Parteyungen und Streitigkeiten, ja selbst der empörendsten Lasterhaftigkeit gewesen war. J. Chr. 1291. Die Ermahnung zur Errettung des heiligen Landes, welche Nikolaus, den der Verlust des Landes der Verheißung auf das schmerzlichste betrübte [133]), an den König Philipp den Vierten von Frankreich erließ, nachdem er den Verlust von Ptolemais und Tyrus erfahren hatte, [134]), blieb unter diesen Umständen ohne Erfolg; und die französischen Erzbischöfe, welche der Papst flehentlich bat [135]), ihm zu rathen, was für die Errettung des Erbtheils Christi geschehen könnte, und die Barone, die Ritter und das Volk zur Bewaffnung für den Heiland zu ermuntern, besprachen sich zwar auf Synoden mit den Bischöfen, Aebten und andern einsichtsvollen Geistlichen, gaben aber zur Antwort: daß das Predigen des Kreuzes so lange vergeblich seyn würde, als die christlichen Fürsten einander selbst bekriegten, und die Griechen, Aragonier und Sicilier den Frieden in der Christenheit störten; der Papst möge deshalb zuvörderst die Ruhe und Einigkeit unter den Christen wiederherstellen und erst, wenn solches geschehen wäre, Kreuzpredigten anordnen [136]). Eben so unwirksam waren die Briefe, in welchen Nikolaus die Genueser und Venetianer aufforderte, ihre Streitigkeiten ruhen zu lassen,

133) Dominus Papa et domini Cardinales, audita tanta desolatione terrae sanctae et Christianitatis, planctum maximum fecerunt et fuerunt gravissime perturbati. Propter quod quasi omni die faciunt consistorium, tractantes et quaerentes consilia, qualiter illi terrae sanctae debeat subveniri. Creditur a plerisque quod ordinari debeat de celebrando concilio generali. Chronicon S. Petri Erfurtense p. 299. 300.

134) Schreiben des Papstes an den König Philipp den Schönen von Frankreich, Orvieto am 23. August 1291, bey Rainaldus ad a. 1291 §. 20 — 22. Nikolaus erwähnt in diesem Schreiben nur des Verlustes von Ptolemais und Tyrus; der Verlust des übrigen heiligen Landes war ihm also damals, als er das Schreiben erließ, noch nicht bekannt.

135) Humiliter exoravit.

136) Guil. de Nang. chronicon p. 49.

J. Chr. 1291. Flotten nach Syrien zur Bekämpfung der Ungläubigen zu senden, jeden Verkehr mit den Ländern des Sultans von Aegypten aufzuheben und am wenigsten den Saracenen Waffen oder andere Kriegsbedürfnisse zu verkaufen. Obgleich der Papst in diesem Schreiben den Wunsch aussprach, daß genuesische und venetianische Botschafter an seinen Hof kommen möchten, um unter seiner Vermittlung die Bedingungen eines dauernden Friedens zwischen den beyden streitenden Handelsstaaten festzustellen und an den Berathungen über die Wiedereroberung des heiligen Landes Theil zu nehmen [137]): so setzten dennoch die Genueser nicht minder als die Venetianer die gegenseitigen Feindseligkeiten fort, leisteten der Aufforderung zum Kriege gegen die Ungläubigen nicht Folge und schätzten den Gewinn, den ein friedlicher durch mancherley Begünstigungen von Seiten der muselmännischen Fürsten beförderter Verkehr mit den Saracenen ihnen gewährte, höher als den Ablaß und alle andere Vortheile, welche der Papst den Kreuzfahrern zusagen konnte. In Deutschland hatte die Aufforderung des Papstes zur Hülfe für das heilige Land keinen andern Erfolg, als daß die Bischöfe, welche der Erzbischof von Salzburg als Legat des apostolischen Stuhls auf einer Synode versammelt hatte, den Beschluß faßten, den deutschen König Rudolph und sämmtliche deutsche Fürsten zur Unternehmung einer Kreuzfahrt nach dem heiligen Lande zu ermuntern; und dieselben Bischöfe billigten die schon auf der Kirchenversammlung zu Lyon im Jahre 1274 besprochene und von Nikolaus dem Vierten aufs neue in Vorschlag gebrachte Vereinigung der Brüderschaften des Tempels und Hospitals zu einem einzigen Ritterorden als eine heilsame Maßregel um so mehr, da man den Verlust

137) Schreiben des Papstes an die Genueser und Venetianer vom 10. August 1291 bey Rainaldus ad a. 1291 §. 23—29.

von Ptolemais als eine Folge der verderblichen Zwietracht J. Chr. 1291.
dieser beyden Brüderschaften betrachtete [138]). Gleichzeitig ermahnte Nikolaus den tatarischen Chan Argun, welcher durch einen Botschafter [139]) sowohl dem päpstlichen Hofe als dem Könige Eduard von England seine Bereitwilligkeit, gemeinschaftlich mit einem christlichen Heere den Sultan von Aegypten zu bekriegen, kund gethan hatte, endlich gemäß seiner oftmals wiederholten Verheißung, die Taufe zu empfangen, und dann durch die Wiedereroberung des Erbtheils Christi seinen Eifer für den christlichen Glauben zu beweisen [140]). An den griechischen Kaiser Andronicus und die Könige von Armenien, Iberien und Georgien ergingen ebenfalls päpstliche Schreiben mit der Ermahnung, das heilige Land den Händen der Ungläubigen zu entreißen [141]); und um die christlichen Fürsten, welche er zur Unternehmung einer Kreuzfahrt aufgefordert hatte, durch sein eigenes Beyspiel anzuspornen, sandte Nikolaus zwanzig auf seine Kosten ausgerüstete Schiffe nach Cypern, welche daselbst mit funfzehn Schiffen des Königs Heinrich sich vereinigten und eine Fahrt nach der Küste von Kleinasien [142]) und nach Alexandrien

138) Chron. Salisburgense in Canisii lectionib. antiq. T. V (T. III Pars II) p. 489. Eberardi de Nahe annales in Canisii lectionib. antiq. T. VI. p. 222. Rainald. l. c. §. 29. 30. Der Erzbischof von Salzburg übersandte um diese Zeit an den Bischof von Regensburg ein päpstliches Schreiben, in welchem alle diejenigen, welche das Kreuz nehmen würden, die Anweisung erhielten, der großen Meerfahrt, welche der König Eduard von England um St. Johannistag unternehmen würde, sich anzuschließen. Ein päpstliches Schreiben desselben Inhalts erging auch an den Erzbischof von Rheims. Rainaldus l. c. §. 31.

139) Chaganus orator.

140) Schreiben des Papstes an den Chan Argun, Orvieto 23. August 1291, bey Rainaldus ad a. 1291 §. 32. Vgl. Abel-Remusat second mémoire sur les relations politiques des princes chretiens avec les empereurs mogols p. 381—385.

141) Rainaldi ann. eccles. l. c. §. 32.

142) Ad castrum vocatum Quandelor.

J. Chr. 1291. unternahmen, jedoch keine Gelegenheit fanden, den Saracenen zu schaden [143]). Alle Bemühungen des Papstes für das heilige Land blieben fruchtlos; kein christlicher Fürst war geneigt, die Wiedereroberung des heiligen Grabes zu versuchen, und es würde auch kaum möglich gewesen seyn, in Syrien, nachdem die Sultane Bibars, Kalavun und Aschraf fast alle haltbaren Plätze zerstört hatten, wieder festen Fuß zu gewinnen. Als Nikolaus der Vierte am Sonnabende vor Ostern, dem fünften Tage des Aprils 1292, starb [144]), da war noch nirgends ein Heer von Kreuzfahrern versammelt; und dem Könige Eduard von England, welcher bisher sein Kreuzgelübde nur benutzt hatte, um eine Geldverwilligung nach der andern aus dem Ertrage des Zehnten der kirchlichen Einkünfte zu fordern [145]), war die lange Erledigung des apostolischen Sitzes nach dem Tode des Papstes Nikolaus sehr gelegen, um der Erfüllung seines Gelübdes sich zu entziehen und Geld, Waffen und Mannschaft, welche er unter dem Vorwande der Kreuzfahrt zusammen gebracht hatte, zum Kriege gegen den König von Frankreich zu gebrauchen [146]).

Die nächsten Nachfolger des Papstes Nikolaus des Vierten betrachteten zwar die Wiedereroberung des heiligen Landes als ein Ziel, welches sie pflichtmäßig zu verfolgen hätten, und noch in den ersten Jahrzehnten des vierzehnten Jahrhunderts zeigten sich einzelne Spuren einer Begeisterung

143) Marini Sanuti secreta fidelium crucis Lib. III. Part 13 cap. 1 p. 237. Diese Unternehmung gab wahrscheinlich die Veranlassung zu dem Gerüchte, welches die annales Colmarienses (ad a. 1290 in Urstisii Script. rer. Germ. T. II. p. 25) mittheilen: Papa Nicolaus misit in adjutorium terrae sanctae LX millia militum propriis expensis.

144) Rainaldi ann. eccles. ad a. 1292 §. 17.

145) Rainald. l. c. §. 6—13.

146) Guil de Nangiaco chron. ad a. 1292 p. 40.

für die ehemals so allgewaltige Idee, daß die Ehre der abendländischen Christenheit es fordere, das Vaterland des Erlösers von der Herrschaft der Ungläubigen zu befreyen; aber diese Begeisterung beschränkte sich auf einzelne empfänglichere Gemüther und fand keine allgemeine Theilnahme. Als im Jahre 1300 der tatarische Chan Kasan in Syrien eingedrungen war und Damascus erobert hatte[147]), und der König von Cypern im Begriff stand, den Mogolen zum gemeinschaftlichen Kriege wider den Sultan von Aegypten sich anzuschließen: so wurden neun edle genuesische Frauen von einer solchen Begeisterung für das heilige Land ergriffen, daß sie auf ihre Kosten eine Flotte ausrüsteten, ihre Edelsteine und andern Schmuck verkauften, um diese Kosten zu bestreiten, und einige derselben selbst das Kreuz nahmen und Waffen anlegten, um an dem Kampfe für den Heiland Theil zu nehmen[148]); und viele andere genuesische Frauen waffneten sich ebenfalls, um als Kämpferinnen Christi nach Syrien sich zu begeben. Als aber diese Flotte, unter deren Hauptleuten Benedictus Zacharias, welcher seinen Namen schon den Saracenen furchtbar gemacht hatte, sich befand[149]), im Jahre 1301 segelfertig war, so hatten die Tataren ihre syrischen Eroberungen schon wieder verlassen; und auch Amalrich, der Bruder des Königs Heinrich von Cypern, war mit den Großmeistern der Templer und Hospitaliter erst dann nach Tortosa gekommen, als Syrien schon von den Tataren wieder geräumt war[150]). Bald hernach

147) Abulfedae Ann. mosl. ad a. 699 T. V p. 162 sq. Marin. Sanut. p. 239. 240.

148) Die Namen dieser neun Frauen waren: A. de Carmendino, J. de Gisulfi, M. de Grimaldi, C. Franera, A. Doria, S. Spinula, S. und P. de Cibo, P. de Carl. Rainald. ad a. 1301 §. 33.

149) Rainald. l. c. §. 34. Ueber Benedictus Zacharias s. oben Kap. 21 S. 703. 714 folg.

150) Marin. Sanut. p. 242.

im Jahre 1302 setzten die Templer auf der Insel Aradus, der Stadt Tortosa gegenüber, sich fest, erbauten daselbst einen haltbaren Thurm und unternahmen von dort aus Streifzüge auf die benachbarte Küste; aber schon in demselben Jahre wurde diese Insel von einer zahlreichen Flotte des Sultans von Aegypten angegriffen; und da die Templer nicht im Stande waren, einer so überlegenen Macht zu widerstehen, so übergaben sie den von ihnen erbauten Thurm, indem sie freyen Abzug sich ausbedangen. Die Saracenen hielten jedoch diesen Vertrag nicht, sondern tödteten einen Theil der Christen, welche sie auf der Insel fanden, und führten die übrigen gefangen nach Aegypten; worauf die von den Templern angelegten Befestigungen zerstört wurden[151]). Im Jahre 1308 sammelten sich in mehreren christlichen Ländern[152]) zahlreiche Haufen geringen Volks, welche bewaffnet und mit Panieren von Ort zu Ort zogen, den Weg nach Avignon nahmen und vorgaben, daß ihre Absicht wäre, eine Meerfahrt zu unternehmen und das heilige Land wieder zu erobern; ihre Armuth nöthigte sie aber, zu betteln und, als ihnen Allmosen verweigert wurden, zu rauben und zu stehlen; durch grausame Verfolgung der Ju-

151) Marin. Sanut. l. c. Vgl. Abulfedae ann. mosl. ad a. 702 T. V. p. 180. Nach Marinus Sanutus wurden 120 von der Miliz der Templer gefangen nach Babylon geführt, 500 arcerii und 300 des geringen Volks wurden getödtet. Abulfeda bezeichnet den ersten Monat des Jahrs 702 (vom 25. August bis zum 24. September 1302) als die Zeit, in welcher der Emir Saifeddin Asandemar Alkordschi, damaliger Statthalter von Syrien, diese Eroberung ausführte, erwähnt aber des von den Saracenen gebrochenen Vertrages nicht.

152) Anno MCCCVIII fit in tota Christianitate quasi quaedam commotio et ad terrae sanctae peregrinationem quaedam devotionis ostensio, sagt das Chronicon Wilhelmi Monachi et Procuratoris Egmondani in Matthaei veteris aevi analectis T. II p. 577; die Bewegung scheint sich jedoch auf Frankreich und die Niederlande beschränkt zu haben.

den und andere Frevelthaten verscherzten diese Scharen die Begünstigung, welche anfangs der König von Frankreich ihnen gewährte, erregten durch ihr ruchloses Betragen den Zorn des Papstes Clemens des Fünften und endigten eben so als ähnliche Scharen in den ersten Zeiten der Kreuzzüge mit einem schmählichen Untergange[153]). Der Papst Clemens der Fünfte, welcher überhaupt mit großer Thätigkeit sich bemühte, einen neuen Kreuzzug zu bewirken, machte die Errettung des heiligen Landes zu einem der Hauptgegenstände, welche auf der Kirchenversammlung zu Vienne im Jahre 1312 verhandelt wurden, und der römische König Heinrich der Siebente so wie die Könige Philipp der Schöne von Frankreich, dessen Sohn Ludwig von Navarra und Eduard von England versprachen damals das Kreuz zu nehmen, worauf die Erhebung des Zehnten von allen kirchlichen Gütern zum Besten des heiligen Landes für sechs Jahre, und die Verkündigung des Kreuzes in Deutschland, Frankreich und England angeordnet wurden[154]). Als im folgenden Jahre 1313 der König Eduard von England nach Paris kam, so nahmen mitten unter glänzenden Festlichkeiten die drey daselbst versammelten Könige von England, Frankreich und Navarra aus den Händen des päpstlichen Legaten Nikolaus das Zeichen des Kreuzes, viele Barone und Ritter folgten ihrem Beyspiele, und selbst Frauen und Jungfrauen gelobten, die Ritter auf der Kreuzfahrt zu begleiten[155]); und im Sommer des Jahrs 1316 kam der Patriarch Peter

153) Chronicon Wilhelmi Monachi l. c. p. 577. 578.

154) Rainaldi ann. eccles. ad a. 1312 §. 22. 23.

155) Guil. de Nangiaco chron. ad a. 1313 p. 66. Amalrici vita Clementis V in Muratori Script. rer. Ital. T. III. Pars 2. p. 449. Vgl. Michaud hist. des crois. T. V. p. 221. 222.

von Jerusalem als päpstlicher Legat nach Paris und verkündigte Anordnungen wegen eines Kreuzzugs, welchen eine große Zahl von französischen Baronen und Rittern am nächstfolgenden Pfingstfeste anzutreten versprochen hatte [156]); keiner aber derer, welche damals durch das Kreuzgelübde zur Meerfahrt sich verpflichtet hatten, dachte ernstlich daran, seine Verbindlichkeit zu erfüllen. Das Aufsehen, welches durch das seit dem Jahre 1307 wider die Templer von Clemens dem Fünften verhängte Rechtsverfahren in der ganzen Christenheit erregt wurde, begünstigte keineswegs die damaligen Bemühungen des päpstlichen Hofes für die Befreyung des heiligen Landes. Wenn auch in den nachfolgenden Jahren in den Häfen von Genua, Venedig oder Pisa Ausrüstungen von Schiffen zum Kriege gegen die Ungläubigen angefangen wurden, so kamen die beabsichtigten Unternehmungen entweder gar nicht zu Stande, oder beschränkten sich auf unbedeutende Raubzüge; und die nochmaligen Rüstungen der Johanniter zur Befreyung des heiligen Landes hatten keine andere Wirkung, als die Festsetzung dieses Ritterordens auf der Insel Rhodus im Jahre 1310. Ohnehin wurde die Aufmerksamkeit der abendländischen Fürsten schon seit dem dritten Jahrzehende des vierzehnten Jahrhunderts auf die drohende Stellung, welche die Türken in Kleinasien genommen hatten, und deren wiederholte Uebergänge nach den europäischen Ländern des griechischen Kaiserthums gerichtet [157]) und dadurch noch mehr als zuvor von dem heiligen Lande abgelenkt. Mitten unter den Besorgnissen, welche die wachsende Macht der osmanischen Türken erregte, ließ jedoch der Papst Innocenz der Sechste durch den Bischof Peter Thomasius

156) S. Beyl. IV.

157) S. Jos. v. Hammer Geschichte des osmanischen Reichs Th. I. Buch IV. S. 120 folg.

von Patto, nachherigen Patriarchen von Constantinopel, an dem Hofe des Königs Ludwig von Ungarn und zu Venedig das Kreuz predigen und die Wiedereroberung von Jerusalem als die dringendste Pflicht der Christen darstellen; die Ermahnungen des gelehrten Bischofs wurden zwar mit Wohlgefallen angehört, bewirkten aber keine Bewaffnung zur Befreyung des heiligen Landes[158]).

Während die Päpste sich für verpflichtet achteten, von Zeit zu Zeit ihre erfolglosen Bemühungen für die Sache des heiligen Landes zu erneuern, traten auch einzelne Männer aus dem geistlichen und weltlichen Stande auf, welche aus eigenem Antriebe jene Bestrebungen der Päpste unterstützten und ihre Zeitgenossen für eine so heilige Sache zu begeistern sich bemühten. Der berühmte Raimundus Lullus, welcher nicht ohne Antheil an dem vorhin erwähnten Entschlusse der genuesischen Frauen, das Kreuz zu nehmen, gewesen war und an den Verhandlungen der Kirchenversammlung zu Vienne wegen einer neuen Kreuzfahrt lebhaften Antheil genommen, vornehmlich daselbst die Vereinigung der Brüderschaften des Tempels und Hospitals in Einen Ritterorden durchzusetzen sich bemüht hatte, suchte der Sache des heiligen Landes fernerhin durch seine eifrigen Bemühungen für die Bekehrung der Saracenen zum Christenthume zu nutzen[159]). Petrarca schildert in einem seiner schönsten

158) S. Philippi Mazzerii vita S. Petri Thomasii cap. 4 in Actis Sanctor. Januar, T. II, p. 999. 1000. Innocenz VI. wurde am 18. Decemb. 1351 zum Papste erwählt und starb am 12. Sept. 1362.

159) Ueber Raimundus Lullus s. Mansi ad Rainaldi ann. eccles. ad a. 1315 §. 6. Navarrete Disertacion historica sobre la parte que tuvióron los Españoles en las guerras de ultramar ó de las cruzadas (Madrid 1816. 4.) p. 58 — 61 und den lehrreichen Artikel in der Biographie universelle (Paris chez Michaud) T. 25 p. 410 — 422.

Gedichte die innige Freude, welche sein Herz bewegte, als die Hoffnung sich zeigte, daß ein mächtiger König der Christenheit seine Waffen zur Befreyung des Landes, wo der Heiland gekreuzigt worden, anwenden und die Völker zwischen der Garonne, Rhone, dem Rheine und dem Meere zu dem Paniere des Kreuzes versammeln würde, und fügt zu dieser Schilderung eine dringende Ermahnung an die Italiener, einer so glorreichen Unternehmung nicht fremd zu bleiben [160]. Der edle Venetianer Marino Sanuti Torselli

160) Le Rime del Patrarca Parte I. Sonetto XXII und Canzone II (Roma 1821. 8. T. I. p. 72 sq.). Es läßt sich aber die Zeit, in welcher diese schönen Gedichte niedergeschrieben wurden, nicht bestimmt angeben, da der mächtige König, welcher an die Spitze der Kreuzfahrer zu treten versprochen hatte, in dem Sonett nur durch die unbestimmte Angabe:

Il successor di Carlo, che la chioma
Con la corona del suo antico adorna.

und in der canzone (Strophe 2) durch den Beynamen: il novo Carlo, also als ein Nachahmer des Kaisers Karl des Großen, bezeichnet wird. Vielleicht hat der Dichter den Kaiser Karl den Vierten im Sinne. Ungeachtet seiner damaligen Begeisterung für das heilige Grab erzählt Petrarca (Rerum memorandarum Lib. II. in seinen operibus ed. Basil 1554. fol. p. 473) gleichwohl folgende Anekdote: Quodam tempore, dum Christianorum proceres fines Saracenorum invadere et terram Christi sanguine consecratam indigno servitio decrevissent liberare (quod heu saepe facimus, numquam perficimus), agitatum est in consiliis, quisnam tantis coeptis dux aptissimus foret; visusque est optimus Santius Hispani regis frater, quem et experientia armorum commendat et genus et probitas, neque suspectum luxus faciebat (frequens principatus malum); nullis enim inquinatus opibus aut deliciis sed Hispano more asper et agrestis et sub divo inter labores educatus erat. Accersitus igitur omnium consensu Romam venit et latinae linguae nescius unum ex fidis interpretis loco habuit. Publicum quod in tali solet celebratur consistorium, illuc inter multa recitatum erat Romani Pontificis decretum ubi Aegypti regem fecerat. Quo audito sublatus est ingens plausus omnium. Admirans Santius sedentem ad pedes interpretem, quid sibi vellet strepitus, percunctatus est. Ubi audivit se Aegypti regem pronunciatum: surge, ait, et divum Papam pronuncia Caliphum de Baldacho. Festiva et vere regia libertas; pro inefficacis

wandte einen großen Theil seines Lebens auf die Erforschung der Verhältnisse der Völker und Reiche des Morgenlandes und Abendlandes und benutzte die ausgebreiteten und gründlichen Kenntnisse, welche er aus Büchern, auf mehrmaligen Reisen nach Cypern, Armenien, dem heiligen Lande und Aegypten, so wie nach Flandern und andern Gegenden, und während eines vieljährigen Aufenthaltes in Romanien gesammelt hatte, zur Entwerfung und umsichtigen Begründung eines Plans für die Wiedereroberung des heiligen Landes, welchen er dem Papste Johannes dem Zweyundzwanzigsten am 24. September 1321 in zwey Bänden nebst vier Karten vom Mittelländischen Meere, den sämmtlichen Küstenländern desselben, dem heiligen Lande und Aegypten überreichte[161]). Dem Plane des Sanuti lag die An=

regni nomine inanis pontificatus titulum pensavit. Der in dieser Erzählung erwähnte Sanctius kann kein anderer seyn als der nachherige König Sanctius IV. von Castilien (seit 1284), der Sohn des Königs Alfons (X) des Weisen, und es ist daher statt Hispani Regis frater zu setzen: Hispani Regis filius.

161) Marini Sanuti Secreta fidelium crucis p. 1—3. Da das Werk des Marino Sanuti in drey Bücher getheilt ist, und er seiner Aussage nach nur zwey Bücher (duos libros, quorum unus coopertus erat de rubeo, alter vero de croceo) dem Papste überreichte: so ist es wahrscheinlich, daß bey diesem Exemplar das dritte Buch, welches die Geschichte und Beschreibung des heiligen Landes enthält, fehlte. Ueberhaupt scheinen die drey Handschriften, nach welchen der Text der Secreta fidelium crucis in Bongarsii gestis Dei per Francos T. II herausgegeben worden ist, eine spätere und erweiterte, nur an wenigen Stellen etwas abgekürzte Bearbeitung des Werks zu enthalten. Eine Handschrift desselben, welche jetzt in der venetianischen Abtheilung des k. k. Hof- und Staatsarchivs zu Wien aufbewahrt wird (aus 114 Blättern in Folio bestehend), unterscheidet sich von dem Bongars'schen Texte durch erhebliche Abweichungen und ist besonders in dem dritten Buche viel kürzer und unvollständiger. Auch fehlten die von Bongarsius aus der Handschrift der Bibliothek von Paul Petau mitgetheilten Pläne von Jerusalem und Ptolemais in dem Exemplare, welches Sanuti dem Papste Johannes XXII. übergab, so wie dagegen die Petavische Handschrift

sicht zum Grunde, daß der Kreuzzug mit der Eroberung von Aegypten angefangen werden müßte, und daß die Eroberung dieses Landes, welche mit der Anwendung der gehörigen Mittel und der Vermeidung früher begangener Fehler ohne große Schwierigkeit bewirkt werden könnte, den sichersten Weg bahnen würde zur Ueberwältigung und Behauptung von Syrien. Es vergingen aber mehrere Jahre, ehe Sanuti von dem Papste eine Antwort erhielt, und obgleich er mehrere Reisen nach Frankreich unternahm, um seinen mühsam ausgearbeiteten Plan dem Könige und den französischen Baronen zur Berücksichtigung zu empfehlen, und den griechischen Kaiser, den König von Armenien und andere christliche Fürsten zur Billigung und Unterstützung seiner Vorschläge zu bewegen suchte [162]): so blieben dennoch alle seine angestrengten Bemühungen ohne Erfolg. Dasselbe Schicksal erfuhr ein Sachwalter der Könige von Frankreich und England in geistlichen Rechtshändeln im Herzogthume Guienne, ein Schüler des Thomas von Aquino, welcher schon in den nächsten Jahren nach dem Verluste

der von Sanuti in der Vorrede erwähnten Seekarte des Mittelländischen Meers entbehrte. In der Handschrift des Archivs zu Wien fehlen, so viel ich mich erinnere, die Karten und Pläne auf gleiche Weise, wie in einer der Handschriften des Jacob Bongars. Vgl. Jacobi Bongarsii praefatio ad Mar. Sanutum. Bey der Bearbeitung der Geschichte der Kreuzzüge in dem dritten Buche der Secreta fidelium crucis benutzte zwar Sanuti im Allgemeinen die Quellen, welche auch uns zugänglich sind, für die frühere Zeit vornehmlich die Geschichte des Erzbischofs Wilhelm von Tyrus; und seine Nachrichten über die spätern Ereignisse stimmen meistens wörtlich mit der Erzählung des Bernardus Thesaurarius und der französischen Fortsetzung des Wilhelm von Tyrus überein; jedoch theilt er auch hin und wieder, zum Theil aus venetianischen Quellen, sehr beachtenswerthe Nachrichten mit, welche in den bekannten Chroniken sich nicht finden.

162) S. die Briefe des Sanuti in Bongarsii gestis Dei per Francos T. II. p. 289 sq.

des heiligen Landes den Königen von England und Frankreich einen Plan zur Wiedereroberung von Syrien vorlegte[163]). Dieser Plan stand zwar an Zweckmäßigkeit und Ausführbarkeit der Vorschläge bey weitem dem Plane des Sanuti nach; beyde Pläne aber stimmten überein in der

163) Auch diesen Plan hat Bongarsius mitgetheilt unter der Ueberschrift: de recuperatione Terrae sanctae, in den Gestis Dei per Francos T. II. p. 316 — 361. Dieser Plan wurde dem Könige Eduard I. von England überreicht, er wurde also wenigstens schon vor dem Jahre 1307, in welchem Eduard starb, entworfen und ausgearbeitet. Merkwürdig ist der Rath, welchen der ungenannte Verfasser dem Könige von Frankreich gab, das weltliche Gebiet des Papstes sich abtreten zu lassen, einen seiner Söhne zum Statthalter in diesem Gebiete mit dem Titel römischer Senator zu ernennen und den Papst durch eine jährliche Pension zu entschädigen; indem der Verfasser meint, daß, wenn solches geschähe, der König von Frankreich über alle Könige, welche zuvor dem Papste gehorcht hätten, als gehorsame Söhne zu gebieten und den Frieden in der Christenheit wiederherzustellen, insbesondere mit Hülfe des Kaisers und des Königs von Sicilien die Lombarden zur Unterwürfigkeit zurückzubringen im Stande seyn würde. Dieser Vorschlag wird in einer Nachschrift des Exemplars von diesem Plane, welches dem Könige von Frankreich überreicht wurde, bey Bongarsius p. 351 von Kap. 70 an ausführlich erörtert. Um dieselbe Zeit rieth ein anderer ungenannter Schriftsteller, dessen Vorschläge Stephan Baluze mitgetheilt hat (Vitae paparum Avenionensium T. II. Collectio actorum no. 33 p. 186 — 195), dem Könige Philipp IV. von Frankreich, Syrien und Aegypten für seinen zweyten Sohn zu erobern, indem er die Eroberung von Aegypten als ein Unternehmen von geringer Schwierigkeit darstellte. Auch die letzten vier Kapitel (57 — 60) der morgenländischen Geschichte des armenischen Mönches Haithon enthalten Vorschläge zur Anordnung einer bewaffneten Kreuzfahrt der abendländischen Christenheit nach dem heiligen Lande (passagium terrae sanctae), zu welchen der Papst Clemens V. den Uebersetzer dieses Werks, Nikolaus Salconi, aufgefordert hatte (vgl. oben S. 783). Diese Vorschläge wurden im August 1307 zu Lyon schriftlich abgefaßt. S. Nicolai Salconi de Haithono testimonium und dessen epistola ad Clementem V., welche der Geschichte des Haithon in der Müller'schen Ausgabe vorgedruckt sind. Unter den Handschriften der Vaticanischen Bibliothek zu Rom befindet sich ein Band von beträchtlicher Stärke, in welchem noch mehrere andere im vierzehnten Jahrhunderte entworfene Pläne zur Wiedereroberung des heiligen Landes gesammelt sind.

angelegentlichen Empfehlung einer zweckmäßigen Einrichtung der Niederlassungen, welche man in dem eroberten Lande gründen würde. Sowohl Sanuti als der ungenannte aquitanische Sachwalter waren zur Entwerfung ihrer Pläne durch die Ueberzeugung von der Wichtigkeit des Handels mit dem Morgenlande veranlaßt worden; und beyde begründen daher ihre Vorschläge hauptsächlich durch die Erörterung der Vortheile für den Handel und Verkehr, welche der Besitz und eine angemessene Verwaltung des heiligen Landes gewähren würde. Solche Erwägungen waren aber, nachdem die Kreuzpredigten und Spendungen des Ablasses ihre Wirksamkeit verloren hatten, nicht geeignet, eine allgemeine Begeisterung im Volke zu erwecken.

# Beylagen

zur

# Geschichte der Kreuzzüge.

---

## Achtes Buch.

VII. Band. a

# I.

Zu Seite 376.
(Aus dem Liber albus, Handschrift des k. k. Hof- und Staats-archivs zu Wien.)

## 1.

**Forma juramenti judicum seu juratorum curiae Venet. in civitate Tyri sicut in consuetudine antiqua inventa.**

Juro ego ad sancta Dei evangelia, quod bona fide et sine fraude faciam jus et reddam omnibus hominibus, qui sub jurisdictione Venetorum erunt in Tyro, et aliis in dicta curia petentibus secundum consuetudinem terrae, et si ignorarem consuetudinem, juxta meam bonam conscientiam, secundum clamorem et responsum. Et quod rectum dabo consilium baiulo et vicecomiti, cum ad me petitum fuerit, juxta meum posse. Et, si secretum aliquod a dictis mihi fuerit impositum, nemini revelabo. Nec amicum juvabo nec inimicum offendam in fraudem.

## 2.

**Juramentum fidelitatis et obedientiae quod fit per illos de tercierio civitatis Tyri d. duci et baiulo Venetorum et communi.**

Juro ad evangelia sancta Dei, quod ero fidelis domino duci Venetiae et ejus successoribus et quod ero eis

a 2

obediens et domino M. Georgio, qui nunc est de suo mandato baiulus in tota terra Syriae super Venetos, et omnibus aliis, qui de cetero ab eo missi fuerint in baiulatu terrae Syriae; honorem domini ducis et totius communis Venetiae hic in Tyro et ubique ego defendam, tractabo et manutenebo bona fide et sine fraude contra omnem hominem vel homines de mundo; terras et possessiones, honores et jurisdictiones, quas commune Venetiae habet in civitate Tyri et ejus districtu, salvabo et defendam bona fide sine fraude ab omnibus volentibus eam usurpare. Omnibus quoque baiulis sive vicecomitibus, qui constituti sunt in Tyro aut de cetero constituentur per baiulum supra dictum aut per alios, qui de Venetia venient de mandato domini ducis, obediam, et omnia praecepta, quae mihi fecerunt vel fieri fecerint pro defensione tercerii civitatis Tyri et partis illius, quae infra civitatem Acon commune Venetiae habet ex acquisitione propria et omnium terrarum et possessionum et jurisdictionum, quas habet extra dictas civitates, observabo et attendo bona fide sine fraude. Forcium dabo isti baiulo, qui nunc est, et omnibus aliis, qui pro temporibus erunt missi a domino duce, et vicecomiti, qui nunc est in Tyro, et omnibus aliis, qui ab isto baiulo et ab aliis [qui] erunt constituti in Tyro ad rationes et justitias faciendas et complendas.

Omnes qui emunt domos in nostro tercerio, eandem formulam debent jurare. Hanc formam juramenti nostro tempore fecimus fieri. Anmk. des Bailo Marsilius Georgius.

## II.

Zu Seite 523.

## Schreiben des Sultans Bibars an den Fürsten Boemund VI. von Antiochien und Tripolis.

Dem erlauchten, hochgeehrten, hochgeachteten, heldenmüthigen Grafen, dem starken Löwen Boemund, dem Ruhm des Volkes des Messias, dem Haupte des Geschlechtes der Nazarener, dem Obersten der Religion Jesu, welcher durch den Verlust von Antiochien herabgesetzt ist von der fürstlichen zur gräflichen Würde, dem Gott das Streben nach dem Rechten einflößen, dessen Unternehmungen Gott zum Guten lenken, und der die Ermahnung zu Herzen nehmen möge — diesem Grafen ist es bekannt, wie wir gegen Tripolis gezogen sind und gegen ihn in der Mitte seiner eigenen Besitzungen gekämpft haben. Er hat es mit eigenen Augen nach unserm Abzuge gesehen, wie die Gegenden und angebauten Ländereien verwüstet, die Wohnungen zerstört, die Kirchen von dem Teppich der Erde hinweggekehrt, und die Räder über jedes Haus hinweggerollt waren; wie Haufen von Leichnamen gleich Inseln an der Küste des Meeres errichtet, die Männer getödtet, die Kinder zu Sklaven gemacht, die Freien zur Knechtschaft gebracht, und die Bäume abgehauen waren, dergestalt, daß nichts von denselben übrig geblieben ist als das Holz, welches erforderlich seyn wird, um, so Gott will, Maschinen und Sturmdächer zu erbauen. Es ist dir ferner bekannt, wie dir und deinen Unterthanen Geld, Gattin, Kinder und Lastthiere geraubt worden sind; wie dagegen bey uns der Arme zum Reichthum, der Unbeweibte zu einer Gattin gelangt, der Sklave ein Herr über

Diener, und der Fußgänger beritten geworden ist. Du aber sahest alles dieses mit dem Blicke eines Solchen, dem der Tod die Besinnung geraubt hat, und als du das Getöse hörtest, sprachest du: welch' schreckliches Getöse! Dir ist ferner bekannt, wie wir nur abgezogen sind aus deinem Gebiete, um wiederzukommen, und dir nur für ein bestimmtes und kurzes Ziel Frist gegönnt haben; wie wir erst geschieden sind von deinem Lande, als dort kein anderes Lastthier mehr war denn solche, welche unsere Lasten trugen, keine andere Magd denn solche, welche unsere Magd war, keine andere Säule denn solche, welche unter den Schlägen der Hämmer gefallen waren, keine andere Saat denn solche, welche geerntet war, und überhaupt nichts mehr vorhanden war, als was man dir genommen hatte. Nicht haben uns abgehalten diese Höhlen, die auf der Spitze hoher Berge sich befinden, und nicht diese Thäler, die an den Grenzen sich spalten und die Gemüther schrecken. Endlich ist dir bekannt, wie wir abgezogen sind aus deinem Lande, bevor die Nachricht davon nach deiner Stadt Antiochien kam, und wie wir zu dieser Stadt gelangt sind, ohne daß du wußtest, daß wir uns von dir entfernen würden; obgleich wir uns von dir entfernt haben, so werden wir dennoch zurückkehren.

Wohlan! wir wollen dir etwas verkündigen, was schon abgemacht ist, und ein Mißgeschick von alles zerstörender Gewalt dir melden. Wir zogen ab von deiner Stadt Tripolis am Mittwoch dem 24. Schaban und kamen nach Antiochien am ersten Tage des herrlichen Monats Ramadan. Als wir dahin gekommen waren, zogen deine Scharen aus zum Kampfe und wurden überwältigt; sie rangen nach dem Siege, aber gelangten nicht zum Siege, und der Connetable, ihr Anführer, wurde gefangen. Er bat uns hierauf um die

Rückkehr zu deinen Waffengefährten; dann begab er sich in die Stadt und kam wieder zurück mit einer Schar deiner Geistlichen und deiner vornehmsten Stadtältesten. Als sie mit uns unterhandelten, so sahen wir, daß sie ganz in deiner Weise durch verderbliches Streben ihrem Untergange entgegen gingen, und daß ihre Meinung im Guten getheilt, ihre Rede im Bösen dagegen übereinstimmend war; weil wir also sahen, daß keine Rettung mehr war, und daß Gott ihren Tod beschlossen hatte: so sandten wir sie zurück und sprachen: wir werden sogleich euch belagern, und das ist die erste und letzte Mahnung, die wir euch geben. Dann kehrten sie zurück, verfuhren, wie du zu verfahren pflegst, und hofften, daß du ihnen zu Hülfe kommen würdest mit deiner Reiterei und deinem Fußvolke; aber in Einem Augenblicke war die Mähre des Marschalls zu Ende *), worauf Schrecken fuhr in die Priester, das Unheil kund wurde dem Kastellan, und der Tod über sie kam von allen Seiten. Wir eroberten Antiochien mit dem Schwerte in der vierten Stunde des Sonnabends, des vierten Tages im herrlichen Monate Ramadan, und tödteten alle diejenigen, denen du die Bewachung und Vertheidigung dieser Stadt übertragen hattest. Es war keiner unter ihnen, bey welchem nicht ein werthvoller Gegenstand gefunden wurde, jetzt ist keiner von uns ohne solchen. Hättest du gesehen, wie deine Reiter erwürgt lagen unter den Füßen der Rosse, wie in deinen Landschaften die Plünderung tobte, und die Verheerung umherzog, dein Geld nach Centnern abgewogen wurde, und deine Damen je vier für Einen Dinar deines Geldes verkauft wurden; hättest du gesehen,

*) Auf diese Weise habe ich das Wortspiel des arabischen Textes: مرّ شان المرشان wörtlich: die Sache des Marschalls war zu Ende, so weit es im Deutschen möglich ist, auszudrücken gesucht.

wie deine Kirchen und ihre Kreuze zerstört, die heiligen Evangelienbücher zerstreut, und die Gräber der Patriarchen aufgewühlt wurden; hättest du gesehen, wie dein Feind, der Moslim, das Tabernakel und den Altar mit Füßen trat und auf demselben den Mönch, den Priester, den Erzpriester und den Patriarchen erwürgte, und diejenigen, welche bisher geherrscht hatten, zur Knechtschaft gebracht wurden; hättest du gesehen die Feuersbrünste, welche in deinen Palästen aufloderten, die Erschlagenen, welche durch das Feuer dieser Welt verzehrt wurden, ehe sie in das Feuer der andern Welt gelangten, deine Paläste und deren Umgebungen, wie sie verwüstet wurden, und die Paulskirche so wie die Kirche der Nonnen *), wie beyde gänzlich zerstört wurden: so würdest du gesagt haben: „o wäre ich doch Staub, und hätte ich nicht erhalten einen Brief mit solcher Nachricht!“ Du würdest deine Seele mit deinen Seufzern ausgehaucht und diese Feuersbrunst mit dem Strome deiner Thränen gelöscht haben. Wenn du gesehen hättest, wie die Stätten des Wohlstandes Sitze geworden sind der Dürftigkeit, deine Schiffe im Hafen von Suweidah (Seleucia) durch deine eigenen Schiffe erobert wurden, und deine eigenen Kriegsfahrzeuge gegen dich kriegten: so würdest du überzeugt worden seyn, daß Niemand anders als Gott, welcher die Stadt Antiochien in deine Hände gegeben hatte, sie dir wieder nahm, und daß der Herr, welcher die Burg dieser Stadt dir verliehen hatte, selbst diese Burg dir entriß und von der Erde vertilgte; und du würdest erfahren haben, daß wir zum Preise Gottes die Burgen des Islam, welche du in deine

*) كنيسة العصار. Das arabische Wort عصار bedeutet bekanntlich mulieres; jedoch bin ich eben so wie Herr Reinaud ohne sichere Kunde über die Kirche, welche der Sultan Bibars bezeichnen will.

Gewalt gebracht hattest, und alles, was du im Lande von Antiochien besaßest, dir entzogen, den Hochmuth deiner Genossen gedemüthigt*), sie bey den Haaren gepackt und die nahen wie die fernen von einander gejagt haben. Jetzt darf sich nichts mehr widerspenstig nennen als der Fluß (Alasi, d. i. der Widerspenstige, der arabische Name des Orontes), und auch dieser würde diesen Namen nicht beybehalten, wenn er denselben ablegen dürfte; denn er läßt reuig seine Thränen fließen, und eben diese Thränen, welche sonst reine und klare Zähren waren, läßt er jetzt fließen vermischt mit dem Blute, welches wir in ihn strömen ließen.

Dieser Brief soll dir Glück wünschen zu deiner Errettung und zu der Verlängerung deines Lebens, welche dir Gott dadurch gewährt hat, daß du zu dieser Zeit nicht in Antiochien dich befandest; denn so du dort gewesen wärest, so würdest du jetzt getödtet, oder gefangen, oder verwundet, oder vernichtet seyn. Dann aber freut sich der Mensch am meisten über seine Errettung, wenn er den Tod vor den Augen gesehen hat. Vielleicht hat Gott dir nur eine Frist gewährt, damit du nachholen könnest, was du im Gehorsame gegen ihn und in seinem Dienste versäumt hast. Weil aber Niemand übrig geblieben ist, welcher dir Nachricht bringen könnte von dem, was geschehen ist, so geben wir dir solche Nachricht; und weil Niemand sonst dir Glück wünschen kann wegen der Errettung deines Lebens, welches dir noch geblieben ist, während alles andere verloren wurde, so entledigen wir uns solches Glückwunsches durch dieses Schreiben, in welchem wir alles der Wahrheit gemäß dir

*) استنزلنا من اصحابك الصواصى wörtlich: „wir haben deinen Genossen die Hahnensporen genommen." صواصى bezeichnet auch Burgen oder befestigte Plätze.

kund gethan haben, wie es sich ereignet hat; du wirst nach dem Empfange dieses Briefes weder uns der Unwahrheit zeihen können, noch andere erst über den wahren Hergang der Begebenheiten befragen dürfen.

* * *

Der Verfasser der abgekürzten Lebensbeschreibung des Sultans Bibars fügt, nachdem er das obige Schreiben mitgetheilt hat, die Bemerkung hinzu: „wie schön ist dieser Brief! wie trefflich ist das gehörige Maß gehalten! welche Kraft vereinigt sich darin mit der Beobachtung aller Vorschriften des Anstandes! wie gewählt und treffend ist die Fassung, und wie geschickt ist bitterer Spott in die äußere Hülle der Höflichkeit eingekleidet!"

## III.

## Verträge des Sultans Kalavun mit den christlichen Fürsten im Morgenlande.

### 1.

### Vertrag mit dem Könige Leo von Armenien.

(Reinaud Extraits p. 552—557.)

1. Der König von Armenien verpflichtet sich sowohl für seine Person, als für seine Unterthanen und für seine sämmtlichen Staaten zu einem jährlichen Tribute von Einer Million Dirhems, welcher entweder in baarem Gelde oder in Gegenständen aller Art, als Pferden, Maulthieren u. s. w., während zehn auf einander folgender Jahre, als der Dauer des Vertrages, entrichtet werden soll.

2. Derselbe macht sich verbindlich, alle moslemische Kaufleute, welche innerhalb seiner Staaten in Gefangenschaft sich befinden, ohne daß die Art des Handels, welchen sie

treiben, oder ihre Abstammung einen Unterschied begründen darf, auf freyen Fuß zu stellen und die ihnen gehörigen Güter, Waaren, männlichen und weiblichen Sklaven, Pferde, Maulthiere u. s. w. zurückzugeben. Sollte ein gefangener Moslim mittlerweile mit dem Tode abgegangen seyn, so hat der König die Güter des gestorbenen und außerdem einen andern Gefangenen von gleichem Stande dem Sultan zu überliefern *); für die Waaren und Güter eines gestorbenen Moslim, welche beschädigt und unbrauchbar gemacht oder veräußert worden sind, ist der König verbunden dem Sultan den Werth zu erstatten.

Dagegen wird der Sultan zwar die Gesandten des Königs von Armenien, welche er zu verschiedenen Zeiten angehalten hat, so wie alle andere gefangene armenische Unterthanen, welche in seinen Staaten sich befinden, entlassen, jedoch von ihren Gütern nur diejenigen, welche noch vorhanden sind, zurückgeben.

3. Der Verkehr zwischen den Ländern des Sultans und des Königs von Armenien soll künftig frey seyn, und Niemand demselben Hindernisse in den Weg legen dürfen; die Kaufleute sollen einer guten Behandlung sich erfreuen, und von ihnen keine andern Abgaben als solche, über welche man von beyden Seiten übereingekommen ist, gefordert werden. Der König Leo soll künftig allen Kaufleuten, Bauern und andern Reisenden aus Kleinasien, Persien, Mesopotamien und allen übrigen Ländern, welche in die Staaten des Sultans sich begeben wollen, freyen Durchzug durch sein Königreich gestatten und dieselben in keiner Weise beunruhigen.

*) In einem solchen Falle hatte ohne Zweifel der König einen gefangenen Moslim von den Griechen oder andern Christen, bey welchen gefangene Moslims sich befanden, zu kaufen und denselben zum Ersatz zu stellen. Vgl. unten Artikel 7.

Von dieser Begünstigung sind nur die Tataren und alle andern, welche böse Absichten gegen den Islam hegen, ausgenommen.

4. Sollte ein Unterthan des Sultans innerhalb der Staaten des Königs Leo sterben, so sollen dessen Person sowohl als Hinterlassenschaft mit gebührender Rücksicht behandelt und den Leuten des Sultans überliefert werden; und der Sultan wird dieselbe Rücksicht den Unterthanen des Königs von Armenien angedeihen lassen. Wenn ein Schiff, welches einem der beyden diesen Vertrag schließenden Theile gehört, an der Küste des andern Schiffbruch erleidet, so soll demselben jede Hülfe und jeder Beystand geleistet, und dasselbe mit seiner ganzen Ladung in Sicherheit gebracht werden, damit es den Eigenthümern, falls sie sich melden, zurückgegeben, oder, wenn dieselben ihre Ansprüche nicht geltend machen, den Leuten ihres Landesherrn überliefert werden könne. Denn Solches fordert die Gerechtigkeit und Billigkeit.

5. Jeder Unterthan des Sultans, von welchem Stande er auch seyn möge, Herr oder Diener, Sklav oder Freyer, ohne Unterschied des Gewerbes, der Religion oder der Abstammung, welcher nach Kleinarmenien entflieht, soll sofort durch die Leute des Königs angehalten und mit seinem Gefolge und allem, was er mit sich genommen hat an Sklaven, Pferden, Maulthieren, Waaren und Geld, unter gehöriger Bedeckung an die Pforte des Sultans zurückgesendet werden. Diese Bestimmung soll nicht dadurch unwirksam werden, daß der Flüchtling seinen Glauben ändert und Christ wird. Nach demselben Grundsatze wird verfahren werden, wenn ein Unterthan des Königs von Armenien heimlich in die Staaten des Sultans entweicht; man wird ihn sofort ausliefern, falls er nicht Moslim geworden ist; wenn er aber zum Islam sich bekannt hat, so wird man nur seine Güter zurückgeben.

6. In Beziehung auf den gegenseitigen Handel und Verkehr zwischen den Unterthanen des Sultans und des Königs von Armenien wird Folgendes festgesetzt: den Armeniern soll gestattet seyn, in Aegypten alles, was ihnen gut dünken wird, zu kaufen, mit Ausnahme von Waffen und andern Kriegsbedürfnissen. Den Aegyptern dagegen soll die Berechtigung zustehen, aus Armenien Pferde, Maulthiere, männliche und weibliche Sklaven, überhaupt alles, was sie wollen, zu beziehen *).

7. Wenn von den Unterthanen des einen der beyden Theile, welche diesen Vertrag schließen, wider die Unterthanen des andern ein Raub oder Mord begangen wird, so ist der Mörder an den beleidigten Theil auszuliefern, damit an demselben Wiedervergeltung geübt werde, und die geraubte Sache ist entweder, falls sie vorhanden ist, selbst zurückzugeben, oder, wenn darüber bereits verfügt worden ist, deren Werth in Geld zu erstatten. Was den Getödteten betrifft, so sind nicht nur dessen Güter auszuliefern, sondern es muß auch für ihn ein anderer Gefangener desselben Standes **), ein Ritter für einen Ritter, ein Fußknecht für einen Fußknecht, ein Turkopule für einen Turkopulen, ein Kaufmann für einen Kaufmann, ein Bauer für einen Bauer, als Ersatz gestellt werden. Sollte der Urheber eines Mordes oder Raubes nicht bekannt seyn: so wird zur Anstellung gehöriger Nachforschung eine Frist von vierzig Tagen zugestanden; und wenn nach dem Ablaufe dieser Frist der Thäter nicht entdeckt worden ist, so hat der Vorsteher des Orts nebst drey der angesehensten Einwohner nach der Wahl des Klägers es zu beschwören, daß ihm nichts bekannt geworden ist.

*) S. Buch VIII. Kap. XV. S. 494. Anm. 60.

**) Vgl. oben zu Art. 2.

8. Der König Leo darf in seinen Staaten keine neuen Burgen oder Festungen erbauen.

9. Wenn dieser Vertrag gebrochen oder aufgehoben werden sollte, so wird den Kaufleuten und Reisenden eine Frist von vierzig Tagen zugestanden werden, um sich selbst und ihre Güter in Sicherheit zu bringen.

[Die Formel des Eides, durch welchen der König Leo von Armenien diesen Vertrag beschwor, war der Formel, deren Kap. XX. S. 681 Erwähnung geschieht, sehr ähnlich und von dem Sultan Kalavun selbst angegeben worden. Vgl. über die Eidesformeln der Moslims Silv. de Sacy Chrestomathie arabe (ed. 2) T. I. p. 47. 48.]

## 2.

## Vertrag mit der Fürstin Margarethe von Tyrus.

(Reinaud Extraits p. 558—560.)

1. Die Einkünfte der Städte des Fürstenthums Tyrus, welche in dem gemeinschaftlichen Besitze der Christen und Moslims sich befinden, sollen zu ganz gleichen Theilen zwischen dem Sultan und der Fürstin getheilt werden.

2. Jedes Schiff, welches an den Küsten Schiffbruch erleidet, soll Sicherheit und Schutz finden und dem Eigenthümer, oder, falls dieser sich nicht meldet, der Regierung, welcher er angehört, zurückgegeben werden. Wenn ein Unterthan eines der beyden Theile, welche diesen Vertrag schließen, in den Staaten des andern stirbt, ohne Erben zu hinterlassen, so soll dasselbe Verfahren beobachtet, und von der Nachlassenschaft nichts zurückbehalten werden.

3. Wenn von den Unterthanen des einen der beyden Theile, welche diesen Vertrag schließen, an den Unterthanen des andern Theils ein Mord begangen wird, und der Mörder bekannt ist, so soll der Verbrecher, falls er ein Unter-

than des Sultans ist, den Leuten des Sultans überantwortet werden, um nach den muselmännischen Gesetzen gerichtet zu werden; ist der Verbrecher aber ein Unterthan der Fürstin von Tyrus, so soll er derselben überantwortet und nach den christlichen Gesetzen gerichtet werden. Das richterliche Verfahren soll in Gegenwart eines Abgeordneten von der andern Partey, jedoch immer nur nach dem Rechte, welches auf den Verbrecher anwendbar ist, Statt finden. Auf dieselbe Weise soll mit andern Verbrechern oder Störern der öffentlichen Ruhe verfahren werden; sind sie Moslims, so sollen sie den Leuten des Sultans, und sind sie Christen, so sollen sie den Leuten der Fürstin von Tyrus überliefert werden. Wenn aber der Mörder unbekannt ist, so soll zur Anstellung gehöriger Nachforschung eine Frist von vierzig Tagen zugestanden werden; wenn nach dem Ablaufe dieser Frist die Entdeckung des Mörders nicht erfolgt ist, so haben der Befehlshaber des Orts, wo der Mord begangen ist, und drey achtbare Männer nach der Wahl des Klägers es zu beschwören, daß der Verbrecher ihnen nicht bekannt ist; so sie sich dessen weigern, so sind sie selbst verpflichtet, das Blutgeld zu entrichten; so sie aber den Eid schwören, so fällt das Blutgeld sämmtlichen Einwohnern des Orts zur Last und muß von denselben vermittelst einer angemessenen Vertheilung nach den Köpfen mit Einem Male aufgebracht werden. Wenn der Ort, wo ein Mord begangen ist, gemeinschaftlich von Christen und Moslims bewohnt wird, so ist die Buße von den beyden Religionsparteyen zu gleichen Theilen zu übernehmen. Das Blutgeld beträgt für einen Ritter 1200 Dirhems tyrischer Münze, für einen Turkopulen 200, und für einen Bauer 100 Dinare (Dirhems). Wenn der Ermordete ein Kaufmann ist, so richtet sich das Blutgeld nach dessen Stande oder Geburt.

4. Wenn von den Unterthanen des einen der beyden Theile, welche diesen Vertrag schließen, in den Staaten des andern ein Raub begangen wird, so ist entweder dem Eigenthümer die geraubte Sache selbst zurückzugeben, oder falls sie bereits veräußert worden ist, deren Werth zu erstatten. So der Räuber nicht bekannt ist, so ist eine Nachforschung anzustellen. Wird dadurch der Räuber nicht ermittelt, so sind der Befehlshaber des Orts und drey achtbare Bewohner desselben, oder in deren Ermangelung sämmtliche Einwohner verpflichtet, die Entschädigung zu übernehmen. Diese Bestimmungen haben für beyde Theile, sowohl für die Christen als für die Muselmänner, auf gleiche Weise verbindliche Kraft.

Im 5. Artikel wird verordnet, daß die gegenseitige Auswechselung der Ueberläufer Statt finden soll, ohne für den Fall, wenn die Ueberläufer ihren Glauben geändert haben, Bestimmungen zu enthalten.

6. Die Fürstin von Tyrus darf in ihrem Gebiete weder neue Festungen erbauen noch die alten wieder herstellen und ist verpflichtet, von den christlichen Fürsten, welche böse Absichten wider den Sultan hegen sollten, sich loszusagen und keine Verbindung mit denselben zu unterhalten. Im Falle eines Bruchs soll eine Frist von vierzig Tagen gewährt werden, damit Jeder Zeit habe, sich selbst und das seinige in Sicherheit zu bringen. Auch soll dieser Vertrag weder durch den Tod noch durch die Absetzung des Sultans oder der Fürstin von Tyrus rückgängig werden, sondern auch für ihre Nachfolger verbindliche Kraft behalten.

## 3.

## Vertrag des Sultans Kalavun mit dem Könige Alfons von Aragonien.

(Magasin encyclopédique VII^me année 1801 T. II. p. 145—161.)

Es ist die Uebereinkunft getroffen worden, daß Freundschaft, Eintracht und gutes Einverständniß bestehen soll zwischen unserm Herrn, dem Sultan, dem siegreichen Könige (Almalek al Mansur), dem erlauchten, weisen und gerechten Herrn, dem Schwerte des Glaubens und der Welt, dem Herrscher des Islams und der Moslims, dem Herrscher über Aegypten, Syrien und Haleb, dem Herrscher über alle Könige, dem Herrscher über die Nubier, welche die Staaten des Königs David bewohnen, dem Herrscher über Jerusalem, über das heilige und ehrwürdige Haus zu Mekkah, dessen Ruhm Gott vermehren wolle, über Jemen, Hedschas und alle Araber, dem Sultan des Islam, dem Sultan über alle Könige und Sultans, Abulfathab Kalavun Salehi und dessen Sohne und ernanntem Thronfolger, dem edlen Könige (Almalek al Aschraf), dem erlauchten, weisen und gerechten Herrn, dem Glücke der Welt und des Glaubens, Chalil, und den Prinzen seinen Söhnen einerseits;

Und andererseits Sr. Hoheit, dem erlauchten, hochachtbaren, großmächtigen und tapfern Könige, dem furchtbaren und gefürchteten Löwen, Don Alfonso, Könige von Aragon, und dessen Bruder, dem erlauchten, hochachtbaren, großmächtigen Könige, dem schrecklichen Löwen, Don Jayme, Könige von Sicilien, und deren beyden Brüdern, Don Fedrique und Don Pedro,

Vom Dienstage an, dem 13. des zweyten Rebi des Jahrs 689 der Hedschrah des Propheten Mohammed, auf welchem die Gunst, das Heil und die Segnungen Gottes ruhen mögen, oder dem 24. (richtiger 25.) April des

Jahrs 1290 seit der Geburt des Herrn und Messias Jesus, auf welchem das Heil ruhen möge.

In Gegenwart der Gesandten des Königs von Aragon, nämlich des Herrn Gesandten Sohns des Langir, Sansasas, Raimund Almalman Carari von Barcelona und des Arztes David, Sohns des Hasdai, eines Juden, Raths des Königs von Aragon und seiner Geheimschreiber, Ueberbringer eines mit den Petschaften des genannten Königs versiegelten Briefes, in welchem versichert wurde, daß man den vorhin genannten Gesandten in allem, was sie sagen würden, Glauben beymessen dürfte, nicht weniger den Verabredungen und Bedingungen des Friedens, der Freundschaft und des guten Einverständnisses, so wie auch den Verbindlichkeiten, welche sie übernehmen würden, indem sie die Bestimmungen unterschrieben, welche unser Herr, der Sultan, dem Könige von Aragon aufzulegen geruhen würde. Auch wurde in diesem Briefe versichert, daß der König von Aragon allen nachher aufgezählten Verabredungen nachkommen und eben so wie seine Brüder durch einen Eidschwur zu deren Beobachtung sich verpflichten würde. Die oben genannten Gesandten haben gemäß dem Befehle und den Briefen ihres Königs nachfolgende Bedingungen unterschrieben und zu deren Erfüllung den König von Aragon und dessen Brüder verbindlich gemacht. Dieser Vertrag der Freundschaft und des Bündnisses soll von dem oben angegebenen Tage an für alle nachfolgende Zeiten bestehen und vollständig vollzogen werden zu Lande und zu Wasser, in den Ebenen und auf den Gebirgen, in der Nähe und in der Ferne, unter den nachstehenden Bedingungen:

1. Es soll durch den König von Aragon und dessen oben genannte Brüder, deren Kinder, deren Ritter und Reiter, deren Bundesgenossen, deren Flotten, deren Leute

und jeden andern ihrer Unterthanen nichts unternommen werden, was den Staaten unsers Herrn, des Sultans Almalek al Mansur, seines Sohns, des Sultans Almalek al Aschraf und der Prinzen, ihrer Söhne, ihren Burgen, Schlössern, Gränzen, Provinzen, Seehäfen, Ländern, Küsten, Meerufern und den Provinzen und Städten ihres Gebietes und überhaupt irgend einem Zubehöre ihres Reiches zum Nachtheil gereichen könnte. Zu ihren Staaten aber wird in den Ländern von Rum, Irak und Syrien, in den Landschaften von Haleb und dem Euphrat, in Jemen, Hedschas, Aegypten und Afrika alles gerechnet, was von folgenden Gränzen eingeschlossen wird:

An der Seite der östlichen Küsten von Syrien, von Constantinopel an das ganze Land Rum und die Küste des Meers, Laodicea, Tripolis in Syrien und alle Häfen und Küsten bis nach Damiette und dem See von Tennis.

An der Seite der westlichen Küsten von Tunis die Provinz Africa, alle dazu gehörige Länder und Seehäfen, Tripolis in Magreb, dessen Festungen und Seehäfen bis nach Alexandrien, Rosette und dem See von Benu Lebis, die Meerufer, Länder, Seehäfen und überhaupt alles, was sowohl zu diesen bezeichneten oder zu andern nicht erwähnten Provinzen gehört: die Städte, Festungen, Küsten, Seehäfen und Straßen, sowohl zu Lande als zur See.

Es soll also kein Hinderniß irgend einer Art in den Weg gelegt werden dem Durchzuge, der Ankunft oder Rückkehr, dem Aufenthalte oder der Seefahrt der Heere und Truppen, der Turkomanen, Kurden, Araber, welche Unterthanen des Sultans sind, der Kaufleute, Barken, Fahrzeuge, Schiffe, Waaren und Thiere; ohne irgend einen Unterschied der Religionen, Personen, Völker und Gegenstände; es mögen seyn Waffen und andere Kriegsbedürfnisse, oder Hausgeräth, oder

Waaren und Kaufmannsgüter in kleiner oder großer Menge, sie mögen kommen aus der Nähe oder Ferne, zu Lande oder zu Wasser. Auch wird dem Leben, den Gütern, so wie den Weibern und Kindern jede Sicherheit gewährt.

Diese Verabredung ist auf gleiche Weise gültig für alle Plätze, Burgen, Festungen, Länder und Bezirke, welche mit der Hülfe Gottes unser Herr, der Sultan Almalek al Mansur, dessen Kinder, Heere und Milizen erobern werden.

Dagegen wird auch von unserm Herrn, dem Sultan Almalek al Mansur, dessen Kindern, Heeren und Milizen, so wie von dessen Schiffen und Flotten nichts unternommen werden, was zum Nachtheile der Staaten des Königs von Aragon, so wie der Staaten seiner Brüder und Kinder, oder zum Nachtheile der nachstehenden Provinzen gereichen könnte, nämlich:

Der Länder Aragon, Majorka, Valencia, Barcelona, Sicilien, der Küste von Apulien, der Inseln Malta, Corsica, Minorca, Yviza *) und aller zu diesen Ländern gehörigen Nebenländer, so wie aller Länder, welche der König von Aragon den Franken, welche seine Feinde oder seine Nachbarn sind, durch Eroberung abgewinnen wird.

Eben so wenig soll den Rittern und Reitern, Unterthanen und Einwohnern, welche in den eben genannten Ländern sich aufhalten, irgend ein Schaden zugefügt werden; vielmehr sollen dieselben einer vollkommenen und ungestörten Sicherheit für ihre Personen, Güter, Frauen und Kinder, zu Wasser und zu Lande, genießen, sie mögen aus ihren Ländern abreisen oder dahin zurückkehren.

*) Ein Land, welches im arabischen Texte an dieser Stelle noch genannt wird, hat Herr Silvestre de Sacy in seiner Uebersetzung weggelassen, weil jenes Land ihm gänzlich unbekannt war.

2. Der König von Aragon und dessen Brüder sollen unter den fränkischen oder andern Fürsten dieselben Freunde und Feinde haben, wie der Sultan Almalek al Mansur und die Prinzen, seine Kinder.

3. Wenn der römische Papst oder ein anderer fränkischer Fürst, er möge gekrönt oder nicht gekrönt, mächtig oder nicht mächtig seyn, die Genueser, Venetianer, oder irgend ein anderes fränkisches oder griechisches Volk, oder irgend eine Brüderschaft, wie die Templer und Hospitaliter, oder irgend andere Christen die Absicht haben sollten, dem Sultan, unserm Herrn, Schaden zuzufügen, sey es durch Kriegserklärung oder in irgend einer andern Weise: so soll der König von Aragon sie abwehren und einer solchen Unternehmung sich widersetzen. Sowohl der König als dessen Brüder sollen ihre Schiffe und Fahrzeuge bewaffnen, die Staaten der Feinde des Sultans angreifen und dadurch solche Feinde in den Fall bringen, sich selbst vertheidigen und von der Beschädigung der Länder des Sultans, seiner Seehäfen, Küsten und Gränzen, dieselben mögen vorhin genannt seyn oder nicht, abstehen zu müssen; sie sollen den Krieg gegen die Feinde des Sultans führen zu Lande und zu Wasser, und gegen dieselben ihre Schiffe, Flotten, Ritter, ihre Reiterey und ihr Fußvolk gebrauchen.

4. Wenn die Franken von Ptolemais, Tyrus und anderen Städten der syrischen Küste, oder in anderen mit dem Könige von Aragon verbündeten Ländern, den Frieden, welcher zwischen ihnen und unserm Herrn, dem Sultan, verabredet worden ist, brechen, oder ihre Handlungen den Bruch des Friedens nothwendig machen sollten: so dürfen der König von Aragon, dessen Brüder, Ritter und Völker den genannten Franken keinen Beystand leisten und ihnen weder Waffen noch Geld, noch Verstärkungen, noch Lebensmittel,

noch Schiffe, Böte oder irgend ein anderes Bedürfniß zukommen lassen.

5. Sollte der Fall eintreten, daß der römische Papst, die Könige der Franken, Griechen, Tataren oder andere Völker von dem Könige von Aragon und dessen Brüdern forderten, oder in den ihrer Herrschaft unterworfenen Ländern fordern ließen, Hülfstruppen oder irgend einen Beystand an Reiterei, Fußvolk, Geld, Schiffen oder Waffen: so sollen die genannten Fürsten dazu weder öffentlich noch heimlich ihre Einwilligung geben; sie sollen weder selbst einen Beystand gewähren, noch zugeben, daß es durch andere geschehe.

6. Wenn der König von Aragon erfährt, daß einer der obengenannten Könige die Absicht hat, die Staaten unseres Herrn des Sultans mit Krieg zu überziehen oder ihm Schaden zuzufügen: so soll er davon in der kürzesten Zeit, und ehe die Feinde sich in Bewegung gesetzt haben, vollständige Nachricht geben, ohne irgend eine Verheimlichung, auch den Sultan unterrichten, von welcher Seite her seine Feinde ihn anzugreifen gedenken.

7. Wenn ein Schiff der Moslims an den Küsten des Königs von Aragon, seiner Brüder und ihrer Bundesgenossen scheitert, so soll der Mannschaft, den Kaufleuten, Seefahrern, dem Gelde, den männlichen und weiblichen Sklaven jede Sicherheit gewährt, und jede Beschädigung von den Personen, Sachen und Waaren abgewendet werden. Der König von Aragon ist schuldig, für die Sicherheit solcher Moslims und die Sicherheit ihrer Schiffe und ihres Eigenthums zu sorgen, ihnen Beystand zur Wiederherstellung ihres Schiffes zu gewähren und sie selbst so wie ihr Eigenthum und ihre Waaren in die Länder unsers Herrn des Sultans zurückzusenden. Nach denselben Grundsätzen soll verfahren werden, wenn ein Schiff aus den Staaten des Königs von

Aragon oder seiner Brüder innerhalb des Gebietes des Sultans unseres Herrn scheitert.

8. Wenn ein Kaufmann, er sey Moslim oder Christ, aus den Staaten unseres Herrn des Sultans, oder einer von solchen, welche im Dienste und unter dem Schutze seiner Unterthanen stehen, in den Ländern des Königs von Aragon, seiner Brüder, Kinder und Bundesgenossen stirbt, so darf dessen Verlassenschaft nicht eingezogen und die Verfügung über sein Eigenthum und seine Waaren in keiner Weise beschränkt werden; vielmehr muß alles, was nach seinem Ableben sich vorfindet, in die Staaten des Sultans unseres Herrn gebracht, und demselben die Verfügung überlassen werden. Nach demselben Grundsatze soll verfahren werden, wenn ein Unterthan des Königs von Aragon oder seiner Brüder und Bundesgenossen innerhalb der Staaten des Sultans unseres Herrn stirbt.

9. Wenn Gesandte des Sultans unseres Herrn auf dem Wege nach irgend einem Lande, es sey nahe oder fern, auf der Hinreise oder Rückkehr, in die Staaten des Königs von Aragon kommen oder durch Sturm dahin verschlagen werden: so sollen solche Gesandte, deren Sklaven und Gefolge, so wie die Gesandten anderer Könige, welche in ihrer Gesellschaft sich befinden, und jeder andere, welcher ihnen sich angeschlossen hat, gegen jeden Unfall geschützt werden; der König von Aragon soll für die Sicherheit ihrer Personen und Sachen sorgen und sie in die Staaten des Sultans unsers Herrn zurücksenden.

10. Der König von Aragon soll nicht dulden, daß in seinen Ländern ein Seeräuber oder Corsar sich mit Wasser oder Lebensmitteln versehe; und wenn ein Seeräuber gefangen wird, so soll der König ihn nicht freylassen, sondern nach Gebühr strafen, und die gefangenen Moslims, welche auf

dem Schiffe eines Seeräubers gefunden werden, so wie deren Waaren, Weiber und Kinder in die Staaten des Sultans unsers Herrn zurücksenden. Nach demselben Grundsatze soll verfahren werden, wenn ein Seeräuber innerhalb der Staaten des Sultans unsers Herrn seine Räubereyen verübt.

11. Sollte ein Unterthan des Königs von Aragon eine Uebertretung der Bestimmungen dieses Friedens sich zu Schulden kommen lassen: so hat der König von Aragon ihn zur Rechenschaft zu ziehen und nach Gebühr zu bestrafen.

12. Der König von Aragon ist verpflichtet, seinen Unterthanen und andern Franken die Einführung des Eisens, Papiers und anderer Waaren in die Länder der Moslims zu erleichtern.

13. Wenn von dem Tage der Ausfertigung dieses Vertrages an ein Moslim, aus welchem Lande derselbe auch seyn möge, aus dem Morgenlande oder Abendlande, aus einer nahen oder fernen Gegend, zu Lande oder zu Wasser in Gefangenschaft geräth und in die Staaten des Königs von Aragon, oder seiner Brüder und Bundesgenossen gebracht und zum Verkaufe ausgeboten wird: so hat der König von Aragon denselben zu befreyen und in die Länder des Sultans unsers Herrn zurückzusenden.

14. Wenn ein Handelsgeschäft oder eine Verabredung über Waaren zwischen moslemischen Handelsleuten und Kaufleuten, welche Unterthanen des Königs von Aragon sind, innerhalb der Staaten des Sultans unsers Herrn geschlossen wird: so sind für ein solches Geschäft die Vorschriften unseres heiligen Korans gültig.

15. Wenn die Habseligkeiten eines Moslim, welcher sich auf ein Schiff des Königs von Aragon mit seinen Waaren eingeschifft hat, verloren gehen sollten, so ist der König von Aragon verpflichtet, dieselben, falls sie wieder gefunden

werden, zurückzugeben, oder, falls sie nicht wieder gefunden werden, deren Werth zu ersetzen.

16. Wenn ein Mann, welcher aus den in diesem Vertrage begriffenen Staaten des Sultans unsers Herrn entflohen ist, in die Länder des Königs von Aragon und seiner Brüder sich begiebt, oder mit Waaren, welche einem andern gehören, betrügerischer Weise sich daselbst niederläßt: so hat der König von Aragon den Flüchtling, wenn derselbe Moslim geblieben ist, mit seiner ganzen Habe in die Staaten des Sultans unsers Herrn zurückzusenden; falls aber der Flüchtling zum Christenthume übergetreten ist, so hat der König von Aragon nur dessen Habe zurückzusenden. Nach demselben Grundsatze ist in Beziehung auf die Flüchtlinge zu verfahren, welche aus den Staaten des Königs von Aragon oder seiner Brüder in die Länder des Sultans sich begeben.

17. Wenn ein Franke aus den Staaten des Königs von Aragon, seiner Brüder und ihrer Bundesgenossen als Pilger zu den heiligen Stätten von Jerusalem kommt und einen mit dem Siegel des Königs von Aragon versehenen und an den Statthalter des Sultans zu Jerusalem gerichteten Brief vorweisen kann: so soll ihm jede billige Freyheit zugestanden werden, sowohl zur Befriedigung seiner Andacht, als zur Rückkehr in seine Heimath, und weder seiner Person noch seinen Habseligkeiten irgend eine Beeinträchtigung widerfahren, es mag ein Mann oder eine Frau seyn. Jedoch versteht es sich von selbst, daß der König von Aragon weder seinen Feinden noch den Feinden des Sultans Pilgerbriefe ausstelle, sondern vielmehr von den Provinzen des Sultans jeden Schaden abwende, den Feinden des Sultans nicht gestatte, in dessen Staaten sich zu begeben, ihnen keine Hülfe und keinen Beystand zur Beschädigung weder der Staaten

des Sultans Almalek al Mansur und seines Sohns Almalek al Aschraf, noch ihrer Unterthanen gewähre und dagegen dem Sultan unserm Herrn und dessen Sohne Almalek al Aschraf zu Lande und zu Wasser zu jeder Zeit und in jeder Weise, wie es denselben gut dünken wird, Hülfe und Beystand leiste.

18. Die Abgaben, welche von denen, die aus den Staaten des Königs von Aragon nach den beyden Gränzplätzen Alexandrien und Damiette, oder nach andern Gränzplätzen der Moslims und der Staaten des Sultans sich begeben, sowohl für den Eingang als den Ausgang entrichtet werden müssen, sollen auch fernerhin für alle Arten von Gegenständen und Waaren nach den in der letzten Zeit in den Zollämtern beobachteten Anschlägen ohne irgend eine Neuerung erhoben werden. Dieselbe Bestimmung ist gültig für diejenigen, welche aus den Staaten des Sultans nach den Ländern des Königs von Aragon reisen.

19. Es soll für immer und für alle Zeiten Friede und Freundschaft zwischen den beyden Parteyen, welche diesen Vertrag schließen, bestehen; und alle Bedingungen und Verabredungen dieses Vertrags sollen vollständig in Vollziehung gebracht werden, dergestalt, daß beyde Reiche eines sind und nur ein einziges Reich bilden.

20. Der Tod oder die Absetzung des einen oder andern der Fürsten, welche diesen Vertrag schließen, und die Ernennung eines andern an dessen Stelle, soll dieses Bündniß keinesweges aufheben, sondern die Bestimmungen desselben sollen vielmehr für ewige Zeiten gültig seyn, und die Dauer dieses Vertrages nicht durch Tage, Monate und Jahre beschränkt werden.

Auf solche Weise ist der gegenwärtige Vertrag verabredet und festgestellt worden am genannten Tage, Dienstag dem 13. des zweyten Rebi des Jahrs 689 der Hedschrah des Propheten Mohammed, über welchem die Gnade und das Heil Gottes ruhen möge, oder dem 24. (25.) April des Jahrs 1289 der Geburt des Herrn Jesu Christi, über welchem das Heil seyn möge.

Geschrieben an dem besagten Tage.

### Formel des Eides, welchen der Sultan unser Herr dem Könige von Aragon und dessen Brüdern geschworen hat.

Ich Kalavun Ebn Abdallah Salehi, bey Gott, bey Gott, bey Gott, bey der Wahrheit des Glaubens der Moslims, bey der Wahrheit des heiligen Korans, an welchen die Moslims glauben, erkläre, daß ich nichts ändern werde in dem Vertrage des Friedens und der Freundschaft, welcher zwischen mir und dem Könige von Aragon verabredet worden ist, und daß ich demselben nicht entgegen handeln werde, so lange als der besagte König von Aragon und dessen Brüder treu bleiben werden dem Eide, welchen meine Gesandten von ihnen entgegen nehmen werden. Solches verspreche ich für mich, meine Kinder und alle meine Unterthanen*).

Gott ist Zeuge dessen, was ich sage.

*) Aehnlich ist die Formel, mit welcher nach Oliverius Scholasticus (Histor. Damiat. in Eccardi corp. histor. medii aevi T. II. p. 1437) der Sultan Malek al Kamel den mit dem Könige Johann von Jerusalem geschlossenen Frieden beschwor (vgl. Gesch. der Kreuzz. Buch VII. Kap. XI. S. 347): Ponens manum dextram Soldanus super cartam, cui subscripserat, juravit in hunc modum: „Ego Kemel, rex Babylonis, de puro corde et bona voluntate et absque interruptione juro per dominum, per dominum, per dominum, et legem meam, me bona fide omnia firmiter observaturum, quae subjecta manui meae charta continet scripta; quod si non fecero, sim separatus a judicio futuro ac societate Mahumeth et profitear patrem et filium et spiritum sanctum.“ In hunc modum juraverunt Seraphus et Coradinus et ipsorum spectabiliores Ammirati.

### Formel des Eides, welchen unser Herr der Sultan Almalek al Aschraf in Gegenwart seines Vaters geschworen hat.

Ich Chalil Ebn Kalavun, bey Gott, bey Gott, bey Gott, bey der Wahrheit des Glaubens der Moslims, bey der Wahrheit des Korans, an welchen die Moslims glauben, erkläre, daß ich nichts ändern werde in dem Vertrage des Friedens und der Freundschaft, welcher zwischen unserm Herrn dem Sultan Almalek al Mansur, dem Schwerte des Reichs und des Glaubens, dem Sultan des Islam und der Moslims, dem Sultan des Morgenlandes und Abendlandes, dem Oberherrn der Könige und Sultane, meinem Vater, dem Gott seinen Beystand gewähren wolle, und zwischen mir und dem Könige von Aragon geschlossen worden ist, und daß ich nicht demselben entgegen handeln, auch sonst keinem Andern eine Aenderung desselben gestatten werde, so lange als der König von Aragon und dessen Brüder treu bleiben werden dem Eide, welchen die Gesandten des Sultans unsers Herrn, dem Gott seinen Beystand gewähren wolle, von dem besagten Könige von Aragon für ihn selbst und seine Brüder entgegennehmen werden.

### Formel des Eides, welchen der König von Aragon schwören wird.

Ich Dufonsch (Don Alfonso), bey Gott, bey Gott, bey Gott, bey der Wahrheit des Messias, bey der Wahrheit des Kreuzes, bey der Wahrheit unserer Frauen Maria, Mutter des Lichts, bey der Wahrheit der vier Evangelien Matthäi, Marci, Lucä und Johannis, bey der Wahrheit der Stimme, welche am Jordan gehört wurde und dessen Fluthen zurückdrängte, bey der Wahrheit meiner Religion, meines Gottes und meines Glaubens: ich erkläre, daß ich von jetzt und diesem Augenblicke an, und so lange als Gott meine Tage fristen wird, aufrichtig, getreulich, gewissenhaft und ohne Rückhalt eine ungeheuchelte Freundschaft unterhalten werde mit unserm Herrn, dem Sultan Almalek al Mansur, dem Schwerte des Reichs und des Glaubens, dem Sultan des Islam und der Moslims, dem Sultan von ganz Aegypten, Syrien, Haleb, dem Lande Rum, Irak, den Ländern gegen Morgen und gegen Abend, dem Sultan des ganzen Islam, dem Oberherrn der Könige und Sultane, Abulfathah Kalavun Salehi, und mit dessen Sohne und ernanntem Nachfolger, dem Herrn und Sultan Almalek al Aschraf, dem Glücke des Reichs und des Glaubens, Chalil, und mit den Prinzen, dessen Kindern; daß ich ihnen eine unverbrüchliche Freundschaft und Anhänglichkeit widmen werde; und daß ihr Reich und das meinige durch gegenseitige Rücksichten, so wie durch gutes Einverständniß und durch Freundschaft nur ein einziges Reich bilden und nur Einen König haben werden. Ich verspreche bey der Wahrheit des Messias, des Kreuzes und des Evangeliums, der Freund der Freunde unsers Herrn, des Sultans Almalek al Mansur, und der Freunde seiner Kinder, und der Feind ihrer Feinde zu seyn, wider alle diejenigen, welche ihre Staaten angreifen werden, sie mögen Franken oder andere Christen seyn, Krieg zu führen, sie zu bekämpfen und dadurch, daß ich sie auf ihre eigene Vertheidigung bedacht zu seyn nöthige, sie zu hindern an der Bekriegung des Sultans Almalek al Mansur und der Beschädigung seiner Staaten. Ich verspreche, in allen Stücken nach den Bestimmungen des Vertrags des Friedens und der Freundschaft, welcher am Dienstage dem 13. des zweyten Rebi des Jahrs 689 der Hedschrah des Propheten Mohammed, oder dem 24. (25. April), zwischen unserm Herrn, dem Sultan Almalek al Mansur, dessen Sohne Almalek al

Aschraf und den Prinzen seinen Söhnen und zwischen mir und meinen drey Brüdern, Don Jayme, Könige von Sicilien, Don Fedrique und Don Pedro, in Gegenwart meiner für diese Unterhandlung ernannten und zu dem Abschlusse eines für mich und meine Brüder verbindlichen Friedens von so langer Dauer, als Nächte, Tage, Monate und Jahre seyn werden, durch einen von mir an den Sultan geschriebenen und mit meinem Petschafte versiegelten Brief bevollmächtigten Gesandten geschlossen worden ist, mich zu richten. Ich verspreche, in keiner Hinsicht die Bedingungen des besagten Friedens zu übertreten oder zu verletzen, sondern sie gewissenhaft zu beobachten; und diese Verbindlichkeit übernehme ich für mich, meine Brüder, meine Kinder und mein Reich auf alle nachfolgende Zeiten, gegen das Reich unsers Herrn des Sultans Almalek al Mansur und seines Sohns des Sultans Almalek al Aschraf und seiner Kinder, und verspreche nichts zu ändern oder umzustalten. Ich verspreche im Namen des großen Gottes, daß ich für die Sicherheit aller Unterthanen der moslemischen Staaten in meinem Königreiche sorgen und gemäß den Artikeln des besagten Vertrags meine Befehle geben und verfahren werde. Wenn ich Eine von den oben besagten Bedingungen unerfüllt lasse, so will ich verstoßen seyn von meiner Religion und abgefallen von meinem Glauben und dem Glauben der Anhänger meiner Religion.

Diesen Eid schwöre ich selbst und verstehe ihn in demselben Sinne, wie unser Herr der Sultan Almalek al Mansur, dessen Sohn Almalek al Aschraf, die Prinzen seine Kinder und diejenigen, welche in deren Namen diesen Eid von mir entgegen nehmen.

Gott ist Zeuge dessen, was ich sage.

## IV.

## Anordnungen des Patriarchen Peter von Jerusalem als päpstlichen Legaten in Frankreich wegen einer Kreuzfahrt im J. 1316.

(D'Achery Spicilegium T. VIII. p. 276.)

Reverendis in Christo patribus Archiepiscopis, Episcopis, Abbatibus, Prioribus, Decanis, Praepositis, Archidiaconis et aliis ecclesiarum praelatis, ceterisque personis ecclesiasticis et omnibus Christi fidelibus, ad quos istae praesentes litterae pervenerint, Frater Petrus miseratione divina sacro-sanctae Hierosolymitanae ecclesiae Patriarcha, Episcopus Rutenensis et Sedis Apostolicae Legatus in partibus ultra-marinis pro negotio terrae sanctae, salutem in eo qui pro redemptione humani generis dignatus est crucifigi. Quia tempus, quo debent arripere iter suum illustres viri dominus Borbonensis et Camerarius Franciae, ac Johannes frater suus, et multi alii nobiles et innobiles, satis breve videtur esse sicut potestis videre per litteras alias vobis missas, major diligentia et providentia est adhibenda. Propter quod habito consilio peritorum, non recédendo a contentis in aliis litteris sed potius inhaerendo, pro felici expeditione passagii terrae sanctae ita extitit ordinatum.

In primis quod vos domini Praelati mandetis omnibus Curatis vestrarum dioecesium et Fratribus Minoribus et Praedicatoribus, quod ipsi dominicis diebus et festivis quando clero et populo praedicant verbum Dei, inducant cruce signatos et alios qui sumere voluerint, quod sibi taliter provideant quod possint a proximo festo Pentecoste venturo in uno anno arripere iter suum, et alios qui non ibunt inducant ut velint de bonis sibi a Deo collatis elargiri pro passagio antedicto, et preces apud Deum effundere pro eodem, ut possit fieri ad honorem ipsius et remedium animarum.

Item quod in qualibet dioecesi, videlicet in civitatibus, duae personae idoneae eligantur, quibus Curati ecclesiarum reportent nomina illorum, qui ire voluerint et quâ formâ, et auxilium quod invenerint ac receperint a remanentibus et non euntibus ad passagium antedictum.

Item quod illae duae personae electae in civitatibus reportent aut mittant Parisius in scriptis per octo dies ante festum Pentecostes proxime venturum nomina illorum qui ire voluerint, et auxilium quod eis fuerit reportatum. Ita quod scitis nominibus et aliis possit fieri providentia de navibus et de aliis necessariis ad passagium antedictum.

Item quod vos domini Praelati visis istis et aliis litteris et sub sigillo autenticho retenta copia earumdem, et litterarum quas vobis mittit illustris vir regens regna Franciae et Navarrae, reddatis originalia portitoribus earumdem, ut ipsa originalia possint aliis Praelatis qui non viderint praesentare. Et vos qui copiam receperitis sub sigillis vestris Curatis vestrarum dioecesium copiam transmittatis, ut ipsi in isto opere quod Dei magis quam hominis possint dare clarius operam efficacem. Unde vos requirimus et rogamus, ut in istis et aliis quae videritis opportuna, et quae vestro incumbunt officio, ad felicem expeditionem dicti sancti passagii pro honore Dei et remedio vestrarum animarum sitis adeo diligentes, quod lux vestra luceat coram Deo et hominibus et videant opera vestra bona et possitis a Deo et hominibus merito commendari.

Datum Parisius sub sigillo nostro die Veneris post festum b. Mariae Magdalenae, anno domini millesimo trecentesimo sexto-decimo.

## V.

## Urkunde des Königs Balduin VI. von Jerusalem zu Gunsten des Klosters Cava im Königreiche Neapel.

Da die nachfolgende Urkunde, deren abschriftliche Mittheilung ich dem verstorbenen k. preuß. Gesandten zu Neapel, Herrn Freyherrn von Ramdohr, verdanke, soviel ich weiß, noch nicht gedruckt worden ist: so möge dieselbe hier ihren Platz finden.

**Balduini VI. regis Jerusalem diploma concessum B. Benincasa abbati de donatione juris anchoratici navis sacri Monasterii Cavensis ac libertate eundi Jerusalem indeque redeundi et emendi atque vendendi ibi merces absque solutione cujus tenor talis est.**

In nomine sanctae et individuae trinitatis patris, filii et spiritus sancti. Am̄. Notum sit omnibus tam futuris quam praesentibus quod Ego Balduinus per Dei gratiam in sancta civitate Jerusalem Latinorum Rex VI dono et remitto pro remedio animae meae et inclytae recordationis praedecessorum meorum tibi, Benincasa venerabilis Abbas Cavensis Coenobii, et successoribus tuis et praedicto monasterio in perpetuum Anchoraticum navis vestrae, id est Marcam unam argenti quam naves accedentes de consuetudine dare solent. Dono etiam vobis et concedo nihilominus in perpetuum, ut liberum ad terram meam habeatis accessum et ex ea recessum, ita quod accedentes de rebus Monasterii, quas venales introduxeritis, nihil penitus alicujus occasione consuetudinis tribuatis. Abeuntes vero de rebus, quas ad opus Fratrum et Monasterii usum vobiscum detuleritis, nullam penitus exactionem a modo reddere teneamini. Ut igitur hujus donationis, et concessionis Meae pagina rata vobis teneatur in aeternum et indissoluta, praesentem cartam testibus subscriptis et sigillo Meo munire praecepi. Factum est hoc anno ab incarnatione Domini Millesimo centesimo octogesimo primo. Indict. XV.

Hujus rei sunt testes. Joscelinus Regis Senescalcus: Raynaldus Sydonis Dominus: Raymundus de Scandalione: Milo de Colouardins: Simon de Vercinni Tyri Castellanus: Joannes Lombardus Toroni Castellanus.

Datum apud Tyrum per manum Guilielmi Tyri Archiepiscopi Regisque Cancellarii VI Idus Novembris.

Die Urschrift der vorstehenden Urkunde wird im Kloster Cava aufbewahrt. Benincasa wurde am 31. Jan. 1171 zum Abte von Cava erwählt und starb am 10. Jan. 1193. S. Chron. Cavense in Muratori Script. rer. Ital. T. VII. p. 925. 926.

## VI.

## Uebersicht der Geschichte des armenischen Königreichs in Cilicien während der Kreuzzüge.

Die armenischen Fürsten, welche nicht lange vor der Ansiedelung der Kreuzfahrer in Syrien in den Gebirgen von Cilicien eine Herrschaft gegründet hatten, standen während der ganzen Dauer der Kreuzzüge in so vielfältigen Beziehungen zu den benachbarten fränkischen Fürsten, daß eine Zusammenstellung der Nachrichten, welche über die Geschichte dieses armenischen Reichs uns überliefert worden sind, an diesem Orte nicht als überflüssig erscheinen wird. Eine solche Zusammenstellung ist sehr erleichtert worden durch die Mittheilung der Chronik des Bahram, eines aus Edessa gebürtigen armenischen Priesters, welcher Geheimschreiber des armenisch-cilicischen Königs Leo des Dritten (reg. von 1269 — 1289) war und von eben diesem Könige aufgefordert wurde, die kurze Chronik des armenischen Königreichs in Cilicien, von welcher hier die Rede ist, zu verfassen. Wir verdanken die Kenntniß dieser in gereimten Versen geschriebenen Chronik Herrn Professor Neumann, welcher diese lehrreiche Schrift nach der im Jahre 1259 der armenischen Zeitrechnung (Chr. 1810) auf Veranlassung des armenischen Patriarchen in Rußland, Ephraim, zu Madras gedruckten Ausgabe des armenischen Originals englisch übersetzt und in der Sammlung der von dem Vereine des Oriental translation fund zu London zum Druck beförderten Uebersetzungen von wichtigen Werken der morgenländischen Litteratur mitgetheilt hat unter dem Titel: Vahram's Chronicle of the Armenian Kingdom in Cilicia during the time of the Crusades. Translated from the original Armenian with notes and illustrations by C. F. Neumann. London 1831. 8. Die Arbeit des armenischen Priesters, welcher für einen großen Theil der von ihm erzählten Ereignisse als gleichzeitiger Schriftsteller anerkannt werden muß, beginnt mit der Entstehung des armenischen Königreichs in Cilicien und endigt mit der Regierung des Königs Leo des Dritten.

Daß ein großer Theil der Armenier durch die Unmöglichkeit, ihr Vaterland, das alte Armenien, gegen die Macht des türkischen Sultans Togrulbek aus dem Geschlechte der Seldschuken zu vertheidigen, bewogen wurde, nach den gebirgigen Ländern von Cappadocien und Cilicien auszuwandern — darin stimmen alle uns überlieferten Nachrichten zusammen; nur in Hinsicht der Einzelheiten dieses Ereignisses finden sich Abweichungen. Nach den Nachrichten, welche Herr St. Martin aus handschriftlichen Quellen der königlichen Bibliothek zu Paris ausgezogen hat [1]), überließ Kakig der Zweyte, Sohn des Königs Aschod des Vierten, der letzte

1) Mémoires historiques et géographiques sur l'Arménie T. I. p. 372sq.

armenische König aus dem Geschlechte der Pagratiden, welches nach dem Jahre 683 zu den Zeiten des griechischen Kaisers Justinian des Zweyten die Herrschaft über Armenien an sich gebracht hatte [2]), im Jahre 1046, als er leichtsinniger Weise einer Einladung an den kaiserlichen Hof von Constantinopel gefolgt war, sein Königreich durch einen ihm abgenöthigten Vertrag dem Kaiser Constantinus Monomachus, indem ihm keine andere Entschädigung zu Theil wurde, als die kleine Stadt Bizu in dem Lande, welches späterhin den Namen Kleinarmenien erhielt, und deren Gebiet; und im Jahre 1053 übergab ein anderer Fürst aus dem Geschlechte der Pagratiden, welcher ebenfalls Kakig hieß und ein Sohn des Apas war, als er von dem Sultan Alp Arslan, dem Nachfolger des Togrulbek, bedrängt wurde, die bisher von ihm behauptete Herrschaft über Kars dem Kaiser Constantinus Ducas gegen die Abtretung der Stadt Dzamentav im Taurus und des umliegenden Landes. Die Chronik des Vahram [3]) erwähnt nur des erstern Kakig, des Sohns des Königs Aschod, indem sie meldet, daß derselbe, um sich den Angriffen der Türken zu entziehen, sein Königreich den Griechen überließ und von denselben die Stadt Cäsarea in Cappadocien nebst andern benachbarten Plätzen als Entschädigung erhielt. Die Herrschaft dieser beyden armenischen Fürsten in den Städten, welche ihnen die griechischen Kaiser eingeräumt hatten, war nicht von langer Dauer. Die Griechen ließen keine Gelegenheit, die armenischen Flüchtlinge zu beeinträchtigen, unbenutzt; bald bot ihnen die Religion den Vorwand zur Verfolgung dar, bald wurden Aeußerungen der Unzufriedenheit, welche die Armenier sich erlaubt hatten, als Beweise aufrührerischer Gesinnung gedeutet und durch

2) St. Martin a. a. O. T. I. p. 333.
3) Vahram Chronicle p. 26.

feindselige Behandlung bestraft; und im Jahre 1079 wurde der König Kakig, welcher zu Bizu seinen Sitz erhalten hatte, nach den von St. Martin mitgetheilten armenischen Nachrichten, auf Anstiften des griechischen Befehlshabers einer kleinen Festung in Cappadocien getödtet [4]). Vahram erzählt in seiner Chronik [5]) die Veranlassung der Ermordung jenes armenischen Königs in der folgenden wahrscheinlich fabelhaften Weise. Da der König Kakig vernahm, daß der griechische Erzbischof Marcus von Cäsarea, ein erbitterter Feind der Armenier, einem Hunde den Namen Armenos gegeben hatte, so ließ er den Erzbischof zum Mittagsessen einladen und befragte ihn nach dem Namen seines Hundes; der Erzbischof nannte zwar einen andern Namen, der Hund hörte aber nicht auf diesen Namen und kam erst heran, als er mit dem Namen Armenos angerufen wurde. Hierauf befahl Kakig, den Erzbischof mit seinem Hunde in einen Sack zu stecken und mit unerträglichen Martern zu quälen; und diese Mißhandlung des Erzbischofs wurde von den Söhnen eines Griechen, welcher Mandal hieß, durch die Ermordung des Königs Kakig gerächt. Der andere König Kakig, welchem die Stadt Dzamentav zugetheilt worden war, wurde bald hernach, wie die von St. Martin benutzten armenischen Schriftsteller melden, ebenfalls ermordet, und die Griechen vereinigten die Landschaften, welche sie den Armeniern überlassen hatten, wieder mit ihrem Reiche [6]).

Die gebirgige Beschaffenheit des Landes, in welches die armenischen Ausgewanderten von den Griechen aufgenommen worden waren, machte es auch nach der Vertilgung des königlichen Geschlechts der Pagratiden einzelnen Flüchtlingen

4) St. Martin a. a. O. p. 376.
5) Vahram Chronicle p. 27.
6) St. Martin a. a. O.

1. Ruben, Rufinus oder Rupinus I.

möglich, den fernern Nachstellungen ihrer Feinde sich zu entziehen. Ein armenischer Anführer, Namens Ruben (Rufin), ein Anverwandter des vertilgten königlichen Geschlechts, welchen die Chronik des Vahram als den Herrn der Burg Kosidar bezeichnet [7]), entwich nach der Meldung derselben Chronik, als er die Ermordung des Königs Kakig des Zweyten gehört hatte, mit seiner ganzen Familie in das Gebirge des Taurus, stieg dann an der andern Seite dieses Gebirges nach Phrygien herab und bemächtigte sich des Platzes Korhmoloß. Dort vereinigten sich mit ihm noch andere Flüchtlinge seines Volkes, welche ebenfalls auf den Höhen und in den Thälern des Taurus Sicherheit gegen die Verfolgungen der Griechen suchten; und Ruben setzte sich vermittelst ihres Beystandes in den Besitz der Herrschaft über das ganze dortige Bergland, aus welchem er die Griechen vertrieb. „Der große Ruben," bemerkt Vahram, „führte ein heiliges Leben, welches (im Jahre 1095) durch einen seligen Tod geendigt wurde [8])."

Die Chronik des Vahram beschränkt ihre Meldungen auf die Schicksale des Ruben und der Nachkommen desselben; aus den von Abulfaradsch in seiner syrischen Chronik mitgetheilten Nachrichten erfahren wir aber, daß in derselben Zeit, in welcher Ruben seine Herrschaft gründete und behauptete, andere Armenier, funfzig an der Zahl, in Cilicien

7) Rouben, Baron of the fort Kosidar, in der Uebersetzung des Herrn Neumann. Vahram Chronicle p. 27. In der syrischen Chronik des Abulfaradsch p. 296 (letzte Zeile), wo eine Erwähnung der Nachkommenschaft jenes Anführers sich findet, wird derselbe Rufin (ܪܘܦܝܢ) genannt. Aus den in dieser Beylage mitgetheilten Berichten ist übrigens die Nachricht zu vervollständigen und zu berichtigen, welche im vierten Buche dieses Werks Kap. I. S. 86 folg. von der Entstehung des armenischen Fürstenthums in Cilicien gegeben worden ist.

8) Vahram Chronicle p. 27. 28.

eindrangen, indem sie die Schwäche der Griechen, welche dieses Land nicht gegen die plündernden Horden der Türken zu vertheidigen vermochten, zu ihrem Vortheile benutzten. Sie trafen daselbst im J. 1085 in der Gegend von Marasch mit einem kühnen, listigen und in räuberischen Abenteuern geübten jungen Manne ihres Volks, Namens Filartus (Philaretus), zusammen, erwählten denselben zu ihrem Anführer und setzten sich, von ihm geleitet, in den Besitz mehrerer festen Plätze des Landes. In kurzer Zeit mehrte sich die Zahl der Anhänger des Filartus so sehr, daß der griechische Kaiser es für räthlich achtete, mit diesen das Land von Cilicien plündernden Armeniern in ein friedliches Verhältniß sich zu setzen und den Filartus durch Geschenke sich geneigt zu machen. Filartus kam sogar auf die Einladung des Kaisers Alexius Komnenus des Ersten nach Constantinopel und wurde daselbst mit dem Titel und der Würde eines Sebastus beehrt. Hierauf kehrte er nach Cilicien zurück und eroberte mit Hülfe eines Heers, welches aus Armeniern, Persern und Türken bestand, nicht nur Marasch in Cilicien, so wie Edessa am Euphrat, sondern entriß den Türken selbst die Stadt Antiochien und unterwarf sich auch das Land von Melitene [9]). Die Stadt Antiochien behauptete er zwar nur kurze Zeit, weil der von ihm zurückgelassene Statthalter Ismail, ein Perser, durch seine Gewaltthätigkeiten sich selbst und seinen Herrn verhaßt machte, und auch aus Edessa wurde Filartus, da er die dortigen Einwohner mißhandelte, mit deren Beystande von den Türken vertrieben [10]); dagegen erwirkte er sich durch den Uebertritt zum Islam von dem Sultan

9) „Das Land von Gachin und Melitene," bey Abulfaradsch. In der lateinischen Uebersetzung der syrischen Chronik sind diese Worte ausgelassen.

10) Abulfarag. Chron. Syr. p. 272. 275.

Malekschah die Verleihung der Stadt Marasch. Er starb aber, nach einer von Abulfaradsch mitgetheilten Ueberlieferung, nicht als Moslim, sondern wandte sich vor seinem Tode wieder zum christlichen Glauben [11]).

2. Constantinus. Vahram nennt nur den Constantin, den Sohn des Ruben, als den Nachfolger seines Vaters in der Herrschaft über das den Griechen von den Armeniern entrissene Gebirgsland [12]); nach Abulfaradsch wurde auch Marasch von den Armeniern behauptet, indem daselbst nach dem Tode des Filartus ein anderer armenischer Anführer mit Namen Chug (d. i. Räuber) Basilius die Herrschaft an sich nahm und seine Gattin zur Nachfolgerin hatte, welche auch über Samosata, Chischum und Raban gebot und ein zahlreiches Heer zu Fuß und zu Pferde sammelte, da sie jedem Reiter einen monatlichen Sold von zwölf Goldstücken gab und jeden Fußgänger monatlich mit drey Goldstücken belohnte. Ueberhaupt war in dieser Zeit das cilicische Gebirgsland, wie Abulfaradsch bemerkt, den Armeniern, welche die Berge und festen Plätze besetzt hielten, preisgegeben, nachdem die Griechen, unvermögend, den Türken zu widerstehen, in das Innere von Kleinasien sich zurückgezogen hatten [13]).

Constantin, der Sohn des Ruben, war nach dem Zeugnisse des Vahram ein tapferer und großmüthiger Fürst; er hatte seinen Sitz zu Vahga, stritt in vielen Schlachten und

11) Chron. Syr. p. 275. 276. Des Philaretus erwähnen auch Zonaras (ed. Paris. T. II. p. 279. 280) und Anna Comnena (ed. Paris. p. 188. 189). Nach Zonaras war Philaretus aus dem Geschlechte der Brachamier (d. i. der Pagratiden, ἦν δὲ τοῦ τῶν Βραχαμειῶν γένους), und nach Anna Comnena hatte er schon von dem Kaiser Romanus Diogenes die Würde eines Domesticus erhalten. Vgl. Rerum a Comnenis gestar. Libri IV. p. 243. 244.

12) Vahram Chronicle p. 28.

13) Abulfarag. Chron. Syr. p. 296. Vgl. Art de vérifier les dates (Paris 1818. 8.) T. V. p. 98.

eroberte viele Burgen; auch besiegte er oftmals die Heere der Griechen und machte viele Gefangene. Seine Herrschaften erstreckten sich bis zum Meere. Von den Franken, welche nicht lange nach seinem Regierungsantritt in Syrien sich festsetzten, wurde er sehr geehrt, weil er ihnen Hülfe gewährte in der Bekämpfung der Türken; und Vahram berichtet, daß jene Fremdlinge dem armenischen Fürsten als Anerkennung der Dienste, welche derselbe ihnen geleistet hatte, die Titel eines Grafen und Asbed (d. i. Haupt der Reiterey) verliehen. Constantin zeichnete sich aber nicht blos aus durch kriegerische Thaten, sondern er sorgte auch für den innern Wohlstand seines Landes; auch stellte er mehrere zerstörte Städte wieder her, und der Ruhm der trefflichen Regierung des Constantinus drang, wie Vahram behauptet, bis zu den Ländern jenseit des Meeres. Da er auch ein sehr frommer und gottesfürchtiger Fürst war, so wurde sein Tod durch ein Zeichen angedeutet; er starb im Jahre 1100 und erhielt seine Ruhestätte neben seinem Vater Ruben in der Kirche von Castalon[14]). Daß die Unternehmungen der ersten Kreuzfahrer, welche im Jahre 1097 nach Syrien kamen, von den in Cilicien angesiedelten Armeniern befördert und begünstigt wurden, erhellt aus der Meldung der gleichzeitigen abendländischen Schriftsteller, nach welcher in der Belagerung von Antiochien die Armenier dem Heere der Kreuzfahrer Lebensmittel zuführten und nach einem für die Christen glück-

14) Vahram Chronicle p. 28. 29. Nach Wilhelm von Tyrus (X. 1.) hatte Constantin seinen Bruder Taphrok zum Mitregenten, und des Letztern Tochter war die Gemahlin des Königs Balduin I. von Jerusalem (Balduinus uxorem duxit filiam cujusdam nobilis et egregii Armeniorum principis, Tafroc nomine, qui cum fratre Constantino circa Taurum montem praesidia habebat inexpugnabilia multasque virorum fortium copias, unde, et propter divitiarum immensitatem et virium, gentis illius Reges habebantur). Vgl. Gesch. der Kreuzzüge Buch II. Kap. IX. S. 84 und Albertus Aquensis III. 22.

lichen Kampfe die türkischen Flüchtlinge in Engpässen erschlugen [15]).

8. Toros I. Von den beyden Söhnen, welche Constantinus hinterließ, Toros (Theodorus) und Leo, folgte der erstere als der ältere seinem Vater in den cilicischen Herrschaften [16]). Toros war nach dem Zeugnisse, welches ihm Vahram ertheilt, ein sehr weiser und tapferer Fürst; er rächte an den Nachkommen des Griechen Mandal die Ermordung des Königs Kakig, indem er deren Burg [17]) eroberte und die Einwohner dieser Burg tödtete; und als er daselbst ein Bildniß der heiligen Jungfrau fand, so hielt er dasselbe sehr in Ehren, und die Armenier schrieben der wunderthätigen Kraft dieses Bildnisses die fernern Siege zu, welche Toros über die Griechen gewann. Als er hierauf die Stadt Anazarbus sich unterworfen hatte, so baute er daselbst eine christliche Kirche und schmückte dieselbe mit dem Bildnisse der heiligen Jungfrau und mit den Namen seiner Feldherren. Obwohl nach der Behauptung des Vahram der Name des Toros so berühmt wurde, daß das Land Cilicien dadurch seinen bisherigen Namen verlor und nur das Land des Toros genannt wurde: so findet sich gleichwohl keine Erwähnung dieses Fürsten weder bey den gleichzeitigen Geschichtschreibern der Kreuzzüge

15) Gesch. der Kreuzz. Buch I. Kap. VII. S. 180. 190. Vgl. über die Verhältnisse der Armenier zu den ersten Kreuzfahrern ebendas. Kap. VI. S. 165 folg.

16) Vahram Chronicle p. 29. Abulfaradsch (Chron. Syr. p. 296) scheint zu behaupten, daß Toros und Leo gemeinschaftlich die Regierung führten, oder die Herrschaften ihres Vaters unter sich getheilt hatten, indem er sagt: „In Cilicien herrschten zwey Brüder, Söhne des Constantinus, des Sohns von Rufinus." Vielleicht war dem Leo ein Antheil an den väterlichen Besitzungen unter der Hoheit seines Bruders zugestanden worden.

17) Centerhag.

noch bey den byzantinischen Schriftstellern. Toros starb im Jahre 1123[18]).

Da der einzige Sohn, welchen Toros hinterließ, nach dem Tode seines Vaters von ungetreuen Unterthanen gefangen und im Gefängnisse vergiftet wurde, so kam die Herrschaft über Cilicien an Leo, den Bruder des Toros, welcher ebenfalls ein frommer und tapfrer Fürst war, viele fremde Krieger in seinen Dienst nahm, die Ungläubigen nachdrücklich bekämpfte und die Städte Mamista und Tarsus eroberte; und man nannte den Fürsten Leo wegen solcher kriegerischen Thaten nach der Angabe des Vahram den Aschtahag (Astyages) seiner Zeit[19]). Nach der Beendigung dieser glücklichen Kriege wurden dem Fürsten Leo vier Söhne geboren, Toros, Stephanus, Meleh und Ruben, welche namentlich von Vahram angegeben werden[20]). 4 Leo I.

Leo ist der erste armenische Fürst von Cilicien, dessen Name gleichmäßig sowohl von den Geschichtschreibern der Kreuzzüge als den byzantinischen Geschichtschreibern genannt wird, und auch die arabischen Nachrichten gedenken seiner. Der griechische Kaiser Johannes Komnenus richtete auf dem Zuge nach Asien, welchen er in den Jahren 1137 und 1138 ausführte, um die Rechte seines Reichs in mehreren asiatischen Ländern wieder geltend zu machen, seine Waffen gegen den armenischen Fürsten Leo, entriß demselben wieder die cilicischen Städte, welche er dem griechischen Kaiserthume entzogen hatte, und führte ihn selbst gefangen nach Constantinopel. Dieses unglückliche Schicksal des Fürsten Leo, wel-

18) Vahram Chronicle p. 29. 30.

19) Vahram Cronicle p. 30. Die armenischen Sagen über den Astyages s. in Mosis Chorenensis histor. armenicae Lib. I. c. 25—28 (ed. Whiston) p. 65—71.

20) Vahram Chronicle p. 30. 31.

ches aus den Meldungen der byzantinischen Geschichtschreiber Cinnamus und Nicetas und einiger andrer Schriftsteller bekannt ist [21]), wird auch von Vahram erzählt, welcher die Nachricht hinzufügt, daß die beyden Söhne des Leo, Toros und Ruben, die Gefangenschaft ihres Vaters theilten und mit demselben nach Constantinopel geführt wurden [22]). Dagegen verschweigt dieser Geschichtschreiber die von Cinnamus erwähnte frühere Gefangenschaft des Fürsten Leo in Antiochien, aus welcher derselbe wahrscheinlich im Jahre 1129 oder 1130 war befreyt worden [23]). Die beyden andern Söhne des Leo, Stephanus und Meleh, entgingen nach Vahram dadurch der Gefangenschaft, daß sie zu der Zeit, als ihr Vater und ihre Brüder die Freyheit verloren, zu Edessa bey ihrem Oheime, dem Grafen Joscelin, sich befanden[24]). In Beziehung auf die Gefangenschaft des Fürsten Leo und seiner beyden Söhne und auf deren Schicksale theilt Vahram mehrere ihm eigenthümliche Nachrichten mit. Leo wurde, als er, unvermögend, dem überlegenen Heere des Kaisers Johannes zu widerstehen, in das Gebirge geflohen war, gefangen genommen und gefesselt zu dem griechischen Kaiser geführt; nach einigen Meldungen brachte der Kaiser den armenischen Fürsten durch Hinterlist in seine Gewalt,

21) S. Rerum ab Alexio I. etc. Comn. gestar. libri IV. p. 503. 504. Gesch. der Kreuzz. Buch II. S. 642 folg.

22) Vahram Chronicle p. 31.

23) Cinnam. (ed. Paris.) p. 8. Vgl. Rerum a Comnenis gestarum libri IV. l. c. Gesch. der Kreuzz. a. a. O. S. 643.

24) Vahram Chronicle l. c. Der Verschwägerung des Grafen Joscelin I. von Edessa mit den armenischen Fürsten von Cilicien erwähnen auch die Lignages d'Outremer (ch. XVI): Joscelin de Courtenai fu conte de Rohais (Edesse) et esposa femme d'Erminie. Uebrigens regierte aber damals in Edessa nicht mehr Joscelin I., welcher im J. 1131 gestorben war, sondern dessen Sohn Joscelin II., welcher der Vetter der armenischen Prinzen war. S. Gesch. der Kreuzz. Buch II. S. 603.

indem er den Eid brach, mit welchem er demselben Sicherheit zugesagt hatte. Während der Gefangenschaft erfuhren Leo und seine Söhne nicht nur eine milde und schonende, sondern selbst eine ehrenvolle Behandlung. Leo wurde reichlich beschenkt, speiste oftmals an der kaiserlichen Tafel und erhielt die Erlaubniß, durch das Vergnügen der Jagd sich zu zerstreuen. Ruben, der jüngste Sohn des Leo, erwarb sich so sehr die Gunst des Kaisers Johann, daß ihm eine ehrenvolle Stelle in der kaiserlichen Hofhaltung gewährt wurde; diese Auszeichnung wurde aber die Veranlassung seines unglücklichen Endes, und Ruben fiel als das Opfer des Neides der kaiserlichen Soldaten, welchen er durch einen Beweis seiner unglaublichen Leibesstärke erregte, indem er die mit Wasser gefüllte Badewanne des Kaisers aufhob und mit Schnelligkeit herumschwang, dergestalt, daß diejenigen, welche Zeugen dieses Kraftstreichs waren, den jungen Armenier den Simson seiner Zeit nannten. Toros, obgleich durch ein Traumgesicht die Wiedererlangung seiner väterlichen Länder ihm war vorher verkündigt worden, wurde nach dem Tode seines Vaters, welcher im Jahre 1141 erfolgte, aus der Haft entlassen, erhielt eine Stelle im Heere der Griechen und begleitete den Kaiser Johannes auf dem letzten Feldzuge nach Asien, welcher von diesem Kaiser am Ende des Jahres 1141 unternommen wurde [25]).

Nach den von Vahram mitgetheilten Nachrichten blieb 5. Toros II.
Toros, als nach dem bey Anazarbus (oder Anavarza) in (der Große).
Cilicien erfolgten Tode des Kaisers Johannes das griechische Heer im Jahre 1143 nach Constantinopel zurückkehrte, in Asien und setzte sich in den Besitz eines Theils seiner vä-

25) Vahram Chronicle p. 31—34. Vgl. über den letzten asiatischen Feldzug des Kaisers Johannes Komnenus Rerum a Comnenis gestar. Libri IV. p. 517 sq. Gesch. der Kreuzz. Buch II. Kap. 34. S. 711 folg.

terlichen Herrschaften; und von der Weise, in welcher Toros diese Unternehmung ausführte, findet sich bey jenem armenischen Schriftsteller eine zweifache verschiedene Meldung. Nach der ersten dieser Meldungen kam Toros aus Antiochien nach Cilicien, gewann daselbst zuerst die Stadt Amuda und bemächtigte sich hierauf der übrigen Plätze des Landes. Nach der andern Meldung, welche von der Partey des griechischen Kaisers ausgegangen war, erhielt Toros von einer vornehmen Frau, bey welcher er während des Aufenthalts des griechischen Heers in Asien lebte, eine Summe Geldes, begab sich damit nach dem Gebirge von Cilicien, hielt sich daselbst einige Zeit unter der Kleidung eines Schäfers verborgen und endeckte sich endlich als den Sohn des Leo einem Priester, welcher diese frohe Kunde sogleich den in Cilicien noch sich aufhaltenden und von den Griechen hart bedrückten Armeniern mittheilte; diese Armenier versammelten sich um den Sohn ihres ehemaligen Fürsten und ernannten ihn zu ihrem Baron; worauf Toros in den Besitz von Vahga und den übrigen Plätzen des Landes sich setzte [26]). Mit dieser zweyten Meldung stimmt die Nachricht des Abulfaradsch in der syrischen Chronik bey dem Jahre der Griechen 1459 (Chr. 1148) im wesentlichen überein; nach dieser Nachricht floh Toros in dem erwähnten Jahre, nachdem sein Vater Leo gestorben war, aus Constantinopel nach Cilicien und gelangte dahin zu Fuß und in Dürftigkeit; der Bischof Athanasius, an welchen er mit dem Ansuchen um ein Gebet bey Gott für die Wiederverleihung seiner väterlichen Besitzungen sich wandte, gab ihm Geld, um ein Pferd zu kaufen; hierauf schlossen zwölf Armenier dem Toros sich an und leisteten ihm Beystand in der Erobe-

26) Vahram Chronicle p. 34. 35.

rung von Amuda, und späterhin; da nicht blos Armenier, sondern auch Franken ihn unterstützten, eroberte er auch Anazarbus (Anavarza) und andere cilicische Städte und führte einen glücklichen Krieg wider die Türken [27].

Ueber den Krieg des Kaisers Manuel Comnenus gegen Toros (vgl. Gesch. der Kreuzz. Buch IV. S. 56 folg.) giebt die Chronik des Vahram nur sehr kurze und unbefriedigende Nachrichten; es wird daselbst behauptet, daß der Kaiser Manuel den Zug nach Asien im Jahre 1159 in der Absicht unternahm, den Kreuzfahrern, welche von den Türken bedrängt wurden, Hülfe zu leisten; auch ist es unrichtig, wenn Vahram erzählt, daß unter der Vermittlung des Fürsten (Rainald) von Antiochien Toros mit dem Kaiser Manuel einen Vertrag zu Antiochien schloß, in welchem er dem Kaiser für eine beträchtliche Geldsumme die Stadt Anazarbus und andere cilicische Plätze überließ [28]. Dieser Vertrag wurde vielmehr unter Vermittlung des Königs Balduin III. von Jerusalem geschlossen [29]. Nach der Aussage des Vahram brach Toros diesen Vertrag, sobald der Kaiser Manuel nach Constantinopel zurückgekehrt war; und Vahram weiß von dieser Wortbrüchigkeit die Veranlassung nicht mit Sicherheit anzugeben, er vermuthet nur, daß Mißtrauen gegen den Kaiser oder fremde Einflüsterungen den armenischen Fürsten dazu bewogen. Als das griechische Heer von Anazarbus abgezogen war, so begab sich Toros plötzlich in der Nacht nach Vahga, bemächtigte sich hierauf wieder der Stadt Anazarbus und eroberte auch Mamista und die umliegenden Städte. Der griechische Statthalter von Tarsus (Andronikus Komnenus) sammelte zwar die von dem Kaiser Manuel ihm

27) Abulfarag. Chron. syr. p. 335.

28) Vahram Chronicle p. 35—37.

29) Gesch. der Kreuzz. Buch IV. S. 62.

zurückgelassenen Truppen, vereinigte sich mit einigen armenischen Baronen, welche von dem Kaiser Manuel durch Gunstbezeugungen waren gewonnen worden, als Oscin, Herrn von Lampron, und dem Geschlechte des Nathanael, welches zu Asgurhas herrschte, und belagerte hierauf Mamista; Toros vertheidigte diese Stadt mit glücklichem Erfolge und bewog durch eine beträchtliche Geldsumme den Oscin, die Partey des Kaisers zu verlassen, verband diesen armenischen Baron noch dadurch fester mit sich, daß er seine Tochter dem Sohne desselben zur Gemahlin gab, und eroberte mit dem Beystande des Oscin ganz Cilicien und Isaurien und selbst die Stadt Tarsus. Hierauf bewog der Kaiser Manuel den Sultan Kilidsch Arslan von Ikonium, sein Bündniß mit dem Fürsten Toros aufzugeben und in dessen Land einzubrechen; Kilidsch Arslan belagerte aber vergeblich die Stadt Anazarbus; Fliegen und Wespen, welche Gott wider das türkische Heer sandte, und andres Ungemach nöthigten den Sultan, die Belagerung aufzuheben, und Toros zwang den Sultan zum Rückzuge durch einen Einbruch in dessen Land und durch die Eroberung und Plünderung von Ikonium. Ein zweyter Einfall der Türken von Ikonium in Cilicien hatte keinen glücklicheren Erfolg, worauf Kilidsch Arslan mit dem Fürsten Toros Frieden schloß und das frühere Bündniß mit demselben erneuerte [30]). Dieses Kriegs des Toros wider die Griechen und Türken erwähnt auch Abulfaradsch in seiner syrischen Chronik, indem er denselben in das Jahr der Griechen 1465 (Chr. 1154) setzt [31]), und der byzantinische Geschichtschreiber Johannes Cinnamus berichtet, daß die Belagerung von Mamista (Mopsvestia) durch die Fahrlässigkeit des leicht-

30) Vahram Chronicle p. 57—89.

31) Chron. Syr. p. 342.

sinnigen Andronikus Komnenus ihres Ziels verfehlt habe [32]). Nach solchen Thaten starb Toros im Jahre 1167 und wurde zu Trassarg begraben; er war nach der Angabe des Vahram ein Mann von großer Gestalt, kraftvollem Geiste und theilnehmendem Gemüthe, mildthätig und fromm, und der heiligen Schrift so sehr kundig, daß er eine schriftlich abgefaßte Erklärung der Propheten hinterließ [33]).

Da der Sohn, welchen Toros hinterließ, noch minder- 6. Meleh
jährig war, so übertrug Toros kurz vor seinem Tode die Vormundschaft dem Thomas, welcher sein Schwiegervater, oder nach Abulfaradsch der Sohn seiner Mutterschwester war. Meleh aber, der jüngere Bruder des Toros, welcher damals bey dem Atabek Nureddin sich aufhielt, kam mit einem türkischen Heere nach Cilicien, um der Herrschaften seines Bruders sich zu bemächtigen, und erreichte zwar das erste Mal nicht seinen Zweck; als er aber zum zweyten Male wieder kam, so erkannten ihn die Armenier freiwillig als ihren Herrn an. Worauf er seine türkischen Truppen zurücksandte und einige Zeit in Frieden regierte. Als er späterhin den Sohn des Toros umbringen ließ, so wurde er im Jahre 1169 von seinen eignen Soldaten ermordet. Also berichtet Vahram von den Unternehmungen und Schicksalen des Fürsten Meleh [34]), ohne des von dem Erbischofe Wilhelm von Ty-

32) Jo. Cinnami historia (ed. Paris.) p. 69—71.

33) Vahram Chronicle p. 39. 40. Nach Abulfaradsch (Chron. Syr. p. 358) starb Toros im Monate Kanun des J. der Griechen 1479 (Dec. 1168), nachdem er auf dem Sterbebette das Mönchskleid genommen hatte. Die Verfasser des Werks Art de vérifier les dates (Paris 1818. 8. T. V. p. 100) setzen den Tod des Toros in das J. 1170. Ueber den gemeinschaftlichen Krieg des Toros und der Kreuzfahrer wider Nureddin, dessen Vahram nicht erwähnt, s. Gesch. der Kreuzz. Buch IV. Kap. II. S. 91. 92.

34) Vahram Chronicle p. 40. 41. Vgl. Abulfarag. Chron. Syr. p. 358, wo einzelne Züge der Grausamkeit des Meleh erzählt werden.

rus erzählten Krieges, in welchen Meleh mit den Kreuzfahrern verwickelt wurde, zu erwähnen[35]).

7. Ruben (Rufinus oder Rupinus) II. Da weder von Toros noch von Meleh Nachkommen vorhanden waren, so richteten der Adel und das Heer der Armenier ihre Augen auf Ruben und Leo, die beyden Söhne des Stephanus, des Bruders von Toros und Meleh, welcher während der Regierung des Toros in der Nähe des schwarzen Berges sich festgesetzt und Karamanien und andere benachbarte Gegenden sich unterworfen hatte, späterhin aber von dem griechischen Statthalter von Cilicien war getödtet worden[36]); und Ruben (Rufinus), der ältere jener beyden Prinzen, verdankte seine Erhebung zur Herrschaft über Cilicien im Jahre 1174 vornehmlich den Bemühungen des armenischen Barons Pakuran. Ruben, nach dem Zeugnisse des Vahram ein milder und wohlthätiger Fürst, erwarb sich durch seine treffliche Regierung großes Lob; er liebte sehr die Griechen und vermählte sich sogar mit einer griechischen Frau[37]). Seine Gefangenschaft zu Antiochien, welche auch aus andern Nachrichten bekannt ist[38]), war nach Vahram die Folge der Belagerung der Burg Lampron, welche Ruben unternommen hatte; denn die Einwohner von Lampron sprachen die Hülfe des Fürsten von Antiochien an; und dieser brachte den Ruben durch Hinterlist in seine Gewalt[39]). Während der Gefangenschaft des Ruben regierte Leo, dessen Bruder, das

35) S. Gesch. der Kreuzz. Buch IV. Kap. II. S. 148—150.

36) Vahram Chronicle p. 40. Vgl. Art de vérifier les dates a. a. O. p. 102.

37) Vahram Chronicle p. 41. Nach andern Nachrichten vermählte sich Ruben mit Isabelle, Tochter Humphroi des Zweyten, Herrn von Toron. Lignages d'Outremer ch. 3. Vgl. Art de vérifier les dates a. a. O.

38) S. Gesch. der Kreuzz. Buch VI. Kap. I. S. 6. Vgl. Marini Sanuti Secreta fidelium crucis Lib. III. Pars 10. cap. 8. p. 101.

39) Vahram Chronicle p. 42.

armenische Land, vertheidigte dasselbe gegen den Fürsten von Antiochien und eroberte die Burg Lampron. Ruben regierte nach der Rückkehr aus der Gefangenschaft noch bis zum Jahre 1185, in welchem er starb und zu Trassarg begraben wurde, nachdem er seinem Bruder und Nachfolger Leo weise Lehren gegeben und ihm anbefohlen hatte, seine hinterbleibenden beyden Töchter nicht mit Ausländern zu vermählen, damit das armenische Land nicht in die Hände von Fremden kommen möchte [40]).

8. Leo II.

Vahram berichtet in seiner Chronik von mehreren Kriegen, welche Leo wider den Sultan Kaikaus von Ikonium führte, von der Eroberung von Heraklea und der Belagerung von Cäsarea, so wie von den Werken der Mildthätigkeit und Frömmigkeit dieses Fürsten; dagegen verschweigt er die Streitigkeiten desselben mit den Fürsten Boemund III. und Boemund IV. von Antiochien, deren von uns (Gesch. der Kreuzz. Buch VI. Kap. I S. 6—9, Buch VII. Kap. I. S. 16. folg.) Erwähnung geschehen ist. Von der Erhebung des Fürsten Leo zur königlichen Würde giebt Vahram [41]) folgende Nachricht: „Durch seine glänzenden Thaten erwarb sich Leo einen großen Namen und wurde dadurch den Kaisern der Franken und der Griechen bekannt, und beyde Kaiser gewährten ihm das Diadem. Die Krönung des Königs Leo (am 6. Juni 1198) war höchst feyerlich. Die Armenier versammelten sich in der Stadt Tarsus, und in der

40) Vahram a. a. O. Dieser Wunsch des Fürsten Ruben wurde nicht erfüllt; denn Alix, seine ältere Tochter, vermählte sich mit Raimund, dem ältesten Sohne des Fürsten Boemund III. von Antiochien, (vgl. Vahram Chronicle p. 44 und Gesch. der Kreuzz. Buch VI. Kap. I. S. 9 und Buch VII. Kap. I. S. 17), und Philippine, die jüngere, mit dem griechischen Kaiser Theodorus Lascaris I. S. Art de vérifier les dates a. a. O.

41) Chronicle p. 44.

dortigen erzbischöflichen Kirche salbte der Sitte gemäß der Katholicus den Fürsten Leo als König des Hauses des Thogarma (des Nachkommen Japhet's, 1 Buch Mose 10, 3)." So wie Vahram weder der Verhandlungen des Fürsten Leo mit dem Grafen Heinrich von Champagne[42]), noch der Krönung desselben durch den Erzbischof Conrad von Maintz aus dem Hause Wittelsbach[43]) erwähnt: eben so schweigen dagegen die abendländischen Nachrichten von der Anerkennung der königlichen Würde des armenischen Fürsten von Cilicien durch den Kaiser von Byzanz. Leo starb (im J. 1219) nach Vahram, nachdem er zwölf Jahre als Baron und zwey und zwanzig Jahre als König regiert und in einer feyerlichen Versammlung kurz vor seinem Tode den armenischen Baron Atan zum Vormunde seiner Tochter der Prinzessin Isabelle und zum Regenten des Landes ernannt hatte[44]). Als Atan ermordet wurde, so trat (am 1. Mai 1219) in dessen Stelle Constantinus, ein Verwandter des königlichen Hauses, welcher die Tochter des Königs Leo zuerst mit dem Prinzen Philipp von Antiochien, dem dritten Sohne des Fürsten Boemund IV., den Vahram als einen von der königlichen Familie bezeichnet[45]), und nach dessen Tode mit seinem eigenen Sohne Haithon im Jahre 1223 vermählte. Vahram erwähnt alle diese Ereignisse nur mit wenigen Worten; und selbst die Ansprüche des Raimundus Rupinus, des Sohnes der Alix, der ältern Tochter des Fürsten Ruben und des Prinzen Raimund von Antiochien, auf das armenische Fürstenthum, so wie die Schicksale des Prinzen Philipp[46])

o. Haithon (Hethum oder Otto) I.

42) S. Gesch. der Kreuzz. Buch VI. Kap. I. S. 9.

43) S. Gesch. der Kreuzz. a. a. O. S. 53. 54.

44) Vahram Chronicle p. 45.

45) Chronicle a. a. O.

46) l'Art de vérifier les dates a. a. O. p. 104. 105.

werden von ihm eben so sehr verschwiegen, als die Vermählung des Königs Johann von Jerusalem mit einer andern Tochter des Königs Leo und die Ansprüche, welche der König Johann auf diese Verbindung gründete [47]).

Constantin (oder Constans) [48]) führte die Regierung bis zu seinem Tode, und die Königin Isabelle und ihr Gemahl Haithon (Hethum) kamen erst nach dem Absterben des Reichsverwesers in den Besitz der Herrschaft über Cilicien. Seit der Zeit des Königs Haithon I. ist die Geschichte des armenischen Königreichs in Cilicien auf das engste mit der im achten Buche dieses Werkes vorgetragenen Geschichte der lateinischen Fürsten in Syrien verflochten und bedarf mithin an diesem Orte keiner besondern Ausführung.

47) Gesch. der Kreuzz. Buch VII. Kap. VI. S. 127. Kap. X. S. 200.

48) l'Art de verifier les dates a. a. O. p. 104.

# Verzeichniß

der

## Quellen und angeführten Schriftsteller.

---

Abaelardi, Pt., et Heloisae opera nunc pr. edita ex Codd. Fr. Amboesii. (Cur. And. Du Chesne) Paris. 1616. 4.

Abdollatif, relation de l' Egypte. Trad. par Silv. de Sacy. Paris 1810. 4.

Abrahami Ecchellensis Eutychius vindicatus. Rom 1661. 4.

Abulfaragii (Bar - Hebraei), Georgii, Chronicon Syriacum ed. Bruns et Kirsch. Lips. 1789. 4. 2 Bde.

— historia compendiosa dynastiar., Arab. ed. et lat. versa ab Ed. Pocockio. Oxf. 1663. 4.

Abulfedae, Ism., Annales moslemici, arab. et lat. op. et st. I. Jac. Reiskii, nunc pr. ed. I. G. Ch. Adler. Hafn. 1789—94. 4. 5. Bde.

— descriptio Aegypti arab. et lat. c. notis I. D. Michaelis. Gott. 1776. kl. 4.

— descriptio Arabiae, ed. Rommel. Gotting. 1802. 4.

— Tabulae Syriae, arab. et lat. c. not. I. Bhd. Köhler. Lps. 1766. gr. 4.

— Tabulae quaed. geogr. in Büsching's Magazin für die neue Histor. und Geogr. Bd. 4 und 5.

Abuschamah, Rudatain d. i. Zwei Gärten oder Geschichte der beiden Atabeks. Arab. Handschrift der k. Bibliothek zu Paris.

— Fortsetzung der Rudatain Arab. Hdschr. der k. Bibliothek zu Berlin.

Acropolitae, Georg., historia Byz. ed. Leo Allatius Par. 1651 Fol.

Acta Concilii Lateranensis a. 1215 in Mansi Concil. T. XXII.

Acta Concilii Lugd. a. 1245 in Mansi Concil. T. XXII.

— — — a. 1274. ibid. T. XXIV.

Acta Sanctorum ordinis S. Benedicti edid. Lucas d' Achery et Ioh. Mabillon. Paris, 1668. Fol.

Acta Sanctorum quotquot toto orbe coluntur, colleg. I. Bollandus. Bruxellis et Tongarloae 1643—1794. f. 53 Bde.

Ademari Cabanensis Chronicon, in Bouquet Recueil des historiens des Gaules et de la France, T. X.

Adelung, J. C., Glossarium manuale ad scriptores med. et inf. latinitatis. Halae, 1772—84. gr. 8. 6 Bde.

Aegidii de Levres Epistola de expugnatione Damiatae in Edm. Martene et Ursini Durand The-

saurus novus Anecdotorum. T. I.
AGOBARDI Opera, ed. Baluz. Par. 1666. 8. 2 Voll.
AHMED IBN ARABSCHAH, vita Timuri, ed. Manger Leovard. 1772. 4.
AIMOINUS, de gestis Francorum, in Bouquet Recueil etc., T. III.
ALBERICUS, Monachus Cisterciensis Triumfontium, Chronicon in G. G. Leibnitz Accessiones historicae, T. 2.
ALBERTI, seu Albrici, Aquensis, super passagio Godefridi de Bullione et aliorum principum libri XII. Helmaestad. 1584. 4. und in Bongarsii gest. Francor. T. I.
ALBERTI Magni tractatus de animalibus in ejusd. operum edit. Lugdun. T. VI.
ALBERTI Stadensis Chronicon, in Schilteri et Kulpisii Scriptores rer. Germ.
Alemannisches Lehnrecht. in J. Schilter codex juris feudalis Alemannici. Argentorati 1697. 4.
ALFERGANUS, Elementa chronologica et astronomica, editionem cur. Jac. Golius, Amstel. 1669. 4.
Alter, F. C., Philologisch-kritische Miscellaneen, Wien 1799, 8.
AMALRICI vita Clementis V. in Muratori Script. rer. Italic. T. III.
ANDREAE MARCIANENSIS Chronicon in Bouquet Recueil, T. XIII.
ANDREOSSY, Mémoire sur le lac Menzaleh in der Description de l'Egypte, Etat moderne, T. I.
ANNAE COMNENAE Alexias. Paris 1651. fol.
Annales Aquicinctensis monasterii in Pistorii Scriptores rer. Germ. T. I.
— Colmarienses in Ch. Urstisii Scr. r. German. T. II.
— de Margan in Th. Gale historiae Anglicanae Scriptores. T. II.
Annales du règne de Louis IX. (alte franz. Uebers. der Geschichte des Wilhelm von Nangis) hinter J. de Joinville Histoire de S. Louis. Paris 1771. fol.
— Mettenses in Bouquet Recueil, T. VIII.
— Waverleyenses in Gale Script. Angl. T. II.
Annalista Saxo in Eccardi Corp. hist. med. aevi, T. I.
Anonymi Barensis, Chronicon in L. A. Muratori rer. Ital. Script., T. V.
Anonymi Continuatio Appendicis Roberti de Monte, in Bouquet Recueil, T. XVIII.
Anonymus de Antiquitatibus Constantinop. in Ans. Banduri Imperium orientale, T. I.
Anonymus de excidio urbis Acconis, libri duo, in Edm. Martene et Urs. Durand Veterum Scriptorum et monumentor. ecclesiasticor et dogmaticor. amplissima collectio, T. V.
Anonymus de profectione Danorum in terram sanctam in Jac. Laugenbeck Scriptores rer. Danicar. medii aevi, T. V.
Anonymi (Petri Tudebodi) Gesta Francorum in J. Bongarsii Gesta Dei per Francos, T. I.
Anonymus Garstensis in Hansizii Germania sacra, T. I.
Anonymus Monachus de St. Denys, Gesta Ludovici IX. in Du Chesne Historiae Francor. Scriptores, T. V.
Anonymus, narratio de expedit. Asiatica Friderici in Canisii Thesaurus monumentor. eccles. et histor. s. lectiones antiquae, (Amst. 1725. fol.) T. I.
Anonymus I. de Landgraviis Thuringiae in Eccard Genealog. Princ. Saxoniae sup. Lips. 1722. f.
Anonymi Zwetlicensis Chronicon. in Pez Script. rer. Austr., T. I.

Ansberti historia de expeditione Friderici Imperatoris. ed. Dobrowsky. Pragae 1827. 8. (vgl. Thl. IV. Beilage IV.).

Anselmus de ribodimonte Epistola ad Manassen Archiep. in d'Achery Spicileg. T. VII.

Anselmus Gemblac., Chronic. Aquicinctinum in J. Pistorius rerum Germanic. Script. cur. B. G. Struvio, T. I.

Anton, Geschichte des Tempelherrnordens, zweite Auflage., 1781. 8.

Antonini Summa historialis. Paris. 1535. fol.

Anville, J. Bt. Bourg. d', Mémoire sur l'Egypte anc. et moderne. Paris. 1766. 4.

Appendix ad Historiam Gaufredi Malaterrae in Muratori Rer. Ital. Script. T. VI.

Appendix ad Sigeb. Gemblac. Chronographiam in Pistor. Script. rer. Germ. T. I.

Arenpeckii, Viti, Chron. Austriacum in Hi. Pez Scriptor. rerum Austriacarum, T. I.

Arnoldi Lubecensis Chron. Slav. in Gf. Gu. Leibnitz Scriptor. rerum Brunsvicensium, T. II.

Arsenius, Rede an den Papst Nikolaus IV. über den Verlust v. Ptolemais in Bartholomaei de Neocastro Historia Sicula in Muratori Script. rer. Ital. T. XIII.

L'art de vérifier les dates des faits historiques. Paris 1783—1787. 3 Voll. fol. Neue Ausgabe in 4 und 8. Paris 1818 folg.

Assemani, Jos. Sim., Bibliotheca orientalis Clementino-Vaticana. Rom. 1719 - 28. f. 4 Bde.

Assises et bons usages du Royaume de Jerusalem par Messire Jean d'Ibelin, avec des notes et observ. et un glossaire par Gasp. Thaum. de Thaumasière. Paris. 1690. fol.

Assises de la haute court, italienisch in P. Canciani Barbaror. leges antiquae, T. V.

Assisie della bassa corte in Canciani Barbar. leg., T. III.

Auctarium Aquicinctinum ad Sigebertum in Bouquet Recueil, T. XIII, u. Pistor. Script. rer. Germ., T. I.

Auctor anon. de vita S. Ludovici angeführt in O. Rainaldi Annales eccles.

Audoeni vita St Eligii in d'Achery Spicileg. (fol.) T. II.

Aventini Annales Bojorum. Lips. 1710. fol.

Baco, Roger, Opus majus ad Clementem IV. Lond. 1733. f.

Bakui, arabisches geographisches Werk nach dem Auszuge von De Guignes in Notices et Extraits des manuscrits de la bibliothèque du Roi, T. II.

Baldrici Historia Hierosolymitana in Bongarsii Gesta D. p. Fr, T. I.

Balduini, B., de calceo antiquo ed. Jöcher. Lips. 1733. 12.

Banduri, Anselm., Imperium orientale, Paris. 1711. 2 Bde. fol.

Bar-hebraeus s. Abulfaragius.

Baronii, C., Annales ecclesiastici c. critica Pagii. Cura D. G. et J. D. Mansi, Lucae 1738—57. f. 43 Bde.

Barth, Casp., Glossarium in J. P. de Ludewig Reliqu. manuscr. T. III.

Bartholomaei de Neocastro Historia Sicula in Muratori Script. rer. Ital. T. XIII.

Bartholomaei Scribae Annales Genuenses in Muratori Script. rer. Ital. T. VI.

Baugier de Breuvery, Mémoires historiques de la province de Champagne. Paris 1721. 2 Voll. in 12.

Behr, M. J. v., Mecklenburgische Geschichte. Ratzeb. 1759. 1760. 2 Bde. 4.

— rerum Mecleburgicarum Libri VIII. Lips. 1741. fol.

Belethus (Bilethus), rationale divinorum officiorum
Belleforest, Fr. de., les grandes Annales et histoire générale de France. Paris., 1579. 2 Voll. in f.
Belli sacri historia, in J. Mabillon Museum italicum. Paris. 1724. 4. 2 Bde. T. I.
Benedictus, Petroburgensis Abbas, de vita et gestis Henrici II. et Ricardi I. ed. Th. Hearnius. Oxf. 1735. 4. 2 Bde. und in Bouquet Recueil, T. XIV.
Bergeron, P., Voyages faits principalement en Asie, a la Haye, 1735. 4. 2 Bde.
Bernardus Thesaurarius, de acq. terrae sanctae in Muratori Script. rer. Ital. T. VII.
Bernardi, Claraev., Opera omnia, ed. Mabillon. Paris, 1696. f 2 Bde.
— Epistola ad Bohemos s. Thl. IV. Beilage V. S. 107.
Bertholdi Constantiensis Chronicon in Urstisii Script. rer. Germ. und in Monument. Alemann. T. II.
Bie, Jacq. de, La France metallique. Paris 1636. f.
Biörnståhl, J. J., Briefe. Strals. 1777—1784. 8 Bde.
Bizari, Petri, Senatus populique Genuensis historia. Antverp. 1579. f.
Bohaeddini vita Saladini, ed Schultens. Lugd. B. 1732. f.
Bonaventurae vita S. Francisci in den Actis Sanctor. 4 Octbr.
Bongarsii, J., Gesta Dei per Francos s. orientalium expeditionum historia. Hanov. 1611. f. 2 Bde.
Borghini, Vinc., Discorsi, Fir. 1584.—85. 4. 2 Bde.
Bouche, Hon., la chorographie ou descript. de Provence et histoire chronolog. du même pays. Aix. 1664. f. 2 Bde.
Breviarium Pisanae Historiae in Muratori. Sc. rer. It., T. VI.
Britton, John, an essay towards a history of Temples and round Churches with eight Plans and views of the Churches of St. Sepulchre, at Cambridge and at Northampton etc. London 1805. 4.
Brompton, J., Chronicon in Seldeni Scriptor. X. hist. Angl. London 1652. fol.
Brower, Cp., Antiquitates et Annales Trevirensium, ed. J. Masenius. Leodii 1670. f. 2 Bde.
Bulaeus, C. E., Historia universitatis Parisiensis. Par. 1665 —73. f. 6 Bde.
Bullarium magnum Roman. Romae 1740. f. 17 Thle. in 28 Bdn.
Burchardi Historia Friderici I. ducis Suevorum, ed. G. Ant. Christmann. Ulm. 1790. 4.
Burckhardt, Arabic proverbs. London 1830. 4.
— Travels in Syria and the Holy Land. London 1822. 4.
Büsching, A. F., Erdbeschreibung von Asien. Hamburg 1792. 8.
Büsching, J. G., der heilige Gral und seine Hüter im Museum für altdeutsche Literatur und Kunst, herausg. v. von der Hagen, Docen und Büsching. Bd. 1.
Bzovii, Abr., Annales ecclesiastici. Ed. II. Coloniae 1621—1640. 8 Voll. fol.

Caffari Annal. Genuens. in Muratori Script. rer. Ital. T. VI.
— Fortsetzung von Marchesinus ebendas.
Calles, Sgm, Annales Austriae, Vindob. 1750 f. 2 Bde.
Calmet, histoire ecclés. et civile de la Lorraine. Nancy 1745—47. f. 7 Bde.
Capitularia Regum Francorum ed Steph. Baluze. Paris. 1677. f. 2 Bde. ed II. cura Petri de Chiniac. Paris. 1780. f. 2 Bde.
Capuani, Th., Dictator epistolarum in S. F. Hahnii Collectio monumentorum vett. ac recentium ineditorum. Brunsv. 1724 —26. 8. 2 Bde. T. I.

Cardonne Extraits des manuscrits arabes, hinter Joinville, Vie de S. Louis. Paris 1761. fol.
Carli, G. R., delle antichità italiche. Mil. 1788.—91. 4. 5 Bde.
Carlyle, J. D., Specimen of arabian poetry. Cambridge. 1796. 4.
Carpentier, Pt., Glossarium novum. Par. 1766 f. 4 Bde.
Cassas, Voyage hist. et pittoresque de l'Istrie et de la Dalmatie, red. p. J. Lavallée. Paris 1802. f.
Castiglione, Monete cufiche del Museo J. R. di Milano. Milano 1819. 4.
Cedreni, G., Historiarum compendium. Paris. 1647. f. 2 Bde
Chateaubriand, Itinéraire de Paris à Jerusalem. Paris 1811. 8. 3 Bde.
Chiffletius, P. F., Diatribe de illustri genere S. Bernardi. Divione 1660. 4.
Chronica del gloriosissimo Rey en Jacme. Valencia 1577. fol.
— de Mailros in Joh. Fell rer. Angl. Scriptores vet. T. I.
Chronicon Admontense in Pezii Script. rer. Austr. T. II.
— Andrensis monasterii bei Bouquet Recueil, T. XVIII.
— Anonymi Laudunensis Canonici bei Bouquet Recueil, T. XVIII.
— Archiepiscoporum Amalphitanorum in Pelliccia Raccolta di varie Croniche appartenenti alla Storia di Napoli, Nap. 1782. 4. T. V.
— Augustense in Marq. Freheri Germanicar. rerum Scriptores, T. I.
— Casauriense in d'Achery Spicil. T. V.
— Casinense in Muratori SS. r. Ital. T. IV. V.
— Cavense in Muratori SS. rer. Ital. T. VII.
— Cluniacense angeführt in Rainaldi Annales eccles.
Chronicon Coenobii Mortui Maris in Bouquet Recueil, T. XVIII.
— Colmariense in Urstisii Scr. rer. Germ. T. I.
— Episcoporum Hildesiensium in Leibnitz Script. r. Br. T. I.
— Erfordiense in J. F. Schannat Vindemiae literariae. Fuldae et Lps. 1723—24, f. 2 Bde. T. I.
— fossae novae in Fd. Ughelli Italia sacra, T. I.
— Halberstadiense in Leibnitz Script. r. Brunsv., T. II.
— Lamberti Parvi a Reinero Monacho continuatum in Edm. Martene et U. Durand Collectio ampl., T. V.
— Leobiense in Pezii Script. r. Austr., T. I.
— Lubecense in Meibomii Scriptores rerum Germanic. Hlmst. 1688. f. 3 Bde. T. II.
— Lyrensis coenobii in Bouquet Recueil, T. XVIII.
— magnum Belgicum in Pistor. Script. rer Germ., T. III.
— Malleacense in Labbé Nova Bibl. Mss. librorum, T. II.
— Mauriniacense in Du Chesne Script. hist. Fr., T. IV.
— Monachi Patavini in Muratori Script. r. Ital., T. VIII.
— Monast. S. Petri Aniciens. in Bouquet Recueil, T. XII.
— ordinis equestris Teutonici in Ant. Matthaei Veteris aevi analecta. [Hag. Com. 1738. 4. 10 Thle in 5 Bdn.] T. V.
— Normanniae in Du Chesne, Scriptores Normannorum historiae. Par., 1619. f.
— Petershusanum in Ussermanni Germaniae Sacrae Prodromo, St. Blas. 1790. 4. T. I.
— Pisanum in Ughelli Ital. sacr. T. III. und in Muratori S. r. It. T. VI.
— Placentinum in Muratori Scr. r. It., T. XVI.
— Reichersp. angeführt in Calles Annales Austriae, T. II.
— Richardi Pictaviens. in Mura-

tori Antiquitates italicae medii aevi, T. IV.
Chronicon Rotomagense in Labbé Bibl. Manuscr., T. I.
— Salisburg. in Pez Script. Austr., T. I.
— Sampetrinum Erford. in J. Bch. Mencken Scriptores rerum Germanicar. praecip. Saxonic. Lps. 1728. f. 3 Bde. T. III.
— S. Medardi Suessionense in Bouquet Recueil, T. XVIII.
— Senoniense in d' Achery Spicil. Quartausg. T. III. Folioausg. T. II.
— Sicardi in Muratori Script. rer. Ital. T. VII.
— Sithiense s. Jo. Iperius.
— Turonense in Bouquet Recueil, T. XII.
— Urspergensis Abbatis, Basil. 1569. und Argent. 1609. f.
— Weingart. in Leibnitz Script. r. Brunsv. T. I.
— Wilhelmi Monachi et Procuratoris Egmondani in Matthaei veteris aevi analectis, T. II.
Chronique de Romanie et de Morée, herausg. von Buchon in der Collection des Chroniques nationales françaises, XIIIme Siècle.
— de Flandres, Mspt., angeführt in Michaud Histoires des croisades. Par. 4e édit. 1825 — 29. 8.
— de Henri de Valenciennes in Buchon Collection des Chroniques nation. fr. T. III.
— les grandes, de France (appelées chroniques de St. Denys), Par. 1476. f. 3 Bde, und in Bouquet Recueil, T. XII.
Chronographus Saxo in Leibnitz Acces. hist. T. I.
Chronologia Roberti Altissidorensis in Bouquet Recueil, T. XVIII.
Chronyke van Vlaenderen door N. D. en F. R. Brugge, 1726 — 1736. 3 Theile f.
Cinnami, J., Hist. Constantinopolitana, Paris. 1670. fol.
Clarke, E. D., Travels in various countries of Europe, Asia and Africa. Lond. 1813—17. 4. 4 Bde.
Cleß, Ch., kirchlich-politische Landes- und Culturgeschichte von Würtemberg. Tübingen, 1806. 1808. 8. 2 Bde.
Clementis IV. Epistolae in Edm. Martene et Urs. Durand. Thes. Anecd. T. II.
Codinus, Geo., Excerpta de antiquitatibus Constantinopolitanis ed. P. Lambecius, Par. 1655. fol.
Compilatio chronologica in Pistorii Scriptor. rer. Germ. T. I.
Conde, Jos. Ant., historia de la dominacion de los Arabes en España. Madrid 1820. 3 Voll. 4.
Consentini, Antonii Ponti, Hartadenus Barbarossa in Matthaei Analecta medii aevi, T. I.
Concilia sacrosancta ad reg. edit. exacta a Ph. Labbeo et Gbr. Cossartio. Paris. 1671—72. f. 17 Thle in 18 Bdn.
Concilior. sacrorum nova et amplissima collectio. Ed. J. D. Mansi. Flor. 1759 — 98. f. 31 Bde.
Constantinus Porphyrogennetus, de cerimoniis aulae Byzant. Lps. 1751 f. 2 Bde. Bonnae 1829. 1830. 8. 2 Bde.
Corner, Herm., Chronicon in Eccard Corpus historicum medii aevi. [Ff. et Lps. 1723. f. 2 Bde.], T. II.
Crescimbeni Storia della litteratura Italiana. Venet. 1730. 1731. 6 Voll. 4.
Cujacius, J., De Feudis. Lugd. 1566. fol.
Cuvier, G. Lp. Ch. F. D. Baron de, le Règne animal. Paris 1817. 8. 4 Bde.
Dandulus, Andr., Chronic. Venet. in Muratori Script. rer. Ital., T. XII.
— Henr., Chron. in Muratori Scr. r. It., T. XII.

Dedekind, Chron. in Pistorii Script. rer. Germ., T. I.
Denon, V., Voyage dans l'Egypte. Paris 1802. gr. f. 2 Bde.
Dictionnaire des Sciences naturelles. Strsb. 1816 sq. 8
Ditthmars genealogisch-historische Nachricht von den Heermeistern des ritterlichen S. Johanniterordens. Frankf. a. d. O. 1740. 4.
Dodechini Appendix ad Mariani Scoti Chron in Pistor. Script. rer. Germ. T. I.
Dorothei (Metropolitae Monembasiae) Chronicon. Venet. 1778. 4.
Doublet, Fr. Jacques, Histoire de l'Abbaye de St. Denys, à Paris 1625.
Dugdale, Monasticum Anglicanum. London 1682. Fol. 3 Bde.
Dupuy, Histoire des Templiers. à Bruxelles, 1751. 4.
Dusburg, Petr. de, Chron. Pruss. ed. Chr. Hartknoch. Jenae 1679. fol.

Ebendorffer de Haselbach, Th., Chronicon Austriacum in Pez Script. r. Aust. T. II.
Eberardi de Altahe, Annales in Canisii Lect. ant. T. VI.
Ebn al athir, Chronik, in den Notices et Extraits des Manuscrits de la Bibliothèque du Roy, T. I.
Ebn Ferath, arabische Chronik, Hdschrift der k. k. Bibliothek zu Wien.
Eccardi historia genealogica principum Saxoniae superioris. Lips. 1722. fol.
Echard, Jac., et Jac. Quetif Scriptores ord. Praedicatorum. Paris 1719. fol. 2 Bde.
Edrisi, Africa, ed. Hartmann. Gott. 1796. 8.
— Descripcion de España de Xerif al Edris, con traduccion y notas de Don Josef Antonio Conde. Madrid, 1799. 8.
Eginhardi Vita et Gesta Caroli Magni. Coloniae 1521. 4. ed. J. H. Schminckius. Traj. ad Rhen. 1711. 4 bei Bouquet T. V. (und in Pertz monumenta Germaniae historica T. II).
Eichhorn, J. G., monumenta antiquissimae historiae Arabum. Gothae 1775. 8.
Ekkehardus, de sacra exped. Hierosolymitana in Edm. Martene et Urs. Durand Collect. ampl. T. V.
Elmacini Historia Saracenica ed. Erpen. Lugd. Bat. 1625. fol.
Emonis, Abbatis in Werum apud Omlandos, Chronicon, in Matthaei Analect veteris aevi, T. II.
Engel, J. C. von, Geschichte des ungarischen Reiches, Th. 1. 2. (Band 49 der Hallischen allgem. Weltgeschichte) Halle 1797. 1798. 4.
Epistola ἐγκύκλιος (?) in Urstisii Script. rer. Germ., T. I. p. 560.
Epistola Balduini ad Cameracensem, Atrebatensem, Morinensem et Tornacensem Episcopos in Edm. Martene et Urs. Durand Thesaur. anecd., T. I.
Epist S Ludovici ad Matthaeum Abbatem (S. Dionysii) in d'Achery Spicileg. T. III. — de captione et liberatione sua in Du Chesne Script. rer. Franc. T. V.
Epitome historiae bellorum sacrorum in Canisii Lect. ant. T. VI.
Eremitae, Joh., vita S. Bernardi in Opera Bern. ed. Mabillon. T. II.
Ernaldi vita S. Bernardi in Opp. Bern. ed. Mabillon T. II.
Etablissemens de Louis IX., hinter Joinville hist. de St. Louis ed. Du Fresne du Cange.
Ethelredus, de bello Standardii in Seldeni Script. rer. Angl.
Etropii, J., Diarium expeditionis Tunetanae in Sim. Schardii Script. rer. Germ., Bas. 1574. f. 4 Thle. T II.
Eusebius, Ecclesiast. historiae libri X., de vita Constantini libri V. Socratis libri VII. Collectaneor. ex hist. eccl.

Theodori libri II. Hermii Sozomeni libri IX. Evagrii libri VI. Par. 1544. f.
Excerpta ex Abulfeda de rebus Arabum ante Mohammed. cur. A. J. Silvestre de Sacy ad calc. Spec. histor. Arab. ed. White.
Exordium ordinis Cisterciensis majus, v. Bertrandi Tissier Bibliotheca veterum scriptor. ord. Cisterc. T. I.

FABRICIUS, J. A., Bibliotheca graeca s. notitia Script. vet. graec. Ed. III. Hmb., 1718—28. 4. 14 Bde.
— Bibliotheca latina mediae et infimae aetatis, ed. Mansi. Patavii 1754. 4. 6 Bde.
FALCONIS Beneventani Chronicon in Muratori Sc. r. It. T. V.
Fallmerayer, J. Ph., Geschichte des Kaiserthums von Trapezunt, München, 1827. 4.
FAUCHET, Cl., Recueil de l'origine de la langue et poésie françaises, Par. 1581. 4.
FEA, C., Relazione di un viaggio ad Ostia, in Roma 1802. 8.
FELIBIEN, Mch, Histoire de St. Denys. Par. 1706. f.
FERRARIUS, F. Bernhard, De veterum acclamationibus et applausu libri VII. Mediol. 1627. 4. Auch in Graevii Thes. ant. Rom., Traj. ad. Rh. 1694—99. f. 12 Bde. T. VI.
(FILLEAU DE LA CHAISE) Histoire de S. Louis. Paris. 1688. 4.
FLAVIUS, Blondus, De origine et gestis Venetorum in Graevii Thesaur. antiquit. et historiarum Italiae, T. V.
FLEURY, Cl., Histoire ecclésiastique. Par. 1722—37. 4. 36 Bde.
Fortis, Albert, Reisen nach Dalmatien. Deutsche Uebers. Bern, 1777. 8.
Fragmenta historiae Franciae in Bouquet Recueil, T. XII.
Fragmentum de bello Caroli M. contra Saracenos in J. Schilteri Thesaurus Antiquit. Teuton. T. II.
Fragmentum incerti auctoris in Urstisii Script. r. Germ.
FRESCHOT, Cas., Memorie della Dalmatia. Bologna, 1687. 12.
FRESNE du Cange, C. du, Constantinopolis Christiana. Paris 1680. fol.
— Glossarium ad scriptores med. et inf. latinit. Par. 1733—36. f. 6 Bde.
— Histoire de Constantinople sous les Empereurs Français. Paris 1657. f.
Freydank, Müller'scher Abdruck.
FRODOARDUS, Chronicon aetatis suae bei Du Chesne T. II.
FROISSART, J., Chronique. Paris 1505. fol. 4 Bde.
FULCHERII Carnotensis Historia Hierosolymitana in Du Chesne Scr. Rer. Fr. T. IV.
FULCONIS Comitis Andegavensis historiae Andegavensis fragmentum in d'Achery Spicil., T. III.
(v. Funck, C. W. F.) Gemälde aus dem Zeitalter der Kreuzzüge. Lpz. 1820—24. 8. 4 Bde.
( — — ) Geschichte Kaiser Friedrichs II. Züllichau und Freystadt 1792. 8.
Fürer von Halmindorff, Reisebeschreibung in das gelobte Land. Nürnberg, 1646. 4.

GAAB, J. F., Versio quorundam carminum Arabicorum, quae in Abulphedae annalibus continentur etc. Tubing. 1810. 4.
GAETANO, Fra, il Catino di smeraldo orientale, gemma consecrata da N. S. Jesu Christo nell' ultima cena degli Azimi etc. in Genova 1727. 4.
GAUFRIEDUS de Belloloco vita et conversatio Ludovici IX, in Du Chesne hist. Franc. Scr. T. V.
— Vita S. Bernardi in Opera S. Bernardi ed. Mabillon T. II.
— Sermo de S. Bernardo in Opp. S. Bernardi ed. Mab. T. II.
— Vosiens, Chronicon in Bouquet Recueil, T. XII.

Gauterii (Gualterii), Cancellarii, Bella Antiochena in Bongarsii Gesta Dei per Fr. T. I.

Gebhardi, Geschichte von Norwegen in der Hall. allgem. Weltgeschichte, Thl. 32.

Genealogia Comit. Fland. in Bouquet Recueil, T. XIII.

Georgius Corcyraeus de communione, apud Leonem Allatium de libris ecclesiasticis Graecorum, ad calcem Bibliothecae gr. Fabricii, T. V.

Gerbert, Mart., Codex epistolaris Rudolphi I. S. Blas. 1772. f.

Gerken, Ph. W., Reisen durch Schwaben u. s. w. Augsburg 1784—87. 8. 4 Bde.

Germar E. F., Reise durch Dalmatien und in das Gebiet v. Ragusa. Leipz. u. Altenburg. 1817. 8.

Gervasii Dorobernensis Chron. de regibus Angliae in Twysden Script. Hist. Angl. Lond., 1652. f.

Geschichte von Jerusalem und Hebron in den Fundgruben des Orients Thl 3. und Handschr. der königl. Bibliothek zu Paris.

Gesta Consulum Andegavens. auct. Monacho Benedict. Majoris Monasterii in d' Achery Spicil., T. III.

— Francorum expugn. Hierus. in Bongarsii Gesta Dei per Francos, T. I.

— Innocentii III. in de Brequigny et Laporte du Theil Diplomata, T. I. und in Baluzii Epist. Innocent. III., T. I.

— Ludovici VII. in Du Chesne Script. h. Franc., T. VII.

— regum Francorum in Bouquet Recueil, T. II.

— Triumphalia Pisanor. bei Muratori Scr. r. It., T. VI.

— Urbani II. Pap. in Bouquet Recueil, T. XIV.

Giannone, Geschichte von Neapel. Ulm 1758—70. 4. 4 Bde.

Gibbon, Ed. History of the decline and fall of the Roman Empire, Basel 1787—92. 8. 14 Bde. (London 1776—1788. 4. 6 Bde.)

Glaber, Radulphus, Francorum historia s. historia sui temporis in du Chesne Script. hist. Franc., T. IV. und Bouquet, T. X.

Godefridi, Monachi, Annales in M. Freheri Script. rer Germ. ed. Struve, T. I.

Godelli, Guilelmi, Chronicon, in Bouquet Recueil, T. X.

Gregorii IX. Regesta, Mspt., angeführt in Fr. v. Raumer's Gesch. d. Hohenstaufen.

— Turonensis, Historia Francorum. Paris 1561. 8. in Gregorii Turon. opera ed. Theodor. Ruynart. Paris 1699 fol. und in Bouquet Recueil, T. II.

Gretser, de cruce Christi, Ingolstad. 1608. 4. 3 Tomi.

Gualteri, Teruanensis, Vita Caroli Boni in Bouquet Recueil, T. XIII.

Guiart, Guil., Vie de S. Louis in Hist. de St. Louis ed. Du Fresne du Cange.

Guibertus, Abb., Monoediae sive de vita sua. In Opera omnia, st. et op. L. d' Achery. Par. 1651. f.

— Hist. Hieros. in Bongarsii Gesta Dei per Fr.

Guido, Bernardus, de origine regum Francorum in Bouquet Recueil, T. III.

— de Gibelet Récit de trois tentatives qu'il fit pour surprendre la ville de Tripoli in Michaud Hist. de Croisades, T. V.

Guignes, Jos. de, Histoire générale des Huns. Paris. 1756. 4. 2 Thle. in 5 Bdn. Deutsche Uebersetz., Greifswalde 1768—71. 4. 5 Bde.

— Mémoire sur l'état du commerce des Français dans le Levant avant les Croisades, in den Mémoires de l'Acad. des Inscr. et Belles-lettres T. XXXVII.

Guilelmi Appuli poema de rebus

Normannorum in Leibnitii Script. Brunsv., T. I. und in Muratorii Script. rer. Ital., T. V.

GUILELMUS Armor s. Brito, de vita et gestis Philippi Aug. in Bouquet Recueil, T. XV.

GUILELMI Carnotensis de vita Ludovici IX. in Du Chesne Script. rer. Fr. T. V.

— de Nangis, Chronicon in d'Achery Spicileg. T. III.

— — Gesta Ludovici IX. in Du Chesne hist. Franc. Scr., T. V.

— — Gesta Philippi Audacis ebendas.

— de Podio, Chron. in Du Chesne h. Franc. Scr. T. V.

— Monach. Signiens., vita et res gestae S. Bernardi in Bern. Opera ed. Mabillon T. II.

GUILELMUS Neubrigens., de rebus Anglic. Paris. 1610. 8. und ed. Thom. Hearnius, Oxon. 1719. 8. 3 Bde.

— Tripolitanus, De Statu Sarracenorum post Ludovici de Syria reditum in Du Chesne h. Franc. Scr., T. V.

GUILELMI Tyrii Historia rerum in partibus transmarinis gestarum, in Bongarsii Gesta Dei per Francos T. I. Eine alte italienische Uebersetzung dieser Geschichte da Giuseppe Horologgi, in Venetia, 1562. 4.

— continuata historia in Edm. Martene et U. Durand Collect. ampl. T. V.

GUNTHERI Historia Constantinopolitana in Canisii Lectionib. antiq. ed. Jac. Basnage T. IV.

GYLLIUS, de Bosporo Thracio. in Bandurii Imper. orient. T. II.

— de Topographia Constantinop ebendas.

Hagen, Chronik in Pezii Script. Austr. T. I.

HAITHONIS hist. orientalis, ed. Andr. Müller, Berol. 1671. 4.

Haltaus, Ch. G., Jahrzeitbuch der Deutschen des Mittelalters. Erlangen 1797. 4.

HAMAKER, Commentatio ad locum Takyoddini Ahmedis al-Makrizii de expeditionibus a Graecis Francisque adversus Dimyatham ab A. C. 708 ad 1221 susceptis im 3ten Bande der Commentationes latinae tertiae classis Instituti regii Belgici.

Hammer, Jos. v, Constantinopolis und der Bosporus. Pesth 1822. 8.

— Geschichte der Assassinen, Stuttg. u. Tübingen 1818. 8.

— Geschichte des osmanischen Reichs. Pesth 1827—32. 8. 9 Bde.

HANSIZ, Marc, Germaniae sacrae Prodromus, T. I. II. Aug. Vind. 1727—29 T. III. Viennae, 1755. f. 3 Bde.

HARRIS, James, philological inquiries, Lond. 1781. 8.

Hartmann, J. M., Erdbeschreibung von Aegypten. Hamburg 1799. 8.

Hasselquist, F., Reise nach Palästina, deutsche Uebers. Rost. 1762 8.

HELMOLD, Chron. Slavorum in Leibnitz Script. Brunsv., T. II.

HEMINGFORD, Walt., Chronica in Gale Scr. r. Angl., T. II.

HENAULT, J. Chr. F., Nouvel abrégé chronologique de l'histoire de France, à Paris 1768 8.

HENRIQUEZ, Fasciculus Sanctorum Ordinis Cisterciensis. Bruxellae 1632. f. 2 Bde.

— Regula, Constitutiones et Privilegia Ord. Cisterc. Antv. 1630. f.

HERBELOT, B. d', Bibliothèque orientale, à Paris 1697. f.

HERGOTT, Mart., Monumenta domus Austriacae. Vienn. et Frib. 1750—72. fol. 7 Bde.

— Taphographia principum Austriae. (der Monumenta T. IV.)

HERMANNI, Altahensis, Annales in A. F. Oefele Scriptores rer. Boic., T. I.

HEROLD, J., Continuatio historiae belli sacri una cum Guilelmo Tyrio. Basileae 1564. fol.

Heyne, C. G., Priscae artis opera, quae Constantinopoli extitisse memorantur sectio I et II in den Commentat. Societatis regiae Scientiarum Gotting. ad a. 1791 et 92 Vol. XI. Class. hist. et phil.
— Comment. II de interitu operum artis in den Comm. Soc. Scient. Gott. Vol. XII.
Histoire critique et apologétique de l'Ordre des Cheval. du Temple. à Paris, 1789. 4. 2 Bde.
— de Languedoc, par deux religieux Bénéd. de la Congr. de St. Maur., à Paris 1730. 5 Voll.
— de la translation des reliques de N. D. de Soissons bei Du Fresne du Cange zu Villehard.
— des Orpélians bei St. Martin Recherches sur l'Arménie T. II.
— littér. de la France. Par. 1733 — 1824. 4. 16 Bde.
— littér. des Troubadours. Par. 1774. 8. 3 Bde.
Historia belli sacri in Mabillon Mus. ital. T. I.
— de Landgraviis Thuringiae in J. G. Eccardi historia genealogica principum Saxoniae sup.
— Francorum (von einem ungenannten Schriftsteller des 12. Jahrh.) in Bouquet Recueil, T. XII.
Historiae Hierosolymitanae secunda pars in Bongarsii gestis Dei per Fr., T. I.
Historia Ludovici VII in Bouquet Recueil, T. XII.
— terrae sanctae in Eccardi Corp. med. aevi T. II.
— Trevirensis in d'Achery Spicil., T. XII.
Hoare, Classical tour through Italy and Sicily. Lond. 1819. 4.
Holstenii, Luc., Codex Regularum Monasticarum et Canonicarum ed. a Mariano Brocke. Aug. Vind. 1759. f. 6 Bde.
Honorii Chronicon Salisburgense bei Calles Annal. Austr. T. II.
Hormayr, Archiv für Geschichte, Statistik, Literatur und Kunst. Jahrg. 1825. 4.
Hormayr, Ueber Richard's Gefangennehmung in Oestreich in dessen Archiv, Jahrg. 1811. 4.
Horneck, Ottocar von, Chroniken des edlen Landes Oesterreich in Pez Script. Austr., T. III.
Hubertus de Romanis, de his, quae tractanda videbantur in concilio generali Lugduni celebrando sub Gregorio Papa X. in Edm. Martene et Urs. Dur. Coll. ampl. T. VII.
Hugo, C. L., sacrae antiquitatis monumenta, Stiragii 1725. f.
— de Cleriis, Comment. de majoratu et Senescalia Franciae Andegavensibus olim Comitibus hereditaria in Bouquet Recueil, T. XII.
Hume, D., History of England, Lond. 1763 — 1782. 8. acht Bände.

Jacobi de Vitriaco epistolae quattuor ad Honorium III. Papam in Edm. Martene et Urs. Durand Thes. novus anecdotor. T. III.
— — Historia hierosolymitana in Bongarsii G. Dei per Fr., T. I. und Ed. Martene und Ursini Durand Thes. nov. anec., T. III.
— — Historia occidentalis. ed. Duac. 1597. 8.
— — vita Mariae Oegniacensis in den Actis Sanctor. Bolland. Jun., T. IV. p. 636.
Jacobus de Voragine, Chronicon Januense in Muratori Scr. rer. Ital., T. IX.
Ideler, Lehrbuch der Chronologie, Berlin 1831. 8.
Innocentii III. Epistolae. ed. St. Baluzius. Paris 1682 fol. 2 Bde. und Ejusd. Epistolae anecdotae in Brequigny et De la Porte du Theil Diplomata, T. II. Paris 1791. fol.
Joannis de Flissicuria Elogium Fulconis Nulliacensis et Petri Parisiensis in Bouquet Recueil, T. XVIII. p. 800.

JOANNIS Vitodurens. Chronic. in Eccard Corp. hist. med. aevi, T. I.
JOINVILLE, Hist. de St. Louis IX. enrichie de nouv. observations et dissertations histor. avec les etablissemens de S. Louis etc p. Ch. du Fresne, sieur du Cange. Paris 1668. fol. und (Abdruck des Textes nach einem ältern Mspt.) Paris 1761 fol.
JORDANI Chronicon, Mspt., hin und wieder angeführt in Rainaldi Annal. eccles.
Joseph, Ben Jehoschua, Ben Meir, Chronik der Könige von Frankreich und der ottomanischen Großfürsten (hebräisch). S. Band III. Abtheil. I. Beylage I.
JOURDAIN, A., Lettre à Mr. Michaud sur une singulière croisade d'enfants in Michaud hist. de crois. T. III.
IPERII, J. Chronicon S. Bertini sive Sithiense in Edm. Martene Thes. nov. anecdot. T. III. und Bouquet Recueil, T. XIII.
IVONIS Carnot. Epistol. in Du Chesne Scr. hist. Franc., T. IV.

Kalavun's Lebensbeschreibung in dem von Silvestre de Sacy im Magasin encyclopédique VIIme année 1801. T. II. mitgetheilten Auszuge und in den Notices et Extr. d. Manusc. de la Bibl. du Roi, T. XI.
Kantzow, Thomas, Pomerania, herausg. von H. G. L. Kosegarten, Greifswald 1816. 1817. 2 Bände.
Kemaleddin, Geschichte von Haleb oder Aleppo. Franz. Uebers. Mspt. S. Band II Beilage VII.
KINNEIR, J. Macdon., Journey through Asia minor, Armenia and Kourdistan. London 1818. 8.
KNYGHTON, Henr., de eventibus Angliae in R. Twysden, Script. Angl.
König Rother, altdeutsches Gedicht, in den Deutschen Gedichten des Mittelalters, herausg. v. F. H. v. d. Hagen und J. G. Büsching. Thl. 1.
Königshoven, Jak. v., elsassische und strasburgische Chronicke, mit histor. Anmerkk. herausg. v. J. Schilter. Straßb., 1698. 4.
Koning, Cornelius de, Tafereel der Stad Harlem, 2 Theile, Harlem 1808. 8.
KOSEGARTEN, J. G. L., Chrestomathia arabica. Lips. 1828. 8.
KREBS, J. Ph., Inscriptiones graecae, quas Lipsanotheca quaedam magna continet, quae Weilburgi asservatur. Wiesbadae, 1820. 4.
Krug, Phil., Chronologie der Byzantier. St. Petersburg 1810. 8.

LABBÉ, Philippe, Abregé royal de l'alliance chronologique de l'histoire sacrée et profane, à Paris 1664. 4.
LACEPEDE, Hist. natur. des cétacées. Paris an XII — 1804. 4.
LAMBERTUS Schafnaburgensis, de rebus gestis Germanorum. Tubing. 1525. 8. und in Pistorii Script. rer. germ. ed. Struve, T. I.
LANDULPHI jun. Historia Mediolan. in Muratori Scr. r. Ital., T. V.
LAURENTII de Leodio Histor. Virdunens in Bouquet Recueil, T. XII.
LEBEUF, Histoire du diocèse de Paris Paris 1754—58. 4. 15 Bde.
Leges Visigothorum. in Fr. Lindenbrogii codex legum antiquarum. Frf. 1613 f.
LEIBNITZ, Mantissa codicis juris gentium dipl., Hanov. 1700. f. 2 Bde.
LEONIS Ostiensis Chronicon Casinense in Muratori Script. rer. Ital. T. IV.
Liber albus und liber Pactorum, Sammlungen venetianischer Staatsschriften. Handschriften d. k. k. Hof- und Staatsarchivs zu Wien.
— Consuetudines imperii Roma-

niae in Canciani Leges Barb. ant. T. III.
Libro delle Assisie de la Corte del Viscontado in Canciani Leges Barb. T. III.
Liebe, Ch. Sg., Gotha numaria. Amst. 1730. f.
Lignages d'Outremer, hinter den Assises du Royaume de Jerusalem publ. par Thaumassière
Linck, Bern., Annales Austrio-Claravallenses sive Zwetlenses. Vienn. 1723. 2 Voll. fol.
Link, H. F., Reisen durch Frankreich, Spanien und Portugal. Kiel 1801—1804. 3 Theile.
Linné, C., Systema naturae c. J. F. Gmelin. Lps. 1788.—93. 8. 3 Thle. in 10 Bdn.
Litterae Calixti II. ad Gaufredum Carnot., Joannem Aurelianens., Stephanum Parisiensem Episcopos in d'Achery. Spicil., T. III.
— Honorii II. Canonicis ecclesiae Turonensis in d'Achery Spicil. T. III.
Lucius, Joh., de regno Dalmatiae et Croatiae libri VI. Amstelod. 1666. f. und in Schwandtneri Script. rer. Hung. T. III.
Ludwig, J. P., Geschichte von dem Bisthume Würzburg. Frankf. 1713.
Lünig, J. Ch., Deutsches Reichsarchiv. Lpz., 1713—14. 14 Bde.
Lupus, Chr., Opera. Venet. 1724 — 1729. II. Voll. fol.

Mabillon, J., Annales Ord. S. Bened., Par. 1703—39. f. 6 Bde.
— J et Mich, Museum Italicum. Par. 1687. 1689. 2 Voll. 4.
Mably, Observations sur l'hist. de France. Kehl. 1788. 4 Bde. 8.
Maccill, Thom., Account of Tunis. London 1816. 8.
Maier, J. C., Beschreibung von Venedig. Leipzig 1795. 8.
Makrisi, Hist. monetae arabicae, ed. Ol G. Tychsen. Rost 1797. 8.
Malaspinae, Sabae, Historia in Muratori Script. rer. Ital. T. VIII.
Malespini, Ricord., Storia Fiorentina in Muratori Script. rer. Ital. T. VIII.
Malmesbury, Guil., De Gestis regum Anglorum in H. Savile Script Angl rer. Lond 1596 f.
Maracci, Ludov., Prodromus ad refut. Alcorani. Romae 1691. 8. vier Bde. auch als Einleitung zu seiner Ausgabe des Koran (Patav. 1698. fol.).
Marai, Geschichte der Regenten von Aegypten, von Reiske übersetzt, in Büsching's Magazin für Geschichte und Geographie. Thl. 5.
Marca, Peter de, Marca Hispanica. Par. 1688. f.
Mariana, J., historia general de España, Valencia 1783—96. 4. 9 Bände.
— Historiae de rebus hispan. Hag. Com. 1733. f. 4 Thle.
Marianus Scotus, Chronica. Bas. 1559. f. und in Pistorii SS. r. G. T. I.
Marin, C. A., Storia civile e politica del commercio de' Veneziani. In Vinegia 1798—1808. 8. 8 Bände.
— Hist. de Saladin. Paris 1758 2 Voll. 8.
Martini Turonens. Chronicon. s. Chron. Turonense.
Mascov, J. Jac., Commentarii de reb. Imperii Rom. Germ. sub Conrado III. Lips. 1753 4.
Matthaei Westmonaster. Flores historiarum praecip. de rebus britannicis. Lond. 1570. f. und Francof. 1601 f.
Maundrell's Reisebeschreibung in Paulus's Sammlung der merkwürdigsten Reisen in den Orient Thl. 1.
Mehler, Joh., Geschichte Böhmens, Prag 1806. 8.
Mehus, L., vita Ambrosii Camaldulensis in Ambros. Camaldul. epistolis ed. Méhus. Flor. 1759. fol. 2 Bde.
Meletii, Atheniensis, Γεωγραφία παλαιὰ καὶ νέα. Venet. 1728.

f. und ed. Anthim. Gazes. Venet. 1807. gr. 8. 4 Bde.

Memoriale Potestatum Regiensium in Muratori Scr. rer. Ital. T. VIII.

Menage, orig. de la langue française. Paris 1750. f. 2 Bde.

Menard, Claude, Observations zu seiner Ausgabe von Joinville Paris 1677. 4.

Meninsky, Lexicon arab.-pers.-turcicum. Viennae 1780—1802. f. 4 Bde.

Menke von Werum, Chronik in Matthaei veteris aevi analecta. T. II.

Michaud, Bibliographie des Croisades (Extraits des histor. arabes) s. Reinaud.

— Histoire des Croisades. Paris, 1825—1829. 8. 6 Bde.

Mill, History of the Crusades. London 1820. 8. 2 Bde.

Millin, Galerie mythologique. Paris 1811. 8. 2 Bde.

— Note sur le Vase que l'on conservait à Gènes sous le nom de sacro Catino etc. in Magasin encyclopéd. 1807. T. I.

Millot, Histoire littéraire des Troubadours. Par. 1774. 8. 3 Bde.

Miracula S. Dionysii, in den Actis Sanctorum ad diem IX. Octobr. T. IV. p. 865.

Miraeus, Aub., Opera diplomatica et histor. Bruxell. 1723. f. 4 Bde.

— Deliciae ordinum equestrium, Colon. 1613. 4.

Mirchond, Histoire des Ismaëliens de Perse, publiée par A. Jourdain, Paris, 1812. 4. Auch in Notices et Extraits des Manuscrits de la Bibl d. R. T. IX.

Möser, J., Osnabrückische Geschichte, 3 Bde. Berlin 1780—1824. 8.

Molinari, Gioseffantonio, Storia d'Incisa e del già celebre suo marchisato, Asti 1810. 8.

Monachus Sangallens., de gestis Caroli M. in Bouquet Recueil T.V.

Montfaucon, Bn. de, Monumens de la Monarchie franç. Par. 1729—33. f. 5 Bde.

Montrol, M. F. de, Resumé de l'hist. de la Champagne, Paris. 1826. 12.

De Morinis, Roberti, Chronicon ed. Hearnius. Oxon. 1733. 8.

Mosis Chorenensis historiae Armeniacae Libri III ed. Guil. et Georg. Whiston. Lond. 1736. 4.

Müller, Johannes v., Geschichte der Schweiz. Eidgenossensch. Leipz. 1806—8. gr. 8. 5 Bde.

Münter, Fr., Statutenbuch des Ordens der Tempelherrn, Berlin, 1794. 8.

— Undersögelser om de danske Riddervordeners Oprindelse., Kiöbenh. 1822. 8.

— Vermischte Beiträge zur Kirchengeschichte. Kopenhagen. 1798. 8.

Muratori, L. A., Annali d'Italia. Mil. 1744—49. 4. 12 Bde.

— Geschichte von Italien, deutsche Uebersetzung. Leipz. 1745—50. 4. 9 Bde.

Murphy, J., Travels in Portugal in the years 1789 and 90. Lond. 1795. 4.

Navarrete, Martin Fernandez de, Dissertacion hist. sobre la parte que tuviéron los Españoles en las guerras de ultramar ò de las cruzadas. Madr. 1816. 4. Auch in den Memorias de la real Academia de la historia Tomo V. Madr. 1817. 4.

Nibby, A., Viaggio antiquario ne' contorni di Roma. Roma 1819. 8. 2 Bde.

Nibelungenlied. Herausg. durch F. H. von der Hagen Berl. 1807. 8.

Nicephori Bryenn. Commentarii. Paris 1661. f.

Nicephorus Gregoras, Hist. Byz. Paris 1702. f. 2 Bde. Bonnae 1829. 1830. 8. 2 Bde.

Nicetae, Acominati Choniatae, imperii graeci historia. Paris. 1647. f.

Nicolaus von Amiens, Chron. in Bouquet Recueil, T. XIV.
Nicol. de Curbio, Vita Innocentii IV, in Baluzii Miscell. T. VII.
Necrologium Mellicense et Claustro-Neoburgense in Martin Hergott Taphographia principum Austriae, T. I. p. 46.
Niebuhr, Reisebeschreibung nach Arabien. Kopenh. 1774. — 78. 4. 2 Bde.
Niemann, F., die Stadt Halberstadt und ihre Umgebungen. Halberst. 1824. 8.
Notitia de consecratione altaris Carofens. in Bouquet Recueil, T. XIV.
— — — — Cluniac. in Bouquet Recueil, T. XIV.

Odo de Diogilo, de expeditione Lud. VII in Orientem in S. Bernardi genus illustre assertum, opera et st. P. F. Chiffletii. Divione 1660. 4.
Oliverii Scholastici Historia Damiatina in Eccardi Corpore hist. medii aevi. T. II.
— — Historia regum terrae sanctae in Eccardi Corp. histor. medii aevi, T. II.
Olivier, Reiseb. durch die Türkei, Weimar, 1805. 8.
Ordericus Vitalis, Historiae ecclesiasticae libri XIII. in Du Chesne Scr. Norm.
Ordonnances des Rois de France. Par. 1723 — 1820. f. 17 Bde.
Ortilonis Notulae in Hanthaler Fasti Campililienses. Lincii 1747. f. 2 Bde.
Otter, Joh., Voyage en Turquie et en Perse. Paris 1748. 2 Bde. 8.
Ottonis de St. Blasio Chronicon ab a. 1146 usque ad 1209. in Urstisii Script. rer. Germ., T. I. Muratori Scr. r. Ital., T. VI. und den Monumentis Alemanniae, T. II.
Ottonis Frising. Chronicon Bas. 1569. f. und in Urstisii S. r. Germ., T. I.
Ottonis Frising. De gestis Frid. I. Arg. 1515. f. und in Muratori S. r. Ital., T. VI.
Ottokar von Horneck, s. Horneck.
Oudin, C., De Scriptor. ecclesiae antiquis illorumque scriptis. Lps. 1722. f. 3 Bde.
Oultremont, Peter d', Traité des dernieres croisades pour le recouvrement de la Terre sainte auquel est ajouté la vie de Pierre l'hermite. Paris 1645. 12.
Outreman, Peter d', Constantinopolis Belgica, sive de rebus gestis a Balduino et Henrico Impp. Constantinopolitanis ortu Valentinensibus Libri quinque. Tornaci 1643. 4.

Pachymeris, Georgii, Michael Palaeologus. Romae 1666. fol.
Panis, Ogerii, Annales Genuenses in Muratori Scr. r. It., T. VI.
Papon, J. Pt., Hist. gén. de Provence. Par. 1777 — 86. 4. 4 Bde.
Parcifal, von Wolfram von Eschenbach. 1477. f. o. O.
Paris, Matthaei, Hist. Anglicana major. ed. Wats. Lond. 1640. Ead. Lond. 1644 fol.
Passio S. Tyemonis Juvaviensis in Canisii Lection. antiq. ed. Basnage f. T. III. P. II und in Hundii Metropolis Salisburg. Ratisb. 1719. f.
Patavini, Monachi, Chronicon in Muratori Script. rer. Ital., T. VIII.
Paultre, Mémoire sur la forêt de Saron in Michaud Hist. des Croisades, T. II.
Peregrinacion du frère Bicult, Handschr. d. königl. Bibliothek zu Paris.
Petri, Abb., Ep. ad Lud. VII. in Du Chesne Script. rer. Franc. T. IV. und Bouquet Recueil, T. XIV.
— Tudebodi historia de Hierosolymitano itinere in Du Chesne

Scr. r. Fr. T. IV. s. oben Anonymi gesta Francorum.

PETRI BLESENSIS Opera (cura Pt. de Gussanvilla) Paris 1667. fol.

PETRI DE CONDETO Epistolae in d'Achery Spicileg., T. III.

PETRI, Monachi coenob. Vallium Cornarii, Historia Albigensium in Du Chesne Scriptor. rer. Fr., T. V.

PULKAWAE Chron. in G. Dobner Monumenta historica Boemiae, Prag. 1764 — 86. 4. 6 Bde., T. III.

Pfister, J. C., Geschichte von Schwaben, Heilbr. 1803—17. 8. 4 Bde.

PHILIPPUS Claravallens., De Miraculis S. Bernardi in S. Bernardi opp. ed Montfaucon.

PHOCAE, J., Descriptio terrae s. in Leonis Allatii Symmictis s. opusculor. gr. et. lat. libri II. Colon. 1653. 8.

PLAGON, Hugo, Contin. gallica historiae Guilielmi Tyrii in Edm. Martene et Urs. Durand Collect. ampl., T. V. Mit dem Namen des Hugo Plagon ist der Kürze wegen (vgl. Meusel bibliotheca historica Vol. II. p. 294) dieses Werk bezeichnet; Andre halten den Bernardus Thesaurarius für den Verfasser. Die Handschriften dieses Werks, welche zu Paris sich befinden, nennen theils keinen Verfasser, theils sind sie nicht übereinstimmend in ihren Angaben. Wahrscheinlich ist auch die von Raumer angeführte Berner Handschrift: Bernard de St. Pierre de Corbie conte de la terre d'Outremer, nichts anders als unsere Chronik des Hugo Plagon.

POCOCKE, Rich., Description of the East. London 1745. f. 3 Thle.

— — Deutsch: Beschreibung des Morgenlandes. Erl. 1771 — 73. 4. 3 Bde.

— Reisebeschreibung in Paulus's Sammlung von Reisebeschreibungen. Thl. 1.

POCOCKE, R., Specimen historiae Arabum, Oxoniae 1650. 4. ed. White. Oxon. 1806. 4.

Poesies du roi de Navarre p. La Ravallière. Paris 1742. 8. 2 Voll.

DE LA PORTE DU THEIL Mémoire sur la vie de Robert de Courçon in den Notices et Extraits d. Msts. de la Bibl. du roi T. VI.

Die Posaune des heiligen Kriegs, herausg. durch Joh. v. Müller. Berlin 1806. 8.

PTOLEMAEI Lucensis Hist. eccles. in Muratori Scr. rer. It., T. XI.

QUATREMERE, Et., Mémoires géogr. et histor. sur l'Egypte. etc. Par. 1811. 8. 2 Bde.

— — Mémoire sur la vie de Mostanser in den Recherches crit. sur la langue et littérat. d'Egypte. Par. 1808. gr. 8. T. II.

— — Notice historique sur les Ismaëlites, in den Fundgruben des Orients, Thl. 4.

QUIEN, Mich. le, Oriens christianus. Par. 1740. f. 3 Bde.

Rabe, J. J., Deutsche Uebersetzung der Chronik des Joseph Ben Meir, Handschrift in meinem Besitze.

RADEVICI Frisingensis, De gestis Friderici I. in Urstisii SS. rer. Germ. und Muratori SS. rer. Ital. T. VI.

RADULFI Cadomensis Gesta Tancredi in Muratori Script. r. Ital. T. VI. und in Martene Thes. anecd. T. III.

— Coggeshale, Chron. anglicanum in Martene et Durand Coll. ampl., T. V.

— — Chron. terrae sanctae, ibid.

— de Diceto, Imagines historiarum in Rog. Twysden Script. rer. Angl.

RAIMUND DE AGILES, Historia Iherusolymitana in Bongarsii Gesta Dei per Fr., T. I.

RAINALDUS s. RAYNALDUS.

Ramnusii, Petri, De bello Constantinopolitano et Imperatoribus Comnenis per Gallos et Venetos restitutis Historia. Venet. 1624. f.

Raumer, Frd. v., Geschichte der Hohenstaufen. Leipz. 1823—1825. 6 Bde 8.

Raynaldi, Odorici, annales ecclesiastici ab a. 1198—1565. Rom. 1646—1677. 10 Voll. fol. Auch in der Ausgabe von Baronii ann. eccl. von Mansi, Luccae 1738 sq. fol.

Reinaud, Extraits des Historiens Arabes relatifs aux guerres des Croisades. Paris 1829. 8.

— Histoire de la sixième croisade et de la prise de Damiette d'après les ecrivains arabes, im Journal asiatique T. VIII.

Reineri, ad St. Jocobum Monachi, Chronicon Leodiense in Labbei Biblioth. MSS. T. I. und in Bouquet Recueil, T. XI.

Reinhard, Geschichte des Königreichs Cypern. Erlangen und Lpz. 1766. u 1768. 4. 2 Bde.

Reland, Hadr., Palaestina. Traj. ad Rh. 1714. 4. 2 Bde.

Relation manuscrite du siége et de la prise d'Acre par les Sarrazins (s. Anon. de excidio Acconis), in Michaud Hist des Crois. T. V.

Remusat, Abel, Mémoire sur les relations politiques des princes chrétiens et particulièrement des Rois de France avec les Empereurs Mogols, in den Mémoires de l'Academie des Inscript. T. VI. Paris 1822. 4.

— — Second Mémoire sur les relat. etc. in den Mém. de l'Acad. d. Ins. T. VII. Paris 1824. 4.

Renaudot, E., Historia Patriarcharum Alexandrinor. Par. 1713. 4.

Repertorium für bibl. und morgenländische Literatur (herausgeg. von Eichhorn). Leipz. 1777—1786. 8. 18 Bde.

Reynier, über Aegypten nach der Schlacht bei Heliopolis. Berlin 1802. 8.

Rhythmus de Caroli M. exped. hisp. in J. Schilteri Thes. Antiq. Teuton. Ulmae 1727. f. 3 Bde. T. II.

Richardi de St. Germano, Chronicon in Muratori Script. rer. Ital., T. VII.

Richer, Monachi, Chronicon, Mspt. angeführt von Du Fresne du Cange zu Joinville.

Rigordus, De Gestis Philippi Augusti in Bouquet Recueil, T. XVII.

Ritter, K., Erdkunde, zweite Ausg. Th. 1. Berlin 1822. 8.

Robertus de Monte, Appendix ad Chron. Sigeberti Gemblac. in Pistorii Script. rer. Germ. ed. Struve T. I.

Robertson, W., History of the reign of the Emperor Charles V. Lond. 1769. 4. 3 Bde. Deutsch übers. von J. A. Remer. Brschw. 1792—94. 8. 3 Bde.

Roderici Toletani Historia in Andr. Schott Hispaniae illustratae Script. varii. Ff. 1603—8. f. 4 Bde.

Rogerii de Hoveden Annales Anglicani, in H. Savile Script. r. Angl.

Romualdi Salernitani Chron. in Muratori Script. rer. Ital. T. VII.

Roquefort, J. B. B., Glossaire de la langue Romane. Paris 1808. 8. 2 Bde.

Rubruquis, Voyages, in P. Bergeron Voyages en Asie, à la Haye 1735. 4. 2 Bde.

Ruge, v., Lied vom heiligen Grabe, mitgetheilt von Docen in Schelling's Zeitschrift von Deutschen für Deutsche, Thl. 1.

Rumohr, C. F. v., Italienische Forschungen. Berlin 1827—31. 8. 3 Bde.

Runde, J. F., Grundsätze des allgemeinen deutschen Privatrechts. Göttingen 1791. 8.

RYMER, Acta publica. London 1816—1825. fol. (bis jetzt) 3 Bde.
— Foedera, Conventiones etc. inter reges Angliae et alios imperatores etc. Hag. Comitum 1745. f. 20 Thl. in 10 Bdn.

SABELLICUS, M. A. C., Rerum Venetarum decades IV. Ven. 1487. gr. f.
SACY, A. J. Silvestre de, Chrestomathie arabe. Par. 1826. 3 Bde. 8.
— — Mémoire sur le Traité fait entre Philippe le Hardi et le roi de Tunis, im Journal asiatique T. VII
— — Notices des Manuscrits laissés par Dom Berthereau, im Magasin encyclopédique anneè 1799.
— — Rapport sur les travaux de la classe d'histoire et de littérat. ancienne, 1809. und im Moniteur Nr. 210 v. J. 1809.
SADI, Gulistan, ed. Gentius. Amst. 1651. f.
Sagittarius, C., Geschichte der thüring. Grafschaft Heldrungen in der Sammlung vermischter Nachrichten zur sächs. Geschichte. Thl. 6.
— Thüringische Geschichte, aus dessen Handschriften gezogen. Chemnitz 1772. 8.
SAINT-MARTIN, J., Mémoires histor. et geogr. sur l'Arménie, Paris 1818—19 8. 2 Bde.
SANUTUS, Mar, Secreta fidel Crucis in Bongarsii Gesta D. p. F., T. II
SARTI, de claris Archigymnasii Bononiensis Professoribus. Bonon. 1769—1772. Tomi I. Pars 1. 2.
SAULI, Lud., Della Colonia dei Genovesi in Galata. Torino 1831. 2 Bde. 8.
SAVARY, Lettres sur l'Egypte, Paris 1785. 8. 3 Bde.
Savigny, Fr. v., Geschichte des römischen Rechts im Mittelalter. Heidelb. 1815—31. 8. 6 Bde.
— — Ueber den römischen Colonat in den Abhandlungen der k. Akadm. d. Wissenschaften zu Berlin, aus den Jahren 1822. 1823.
SAXO Grammaticus, Historiae Danicae libri XVI. ed. C. A. Klotz. Lps. 1771. 4.
SCHEIDII Origines Guelphicae, Hanov. 1750—1780. fol. 5 Bde.
Schlosser, F. C., Geschichte der bilderstürmenden Kaiser, Frankf. 1812. 8.
Schmidt, E. A., Geschichte Aragoniens im Mittelalter, Leipz. 1828. 8.
— K. E., Ueber die Assisen zu Jerusalem, in der Zeitschrift: Hermes B. 30. Leipz. 1828. 8.
SCHOEPFLIN, J. Dn., Historia Zaringo-Badensis, Carolsruhae 1763—66. 4. 7 Bde.
Schöppenchronik, magdeburgische, Hdschr. der königl. Bibliothek zu Berlin.
SCYLITZES, Jo., compendii historiarum pars posterior ad calcem Cedreni. Paris 1647. f.
SICARD Cremonensis, Chronicon in Muratori Script. rer. Ital. T. VII.
SIFFRID, Presb., Epitome historica in Pistorii Script. rer. Germ., T. I.
SIGEBERTUS Gemblacensis, Chronographia, in Pistorii Scr. rer. Germ. ed. Struvius. T. I.
SIGISMONDO, Descrizione della città di Napoli, Nap. 1788. 1789. 3 Bde.
SILLIG, Catalogus artificum, Dresdae 1827. 8.
SIMON de Montfort, Chronicon in Du Chesne Franc. h. Script. T. V.
Simonsen, Vedel, Historisk Udsigt over Nordiske Valfarter og Korstog til det hellige Land, in dessen Udsigt over National historiens aeldste og maerkeligste Perioder Thl. II. Hälfte 2. Kiöbenhavn 1813. 8.
SISMONDI, J. C. L. Simonde de, Hist. de la littérature du midi de l'Europe. Paris 1813. 8. 4 Bde.

SISMONDI, J. C. L. Simonde de, histoire des républiques italiennes dans le moyen age. Zuric et Paris 1807—24. 8. 16 Bde.
SOCRATES s. EUSEBIUS.
Sojuthi, Abriß der Geschichte von Misr und Kairo. Handschr.
SOZOMENUS s. EUSEBIUS.
Spalding, Geschichte des christlichen Königreichs Jerusalem. Berlin 1803. 8. 2 Bde.
SPARKE, Jos., Historiae Anglicanae Scriptores var. Lond. 1723. f.
SPONDANI, Henr., Annalium ecclesiasticorum C. Baronii continuatio. Lugd. 1678 2 Voll. f
STEPHANI, Parisiens, Comment. in Reg. S. Benedicti in Annal. Ord. Bened. T. VI. und in Bouquet Recueil, T. XII.
— Carnotensis et Blesensis comitis, epistola ad Adelam uxorem, in d'Achery Spicileg. T. IV. (novae editionis T. III.)
STERONIS, Henrici. Annales in Canisii lect. ant, T. IV.
STRITTER, J. G., Memoriae populorum. Petrop. 1771—79. 4.
STRABO, Rerum geograph. libri XVII. Curante T. J. ab Almeloveen. Amst. 1707. f. 2 Bde.
SUGERII, Abbatis, Epistolae in Bouquet Recueil, T. XV.
SUGER, Vita Lud. Grossi Regis in Bouquet Recueil, T. XII.
Suhm, P. F., Historie af Danmark. Kiöbenh. 1782—1826. 4. 13 Bde.
Syntagma de SS Anargyris Cosma et Damiano, Vienn. 1660. 4.

TAGENO, De expeditione Asiatica Friderici I. in Marq. Freheri Script. rer. G. T. I.
THOMAE, Archidiac Spalatensis, Historia Salonitanorum Pontificum atque Spalatensium in J. G. Schwandtneri Script. rer. Hungar., Vindob. 1746—48 f. 3 Bde. T. III.
THOMAE, Cantipratensis, Liber apum. Strasb. 1472. f. Duaci 1627. 8.
THWROCZ, J. de, Chronica Hungarorum in Schwandtneri Scr. rer. Hung. T. I.
Testamentum Guilielmi Raimundi Comitis Ceretani in P. de Marca Marca hisp.
TIMON, Sam., Epitome rerum Hungaricarum. Cassoviae 1736. f.
TIRABOSCHI, G., Storia della letterat. ital. Modena 1774. 4. 9 Thle. in 16 Bdn.
TOLNER, J., Historia palatina. Francof. 1709. f.
TORFAEUS, Thorm., Historia rerum Norvegicarum, Hafn. 1711. f. 4 Thle.
— Orcadensium rerum historiae libri 3. Havn. 1697. f.
Tournefort, J. P., Reise nach der Levante, Nürnberg 1777. 8. 3 Bde.
TRIVETTUS, Nicol., Chronicon in d'Achery Spicileg. T. III.
Tucher, Hans, Reyßbeschreibung 1482. 4.
TURPINI Historia de gestis Caroli in Reuberi SS. rer. Germ.

UGHELLI, Ed., Italia sacra. Ven. 1717—22. f. 10 Bde.
URBANI, P., Epistola ad proceres provinc. Tarraconens. in Mansi Concil. T. XX.
Ursinus, Chronik von Thüringen in Menckenii Script. rer. Sax. T. III.

VAHRAM's Chronicle of the Armenian kingdom in Cilicia during the time of the Crusades. Translated from the original Armenian with notes and explanations by C. F. Neumann. London 1831. 8.
VEGETIUS, Fl., De re militari libri V. Arg. 1806. 8.
VERTOT, R. A. de, Histoire de chevaliers Hospitaliers de S. Jean de Jérusalem, à Paris 1726. 4. 4 Bde.
Vie de St Louis par le confesseur

de la reine Marguerite, hinter der Ausgabe von Joinville, Paris 1761 f.
VILLANI, Giov., Historie Fiorentine in Muratori Scr. rer. It. T. XIII.
VILLEHARDOUIN, Gf. de, Histoire de l'empire de Constantinople ed. Du Fresne. Paris 1657. fol.
VINCENTIUS, Bellovac., Speculum historiale. Duaci 1624. fol.
VINISAUF, Gaufrid., Iter Hierosolymitanum Richardi regis in Gale Script. rer. Angl., T. II.
VISCONTI, E. Q., Museo Pio-Clementino. Roma 1782—1807. gr. f. 7 Bde.
Vita B. Guilielmi Firmati auct. Stephano Redonensi Episc. in Bouquet Recueil, T. XIV.
Vita B. Idae Boloniensis in Bouquet Recueil, T. XIV.
VOLNEY, C. Fr. Ch. de, Voyage en Syrie et en Egypte. Par. 1799. 8. 2 Bde.
VOLTAIRE, His. des Croisades in dessen essais sur les moeurs (Oeuvres de Voltaire T. 17. Gotha 1785. 8.).
VREDIUS, Ol., Sigilla Comitum Flandriae et Inscript. diplom. Brugis 1639. f.

WADDING, L., Annales Minorum. Romae, 1731—45. f. 19. Bde.
WALSINGHAM, Thomae, Historia brevis ab Edwardo I. ad Henr. V. Lond. 1574. f. und in Camdeni Script. Angl. Frf. 1602. f.
WALTHERI Bella Antiochena s. GUALTHERUS.
Walther von der Vogelweide, Gedichte, herausg. v. Lachmann. Berlin 1827. 8.
Weingartensis Monachi Historia de Guelfis in Leibnitz Script. Brunsv., T. I.
Weltgeschichte allgemeine, von W. Guthrie und J. Gray. Aus dem Engl. übers. Leipz. 1765—1780. 8.
Wenck, H. B., hessische Landesgeschichte. Frankf. 1785—1803. 4. 3 Bde.
WHARTON, Th., History of English poetry. Lond. 1774—81. 4. 3 Bde.
WIBALDI Epistolae in E. Martene et U. Durand Collect. ampl. T. II.
Wiedeburg, B. C. B., Nachricht von einig. altdeutschen poet. Mnsptn. aus d. 13. u 14. Jahrh., welche in der jenaischen akadem. Bibl. aufbewahrt werden. Jena 1754. 4.
Wilcke, W. F., Geschichte des Tempelherrnordens. Lpz. 1826—27. 8. 2 Bde.
WILHELM, Calculus Gemetiens., Historia Normannica in Bouquet Recueil, T. XI.
WILKEN, F., Commentat. de bellor. cruciat. ex Abulfeda historia. Gotting. 1798. 4.
— — Rerum ab Alexio I. Joanne, Manuele et Alexio II. Comnenis, Romanorum Byzantinorum imperatoribus, gestarum libri IV. Heidelbergae 1811. 8.
WILLEBRAND AB OLDENBURG, Itinerarium terrae sanctae in Leonis Allatii Symmictis.
WILLELMI, San-Dionysiani, Vita Sugerii Abbatis in Bouquet Recueil, T. XII.
WOLF, J. Cp., Biblioth. hebraea. Hamb. et Lips. 1715—33. 4. 4 Bde.
WÜRDTWEIN, Nova subsidia diplomat. Heidelb. 1781—92. 8. 14 Bde.

ZONARAS, Annales. Paris 1668. fol. 2 Bde.

# Sach- und Namenregister.


* Aachen III (1), 79.
Abaga VII, 513, 615, 616, 639, 667, 682.
Abälard, Peter, III (1), 29.
Abbas, Abul, I, 24
Abbas, das Haus, II, 235.
* Abbasah VII, 289. 314.
Abbasiden, Zustand der Christen unter denselben in Palästina I, 25.
Abdallah Ebn Mohammed Ebn Wesir VI, 170.
Abdol-Muhsin IV, 231.
Abdorrahman I, 23.
Abdulmumin VI, 63.
Abek, König von Damascus II, 686.
Abgar II, 727.
* Abiskun VI, 631.
* Ablastin, Schlacht VII, 616.
Aboul-fadhl ebn-Elkasschab II, 632.
Abou Jali ebn-Elkhasschab II, 632.
Abraham von Nazareth III (2) 191.
* Abrusia IV, 103.
Abu Abdallah II, 520.
Abu Abdallah Mohammed Mostansir Billah VII, 547.
Abu Ali II, 594.
Abuali VI, 645.
Abu Bekr. I, 20. IV, 548. VII, 407.
Abu Haf VII, 547.
Abu Jali III (1) Blg. 18. 20.
Abu Kasem, fällt in der Schlacht II, 632.
Abulasakir Ebn Monked, erkauft sich von Tankred Waffenstillstand II, 293; stirbt 666.
Abulfadhl II, 425.
Abulfeda III, 1. Blg. 28; VII, 690, 742.
Abulfetah II, 272, 275, 632.
Abulganem Mohammed II, 520.
Abulhassan ebn Kafil VI, 287.
Abulkasem, Wesir II, 619.
— Ibn Bedi II, Blg. 27.
Abulmaali Ebn Almolachchi, wird Herr von Haleb II, 422, ruft Roger von Antiochien zu Hülfe 423.
Abulmahasen I, 189; VII, 217.
Abulmerhef Naser Ebn Monked II, 666.
Abul Wafa II, 566.
Abu Mohammed Abdallah VII, 547.
Abu Nasr Mohammed aus Faraba I, 275.
Abu Nasr Dekak, s. Dekak.
Abu Obeidah I, 21.
Abu Sakaria VII, 547.
Abu Said II, 671.
Abu Schamah, Berichte desselben III, 1. Blg. 18; Texte aus der Chronik desselben VI; Blg. 14.
Abu Taher Essajeh II, 254, 272.
Abu Taleb II, Blg. 28.
* Abvan III (2), 106.
* Abydus V, 199.
Accursius de Arretio VII, 665.
Acerra, Graf Thomas v. VI, 514.
Achar Aslam (Islam) IV, 437, 513, 514.
Achard, Prior II, 501.
Achus de Fay IV, 543.
* Achyraus V, 361.

* Acker, heiliger IV, 12.

* Achrida IV, 80.

Adam, Abt von Eberach III (1), 61.

— erster Bischof von Paneas II, 690.

* Adana I, 161; Blg. 10; von Tankred den Griechen entrissen II, 256; von Monastras eingenommen 264; von Johannes Komnenus eingenommen 644; von Masud überwältigt 670; V, 6.

Addo II, 410.

Aded, Chalif v. Aegypten III (2), 82; ernennt Saladin zu seinem Vesir 124; stirbt 139.

Adel, s. Malek al Adel.

Adela, Königin von Frankreich, IV, 153; V, 112.

Adelaide, Gemahlin Wilhelm Raimund's von St. Gilles II. Blg. 12.

— Witwe des Herzogs Roger v. Sicilien, vermählt sich mit Balduin I., II, 398; wird geschieden 468; stirbt 413.

— Witwe des Grafen Stephan v. Chartres II, 326.

Adelhard, Bischof von Verona IV, 616.

* Adelijah VI, 191. 213.

Adelinus, Wilhelm, Prinz von England II, 598.

Ademar von Puy, nimmt zuerst das Kreuz I, 55, wird zum Stellvertreter des Papstes als geistliches Oberhaupt des ersten Kreuzheeres ernannt 56, zieht durch Italien u. Dalmatien 129, geht nach Asien 137; kommt vor Nicäa an 142; straft einen unzüchtigen Mönch 185; stirbt in Antiochien 229.

Adler, eherner, des Apollonius von Tyana V. Blg. 36.

Adolf, Graf von Berg VI, 194. 199.

— Graf von Schaumburg und Holstein, zieht gegen die heidnischen Wenden III (1), 89. 258.

Adolf, Graf v. Schaumburg und Holstein IV, 317.

Adolf, Graf v. Holstein u. Schaumburg, nimmt das Kreuz V, 16; tödtet in der Schlacht den Emir Assamah und entscheidet dadurch die Schlacht 34.

* Adra III (1), 215.

Adralestus II, 347.

* Adrianopel (Orestias) IV, 89; ergiebt sich dem Kaiser Balduin V, 350; Schlacht V, 395.

* Adramyttium V, 360.

* Adschlun VI, 145.

* Adschulin II, 474.

Aegidius de Sanzi VII, 613.

— Erzbischof von Tyrus VII, 468.

— Legat II, 535.

— Notarius VII, 151, 654.

— Templer VII, 157.

— le Brun VII, 327.

* Aegypten, Schauplatz von Unruhen II, 544; schwankender Zustand der Chalifen daselbst III (2), 81; Wichtigkeit der Eroberung dieses Landes für die Christen VI, 180; Hungersnoth daselbst 3; Seuche 4; Erdbeben 5; schwankender Zustand daselbst nach der Ermordung des Sultans Turanschah VII, 388.

Aegypter, bedrängen Joppe II, 490; werden bei Ibelim geschlagen 491; zur See geschlagen II, 493.

Aegyptische Gesandte im Lager vor Antiochien I, 188.

* Aegyptus (Bach) VI, 589.

Afdal, erobert Tyrus und Jerusalem I, 278; kommt mit einem großen Heere nach Syrien II, 5; Drohungen desselben 6; geschlagen bei Askalon 13; bittet um Waffenstillstand 404; wird ermordet 593.

* Aflun VI, 557.

* Afrin II, 427.

Agathe, h. V, 308.

Agnes, Aebtissin II, 641.
— Gemahlin Amalrich's, wird geschieden III (2), 78, 79.
— Gemahlin des Kaisers Heinrich von Byzanz V, 297.
— Gemahlin Rainer's v. Brus II. nachher Gerhard's v. Sidon II, 613.
— Schwester Anselm's v. Ribethmonte II, 29.
* Agios IV, 106.
Agulanen I, 205.
Agunich II, 131.
Ahmed III, (2), 187.
— Chan, VII, 682.
— Ebn Mervan II. Blg. 30.
Ahmedjjel II, 294, 297.
* Aidab III (2), 222.
* Aiguesmortes VII, 63
* Ailah III (2), 139, 222.
Aimer, Graf von Angoulesme IV, 25.
Aimerich II, 705; wird Patriarch von Antiochien 710; übernimmt die Regierung des Fürstenthums Antiochien III (2), 5; wird grausam gemißhandelt 33.
— Connetable, wird bei Hittin gefangen III (2), 287.
— Vizgraf von Thouars VI, 353.
* Ain Dschaluth VI, 144; Schlacht VII, 416.
Aineddaulah Jaruk III (2), 124.
* Ain Schems III (2), 119.
* Aintab I, 235; III (2), 217.
Aische, Graf Herrmann u. Heinrich von, I, 144.
* Ajadiah IV, 257.
* Ajas I, 182.
— der Lange IV, 409.
— Mehrani IV, 438.
* Akabah Asil (Akba Fik) IV, 320; VI, 147.
* Akka I, 266, 267; Versammlungen daselbst zur Verbesserung der Gesetze 318; v. Balduin belagert II, 194; an Balduin übergeben 196; s. auch Ptolemais.
* Akkar VII, 592.
Aksankar Burski II, 396.
* Aksara I. Blg. 7.
Aksonkor, II, 382; rückt gegen Haleb 384; reizt Togthekin und Roger von Antiochien vergebens zum Kampfe 385; belagert vergebens Kafartab 387; belagert das Schloß der Kurden vergebens, nimmt aber Kafartab ein 388; zerstreut sein Heer über das ganze Land 389; wird bei Danit von Roger geschlagen 392; befreit Haleb von der Belagerung der Christen 521; bezwingt Kafartab 523; belagert Atsareb 529; ermordet 531.
— Alborski II, 578, 580.
— Kasimeddaulah II, 577.
* Alabaignare IV, 163.
Aladed, Chalif v. Aegypten, Pracht desselben III (2), 98.
* Alahaß II, 466.
Alameddin IV, 443.
* Alamuth II, 243; IV, 487.
Alanus II, 394.
— Graf II, 429—443, 476, 484.
— IV, 435.
* Alarisch VII, 389.
* Alarur II, 451.
Alaschraf, s. Malek Alaschraf.
Alatrinus, Capellan, VI, 397.
* Albab II, 663.
* Albara I, 239; v. Balak erstürmt II, 478.
— Bischof v., wird verjagt II, 265.
* Albemarle IV, 31.
Alberade I, 122.
Alberic von Laon V. 107.
Alberik, Abt III (1), 10.
— Cardinalbischof v. Ostia, entsetzt den Patriarchen von Antiochien II, 689, 709, 710.
— Erzbischof v. Rheims VI, 132.
— Vicetruchseß II, 433.
— von Rheims IV, 540; 545.
Albero, Erzbischof von Hamburg III (1), 258.
Albert, Bruder des Grafen von Nemour II, 607.
— Markgraf v. Salzwedel, zieht

gegen die heidn. Wenden III (1), 258.
Albert von Aix I, 147.
Alberti, Jakob, V, 390.
— Pietro V, 390.
Albigenser, Hinrichtungen derselben VI, 579.
Albrecht, Graf von Orlamünde VI, 386.
— Patriarch von Jerusalem VI, 89.
* Albufeyra VI, 171.
* Alcacera II, 219.
* Alchoz VI, 167.
Aldebrandinus de Florentia VII, 666.
Aldibrando, Bartholomäus V, 374.
* Aldscheser II, 632.
Alebrand, Graf, IV, 270.
* Alekin VI, 147, 205, 206.
Alemar von Selingan VII, 301.
Alemir IV, 587.
* Alençon IV, 30.
* Aleppo, durch Erdbeben zerstört III (2), 135; von Saladin belagert 161; kommt unter die Botmäßigkeit Saladin's 218.
Alexander III., Papst, III (2), 195.
— IV., Papst, Abstammung und Charakter VII, 393; Bemühungen für das heilige Land 395; vermittelt den Frieden zwischen den Pisanern, Genuesern und Venetianern 399; stirbt 448.
— Graf v. Gravina III (1), 102; (2), 115, 175.
* Alexandria, von Schirkuh eingenommen III (2), 108; von Amalrich belagert 109; von einem sicilischen Heere belagert 159; Zerstörung der Kirche des heiligen Marcus daselbst VI, 238.
Alexius Angelus, griech. Prinz, Sohn des Isaak Angelus, V, 147; flieht nach Italien 151; verweilt zu Verona und spricht den Beistand der Kreuzfahrer an 152; schließt einen Vertrag mit den Kreuzfahrern u. Venetianern V, 178; geht nach Zara 188, 192; segelt nach Corfu 192; zeigt sich den Einwohnern von Constantinopel 210; geht nach Constantinopel zu seinem Vater Isaak Angelus 237; wird als Mitregent gekrönt 240; bittet die Kreuzfahrer und Venetianer, noch länger in der Nähe Constantinopels zu bleiben 243; zieht nach Adrianopel 246; bricht den freundlichen Verkehr mit den Pilgern ab 253; geräth in Spannung mit seinem Vater 255; beginnt die Feindseligkeiten gegen die Kreuzfahrer 258; als vom Volke ein neuer Kaiser erwählt worden, sendet er Murtzuflos zu den Pilgern, um zu unterhandeln 265; befördert seinen Untergang durch Unentschlossenheit 266; vertraut sich dem Verräther Murtzuflos, wird von ihm in Fesseln gelegt 267, und erdrosselt 277.
Alexius I., Komnenus, Kaiser, nimmt die ersten Kreuzfahrer freundlich auf I, 80, 88; ändert sein Benehmen 108; macht Frieden mit Suleiman 139; unterhandelt heimlich mit den Nicäern 147; falsche Staatsklugheit verführt ihn zu verderblichen Maßregeln II, 305; hat ängstliche Furcht vor den Kreuzfahrern 309; hegt gegründete Besorgnisse wegen Boemund's Absichten 313; bewirkt die Freilassung von 300 Kreuzrittern 324; trifft Anstalten zur Vertheidigung seines Reichs 331; geht nach Choerobakchi 336; nach Deabolis 338; stiftet Zwietracht im Heere der Kreuzfahrer unter Boemund 341; unterredet sich mit Boemund 347; schließt Frieden 349; schickt eine Flotte nach Syrien 356; stirbt 413; als Kaiser Constantinus in dem Gedichte: König Rother, Blz 17.
— Bruder des Isaak Angelus V, 149; setzt Constantinopel in Vertheidigungsstand 205; nimmt keinen Theil an der Ver-

theidigung V, 226; führt das Heer vor das Lager der Kreuzfahrer 230: zieht sich zurück 232; entflieht mit seiner Tochter Irene 233; setzt seine Flucht von Adrianopel fort 246; geht nach Mosynopolis 351; flieht auch von da 352; wird gefangen 389; stirbt 390.
Alexius, der Komnene, Enkel des Andronicus, errichtet in Trapezunt einen kaiserl. Thron V, 391.
— Neffe des Kaisers Alexius, wird Statthalter von Dyrrachium II, 332; vertheidigt es tapfer gegen Boemund 338.
— Ducas Murtzuflos s. Murtzuflos.
— Strategopulus, Feldherr des Kaisers Michael Paläologus VII, 443; nimmt Constantinopel ein 444.
Al Fadel IV, 586; Brief an den Fürsten von Jemen IV; Blg. 84.
Alfons, der Weise, König von Castilien VII, 296, 532, 634.
— Graf von Poitiers, gelobt die Kreuzfahrt VII, 20; kommt im Lager bei Damiette an, 124; wird bei Aschmum gefangen und befreit 182; bleibt als Geisel in der Haft der Saracenen 249; wird frei 254; geht nach Frankreich zurück 274; stirbt 583.
— Graf v. Toulouse, vergiftet III (1), 231.
— König v. Navarra II, 563.
— König v. Portugal, überwältigt mit Hülfe einer Pilgerflotte Lissabon III (1), 264.
— von Eu VII, 558.
— von Portugal, Großmeister des Hospitals VI, 19.
— v. Toulouse III (1), 36.
* Algarve VI, 171.
* Alguta II, 687.
* Alhadschl IV, 298.
Al-Hafedh Ebn Dschuff III, 1; Blg. 28
* Alhassa IV, 508, 513.
Ali, Alaeddin, VII, 671, 700.
— der Kurde II, 293.
Ali, der Narr VII, 478.
— ein Schmied IV, 276.
* Alikah VII, 595.
Alidische Chalifen I, 28.
* Alimunschajab VII, 259.
Alir (Alis), Königin v. Cypern, Enkelin Amalrich I., VI, 519; stirbt 546.
— Königin von Cypern, Gemahlin Rudolph's v. Soisson I, 314; VI, 624; VII, 37.
— Philipp August's Schwester IV, 37.
— v. Blois V, 112.
* Alkaimun VI, 216.
* Alkalma II, 673.
* Alkazar VI, 167; Schlacht 169.
Alkobaza V, 167; VI, 165.
* Alkobba II, 422.
Allah akbar I, 155.
* Allubia III (2), 275.
* Almadra VI, 171.
Almansur I, 25.
Almarich de la Roche VII, 557.
Almaschtubi, Sonker IV, 548.
Almeddin Sandschar VII, 423, 667.
— Soliman Ebn Dschandar IV, 325.
Almodis II. Flg. 12.
Almohaden VII, 547.
Almosenstock V, 84; VII, 640.
Almostarsched II, 583.
* Alnokra II, 385.
* Alopha III (2), 212.
Aloysius, Bischof von Arras, nimmt das Kreuz III (1), 95; stirbt 1'3.
Alp Arslan I, 41, 138; Blg. 10.
— der Stumme, folgt seinem Vater Rodvan v. Haleb II, 377; stürzt sich ins Verderben 377; wird getödtet 379.
* Alscharki II, 673.
Altaspada, Otto, II, 115.
Alte, vom Berge, II, 244; III (2), 152; VII, 286.
Altuntherin II, 578.
* Alvor VI, 171.
* Am II, 606, s. Harem.
* Amacha I, 237.

Amadeus, Graf v. Maurienne und Turin, nimmt das Kreuz III (1), 95.
* Amalfi I, 123; II, 191.
Amalfitaner erbauen ein Kloster und eine Kirche zur Ehre d. heil. Jungfrau in Jerusalem I, 29.
Amalrich, Graf von Montfort, nimmt das Kreuz VI, 564. wird gefangen 593, 594; frei 615; geht zurück 617; stirbt in Rom 620.
— Graf von Joppe, erhält die Grafschaft Askalon III (2), 27; wird König von Jerusalem 75; Charakter 78; trennt sich von seiner Gattin Agnes 78; vermählt sich mit Maria 79; zieht nach Aegypten und schlägt Dargam 83; rückt vor Pelusium 89; Unglücksfälle bewegen ihn zur Rückkehr in sein Reich, schließt mit Schirkuh Frieden 92; ordnet die Angelegenheiten Antiochiens 93; zieht nach Belbeis 95; und Babylon 96; schließt Bündniß mit Schaver 97; steht lange dem Schirkuh bei Kahirah gegenüber 101; geht über den Nil 102; folgt dem türkischen Heere 103; wird bei Babein geschlagen 107; lagert sich bei Alexandria 108; belagert es 110; schließt Frieden mit Schirkuh 111; verläßt Aegypten 112; bricht aus Habsucht den Frieden mit Schaver 114; fällt in Aegypten ein und erstürmt Belbeis 117; zieht vor Kahirah 118; läßt sich durch Geld bewegen nach Heliopolis zurückzugehen 119; erhält Kunde von der Annäherung Schirkub's und räumt Aegypten 121; zieht mit griechischen Truppen zur Belagerung v. Damiette 128; schließt Frieden 132; und tritt den Rückzug an 133; eilt zur Vertheidigung nach Askalon gegen Saladin 135; zieht nach Darum 137; geht in sein Reich zurück 138; beruft die Fürsten des Reichs zu gemeinsamer Berathung 143; geht nach Constantinopel, um von Manuel Beistand zu erwirken III (2), 144; wird glänzend aufgenommen 145; schließt Bündniß mit Manuel 147; kehrt mit glänzenden Hoffnungen zurück 148; geht nach Darum 150; rückt vor Paneas 153; stirbt 154.
Amalrich, König von Cypern, V, 20; wird König v. Jerusalem 29; ordnet die Verhältnisse der Ritter, welche Zinslehen besitzen 30; beschließt, Berytus zu belagern 31; nimmt Berytus ein 38; wird daselbst gekrönt 39; knüpft Unterhandlungen wegen Erneuerung des Waffenstillstandes an 57; liebt den Frieden 16; hebt den Waffenstillstand auf 45; unternimmt Streifzüge 47; schließt einen vortheilhaften Waffenstillstand mit Malek al Adel 50; stirbt 52.
— Bruder des Königs Heinrich v. Cypern VII, 707, 781.
— Patriarch von Jerusalem III, (2), 47.
Amanien des Escas III (1), 107.
Amar, Chalif, II, 593.
* Amasia II, 131.
* Amathus VI, 529.
Ambrosius, Bischof I, 9.
* Amegarra III (2), 169.
Amelotte, Gemahlin Hugo's v. Joppe II, 608.
* Amida III (2), 217.
Ammar, Ebn, II, 78, 119, 201.
Amrun, Ebn, Fürst v. Kahaf, gefangen II, 674.
Anakletus, Gegenpapst II, 695; III (1), 23, 27.
Anar, Moineddin II, 633; schließt Bündniß mit den Christen 686; belagert mit ihnen Paneas 688; Reichsverweser von Damascus III (1), 199; trifft treffliche Anstalten zur Vertheidigung von Damascus 241; streitet tapfer 245; bewegt durch Geld die christlichen Fürsten zum Abzuge 250.
* Anas VI, 55.

* Anavarza II, 716.
* Anchin II, 24.
* Ancras II, 126, 140.
* Ancyra, von einem Kreuzheere erobert II, 126.
Andreas, Apostel, Erscheinungen desselben I, 213.
— Bruder des heil. Bernhard III, (1), 8.
— de Mulin V, 334.
— König von Ungarn VI, 70; rüstet sich zum Kreuzzuge 128; geht nach Spalatro 134; fährt nach Cypern 136; kommt nach Ptolemais 140; zieht gegen den Sultan Malek al Adel 142; nach Beisan 147; belagert vergebens die Burg auf dem Berge Tabor 149; geht nach Tripolis 156; geht zu Lande über Constantinopel und durch Bulgarien in sein Vaterland 157.
— Templer II, 553.
— von Brienne IV, 268.
— von Lonjumeau, kommt von seiner Gesandtschaft an den Chan der Mogolen zurück VII, 308.
— von Nanteuil VI, 264.
— von Savigny IV, 437, 456; führt Pilger nach Jerusalem 577.
— von Urboise V, 290.
— von Vitry, nimmt das Kreuz VI, 564.
Andronicus, Comnenus, belagert Mopsvestia III (2), 57; wird geschlagen 58; erhält Berytus 115; öffnet sich den Weg zur Herrschaft V, 147.
* Andros V, 198.
* Anelonica IV, 106.
Anemodulion V. Blg. 31.
Angelus, Andronicus, III (2), 175.
* Annab, von Nureddin belagert III (2), 3.
Anna Comnena II, 308.
Ansbert's Erzählung von der Kreuzfahrt des Kaisers Friedrich I. IV. Blg. 91.
Anselm, Bischof von Bethlehem II, 714.
— Bischof v. Havelberg III (1), 90.
Anselm, Erzbischof v. Mailand, führt ein Kreuzheer durch Ungarn nach Constantinopel II, 121; geht nach Asien 124; sein Heer wird geschlagen 135; er flieht 136; stirbt 138.
— de Brie II, 684; VI, 540.
— de l'Isle VI, 565, 587, 593.
— von Buys, Erzbischof, II, 115.
— von Cachieu V, 211.
— von Justingen VI, 352.
— von Paß III (2), 135.
— von Trainel, nimmt das Kreuz III, (1), 96.
Anselmus de Monte regali IV, 270.
Ansuldus II, 204.
* Antaradus I, 255; II, 244, 699; von Saladin erobert IV, 237. Blg. 75; VI, 7.
Antevellus II, 299.
* Antibura VI, 175.
* Antiochien in Phrygien I, 158.
* — in Syrien, Geschichte u. geographische Lage I, 173; wird von den Christen umlagert 176; ein derselben zu Hülfe kommendes Heer wird geschlagen 189; gänzlich eingeschlossen 195; Waffenstillstand von den Antiochenern gebrochen 196; eingenommen 202; wird von Korboga umlagert 207; Hungersnoth 209; Feuersbrunst 211; wird durch die Christen in einer siegreichen Schlacht von Korboga befreit 223; Uebergabe der noch besetzten Burg an die Christen 225; Streitigkeiten der Fürsten um den Besitz von Antiochien 227, 242; Seuche 229, 240; alle Kreuzfürsten versammeln sich daselbst 239; Beendigung des Streits der Fürsten wegen des Besitzes von Antiochien 241; Auszug des Heers 242; wird ein Lehn des Patriarchats von Jerusalem II, 52; Verhältnisse des Fürstenthums zu dem griechischen Kaiser 61; in bedrängter Lage 269; leidet von Erdbeben

II, 381; Unruhen daselbst 603; von Johannes, Kaiser der Griechen, belagert 645; Bericht von der Eroberung aus Kemaleddin's Geschichte II. Blg. 27; von Erdbeben fast gänzlich zerstört III (2), 134; Ankunft eines deutschen Pilgerheeres IV, 143; vom Sultan Bibars belagert und erobert VII, 522.
* Antipatrida I, 268.
Antoburitus II, 118.
* Antonia V, 151.
Antoninus, Philosophus II, 151.
* Apamea, wechselnde Besitzer derselben II, 272; kommt endlich an Tankred 274; III (2), 3, 5.
* Apherbala III (2), 211.
Apollonius von Tyana V. Blg. 36.
Aquitanien II, 115.
Araber, erobern das heil. Land I, 19; Maadische, II, 625.
* Arabia Petracencis II, 616; III (1), 210.
* — prima II, 616; III, (1), 210.
* — secunda II, 616; III (1), 210.
* — tertia I, 398, 616; III (1), 210.
* Aradus II, 699; III (2), 199; VII, 782.
Arangaldus II, 284.
* Araxes VII, 405.
* Arca II, 699; III (2), 162, 199.
* Archadiopolis, s. Arkadiopolis.
* Archangelon IV, 106.
* Archelais II, 141.
Archembald von Bourbon VII, 73.
Archembaud von St. Amanus II, 546.
Archontopolen II, 124.
* Ardacker III (1), 95.
* Aregh, Areth, s. Harem.
St. Argenius, s. Cosmidium.
* Argenton IV, 29.
d'Argenton, Roger, IV, 599.
Argonnes, Ritter von, VII, 349.
Argun VII, 682.
* Arka belagert I, 253; II, 202, 673; von einem Erdbeben gänzlich zerstört VI, 7.
* Arkadiopolis IV, 92; V, 362.
Armen, Schah, Fürst v. Chelat, III (2), 217.
Armenien, Fürstenthum in Cilicien, Bildung desselben III (2), 56; Umfang 57; IV, 74; VII, 617, Blg. 34.
Armigazi II, 284.
Armoin, Peter, II, 705.
* Arnald IV, 508.
Arnaldia IV, 314, 338.
Arnard, Prior, II, 501.
Arnaud, oder Arnaldus III (1), 207.
Arno, aus Schwaben II, 145.
Arnold v. Briren III (1), 28.
— v. Guines VII, 316.
Arnulf, Bischof v. Lizieur, nimmt das Kreuz III (1), 95, 237.
— Capellan I, 260, 302, 303; wird zum Patriarchen erwählt 306; wird zum Pfleger der Reliquien erkohren II, 3; wird als Patriarch entsetzt 51; bemüht sich Balduin zum König zu erheben 73; stirbt 413.
— Erzdiakonus II, 362; wird Patriarch v. Jerusalem 370; wird auf einer Kirchenversammlung wieder entsetzt, geht nach Rom, gewinnt den Papst und erhält das Pallium wieder 371.
— Geistlicher aus Flandern I, 287.
— Graf v. Arschot III (1), 265.
— Predigermönch VII, 10, 14.
— Stiftsherr II, 700, 706.
— von Marasch, Truchseß II, 454.
— v. Oudenarde II, 181.
— v. Turvassel III (2), 107, 111.
Arpin von Bodoardis II, 104.
— von Bourges II, 160.
* Arras II, 25.
Arsi, Alexander, IV, 516.

* Arsuf, vergebens belagert von Herzog Gottfried II, 17, 39, 41; giebt jährlichen Zins 18, 43; übergeben an Balduin 102; Schlacht IV, 416, 425; VII, 325, 400; von Bibars belagert und erobert 476.
* Arsuri IV, 425.
* Artasia I, 171; II, 265; Schlacht 270; von Tankred eingenommen 271.
* Arthah II, 271; Blg. 33.
Arthur, Herzog v. Bretagne IV, 177.
* Artiskus IV, 89.
Artuch I. Blg. 11.
* Artusca II, 699.
Asadeddin, Fürst von Emessa VI, 146.
Asan, Johann, Kral der Bulgaren VII, 437.
* Ascaritana vallis IV, 105.
Ascelin, Mönch VII, 82.
Ascha, Heinrich und Gottfried v., I, 103, 114.
* Aschdod II, 112.
* Aschmum (eigentlich Oschmum) Tanah, VI, 186, 231, 236, 327; VII, 98, 107, 133, 135.
Aschraf, Fürst v. Chelat VI, 332. — s. Malek al Aschraf.
* Aschtara III (2), 275.
Aseddin Ebn Almokaddem IV, 443; VI, 237.
Asfar, Mohammed II, Blg. 33.
Asis, s. Malek al Asis.
Asisi, Jbek, IV, 548.
* Askalon, Schlacht II, 11, 87; nimmt eine christliche Besatzung auf 224; die aber heimtückisch verrathen wird 225; von Balduin III. belagert III (2), 19; Lage 20; eingenommen 25; Streit über die kirchlichen Angelegenheiten 27; von Saladin eingenommen 296; wird von Saladin zerstört IV, 427; von Richard wieder aufgebaut 465; wird von Christen und Muselmännern zerstört 572; Schlacht VI, 604; festes Schloß zum Schutze der Stadt erbaut 614; Schlacht 641; belagert 645, 650; von Aegyptern erobert 652; Ortschaften auf dem Gebiete derselben VII, 387; Befestigungen vom Sultan Bibars zerstört 586.
Aspietes II, 275.
* Asprus I, 128.
* Asrak VI, 214.
* Assabiba II, 569.
* Assaib IV, 255.
Assallit, Gerbert III (2), 114.
Assamah, Emir v. Berytus, V, 4; hindert die Zerstörung von Berytus, indem er verspricht die Stadt zu behaupten 32; zieht den Christen entgegen 33; wird in der Schlacht getödtet 34.
Assassinen II, 62, 239; Stiftung dieser Secte 240; Verbreitung 244; Lehren derselben 245; Erziehung 248; Beispiele unbedingten Gehorsams 249; versuchen Saladin zu tödten III (2), 166, 167; Zerstörung der Herrschaft derselben in Persien durch die Mogolen VII, 405.
Asseddin VI, 602; VII, 188. — Aibek VII, 188, 239, 278, 279, 388, 389, 602.
Asseddin Kaikaus, Sultan von Ikonium VII, 77.
Assisen des Königreichs Jerusalem, I, Blg. 17; werden als Recht im byzantinischen Kaiserthume eingeführt V, 375.
* Assobairah III (2), 275.
Athabek, Bedeutung dieser Würde II, 576.
Atheling, Edgar II, 29.
* Athen belagert V, 359.
* Athyras III (1), 122; V, 151.
* Atsareb II, 271; von Tankred belagert 288; erobert 290; die Werke stürzen ein 381, 428; von Jlgazi eingenommen 443; von Zenki eingenommen 634; von Johannes eingenommen 664; von Zenki erstürmt 674.
* Atslits VI, 159; VII, 772.
* Attalia II, 712; III (1), 187, 193, 269.
* Attasi III (2), 96.
Atzar Ebn Turk II, 469.
Aubert von Narcy VII, 120.

* Audscha IV, 425.
Augustin aus London IV, 545.
* Aulon (Vallona, Avellona), II, 139, 335.
Aunoy, Aegidius von, V, 384.
* Avignon VII, 62.
* Arius I. 125.
Ayrardi VI, 68.
Azopart II, 175.
Azzeddin, Sultan von Iconium IV, 101.
Az-Zerrad II, Blg. 36.

B.

* Baalbek von Zenki erobert II, 685.
Babak Ebn Talmas II, 529.
Babal barid IV, 589.
* Babein, Schlacht III (2), 105.
Babin, Johann, VI, 541.
* Babylon I, 28.
* Bacharach III (1), Blg. 11.
Bachel IV, 390.
Badschu VII, 407.
* Bagdad, Sitz des Chalifats im 9. Jahrh. I, 27; Schlacht II, 620, 622; von den Mogolen verwüstet VII, 407.
* Bagnara IV, 163.
* Bagras IV, 242; Blg. 82; wird von Boemund III. von Antiochien in Besitz genommen V, 6; von Leo von Cilicien besetzt 7; belagert VI, 559; VII, 523.
Baharam II, 566.
* Bahr VII, 128.
Bahram, Abdorrizak II, 242.
* Bailan II. Blg. 32.
Bailo VII, 371.
* Bairuth I, 266; II, 524; s. Berytus.
* Baisan III (2), 210.
Baisari VII, 650.
* Baitdschebrin IV, 508.
* Baitnubah IV, 460, 508.
Bajasid VII. 408.
Baji Sejan, Beherrscher von Antiochien I, 173, 186; entflieht aus Antiochien 201; wird von Holzhauern getödtet I, 203; II, 518; Blg. 28.
Bajoc, Almiramomeli IV, 154.
* Baka III (2), 168; Schlacht 169.
* Bakar III (2), 212.
* Bakas IV, 239; VII, 667.
Balban Tabbachi VII. 669.
Balak, Balas, Balak Ibn Bahram I, 168, 169, 237.
Balak Gazi, erscheint diesseit des Euphrats II, 472; belagert Sardanah 473; nimmt Joscelin u. Galeran gefangen 475; nimmt Balduin II. gefangen und erobert Haleb 477; schlägt Joscelin 486; wird verwundet und stirbt 487.
* Balanea VII, 327.
Balduin I., Graf v. Hemay (Hemaucorum oder Hamaicorum comes) I, 177, 230; nimmt das Kreuz I, 102; macht Eroberungen in Cilicien 160, geräth in Streit mit Tankred 161; macht sich durch seinen Stolz verhaßt 162; wird vor Mamistra von Tankred angegriffen 163; versöhnt sich mit ihm 164; zieht an den Euphrat 165; zieht in Edessa ein 167; wird von dem alten Fürsten zu seinem Sohne erklärt 168; wird alleiniger Beherrscher von Edessa 169; entdeckt eine Verschwörung gegen sein Leben in Edessa 236; entgeht der Hinterlist Balak's 237; pilgert zum heiligen Grabe II, 45; geht wieder nach Edessa 49; zieht gegen Melitene 66; wird König von Jerusalem 77; hält seinen Einzug in Jerusalem 81; früheres Leben und Bildung 83; Charakter 85; kämpft bei Askalon 87; vernichtet arabische Räuber 88; zündet Susum an 89; wird zu Bethlehem gekrönt 90; unterredet sich mit Tankred 91; empfängt von ihm die Lehen des Reichs zurück 92; Streit mit Dagobert 93; nimmt Arsuf ein und erstürmt Cäsarea 102; ordnet die Angelegenheiten von Cäsarea 104; erhebt neuen Streit mit Dagobert 107; schlägt ein ägyptisches Heer 110; wird von einem ägyptischen Heere geschlagen 155; flieht nach Arsuf

II, 157; erreicht Joppe, wo er die Türken schlägt 159, 172: sucht durch Anlegung von Schlössern die Straßen zu sichern 177; wird bei einer Jagd von einem Mohren verwundet 179; menschenfreundlicher Zug 184; belagert Akka oder Ptolemais 194, 195; erhält es durch Uebergabe 196: zieht gegen Tripolis 197; nimmt Theil an der Belagerung von Tripolis 207; schlichtet die Streitigkeiten unter den christl. Fürsten 208; nimmt Tripolis durch Uebergabe ein 210; eben so Berytus 212; belagert Sidon 216; nimmt es ein 222; belagert Tyrus 227; muß die Belagerung aufheben 230; sucht die Einigkeit der Fürsten zu erhalten 282, zieht nach Edessa 283; entscheidet durch ein Fürstengericht den Streit zwischen Tankred und Balduin von Edessa 285; geräth in Streit mit dem Patriarchen Ebremar 360; läßt sich unbesonnen in einen Kampf mit den Türken ein 375; zieht mit einem Heere nach Apamea 387; vermählt sich zum dritten Male 398; unternimmt einen Zug an den Berg Horeb 402; an den Berg Sinai 403; bevölkert sein Reich 404; erkrankt 407; trennt sich von seiner Gemahlin 408; geht nach Aegypten 409; stirbt 411.

Balduin II. (Balduin von Burg, Bourg oder de Burgo, der Stachel genannt), I, 102, 114, 158, 160, 280; II, 262; wird mit Edessa belehnt II, 77; schlägt die Türken am Hundesflusse 79; zieht gegen Harran 260; wird in der Schlacht bei Rakkah gefangen 261, 262; wird gegen Lösegeld frei 277; erhebt die Waffen wider Tankred und wird in der Burg Dallak belagert 279; wird von den Türken geschlagen 286; geräth in Feindschaft mit Joscelin 405: bemächtigt sich hinterlistig Joscelin's 406; wird König von Jerusalem 415; sein Charakter 416, 418; wird auf dem Zuge nach Damascus von seinen Rittern genöthigt, sich zurückzuziehen II, 417; erhält Antiochien zur Beschirmung 445; siegt bei Hab 448; erobert mehrere Burgen 451; beruft die Prälaten und Barone zu einer Landsprache nach Neapolis 457; zieht gegen Balak Gazi 473; wird gefangen 477; macht sich wieder frei 478; wird wieder gefangen 483; durch Lösegeld frei 514; hält die übrigen Bedingungen seiner Befreiung nicht 517; siegt in einer furchtbaren Schlacht über Togthekin 526; belagert Haleb 518; greift Aksonkor an und nöthigt ihn, sich zurückzuziehen 523; wird in Streitigkeit mit dem Patriarchen verwickelt 536; begünstigt die Ritterorden 538; will Damascus belagern 566; wird in der Ebene Mardsch-Safar geschlagen 567; übernimmt Antiochien wieder zur Verwaltung 590; wird Mönch 591; stirbt 592.

Balduin III. ist noch minderjährig, als sein Vater stirbt II, 718; nimmt an zwei Heerfahrten Theil III (1), 208 ff.; zieht gegen Bosra 212; geht zurück 217; zieht gegen Damascus 239; seine Tugenden gewinnen ihm Achtung III, (2), 8; seine Gestalt 9; tritt das Land am Euphrat an den griech. Kaiser ab 9; wird gekrönt 12; theilt mit seiner Mutter das Reich und bekommt Tyrus und Ptolemais 13; bricht den Vertrag und nimmt Jerusalem ein 14; hält eine Versammlung der Fürsten zu Tripolis 15; belagert Askalon 19; nimmt es durch Vertrag 25; schließt Waffenstillstand mit Nureddin 31, 41; bricht ihn 41; zieht Paneas zu Hülfe, wird überfallen und flieht nach Saphed 44; zieht aufs neue Paneas zu Hülfe 45; vermählt sich mit Theodora 47; nimmt Cäsarea ein 50; erobert Harem 52; schlägt Nureddin bei Sueta 53; geht nach Mamistra zum Kaiser Manuel III (2), 61; bricht in das Land von Damascus 65; wird vergiftet 72; stirbt 73.

Balduin IV., der 13jährige Sohn Amalrich's, wird gekrönt III (2). 155; Vormundschaft 156; seine Erziehung 158; behaftet mit einer fürchterlichen Krankheit 170; eilt nach Askalon gegen Saladin 184; siegt bei Ramla 186; zieht nach Toron 191; wird von Saladin geschlagen 193; vermählt seine Schwester Sibylle mit Veit von Lusignan 196; macht Frieden mit Saladin 198; rüstet eine Flotte aus 212; unternimmt einen Zug in das Land von Damascus 222; schreibt einen Reichstag nach Jerusalem aus 224; übergiebt die Regierung seinem Schwestermann 228; übernimmt die Regierung wieder 239; zieht nach der Burg Krak 240; ladet den Grafen Veit vor ein Ehegericht 241; hält einen Reichstag zu Ptolemais 242; stirbt 245.

Balduin V., der fünfjährige Sohn des Markgrafen Wilhelm von Longaspata, wird gesalbt u. gekrönt III (2), 239; stirbt 249.

— VI., Urkunde desselben zu Gunsten des Klosters Cava VII. Blg. 33.

— Bischof v. Berytus II, 707.

— Erzbischof v. Canterbury, nimmt das Kreuz IV, 8; langt im Lager vor Ptolemais an 162, 283; stirbt 305.

— I., Graf v. Flandern u. Hennegau, nimmt das Kreuz V, 113; geht nach Venedig 136; führt die erste Schlachtordnung vor Constantinopel 211; wird zum Kaiser von Byzanz erwählt 326; gekrönt 328; bittet den Papst um Bestätigung des mit den Venetianern geschlossenen Vertrags 335; geht nach Adrianopel 350; nach Mosynopolis 352; Streitigkeiten daselbst mit Markgraf Bonifaz 353; unterwirft Thessalonich 354; macht Frieden mit dem Markgrafen Bonifaz V, 357; seine Macht ist sehr beschränkt 369; sucht den König von Frankreich sich durch Geschenke geneigt zu machen 379; so wie auch den Papst 379; wird von Johann, König der Walachen, gefangen 395; stirbt 396.

Balduin II., Kaiser von Byzanz, reist im Abendlande umher, die Könige um Hülfe bittend VI, 576; begiebt sich auf die Kirchenversammlung zu Lyon VII, 8; empfängt die kaiserliche Krone 439; entflieht 445.

— Stiftsherr, stirbt III (2), 211.

— von Aubigny V, 382.

— von Beauvoir V, 211.

— von Bethüne IV, 616, 618.

— von Bonvoisin VI, 536.

— von Bourg, s. Balduin II.

— von Burgo, s. Balduin II.

— von Carreo IV, 418.

— von Carum IV, 297.

— von Dargis IV, 297.

— von Gant I, 144.

— von Grandpré II, 117.

— von Hemay, s. Balduin I.

— von Ibelin VII, 180, 220.

— von Marasch II, 733.

— von Pignegni VI, 522.

— von Rames I, 337; II, 458; III (2), 193, 254, 256.

— von Rheims VII, 103.

— von Yssel III (2), 51.

Balduk I, 168, 238.

* Bales II, 288, 291, 476.

Balian v. Ibelim, Genealogie I, Blg. 21; II, 615; III, (2), 257; flieht in der Schlacht bei Hittin 286; leitet die Angelegenheiten der Stadt Jerusalem 300; vertheidigt es 304, übergiebt durch Vertrag Jerusalem an Saladin 311; VI, 463, 514, 521, 528, 531, 570, 623, 625; VII 457, 659.

Balian von Rama III, (2), 210.

* Balich II, 261.

Balistarii IV, 414; VII, 555.

Balsamus, Theodorus, Patriarch von Antiochien IV, 79.

Balthasch II, 165.

* Balu II, 485, 487.
Balzanum VI, 27.
Bana II, 173, 196, 197.
Banchios VII, 741.
* Banias VII, 328.
Bar, Wilh. v., IV, 543.
Barak, Leibarzt III (2), 72.
* Baramun VI, 335; VII, 133.
Barbacanen IV, 230.
Barbicalen I, 179; II, 231.
Barbo, Pantaleon, V, 322.
Barboten IV, 229; VI, 223.
* Barbysel V, 221.
* Barcelona VI, 174.
Barchae VI, 224.
* Bardarius, s. Wardari.
* Bardewick VI, 386.
Bardolf von Breis II, 117.
* Bardschab VII, 424.
* Barfleur IV, 31.
Barges de cantiers VII, 100.
Bargregorius, Brief desselben an den Sultan Saladin IV, 143; Blg. 3.
Bargusch, Scharfeddin, III (2), 105.
* Bari I, 105; V, 14.
* Barin II, 605, 652, 634; III (2), 166; zerstört VI, 557.
Barkachan, Husameddin, VI, 631, 647, 649.
Barkiarek II, 242.
Barkiaruk VI, 630.
* Barmeciden, Schloß der, Schlacht II, 621.
Barnaville, Roger v., 143.
Barochius, Meister der Templer V, 335.
Barocio, Andreas, venetian. Admiral VII, 471.
* Baroli VI, 447.
* Barrady III (1), 242, 243.
Barsuk I. Blg. 15.
Bartholomäus, Bischof von Tortosa VII, 611.
— Bruder des heil. Bernhard III (1), 8.
— Erzbischof v. Tortosa VII, 653.
— Herr v. Maralia VII, 692.
— Sohn des Ami v. Montbelliard VII, 214.
— von Cremona VII, 310.
* Basarkuth II, 528.
Baschara, Husameddin, IV, 246.
Basilius II, 324.
— griech. Bischof v. Edessa II, 727.
— Johannes, V, 368.
* — Paß des heil., IV, 68.
Bateniten II, 62, 239, 246, s. Assassinen.
* Batiola VII, 378.
* Bathyssus, jetzt Scheatschana I, 114; III (1), 127.
Batschu VII, 84.
Baumond, Richard v., VI, 593.
Bauséant II, 553, 559.
* Bazaga II; Blg. 29.
Beatrix II, 603.
* Beaucaire VII, 642.
* Beaufort VI, 603; VII, 400.
* Beauveria IV, 427.
* Bedegenne III (2), 168, 222.
Bedran, Alfares, IV, 231.
Bedreddaulah Sulaiman, Statthalter v. Haleb II, 471; wird Fürst v. Haleb 572.
Bedreddin VII, 194.
— Bilik VII, 621.
— Dildarno IV, 510.
— Ebn Hosun, Emir, VI, 335, 336.
— Mohammed VII, 431.
— Salamisch VII, 651.
* Beersabe (Gibelim), II, 595, 615; III (2), 150; IV, 508.
Beffroi VII, 136.
Begues von Fransures V, 355.
Behadur, Subgda VI, 383.
Behram II; Blg. 28.
* Beisan VI, 144.
Beith el Mekdis I, 22.
Bela, König v. Ungarn IV, 58; V, 21.
— Tochter des Kaisers Theodorus Laskaris VI, 157.
Belagerungskunst der Christen II, 231.
* Belana II; Blg. 32.
Belanger VII, 717.
* Belath II, 427, 658.
* Belbeis III (2), 92; von Amalrich erstürmt 117.
* Belfort IV, 247; VI, 156.
* Belgrad, von Walther v. Perejo belagert I, 79; feierliches Gericht

des Kaisers Friedrich daselbst IV, 60.
* Belhasam II, 536.
* Belini IV, 154.
Belino, Gentile, V, 385.
* Belus IV, 256.
* Belveder IV. 245.
* Belveir, Schlacht III (2), 210, 211.
Belwold II, 110.
Benedict, Bischof von Edessa II, 260, 262.
Benedictus, Presbyter v. St. Susanna, päpstlicher Legat V, 345.
* Benevent, Schlacht VII, 430.
* Beni Alim II, 529.
Berard, Thomas, Meister der Templer VII, 603, 613.
Berengar, Bischof v. Autasy II, 371.
— Vicomte v. Narbonne I, 97.
Berengaria von Castilien VI, 374.
Berkeh, Chan der Tataren in Kiptschak VII, 417; schließt Bündniß mit dem Sultan Bibars 588.
Bernhard, Abt des Klosters v. heil. Anastasius III (1), 15.
— Bischof von Arta in Epirus, Capellan des Erzbischofs v. Puy, Patriarch von Antiochien I, 226.
— Bischof v. Präneste II, 364.
— Bischof v. Sidon II, 707.
— Cardinalpriester III (1), 14.
— der Fremde II, 149.
— der Heilige, begünstigt die Templer II, 554; Abstammung und Geburt III (1), 2; Erziehung 3; Geschwister 5; erlernt die scholastische Weisheit 6; liest fleißig die heilige Schrift 7; weiht sich mit 4 Brüdern dem klösterl. Leben 8; Vorbereitung zu Chatillon 9; tritt ins Kloster zu Citeaux 10; wird erster Abt des neuen Klosters zu Clairvaux 12; sein steigendes Ansehen 16; Bescheidenheit 17, 20; Demuth 19; Frömmigkeit 21; öffentliche Wirksamkeit 23; Reisen 25; Predigten 28; wird beauftragt, das Kreuz zu predigen III (1), 40, 48; seine Ansichten von den Wallfahrten 48; predigt das Kreuz 53; durchreist Frankreich 55; bekämpft den Wahn der Judenverfolgung 60; reist nach Deutschland 62; Aufenthalt zu Frankfurt a. M. 65; reist nach Constanz 66; heilt Kranke 67; ertheilt zu Speier dem König Conrad das Kreuz 75; geht nach Cöln 77; reist durch die Niederlande 79; nach Chalons und nach Clairvaux zurück 80; geht nach Etampes 82; nach Trier 83; nach dem unglücklichen Ausgange des Kreuzzugs erhebt sich großes Geschrei gegen ihn 270; wird von seinen Freunden getröstet und vertheidigt 272; beruhigt und vertheidigt sich 275, bestrebt sich, eine neue Wallfahrt zu Stande zu bringen 277; wird in Chartres zum Heerführer der neuen Wallfahrt ernannt 279; stirbt 282; Brief an die Böhmen wegen der Kreuzfahrt IV. Blg. 107.
Bernhard, deutscher Graf III (1), 161.
— Graf IV, 270.
— Graf v. Kärnthen, nimmt das Kreuz III (1), 82.
— Mönch II, 191, 538.
— Patriarch von Antiochien, lächerliche Angst desselben nach der Schlacht bei Rakkah II, 263; widerspricht den Bestimmungen des Papstes wegen der Gränzen des Sprengels von Jerusalem 369; stirbt 691.
— Graf von Plötzke III (1), 165.
— von Montbard III (1), 3.
— v. Montmirail, gefangen VI, 44.
— von Morueil V, 137.
— von Tremelai, Großmeister der Templer III (2), 19, 23.
— Kundschafter des Königs Richard IV, 512.
Bernicula VII, 219.
Bernonville, Wilh. v., I, 208.
* Beroart II, 215.
* Berrhoea IV, 76.
* Berry IV, 31.

Berta, Tochter des Grafen Simon von Montfort II, 604.
Berthold, Graf von Katzenellnbogen V, 154.
— Graf von Zähringen IV, 69.
— Herzog von Meran IV, 66.
— von Andechs IV, 55.
— von Hohenstaufen VI, 368.
— von Osinberc V, 99.
— von Pogen VI, 131.
Bertram, älterer Sohn des Grafen Raimund v. St. Gilles, eigennütziger Sinn desselben II, 202; wird mit dem Banne belegt 203; geht nach Syrien 205; hat Streit mit Tankred um Antiochien 205; geht nach Tortosa, verlangt von Wilhelm v. Cerdagne die Stadt Emessa 206; belagert Tripolis und erobert Biblium 207; erhält Emessa 208; und Tripolis 212; geht nach Antiochien 299; stirbt 303.
— von Gibelet VII, 700.
— von Verdün IV, 397.
— Templer VII, 747.
Bertrand v. Blanquefort, Großmeister der Templer, wird gefangen III (2), 45; wird wieder frei 65.
— von Gordon IV, 619.
* Berytus I, 267; von Balduin eingenommen II, 212, 282; von Saladin belagert III (2), 212; von demselben eingenommen 295; Wichtigkeit dieser Stadt V, 32; Christensclaven übergeben die Stadt den Christen 36; von kaiserlichen Rittern belagert VI, 529, 639; VII, 610; von Schadschai zerstört 772; s. Bairuth.
* Besan II, 34.
Beschiktasch V, 150.
* Betegenue III (2), 168, 222.
* Betenoble IV, 455.
* Bethan II, 417.
* Bethania, Nonnenkloster daselbst II, 617.
* Bethbezan II, 367.
* Betheron VII, 379.
* Bethlehem I, 6; wird von dem Kreuzheere besetzt 269, 317; II, 90; Stiftung eines neuen Bisthums daselbst 366; von den Charismiern zerstört VI, 635.
* Bethynlos V, 350.
* Bethsaida VI, 143, 148.
* Bethsana VI, 143.
* Beaufort, von Bibars eingenommen VII, 519.
Beugin, Ritter v., VII, 65.
Bibars, Rokneddin, Bondokdar, ermordet den Sultan Turanschah VII, 232, 236; tritt in den Dienst des Sultans von Damascus 391; ermordet den Sultan Kotus 422; wird Sultan 423; dessen Charakter 424; macht Anordnungen zur Beschützung seines Reichs 429; seine Verhältnisse zu mehreren christlichen Fürsten des Abendlandes 430; unterhandelt mit Michael Paläologus 447; erneuert den Waffenstillstand mit den Franken 454; unternimmt den ersten Feldzug gegen die Christen 457; dringt in Armenien ein 473; belagert Cäsarea 474; belagert Arsuf 476; erobert es 477; zweiter Feldzug 485; belagert Safed 486; nimmt es ein 490; läßt die Gefangenen tödten 491; Grausamkeit desselben 493; bekriegt den König von Armenien 494; macht Frieden mit ihm 495; schließt Waffenstillstand mit den Johannitern 497; zerbricht die Hüfte 500; dritter Feldzug 515; vierter Feldzug 517; erobert Antiochien 522; macht Frieden mit Boemund v. Antiochien 524; geht verkleidet nach Tiberias 524; macht Anstalten, dem Könige von Tunis zu helfen 555; ist über den Frieden des Königs von Tunis unwillig 585; zerstört die Befestigungen von Askalon 586; schließt Bündniß mit dem Chan Berkeh 588; fünfter Feldzug 589; schließt Waffenstillstand mit den Hospitalitern und Templern 590; bricht in Tripolis ein 591; schließt Waffenstillstand mit Boemund VI. 592; erobert Korain 595; beschließt, Cypern zu erobern, aber sämmtliche

Schiffe scheitern VII, 596; geht nach Syrien den Mogolen entgegen 598; schließt Frieden mit dem König Hugo von Cypern u. Jerusalem 601; schließt Bündniß mit Mankutimur 607; erobert Kossair 610; schlägt die Mogolen bei Ablastin 616; verwüstet Armenien 617; stirbt 618. Schreiben desselben an den Fürsten Boemung VI. v. Antiochien, Blg. 5.

Bibliothek, Vernichtung einer arabischen, II, 211.

* Biblium I, 267; II. 207.

* Biblus, von Saladin eingenommen III (2), 295.

Bibrus III (2), 85.

* Bilin II, 508.

* Bira, von Balduin eingenommen II, 476, 722; von Zenki belagert 729; III (2), 216; VII, 473, 607, 616.

* Bir al Kadi VII, 389.

* Birmosdorf III (1), 68.

Biscarellus de Gisulfo VII, 707, 710.

Bischöfe, Wallfahrt einiger im 11. Jhrh. nach Jerusalem I, 39.

Bisol, Gaufried, II, 546.

* Bistonis V, 349.

* Bitengou III (1), 81.

* Bithynien I, 157.

* Bizu VII, Blg. 36.

* Bizya V, 395.

* Blache, la, V, 354.

Blachernenpalast zu Constantinopel I, 115.

Blanca, Königin von Frankreich VI, 389; VII, 16, 22; ermahnt ihren Sohn Ludwig IX. von Ptolemais zurückzukehren 267; stirbt 341.

Blanche, Gemahlin des Grafen Thibaut von Campagne V, 128.

— Tochter Ludwig IX. VII, 344.

* Blanchegarde II, 616; IV, 426, 457, 477, 492, 508.

* Blanchewarda, s. Blanchegarde.

* Blanchicourt VII, 60.

Blandraz, Graf, II, 115, 138, 149.

* Blecourt VII, 349.

Blois, Gaucher v., IV, 543.

Blondel de Nesle IV, 604.

* Blutacker II, 427; Schlacht 437, 632.

Boachiers VII, 741, 749.

Boaldelle III (2), 152.

Bocard II, 394.

Bocardus II, 441.

Boemund I., Fürst von Tarent, schließt sich den Kreuzfahrern an I, 108, 123; zieht durch Macedonien 124; leistet Alexius den Lehnseid 127; unterhandelt mit Alexius über die Lieferung der Lebensmittel 137; nimmt Theil an der Belagerung von Nicäa 141; wird bei Doryläum geschlagen 154; von Gottfried aber unterstützt, treibt er die Türken in die Flucht 156; belagert Antiochien 172, 176, 186; entfernt durch List die verkleideten Muhammedaner aus dem Lager 187; siegt in der Schlacht bei Harem 190; nimmt durch Einverständniß mit einem Renegaten Antiochien ein 201; wird verwundet 205; erhält den Oberbefehl des Heeres, als Antiochien von Korboga belagert wird 211; schlägt Korboga 224; nennt sich Fürst von Antiochien 227; zieht nach Cilicien 232; erobert Marra 243; zieht nach Antiochien zurück 246; bedrängt Laodicea II, 20; muß davon ablassen 22; pilgert zum heiligen Grabe nach Jerusalem 45; geht nach Antiochien 49; schwört dem Patriarchen Treue 52; schlägt Rodvan 63; wird von Danischmend gefangen 65; kommt nach vierjähriger Gefangenschaft nach Antiochien zurück 258; lebt mit Danischmend in Freundschaft 259; berennt Harran 260; kämpft in der unglücklichen Schlacht bei Rakkah 262; eilt Edessa zu Hülfe 266; überträgt an Tankred die Verwaltung des Fürstenthums Antiochien und geht nach Europa 269; tritt mit schweren Beschuldigungen gegen Alexius auf 317; faßt kühne Pläne 319; seine Gestalt, Schlauheit und Gewandtheit

II, 320; verbreitet das Gerücht von seinem Tode 322; wirbt ein Heer in Italien gegen den Kaiser Alexius 323; geht nach Frankreich 325; vermählt sich mit Constantia, Tochter des Königs Philipp 326; fordert zum Kampfe wider die Heiden auf 329; geht nach Wälschland zurück 330; rüstet sich 331; landet bei Aulon 335; und belagert Dyrrachium 337; bestürmt es 338; erleidet vielfachen Verlust 344; bietet dem Statthalter Frieden an 345; unterredet sich mit dem Kaiser Alexius 347; macht Frieden mit demselben 349; geht nach Apulien zurück 354; stirbt 355; über die Rückkehr desselben aus Syrien im Sarge, Blg. 14.

Boemund II., kommt nach Syrien und übernimmt die Regierung des Fürstenthums Antiochien II, 532; nimmt Elise, Tochter des Königs v. Jerusalem, zur Gemahlin 533; Charakter desselben 533; erstürmt Kafartab 572; Streit mit Joscelin 573; wird getödtet 588.

— III., zieht der Burg Harem zu Hülfe III (2), 91; wird gefangen 92; gegen Lösegeld frei 93; verstößt seine Gemahlin Theodora 202, geräth darüber in Streit mit dem Patriarchen 203; sendet seinen Sohn Raimund mit 50 Rittern nach Sephoria 274; geht schimpflichen Waffenstillstand mit Saladin ein 243; Blg 82; schließt sich dem zwischen Richard u. Saladin geschlossenen Frieden an IV, 584; besucht Saladin 586; bemüht sich um seine Gunst V, 5; führt langwierigen Krieg mit dem Fürsten Leo von Cilicien 6; wird gefangen 7; und durch des Grafen Heinrich Vermittelung frei 9; besetzt Dschabala und Laodicea 40; stirbt VI, 16.

— IV., der Einäugige, setzt sich in den Besitz des Fürstenthums VI, 16; bekommt deshalb Händel mit dem König Leo 19; trägt das Fürstenthum Antiochien dem Kaiser Balduin zu Lehn auf VI, 33; bemächtigt sich Antiochiens 36; schließt sich, in den Bann gethan, an die griechische Geistlichkeit an 37; macht Waffenstillstand mit Leo 39; behauptet sich im Besitze von Antiochien 41; wird in den Bann gethan 410; stirbt 555.

Boemund V., bemüht sich, den Frieden zu erhalten VI, 555; bittet den König Ludwig IX. um Hülfe gegen die Turkomanen VII, 76.

— VI., kommt nach Joppe, um Ludwig IX. um Vermittelung seines Streits mit seiner Mutter zu ersuchen VII, 317; befreundet sich mit den Mogolen 414; wird von Bibars mit Krieg überzogen 520; macht Frieden 524; wird von Bibars angegriffen 457, 591; schließt Waffenstillstand 592; stirbt 611; Schreiben an denselben vom Sultan Bibars, Blg. 5.

— VII., steht unter Vormundschaft VII, 611; wird in den Bann gethan 658; huldigt dem Könige Karl v. Sicilien 662; schließt Waffenstillstand mit Kalavun 671; rüstet sich zur Vertheidigung von Tripolis 699; stirbt 700.

Bohaeddin Abul-Fatah Alasfarajani II, 622.

— Geheimschreiber IV, 245, 247.

— s. a. Malek al kaher Bohaeddin.

* Böhmen, Judenverfolgung daselbst III (1), Blg. 14; Theilnahme am vierten Kreuzzuge IV, 59.

Bojac Almiramisi (Almiramoli) IV, 157.

* Bokeiah VI, 556.

Boleslaus, Herzog v. Polen III (1), 168.

Bolko, Herzog von Schweidnitz I, IV; Blg. 15.

Bombax VII, 751.

Bonacourt, Erzbischof v. Tyrus VII, 636.

Bonaplius von Sarmit II, 299.

Bonaventura, Cardinalbischof von Albano VII, 637.
Bonifaz, Markgraf v. Montferrat, wird bei Hittin gefangen III (2), 287.
— Markgraf v. Montferrat, wird zum Heerführer der Pilger des Kreuzes ernannt V, 131; geht nach Soissons 137; nach Venedig 141; in seine Markgrafschaft zurück 162; nach Zara 174; schließt einen Vertrag mit dem Prinzen Alexius 178; verheimlicht den Bann der Venetianer 184; segelt nach Corfu 193; versöhnt die Pilger 195; landet bei Constantinopel 200; geht nach Scutari 203; übernimmt die Führung der sechsten Schlachtordnung 212; landet an der europäischen Küste des Bosporus 214; bezieht das Lager bei Pera 238; begleitet den jungen Kaiser Alexius nach Adrianopel 246; fordert denselben auf, seine Verbindlichkeiten zu erfüllen 266; beginnt die Feindseligkeiten 258; lagert sich nach Bestürmung der Stadt im Innern 295; besetzt den Palast Bukoleon 300; läßt die gemachte Beute Bevollmächtigten übergeben 318; vermählt sich mit Margarethe 327; wird vom Kaiser Balduin mit dem Königreich Thessalonich belehnt 348; stiftet Zwiespalt mit dem Kaiser Balduin 353; trennt sich von dem Kaiser 354; versöhnt sich wieder und geht nach Thessalonich 357; wird erschlagen 385.
* Bonmoulin IV, 36.
* Boppart III (1), 78.
* Bore VI, 64.
* Borgo San Donnino VI, 397.
Boris, ungar. Prinz III (1), 103.
Borkiarok I, 276; II, Blg. 31.
* Borkum VII, 684.
Borret, Stephan IV, 500.
* Borsah VII, 409.
Borsat, Roger, I, 122.
Börse von Cremona IV, 270.
Bosco, Arnold de, IV, 455.
Boso, Guntramnus I, 8.
* Bosra II, 687; III (1), 210; Schlacht III (2), 3.
Bostah VII, 746.
* Bostra II, 616; VI, 23.
* Bostrum III (2), 220, 221.
Botesow IV, 600.
Botoniates, Nicephorus I, 107. Blg. 12.
* Botrus II, 699.
Bouillon, Herzog v., lagert bei Nicäa I, 141.
* Bourbon, Archembald v., VII, 73.
Bourgeoisie VII, 358.
* Bourges III (1), 37; VI, 97; VII, 294.
Brabançons IV, 28.
* Brachol IV, 103.
Branas, Alexius, empört sich gegen den Kaiser Isaak Angelus IV, 218; wird in der Schlacht getödtet 220, 222.
— Michael, III (1), 114.
— Theodor, V, 371.
Braiecuel, Peter v., V, 220, 270, 292, 360.
Braine, Graf v., I, 313.
Brandenburg, Graf Burkhard v., VI, 424.
* Brandiza IV, 61, 63.
— Herzog v., IV, 64.
* Braut von Syrien, s. Askalon.
Breteuil, Walter v., I, 84, 92.
Briefe des Grabes I, 308.
Brieftauben I, 233; IV, 279, Blg. 89.
Brisebarre, Walther, II, 501.
Brito, Wilh., VII, 550.
Bromons, Peter, V, 137; VI, 12.
Bromton, Johannes, II, 548.
Brücke, eiserne, I, 172; II, Blg. 39.
Brüderschaft des heiligen Hadrianus VI, 533.
— in Frankreich zu Erbauung von Kirchen III (1), 45.
Bruil, Wilhelm und Saul v., IV, 455.

Bruis, Rainold von, I, 81, 86, 93.
* Brundusium IV, 61; VI, 425.
Bruno, Bischof von Olmütz VII, 631.
— Bischof von Signi II, 326.
Brunus, Hugo, III (2), 196; IV, 356.
Brunward, Bischof von Schwerin VI, 308.
Brus, Rainer, Ritter, II, 569.
Bryennius, Alexius, III (2), 72.
— Nicephorus I, Blg. 12.
Buccones II, 126.
* Bufferentum, Buffeneter, Buffevent IV, 213.
Bukko, Bischof von Worms III (1), 90.
Bulgaren, Feindseligkeiten derselben gegen das Kreuzheer Friedrich I. IV, 65.
Bulgari Ebn Arik II, 421.
* Bulgarenwald IV, 62.
* Bulgurlu V, 206.
Bülzingslöwen, Rud. v., VI, 424.
Bündniß, das Ansehen der Geistlichkeit zu zerstören VII, 50.
* Burdsch II, 469; VI, 188.
Burel, Gottfried von, I, 81, 84, 92.
— Walther v., I, 93.
Burewin II., Graf Heinrich von Schwerin VI, 308.
* Burg der Feigen IV, 502.
* — der Kurden (Schloß von Safah) von Bibars eingenommen VII, 589.
— der Pilger VI, 159; VII, 772.
* — der Staare IV, 502.
Bürger, Verhältnisse derselben in den syrischen Städten VII, 357.
Bürgerhöfe I, 415.
Buri II, 584.
* Buria III (2), 208.
Burkhard, Graf von Magdeburg IV, Blg. 9.
* Burlos VI, 306.
* Bursia IV, 240, Blg. 79.
Bursk, Emir, II, 294, 297.
Burso II, 390.
* Burun IV, 147.
* Busançois IV, 29.
* Butella III (2), 116.
* Butphenens IV, 213.
Butumites, Manuel, I, 147; unterhandelt mit den Nicäern wegen Uebergabe der Stadt 150; wird Statthalter von Nicäa 151; geht als Gesandter nach Syrien II, 356.
Buza, Buze II, 213.
* Buzaa II, 476; wird von Zenki unterworfen 581; von den Griechen belagert 659; an den Kaiser Johannes übergeben 663; von Zenki erstürmt 674, 722.
* Byzanz, Zustand dieses Reichs im Anfange des dreizehnten Jahrhunderts V, 148.
Byzantien VII, 221.
Buzi, Fürst II, 567.

## C.

* Cabula VII, 461.
Caco, Cacho III (2), 267; VII, 599.
Cäcilia, Halbschwester Fulco's II, 604, 605.
— Schwester Robert's von der Normandie I, 304.
— Tochter des Königs Philipp von Frankreich II, 302, 604.
* Cäsara am Orontes, von den Christen belagert und eingenommen III (2), 50; durch Erdbeben zerstört 134.
* Cäsarea I, 268; II, 49; wird von Balduin erstürmt 102; von Saladin erobert III (2), 296; zerstört IV, 408; wird wieder hergestellt VI, 158; von Moaddhem zerstört 303; wird von Ludwig IX. aufs neue befestigt VII, 289; von Bibars erobert 474; zerstört 475.
— Philippi s. Paneas.
* Cadesbarne III (2), 95.
* Cadir VI, 173.
Caducus, Erzbischof III (1), 36.
* Caffa VII, 715.
Caffari, genuesischer Consul II, Blg. 8.

Caffarus II, 100.
* Cagliari VII, 544.
Calaman III (2), 91.
Calandrae VI, 393.
* Calcalia III (2), 185.
Calderon, Balduin, I, 143, 144.
Calemannus, s. Kalmany.
Calirtus II., Papst, II, 599.
* Calvarienberg III (2), 312.
Camarderio, Constantius de, VI, 25.
* Camela VI, 73.
Campulo, Leonardus V, 374.
Camytzes II, 345.
* Candare IV, 212.
* Candayra IV, 212.
* Candelorum VII, 716.
* Canestrivum II, 606.
Cantacuzenus, Johannes, II, 275, 332.
* Capernaum IV, 405.
* Capharca, Caphardа I, 249.
Cappel, Gerhard v., VI, 424.
* Capua, Hoftag VI, 442.
Carabagas VII, 741.
Carageth II, 131.
* Cardiff II, 29.
Cariathiarbe II, 89.
* Carmel III (2), 151.
Carpenel, Waldemar, I, 284; II, 71.
Carrocium IV, 399; VI, 248, 249.
Carron, Balduin, IV, 511.
* Carrosum I, 13.
* Carthago VII, 554; von Genuesern erobert 556.
Casale VII, 378.
Casalepons VI, 518.
* Casal Imbert VI, 538, 540.
Casimir, Herzog von Pommern, VI, 132.
Cassianus II, 588.
* Castalon VII, Blg. 41.
* Castamone II, 130.
Castellarius II, 117.
* Castellum S. Abrahae II, 89.
* Castoria I, 125.
Catacalon Constantinus Euphorbenus I, 94.
Catino, sacro, II, 103; Blg. 8.
Catulus, Roger Malus IV, 198.
* Caudare VI, 542.
* Cavas II, 225.
* Cava III (2), 209.
* — Urkunde Balduin VI. von Jerusalem zu Gunsten des Klosters daselbst VII, Blg. 33.
* Cavea de Tyrum III (2), 94.
Cavegin, Andr. v., IV, 356.
* Cayphas II, 697.
* Cedrinus IV, 92.
* Ceratinische Meerbusen II, 122.
* Cercamp V, 385.
Cercleia IV, 340.
Cerdagne, s. Wilhelm von Cerdagne.
* Cerep II, 288.
* Cerines VI, 542; Schlacht 545; belagert 546.
Cerisy I, 39.
* Ceuta VI, 173; VII, 547.
* Chabor, Chaboras II, 261, 277.
* Chabur III (2), 216; VI, 639.
Chagius VII, 760.
Chaifa, Rainaldus v., VI, 514.
* — belagert II, 71; erstürmt 72; verwüstet IV, 405.
Chalaf edn Molaeb II, 272.
* Chalcedon I, 120; V, 202.
Chalifen, die 5 ersten, I, 23.
* Chalons III (1), 79.
* — kleiner Krieg von, VII, 606.
* Chaluz-Chabrol IV, 618.
Chamgui, Andreas v., IV, 437.
Champagne VII, 158.
* Chanaserah II, 469.
Chanbardi VI, 632.
Charinus II, 118.
Chariesmier VI, 630.
Charpalu, Gottfried, II, 646.
* Chartres II, 326; III (1), 46, 278.
* Chateau Franc VI, 461.
Chathun Dschindschek II, Blg. 31.
Chatun, Zemerrud II, 684.
* Charubah IV, 271.
* Castellet III (2), 221.
Chateauneuf, Wilhelm v., V, 633, 644.
* Chateaurour IV, 29.
* Chatelblanc VII, 592.
* Chatillon III (1), 10.

Chatillon, Hugo v., VII, 73.
Chatlach III (1), 224.
Chats faux VII, 136.
* Chaumont IV, 33.
— Richard v., VI, 587.
Chavegui, Andr. v., IV, 437.
Chelandria VI, 393.
Cheminon, Abt, VII, 60.
* Cher VII, 294.
* Cherimes IV, 213.
Cheveigni, Andr. v., IV, 437.
Chi-liei-men VII, 308.
Chilperich I, 16.
* Chimaera II, 334.
* Chinon IV, 45.
* Chischum II, 381.
* Coerobakchi, Choerobaccha II, 336; III (1), 122.
* Choilaka IV, 514.
Cholet, Eustachius, III (2), 107.
Choniates, Mich. Bischof, V, 359.
— Nicetas, s. Nicetas Choniates.
* Chorasan II, 120.
* Chortbert II, 475.
Chorutum V, 42.
Chotbeh II, Blg. 31; VI, 602.
* Chovaija II, 628.
Chowailepha, Bohaeddin, IV, 514.
Chowaresm VI, 630.
* Christopolis V, 354.
* Chrysokeras V, 217.
* Chrysorrhoas III (1), 243.
Chug Basil II, 299; VII, Blg. 40.
* Chytros VI, 542.
* Cilicien, I, 159; von Tankred erobert II, 275; von Erdbeben erschüttert 380; Bildung eines Fürstenthums daselbst III (2), 56; wird durch Boemund III. von Antiochien verheert V, 6; armenisches Königreich daselbst während der Kreuzzüge VII, Blg. 34.
Cinnamus II, 663; VII, Blg. 44.
* Circuiz IV, 70.
* Citeaux, Kloster III (1), 10; V, 102, 105.
* Cittium VI, 528.
* Civita Vecchia VI, 175.
Civitot, s. Kibotus.
* Clairvaux, Stiftung des Klosters III (1), 11.
Clarebold v. Bendeleu, I, 96, 100, 112.
Clarenbald v. Montchablon IV, 511.
Claret, Wilhelm, II, 341.
Clausum Paschae IV, 498.
— Pentecostes IV, 498.
Clemens, Alberich, Marschall, IV, 342.
— III., Papst IV, 14, 24.
— IV., Papst, Abstammung und frühere Verhältnisse VII, 480; ermahnt eifrig zur Theilnahme an der Errettung des heil. Landes 482, 500, 507; bemüht sich vergeblich, die Venetianer u. Genueser zu versöhnen 511; schreibt an den Kaiser Michael Palälologus, Haithon, König von Armenien 512, und an den Chan Abaga 513; stirbt 532.
— V., Papst, VII, 783.
* Clermont, Kirchenversammlung daselbst 1095 I, 51; Wirkungen derselben 57 ff.
Cleve, Graf v., IV, 543.
* Cloies VI, 73.
Clorejo, Rogerius de, VII, 62.
* Clugny VII, 22.
Cocy, Thomas v., VII, 509.
Cölestin III., Papst, nimmt sich des gefangenen Königs Richard an IV, 606; spricht über Leopold v. Oestreich den Bann aus 616; zeigt großen Eifer für die Sache des gelobten Landes V, 11; stirbt 59.
* Cöln I, 97; III (1), 77; VI, 77.
* Cohagar II, 688.
* Coi in Medien II, 628.
Coin (d. i. Münzrecht) I, Blg. 34.
Coliburn IV, 190.
* Colliffif VII, 380.
* Colombiers, Friede von, IV, 45.
Colonen im heiligen Lande VII, 366, 367.
* Coloniora IV, 106.
Colonna, Johann, VII, 434.
Comet II, 323.

Comnena, Maria, VI, 454.
Comnenen, s. Alexius, Andronicus, Anna.
Comnenus, Emanuel, Kaiser von Byzanz, V, 147.
— — Kaiser v. Trapezunt VII, 335.
— Johannes, s. Johannes Comnenus.
— Isaak I, Blg. 11.
— Theodorus, erobert Thessalien VI, 389.
* Compiegne, Versammlung der Kreuzfahrer daselbst V, 115.
* Compostella II, 219.
Conan I, 145.
Connetable von Jerusalem, Geschäftskreis desselben I, Blg. 27.
Conon, Cardinalbischof von Präneste, spricht den Bannfluch über Heinrich V. aus II, 367.
— Presbyter von Pentukla I, 3.
— von Bethune, nimmt das Kreuz V, 114; geht als Botschafter nach Venedig 115; antwortet im Namen der Barone dem Botschafter des Kaisers Alexius 209; spricht als Gesandter der Pilger mit den beiden Kaisern von Byzanz 257; wird Protovestiarius von Constantinopel 369.
— von Montaigu, nimmt Theil an der Belagerung von Antiochien I, 177; an der Einnahme von Jerusalem 280; wird Ritter des Hospitiums zum heiligen Johannes 543.
Conrad, Bischof von Constanz VI, 315.
— Bischof von Halberstadt V, 154.
— Bischof v. Hildesheim VI, 397.
— Bischof von Lübeck, zieht nach dem Morgenlande IV, 4; stirbt 5.
— Bischof von Porto, Cardinal, VI, 374, 378, 395.
— Bischof von Würzburg, Kanzler, V, 15, 28, 54.
— Burggraf v. Dewin IV, Blg. 55.
— Erzbischof v. Mainz, nimmt das Kreuz V, 16; erhält den Oberbefehl über das deutsche Pilgerheer 20; krönt den König von Armenien 53; VII, Blg. 52; stirbt V, 54.
Conrad, Graf von Dörenberg IV, 106.
— Graf von Wittin III (1), 258.
— Herzog von Zähringen III (1), 66, 90, 258.
— Herzog von Franken VI, 368.
— III., König, rettet viele Juden III (1), 60; nimmt das Kreuz 75; hält einen Hoftag zu Nürnberg 92; zieht nach Regensburg 93; führt das deutsche Heer nach Ungarn 95; nach Constantinopel 125; geht nach Iconium 158; wird von den griechischen Führern irre geleitet und verlassen 161; geht wieder zurück 163; kommt verwundet nach Nicäa 165; hat eine Unterredung daselbst mit Ludwig VII., König von Frankreich 167; schließt sich dessen Heer an 169; folgt der Einladung des Kaisers Manuel nach Constantinopel 175; geht nach Jerusalem 232; hält eine glänzende Zusammenkunft zwischen Tyrus u. Ptolemais mit Ludwig 234; geht nach Ptolemais 236; zieht gegen Damascus 239; kämpft tapfer 246; zieht sich zurück 253; belagert vergeblich Askalon 254; geht nach Constantinopel und schifft sich nach Pola ein 255.
Conrad IV., wird vom Papst Innocenz IV. verfolgt VII, 299; seiner Ansprüche auf die Krone von Jerusalem beraubt 392.
— Markgraf v. Tyrus, nimmt das Kreuz IV, 217; vermählt sich mit Theodora v. Byzanz 218; leistet dem Kaiser Isaak wichtige Dienste 219; geht nach Palästina 222; kommt nach Tyrus 224; setzt Tyrus in Vertheidigungsstand 225; vertheidigt Tyrus gegen Saladin 225—233; verweigert dem Könige Veit den Einlaß in die Stadt 252; nimmt Theil an der Belagerung von Ptolemais 260; schlägt die ägyptische Flotte 273; macht Ansprüche auf den Thron von Jerus. 306; vermählt sich mit Elisabeth 309; verläßt das Lager vor Ptolemais, kommt

aber wieder zurück IV, 346; vermittelt die Uebergabe von Ptolemais 361; erneuert seine Ansprüche auf die Krone von Jerusalem 371; unterwirft sich der Entscheidung, daß er nach dem Ableben Veit's das Königreich Jerusalem erhalten soll 373; übergiebt nach langer Weigerung die türkischen Gefangenen dem Könige Richard 385; unterhandelt mit Saladin 440; belagert Ptolemais 473; unterredet sich mit Richard 474; wird der Einkünfte der Krone von Jerusalem verlustig erklärt 475; wird von Richard eingeladen, den Befehl über die zum Dienste des heiligen Landes zurückbleibende Macht zu übernehmen 479; unterhandelt mit Saladin 480; wird von Assassinen ermordet 483.
Conrad, Pönitentiarius u. Scholasticus der Kirche zu Mainz VI, 315.
— Stallmeister Heinrich IV., Führer von zweitausend deutschen Pilgern II, 119; kommt nach Asien 125, 133; nach Jerusalem 152; kämpft tapfer 160; wird aus der Gefangenschaft befreit 325.
— von Ahausen V, 55.
— von Marburg VI, 111.
— von Schwarzenberg V, 261.
Conradin VII, 528, 530.
Constantia, Fürstin von Antiochien I, 323; II, 589; III (2), 22.
— Gemahlin des Königs Ottokar von Böhmen VI, 131.
Constantin, Bruder des Tawtng II, 398.
— des Großen Frömmigkeitswerke in Palästina I, 5.
— Fürst von Gargara II, 381.
— I, 168.
* Constantinopel, Ankunft der Kreuzfahrer daselbst I, 106, 127 III (1), 127, 151; IV, 83; von den Venetianern und Kreuzfahrern belagert V, 220; bestürmt 228; erste Feuersbrunst 229; zweite Feuersbrunst 247; aufs neue belagert 281; bestürmt 287; im Sturme eingenommen 290; dritte Feuersbrunst V, 298; Plünderung 304; Fortschaffung der Thore nach Ptolemais 381; Zerstörung der Kunstwerke Blg. 12; von Griechen und Bulgaren belagert VII, 437; von Alexius Stratégopulus eingenommen 444.
Constantinus Monomachus II, 65.
— (Constans), Reichsverweser von Cilicien VII, Blg. 53.
— Sohn des Ruben VII, Blg. 40.
Contareno, Orlando, VII, 382.
Contarini, Bertuccio, V, 322.
— Heinrich, Bischof, landet bei Joppe II, 57.
Conti, Tristan, Graf von Segni VI, 414.
Contostephanus, Andronicus, III (2), 127.
— Johannes, III (2), 68.
— Isaak, wird Großadmiral der griechischen Flotte II, 332; segelt nach Hydrunt 333; verläßt die Flotte 334.
Coradin (Moaddhem) VI, 152.
* Corbianum II, 345.
* Corbie V, 100, 122.
* Corbigny IV, 154.
Corbivi IV, 552.
* Corfu II, 322; V, 193.
Corobasilius II, 299.
* Coritium II, 233.
* Corneto VI, 175, 176; VII, 583.
Corpelay, Odo von, VII, 509.
* Cosmidium II, 123; V, 222, 288.
Cosmos VII, 426.
* Cosenza VII, 583.
Coupe I, Blg. 33.
* Courtenay, Robert v., VI, 593.
— Philipp v., VII, 20.
Covasilus I, 235.
* Crach III (2), 199.
* Cremona VI, 396, 397, 619.
* Cressum II, 607.
Crysobolium II, 191.
Cuman II, 571.
Cumanen IV, 92.
Cuno von Montagu II, 23.
Curiales II, 429.
* Cursarium, s. Kossair.

Curzon, Robert, Cardinal, kommt nach Damiette VI, 209; stirbt 223.
Cyclas IV, 518.
* Cydaris V, 221.
* Cyntra II, 219.
* Cypern, erobert durch Richard, König von England IV, 197; Ankunft des Kaisers Friedrich I. daselbst VI, 454; Kämpfe 544. Sammelplatz der französischen Kreuzfahrer VII, 69.
* Cypsela, Chympsalum, I, 128.
* Cyrene I, 23.

D.

* Dabek I, 204.
Dänen, nehmen Theil an einem Kreuzzuge gegen die heidnischen Wenden III (1), 259.
Dänemark, Theilnahme daselbst an der vierten Kreuzfahrt IV, 15.
Dafer III (2), 82.
Dagobert, Erzbischof von Pisa II, 21; zieht nach Jerusalem 46; wird Patriarch von Jerusalem 51; begünstigt Boemund 71, 75; macht sich durch herrschsüchtiges Benehmen verhaßt 53; wird von Balduin des Eidbruchs und des Mordes beschuldigt 93; geräth in neuen Streit mit Balduin 105; wird seiner Patriarchenwürde entsetzt 162; nimmt Theil an der Schlacht bei Rakkah 262; geht nach Europa 269; stirbt in Sicilien 363.
— König I, 17; II, 66.
Daher I, 32.
Dahereddin Togthekin II, Blg. 27.
Dahreddin IV, 265.
Dal II, 235.
Daifa Chathun VI, 598.
* Dair II, 529.
* Dairram VII, 380.
* Dallak II, 279.
* Damascus, von drei christlichen Königen belagert III (1), 241; Erzählungen arabischer Chroniken von der Belagerung durch die Christen, Blg. 18; kommt in die Gewalt Nureddin's III (2), 31; wird von Saladin besetzt 161; von Moineddin belagert VI, 648; unterwirft sich den Mogolen VII, 411; Betragen der dasigen Christen 412; Schlacht 667.
* Damatrys V, 206.
* Damiette, von Amalrich belagert III (2), 129; von den Christen unter König Johann v. Jerusalem belagert VI, 183; Lage und Befestigung 186; Wichtigkeit 189; von den Christen bestürmt 251, 253, 254, 257; Theurung u. Seuchen 269; von den Christen eingenommen 287; schanderhafter Zustand 290; wird den Muselmännern durch einen Friedensvertrag zurückgegeben 347, 354, 355; wird nach der Landung Ludwig IX. in der Nähe derselben von der ganzen Bevölkerung verlassen VII, 107; von den französischen Kreuzfahrern eingenommen 111; durch Vertrag den Saracenen übergeben 245; von den Saracenen zerstört 258; und in einiger Entfernung eine neue Stadt gegründet 259.
Daminnes, Peter, VII, 613.
* Damokrania V, 151.
* Damville IV, 32.
* Dan II, 525, 595; VII, 329.
* Dana II, 392.
Dandulo, Heinrich, Doge von Venedig, nimmt die Abgeordneten dreier Grafen sehr wohl auf V, 116; schließt einen Vertrag mit denselben wegen Lieferung von Schiffen und Unterhalt für die Kreuzfahrer 118; Charakter 142—144; verlangt den Beistand der Kreuzfahrer zur Eroberung der Stadt Zara 145; nimmt das Kreuz 146; segelt mit einer Flotte ab 165; belagert Zara 170; nimmt es durch Vertrag ein 171; stellt den Frieden zwischen den Venetianern und Pilgern wieder her 174; segelt nach Corfu 192; landet bei Constantinopel 200; geht nach Scutari 203; belagert Constantinopel an der Hafenseite

V, 223; stürmt es 228; erobert einen Theil der Stadt 229; rettet seine Flotte aus der drohenden Gefahr zu verbrennen 259, 271; bespricht sich mit dem Kaiser Murtzuflos 275; schließt mit den Kreuzfahrern einen Vertrag über die Eroberung von Constantinopel 281; bestürmt Constantinopel vergebens 287; erstürmt die Mauer 290; bittet den Papst um Zurücknahme des Banns 334; erhält die Würde eines Despoten 368; stirbt 385.
Dandulo, Vitalis, V, 165, 322.
Danischmend, Ibn (Kameschthekin), I; Blg. 9; Herkunft II, 61; nimmt Boemund gefangen 65; nimmt Melitene ein 67; vereinigt sich mit Kilidsch Arslan und Rodvan, um Bagdad zu beschirmen 131; schlägt zwei Kreuzheere 135, 146; versöhnt sich mit den Franken 234; entläßt für Lösegeld Boemund aus der Gefangenschaft 258, und schließt ein Bündniß mit ihm; seine Redlichkeit 259; stirbt 260.
Daniel von Malenbek VI, 532.
* Danit, Schlacht II, 392.
* Danneberg VI, 386.
* Daphnisquelle I, 174.
* Daphnusia VII, 444.
* Dar al hadits IV, 589.
Darbesak, von Saladin eingenommen IV, 241; Blg. 82; Schlacht VI, 559; an Bibars abgetreten VII, 495.
Dargam III (2), 82, 83.
* Dargun III (1), 261.
Darledschin II, 227.
Darist aschscham VI, 146.
* Daria III (1), 240.
* Dartmouth VI, 164.
Darum, von Saladin berennt III (2), 135; von Richard belagert IV, 499; erobert 500; geschleift 537.
* Dauk, Brücke von, IV, 300.
Daurade VI, 51.
* Davavinu Haleb II, 292.
* David II, 282.
— Bischof von Ani VI, 382.
David, der Komnene V, 391.
— mogolischer Gesandter VII, 82.
— Prinz II, 622, 624.
— s. Malek an Naser David.
* Deabolis II, 338.
Deaurata VI, 51.
* Debeltum V, 233.
Dekak, Abu Nasr II, Blg. 27 ff.
* Dekapolis II, 525.
θεληματάριοι VII, 443.
Delphinus, Doge V, 368.
* Demetria III (1), 170.
Demetrius, König von Thessalien VI, 390.
* Demmin III (1), 262.
* Demotica IV, 89, 91.
* Dennie II, 392.
Derar II, 581.
Desiderius, Petrus, I, 286.
Despréaux, Wilhelm, rettet Richard IV, 434; wird aus der Gefangenschaft gelöst IV, 573.
— Peter, IV, 578.
* Detroit VI, 159.
Deutsche, ein Heer von funfzehnhundert, wird vertilgt I, 240.
Deutschland, Abneigung daselbst gegen die ersten Kreuzfahrer I, 66; Eifer daselbst für das heilige Grab III (1), 64, 88; IV, 15, 50; V, 13, 56; Verwirrung daselbst nach Kaiser Heinrich VI. Tode 59.
* Dewin IV, Blg. 54.
* Diadora V, 167.
* Didimus IV, 213.
* Didymoteichon, V, 352, 354, 384.
Diebstahl, Strafe desselben II, 461.
Dietbald, Graf von Blois IV, 283.
— Bischof von Passau IV, 66.
Dietrich de Los V, 367.
— Erzbischof von Ravenna, geht als päpstlicher Legat nach Syrien VI, 551; belegt Ptolemais mit dem Interdict 552.
— Graf von Bar I, 70.
— Graf von Flandern und Elsaß, II, 600; unternimmt einen Kreuzzug 681, 684; nimmt aufs neue

g 2

das Kreuz III (1), 53, 95, 148; kommt zum dritten Male als Pilger ins heilige Land (2), 46; kämpft tapfer 50, 52, 53; verläßt das heilige Land 54; kommt zum vierten Male dahin 93.
Dietrich, Graf von Flandern, Sohn des Grafen Philipp von Flandern, nimmt das Kreuz V, 114; segelt aus den Niederlanden ab 137; kommt zu Ptolemais an VI, 11.
— Graf von Katzenellenbogen VI, 308.
— Prior des Johanniterordens in England, geht nach dem heiligen Lande VI, 561, 609.
— von Barneville II, 391.
— von Tendremonde V, 367.
— von Tenremond V, 380.
* Dieu d'Amour (Schloß) VI, 543.
* Dijon, Kirchenversammlung V, 86.
Dildrum, Bedreddin, IV, 567.
Dinarchus II, 334.
* Διπλοκιόνιον V, 150, 204.
* Districtum (Detroit) VI, 159.
Ditmar, Erzbischof v. Salzburg II, 147.
Dobais, Emir, II, 441, 454; zieht gegen die Georgier 467; wird von Timurtasch geschlagen 517; opfert sein Leben für Zenki 628; edler Zug von demselben 629.
Doge von Venedig, Titel desselben V, 368.
Dokak, Malek, Sohn des Thuthusch I, 276; II, 38.
Dokus Chathun VII, 412.
Domestici II, 71.
Domus II, 71.
Dorata VI, 51.
Dornenkrone des Erlösers I, 13; VII, 441.
* Dorylaum, Schlacht I, 154; III (1), 163.
Dositheus IV, 78.
* Dotaim III (2), 272.
Doucoscaron VII, 412.
* Drakon I, 139.
* Dreux IV, 148.
— von Cressonessert, nimmt das Kreuz V, 113, 191.
Drogo I, 112.
— de Fontenillo Putrell IV, 455.
— von Merlu IV, 366.
* Drusipara V, 349.
* Dschabalah II, 198, 442; IV, 238; Blg. 75; V, 40.
* Dschabar II, 277, 396, 397, 470, 626, 730.
* Dschalisch III (2), 232.
* Dschaluth III (2), 231.
Dschamah IV, 561.
Dschamdar von Rahabah II, 390; bei Danit geschlagen 394.
* Dschamlidsche V, 206.
Dschame II, 104.
Dschanahheddaulah, Fürst von Emessa II, 62; ermordet 63; Hosein II, Blg. 27.
* Dschanschen II, 522.
* Dschaudscher VI, 186.
Dschavali, nimmt Mosul ein II, 276; bestraft Joscelin's Treulosigkeit 281.
Dschaveli, Leibeigner IV, 438.
Dschaveli, Emir III (2), 231.
* Dschebbul II, 485.
Dschelaleddin, Mankberni, Charismschah VI, 631, 638.
Dschemaleddin, Ebn Vasel, Kadi, Geschichtschreiber III (1), Blg. 30; VI, 629; VII, 430.
— Emir v. Harran II, 728.
— Jahja Ebn Matruh VII, 258.
— Statthalter, stiftet einen Verein damascenischer Männer zur Befreiung gefangener Moslims VII, 514.
Dscherkemisch, Fürst von Mosul II, 254; zieht mit einem Heere nach Rakkah und kämpft glücklich 261; wird bei Edessa von Tankred geschlagen 267; wird von Dschaveli gefangen 276; stirbt 277.
* Dschibel II, 20.
* Dschiblet VII, 527.
Dschingischan, nähert sich den Gränzen des türkischen Reichs VI, 301; zerstört das Reich von Charism 630.
* Dschin Madschin II, 245.
* Dschiseh Dimjat VI, 185; VII, 105.

* Dschoball II, 198.
Dschordik, Asseddin III (2), 122, 231; IV, 528, 544; V, 2.
* Dschur VII, 329.
Dschusi VI, 493.
* Dschusr el hadid I, 172.
* Dubin III (1), 259; belagert 262.
Ducas, Alexius, s. Murtzuflos.
— Theodorus, V, 298.
— Johannes, Kanzler IV, 53.
— — mit dem Beinamen Vatatzes, s. Vatatzes.
Dudo VII, 562.
— von Clermont II, 117.
Dudon de Comps II, 543.
Duech, Herr v., VII, 73.
Duser (Dschabar) II, 396, 426, 515.
Duplicar VII, 593.
Dupuy, Raimund, Pfleger des Hospitals zum heil. Johannes II, 543; befestigt durch neue Regeln den Orden 544.
* Dyga IV, 105.
* Dyrrachium I, 105, 125; von Boemund belagert II, 335; bestürmt 338; V, 192; vom Kaiser Peter belagert VII, 433.
* Dzamentav VII, Blg. 36.

E.

* Eberbach VI, 309.
Eberhard, Capellan III (1), 66.
— Graf von Brienne VI, 57.
— Graf von Dörenberg V, 55.
— Ritter II, 437; IV, 400.
— von Bar III (1), 84.
— von Breteuil, nimmt das Kreuz III (1), 96; stirbt 183.
— von Brienne VI, 132.
— von Chatenay VI, 565.
— von Manteuil VII, 485.
— von Sivery VII, 160, 162.
— von Valerie VII, 485.
— von Valery VII, 192.
Ebn Abilkasem VI, 151.
Ebn Ammar Fachr el Moluk II, 189, 201.
Ebn al Athir II, 586; III (1), Blg. 23.
Ebn Dajaeddin V, 2.
Ebn al-Chaschschab II, 522, 532.
Ebn Ferat III (1), Blg. 28.
Ebn Leo IV, 136.
Ebn Malek II, 396.
Ebn Wasel VI, 421.
Ebremar, wird zum Patriarchen von Jerusalem erwählt II, 163; wird der Unterschlagung einer Geldsumme beschuldigt 361; geht nach Wälschland 362; wird auf einer Versammlung aller Bischöfe des heiligen Landes des Patriarchats entsetzt, und nimmt den erzbischöflichen Stuhl von Cäsarea an 363; merkwürdiger Brief desselben II, Blg. 25.
Ebriacus, Hugo, II, 204, 207.
* Ecouenne III (1), 52.
* Ecry V, 111.
* Edessa, unter einem alten Fürsten, nimmt Balduin mit Jubel auf I, 167; wird von Mohammed belagert II, 283; von einem Erdbeben heimgesucht 381; Gränzen der Grafschaft 596; wird von Zenki belagert 723; erobert 724; Blg. 49; von Joscelin wieder eingenommen 731; wieder verlassen 732, und zerstört 733; wird an Saladin verrathen III (2), 216; VII, Blg. 39.
Edmund, Bischof v. Chester II, Blg. 47.
— Sohn des Königs Heinrich von England, nimmt das Kreuz VII, 537, 709; kommt nach Ptolemais 599; kehrt nach England zurück 607.
Eduard, Sohn des Königs Heinrich von England, nimmt das Kreuz VII, 557; kommt nach Tunis 593; tritt die Meerfahrt nach dem heiligen Lande an 594; ruft die Mogolen zu Hülfe 597; wird von einem Assassinen meuchlerisch angefallen 604; geht nach seiner Genesung nach Frankreich und übernimmt die Regierung von England 606; verspricht zum zweiten Male nach dem heiligen Lande zu wallfahrten 644.
Egilbert, Erzbischof I, 97.

Ehebruch, Verordnungen denselben betreffend II, 458.
Ehe, zweite II, 461.
Eichstädt, Wilibald v. I, 125.
Eichhard II, 363.
Eidesformeln der Venetianer zu Ptolemais VII; Blg. 3; der Sultane Kalavun und Aschraf 27, 28; des Königs von Aragon 28.
Einbeck von Hagenau IV, 103.
Ejub, Nadschmeddin, Vater Saladin's und Stifter des Geschlechts der Ejubiden II, 620; III (1), 245; Kriegsthaten (2), 85; wird Schatzmeister unter seinem Sohne 141.
— s. Malek as Saleh Ejub.
Ejubiden, Stiftung III (1), 245, und Ende der Herrschaft dieses Geschlechts in Aegypten VII, 389.
Ejaz, Emir II, 374.
Ekbert, Bischof von Bamberg VI, 424.
Elafbasius II, 5.
* Elarisch II, 411, 493.
* Elbab II, 476, 483.
* Elbara II, 265; Blg. 34.
Ἐλχανης I, 91.
Eldschamus VI, 155.
Eldschelali II, 297.
* Eldscheser II, 60, 265; 467; Blg. 30.
Electuarium IV, 518.
Eleonora, Ludwig VII Gemahlin III (1), 53; nimmt das Kreuz 96; Leichtfertigkeit derselben 227; macht dem Papste Vorwürfe IV, 607; vermählt sich nach der Trennung von Ludwig mit Heinrich II von England V, 112.
— von Castilien, Gemahlin des Königs Eduard von England VII, 605.
* Elfua II, 265, 530.
Elgeri, Le Croc VI, 588.
* Elhaba II, 518.
Elhakim, Astrolog II, 62, 63; 254.
Elinand von Tiberias II, 724.
Elisabeth, Gemahlin Philipp August's IV, 148.
Elisabeth, Schwester der Königin von Jerusalem Sibylle, läßt sich von Honfroy von Toron scheiden IV, 308; vermählt sich mit Conrad Markgraf v. Tyrus IV, 309; kluges Benehmen derselben 490; vermählt sich mit Heinrich Graf v. Champagne IV, 494; vermählt sich mit dem Könige Amalrich von Cypern und Jerusalem V, 29; stirbt VI, 53.
Elise, Gemahlin des Fürsten Boemund II. von Antiochien II, 533; sucht ihre Tochter der väterlichen Erbschaft zu berauben 589; widersetzt und unterwirft sich ihrem Vater 590; bemächtigt sich der Regierung von Antiochien 636; wird vom Patriarchen hintergangen 637.
— Mutter des heil. Bernhard III (1), 3.
* Elkobba II, 424.
* Elkoleia II, 423.
* Elmokra II, 288.
* Elmoschrefa II, 63.
Elnaksch II, 684.
* Elnokra II, 528.
Eloi I, 17.
Elphi VII, 652.
Elwire, Gemahlin Wilhelm Raimund's II, 200.
* Elwadi II, 466.
Emadeddin, Athabek III (2), 215.
— Ahmed, Emir VI, 230, 235.
* Emessa von Zenki vergeblich belagert II, 585; durch Erdbeben zerstört III (2), 134; Schlacht VII, 668, 417.
Emico, Graf, Anführer eines Kreuzheeres, das bei Meßburg vernichtet wird 100.
Emir Ali II, 569.
Emiro'l dschojuschi II, 5.
Emmius, Ubbo VI, 203.
Ende, Gerhard v. VI, 424.
* Engelberg III (1), 66.
Engelbert, Erzbischof von Cöln VI, 194, 384.
— Graf von Berg IV, 59.
— von Auersperg VI, 131.
— siehe Ludolph.
Engelgar II, 298.

Engelrad, Bischof von Laon II, 117.
— Ritter II, 317.
Engelram de Boue V, 191; VI, 11.
— von St. Paul, s. St. Paul.
* Engelstatt V, 17.
England, Begeisterung daselbst für die vierte Kreuzfahrt IV, 13; Judenverfolgung daselbst 149.
Enguerrand de Jorni, VII, 616.
* Ephesus III (1), 173.
Erchembald, Baron von Bourbon III (1), 96.
Erckenbert, Burggraf v. Dewin IV, Blg. 55.
Erdbeben IV, 137; VI, 5.
* Erdberg IV, 600
Eremburg II, 548, 560.
* Ernaldi castrum IV, 426.
* Errudsch II, Blg. 34.
* Esas VII, 409.
Eschive, Tochter des Hugo von St. Omer V, 28.
— von Berytus, geb. Gräfin von Montbeliard VII, 100, 101.
* Esdrelon III (2), 231.
Esneckae IV, 204.
* Eßlingen III (1), 176.
* Es-Sumak II, 390.
* Etampes III (1), 82.
Etang, Wilhelm d' IV, 553.
* Ettenheim (Herenheim) III (1), 66.
* Ettlingen III (1), 176.
* Euböa V, 198.
Eugen IV. Papst III (1), 39; fordert zum Kreuzzug auf 40; reist nach Frankreich 84.
Euphorbenus, Constantinus II, 346.
Eusebius I, 6.
Eustach, Graf von Boulogne, Bruder des Herzogs Gottfried von Lothringen I, 145; nimmt Theil an der Belagerung von Antiochien 177; ersteigt die Mauern von Jerusalem 293; kehrt in die Heimath zurück; II, 18.
— von Canteleu V, 211.
— von Cäsarea II, 299.
— von Covelans V, 124.
Eustach von Flai V, 107.
— von Salebruit V, 352.
Euterpius II, 437.
* Eutin III (1), 260.
Euzomerus II, 448.
* Exoragorgum I, 90.
Eystein II, 218; III (1), 269.
* Ezaz II, 301; zertrümmert von Erbeben 381; von Joscelin, belagert 424; erobert 425; von den Muselmännern belagert 485; Schlacht 523; Blg. 43.
Ezzeddin Masud II, 529, 530.
Ezmatheddin III (2), 167.

## F.

* Faba (Fula) III (2), 231.
Faccardin, Emir, Erbauer einer schönen Brücke II, 151.
Fachreddin, Ebn Lokman, Schreiber VII, 211.
— Emir, geht als Gesandter an den Hof des Kaisers Friedrich VI, 421, 475; belagert Askalon 650; nimmt es ein 652; erhält den Befehl über ein Heer zur Vertheidigung Aegyptens VII, 98; hindert die Landung der Christen nicht 105; wird Reichsverweser 129; beunruhigt die Christen in ihrem Lager 137, 139; 143; stirbt 173.
Fachr el Moluk, s. Ebn Ammar.
Fadajel Ebn Sald Ebn Bedi II, 515, 571, 581.
Fahnenwagen IV, 399; VI, 248; s. Carrocium.
Falcastrum VII, 752.
* Falkenburg III (1), Blg. 10.
* Famagosta IV, 212; VI, 542.
Familiares II, 71.
Farabel, Wilhelm VI, 41.
* Farama II, 409.
Farbe, grüne II, 439.
* Farfa III (1), 40.
* Farfar I, 249; II, 270.
* Fariskur VI, 236, 242; 320; VII, 127.
Fatheddin VII, 726.
Fathimiden, unterwerfen sich Palästina I, 28.
* Feuconiere VII, 658.
Fedawy II, 240, 248.

* Femon VII, 380.
Ferand, IV, 324.
* Ferbelet III (2), 210.
Ferdinand, König von Castillen VII, 296.
Ferto V, 188.
* Ferentino VI, 369.
Fergandus, Alanus I, 145.
Feria, Thomas de I, 96.
Fernando Sanchez VII, 535.
Ferochschah, Statthalter v. Damascus III (2), 205.
Ferraud v. Thoart I, 215.
Ferreus, Hugo VI, 81.
Ferri von Loupey VII, 161.
Feudalrecht des Reiches Jerusalem I, 325.
Feuer, griechisches II, 340; VII, 142.
— Wunder des himmlischen II, 98, 152.
Feveling, Hajo VI, 203.
* Fewwar VI, 145.
Filartus (Philaretus) VII; Blg. 39.
Fils Arnaud, Spottname III (1), 206.
* Finiminis I, 182, 211.
Finival, Girald v. IV, 553.
* Fischa III, 1, 95.
* Fivelingo VII, 584.
Fliegenthurm IV, 257, 292; Blg. 89.
Florent de Varennes VII, 550.
Florenz, Graf von Holland IV, 127.
Florin, Hugo v. IV, 543.
Florina I, 182.
* Fluß der Crocodile IV, 408.
* — salziger IV, 410.
* — todter IV, 409.
* Fodul Baba IV, 129.
Folker von Orel I, 86, 93.
Folter VII, 219.
Fondaco VII, 108.
Fonivons, Johann VII, 202.
* Fontevraud IV, 48.
Fonticum VII, 376.
* Forbelet III (2), 211, 232.
* Forbia IV, 492, 502.
Forcald du Marle VI, 156.
Formes VII, 119.
Foscari, Francesco V, 375.
* Fossa nova VII, 637.
* Fosthat VI, 185, 240.
Fowin VII, 594.
* Forerne II, 218.
* Fraga, Schlacht II, 563.
* Francavilla I, 83.
Franciscus von Assisi, predigt dem Sultan Kamel das Christenthum VI, 313.
Frangipan, Joh. VII, 653.
Frangipani, Familie VI, 446.
* Frankfurt a. M. Reichstag VI, 377.
Franko, Erzbischof v. Hierapolis II, 707.
— Ritter II, 41.
Frankreich, zu der Zeit des ersten Kreuzzuges I, 74; Eifer und Begeisterung daselbst für die vierte Kreuzfahrt IV, 13; liegt 9 Monate unter dem Interdicte V, 93; Begeisterung für das heilige Land daselbst 1109. 113; Rüstungen und Vorbereitungen zur Kreuzfahrt daselbst 1248. VII, 57; allgemeine Trauer daselbst über die Gefangenschaft des Königs Ludwig IX. 268; Unwesen daselbst bewirkt durch die Kreuzpredigten des ungarischen Meisters 292.
Frauen, genuesische, rüsten eine Flotte aus zum Kampfe für den Heiland VII, 781.
Freedkolle, Margaretha II, 223.
* Freyburg III (1), 70.
Friedrich, Bischof von Halberstadt VI, 111.
— Burggraf von Nürnberg VII, 636.
— I, Sohn des Herzogs Friedrich von Schwaben und Neffe des Kaisers Conrad III. nimmt das Kreuz III (1), 75; geht nach Regensburg 93; brennt ein Kloster nieder 119—124, 126; geht nach Ptolemais 232; nach Constantinopel 254; und in sein Herzogthum zurück 255; nimmt als Kaiser das Kreuz IV, 16; ordnet die Kreuzfahrt 50; kündigt Saladin den Frieden auf 51; geht nach Wien 55; zieht durch Ungarn 58; durch Servien 61;

Bulgarien IV, 65; unterhandelt vergeblich mit dem Kaiser Isaak 78, 85; geht nach Adrianopel 89; schließt mit Kaiser Isaak Frieden 98; geht über das Meer 104; siegt über die Türken 111, 113, 117; 120; kämpft in der Schlacht bei Iconium siegreich 130, 132; schließt Frieden mit dem Sultan 134; stirbt 139; Urtheil über ihn 144; Ansbert's Erzählung von der Kreuzfahrt desselben IV; Blg. 91.

Friedrich II, Sohn des Kaisers Heinrich VI. II, Blg. 16; bezeichnet sich mit dem Kreuze VI, 103, 316; unterredet sich mit dem Papst wegen Erfüllung seines Versprechens 364, 369; verlobt sich mit Jolanthe 370; verspricht feierlich die Kreuzfahrt anzutreten 378, 392; vermählt sich mit Jolanthe 396; geräth in Streitigkeiten mit den Lombarden 397; mit dem Papste 398; mit dem König Johann von Jerusalem 401; wird als König von Jerusalem anerkannt 405; knüpft Unterhandlungen mit dem Sultan Kamel an 421; verzögert die Kreuzfahrt 425; erkrankt 426; wird in den Bann gethan 427; vertheidigt sich 436; beschleunigt seine Rüstungen 450; tritt die Meerfahrt an 453; landet auf Cypern 454; geht nach Syrien 458; findet ungünstige Verhältnisse 459; schickt Gesandte an den Sultan Kamel 463; geräth in Streit mit den Templern 469; geht nach Joppe 470; steht in großer Achtung bei den Muselmännern 476; schließt Frieden mit dem Sultan Kamel 478; geht nach Jerusalem 493; geht nach Ptolemais 501; klagt über den Patriarchen von Jerusalem 501; handelt feindselig gegen ihn 502; kehrt nach Apulien zurück 505; unterhält durch Gesandtschaften das freundschaftliche Verhältniß mit Kamel 509; söhnt sich mit dem Papst aus 523; geht zu einer Versammlung nach Spoleto VI, 550; geräth in Spannung mit dem neuen Papst VII, 6; wird in den Bann gethan 8, 12; ersucht den König Ludwig IX um Vermittlung des Friedens 23; befördert die neue Kreuzfahrt 25; schickt Botschafter an Ludwig IX nach Syrien 285; stirbt 298.

Friedrich, Graf von Bogen II, 118.

— Herzog von Schwaben, Sohn des Kaisers Friedrich I., nimmt das Kreuz IV, 17; geht nach Passau 55; verlobt sich mit der Tochter des Königs von Ungarn 58; Kriegsthaten 75, 91; 130; wird Heerführer 142; zieht nach Antiochien 143; nimmt Theil an der Belagerung von Ptolemais 287; stirbt 314.

— Herzog von Oestreich, stirbt im gelobten Lande V, 54.

— von Bergheim IV, 63, 106.

— von Husen IV, 116.

— von Petau IV, 600.

— von Vienne IV, 510.

Friesen, verwüsten mehrere maurische Städte in Spanien VI, 171, 172; pilgern nach dem heiligen Lande VII, 583.

Friesland, Theilnahme daselbst an den Kreuzzügen IV, 15; VI, 99.

Froeville, Joh. und Peter v. V, 180.

Frohnkämpe II, 431.

Frowin, Abt. III (1), 66.

Fuchs I, 144.

* Fuh VI, 48, 375.

Fuinon, Johann VII, 91.

Fulbert, Befehlshaber von Sarudsch I, 238.

Fulcher, Erzbischof von Tyrus II, 695.

— Patriarch von Jerusalem III (1), 239; (2) 47.

— von Chartres, Capellan Balduin's I, 164; ersteigt zuerst Antiochien 200.

Fulco, Capellan zu Neuilly, tritt als Kreuzprediger auf V, 93, 96; 98; verrichtet wunderbare

Heilungen V, 99; nimmt das Kreuz 102; stirbt 105.
Fulco, Graf von Anjou I, 13.
— Rechin Graf v. Anjou II, 604.
— Graf von Anjou und Maine, pilgert nach Jerusalem, wird Templer II, 547, 559; und zum Nachfolger Balduin II. bestimmt 560; vermählt sich zu Akka mit Melisende 566; wird König von Jerusalem 591; findet das Königreich in einem kraftvollen und guten Zustande 593; Charakter und frühere Geschichte 597; stiftet durch Entziehung der Lehen Unfrieden und wird gekrönt 601; überwindet bei Rugia den Grafen von Tripolis 604; überfällt ein Turkomanisches Heer 606; geräth in Streitigkeiten mit Hugo von Joppe 607; läßt sich von seiner Frau beherrschen 612; Unthätigkeit desselben 613; erbaut viele Burgen 614; zieht nach Tripolis 645; wird von Zenki geschlagen 646; in Monsferrandus belagert 647, und übergiebt die Burg gegen freien Abzug 651; erkrankt 655; stirbt 717.
— von Puetricart VII, 623.
— von Tiberias III (2), 208.
Fulcoy, Robert übergiebt Sardanah II, 443; wird gefangen II, 448, 452; getödtet 453, 455.
* Fulda VI, 570.
Fulkeddin, Bruder des Malek al Adel IV, 514.
Fulrad, Abt von St. Denys III (1), 176.
Fusta VII, 746.

G

Gabriel, Fürst von Meletine II, 62; handelt treulos 65; wird getödtet 67, 418.
* Gabulim III (2), 134.
* Gadara III (1), 222.
* Gadres V, 167.
* Gaintingtone IV, 13.
* Gaisiha VII, 380.
Gajath eddin Kaichosru IV, 101; VII, 439.
Gajuk VII, 81, 83; 308.
* Galata V, 217, 218; 238.
* Galatia IV, 426, 477.
Galdrich II, 29; III (1), 8.
Gale, Joh. IV, 248.
Galeas VI, 223.
Galeran, Bischof von Berytus, kommt auf die Kirchenversammlung zu Lyon VII, 9; durchreist Frankreich 14 und England 15.
— Neffe Joscelin's II, 475.
Gallikan I, 7.
* Ganda VI, 175.
* Gangra II, 126.
Gansir II, 190.
* Garbieh VI, 191, 335.
* Gargar II, 476.
* Gargara II, 126.
Garin, Meister der Johanniter VI, 536.
Garinus IV, 455.
* Garizim IV, 425.
Garlande, Walther v., I, 143.
Garmund, Patriarch von Jerusalem II, 420; stirbt 536.
Garnier, Bischof von Troyes V, 113.
Gasi, Fürst von Melitene und Sebaste II, 587, 631.
— s. Malek ab daher Gasi.
Gasiganz IV, 518.
Gastaldio VII, 367, 378.
Gastaldus, Joh., VII, 384.
Gastfreundschaft begünstigt die Wallfahrten I, 8.
Gasto von Beardo I, 283.
Gaston von Berdeiz I, 280.
Gastus, Ritter II, 543.
— von Biterra I, 270.
* Gath II, 615.
Gaudentius, Erzbischof von Cäsarea II, 707.
Gaudini, Monachus, Meister der Templer VII, 765.
* Gaulan III (2), 275.
Gaucher von Montgai III (1), 183.
Gauchier von Autreche VII, 119.
— von Chatillon VII, 175.
Gaufried, Abt. II, 714.
— Bischof III (1), 49.
— Bischof v. Lydda III (2), 287.
— Burghauptmann II, 215.
— de Gienvilla IV, 270.
— Goldschmied IV, 156.

Gaufried, Graf von Lusignan IV, 25.
— Templer III (2), 97.
— von Bruilhun IV, 43.
— Neufville III (2), 211.
Gautier, Bischof v. Langres V, 102.
— d'Anemoes VII, 261.
— Herr von Cäsarea VI, 57.
* Gavata VI, 529.
* Gaza, wieder aufgebaut III (2), 10; von Saladin eingenommen 138; VI, 472, 588; Niederlage der Kreuzfahrer 592; Schlacht 642.
* Gazara IV, 477, 598.
* Gazaris III (2), 293.
Gazel (Gezela, Gazela), Roß des Balduin II, 164.
Gazia II, 515.
Gazwath I, 272.
* Gebal V, 40.
Gebirge, das nasse oder wasserreiche II, 703.
Gefäß, smaragdnes (il sacro catino) II, 103; Blg. 8.
Geisa, König von Ungarn III (1), 103.
* Gelboa III (2), 210.
Geliam VI, 182.
* Geinhausen V, 15.
* Gennesareth III (2), 283.
Geno, Petrus, VII, 615.
* Genua IV, 160.
Genueser nehmen Theil an der Belagerung von Jerusalem I, 285; Handel derselben mit dem Morgenlande II, 191; nehmen Theil an der Eroberung der syrischen Seestädte 193, 195; kriegen mit den Venetianern im heil. Lande VII, 396, 471, 511; schließen einen Vertrag mit dem Sultan Kalavun 714.
Georg, Admiral III (1), 258.
— IV., König von Georgien VI, 297.
— Graf von Wied, tritt die Kreuzfahrt an VI, 126, 164; geht nach Lissabon 166; erobert Alkazar 170; kommt in das Lager vor Damiette 184.
* Georgien II, 467; VI, 297, 382.
Georgius, Marsilius VII, 366, 371.
* Gera VI, 175.
* Gerba III (2), 207.
Gerbodo II, 157.
Gerhard, Abt II, 109.
— Bischof v. Angouleme II, 696; III (1), 24, 26.
— Bischof v. Laodicea II. 707.
— Bruder des heiligen Bernhard III (1), 12.
— Erzbischof II, 315.
— Erzbischof v. Auch IV, 169.
— Erzbischof v. Coricia II, 707.
— Pfleger des Hospitiums II, 540.
— Prior II, 501.
— v. Avesnes, als Geisel grausam behandelt II, 40; erhält das Schloß Abraham's 44; stirbt 155.
— von Betford, Großmeister der Templer, ein Feind des Grafen Raimund III (2), 250; fordert die Templer zum Kampfe gegen Saladin auf 267; wird bei Kischon geschlagen 269; räth in einem Kriegsrath nach Tiberias zu ziehen 278; wird bei Hittin gefangen 287; frei IV, 251; wieder gefangen 267, und von Saladin mit dem Tode bestraft 269.
— v. Keresi II, 11.
— v. Montmerle I, 285.
— v. Pugi III (2), 103, 107.
— v. Roussillon I, 129, 280.
— v. Turnvall IV, 578.
Gerichtshöfe im Königreiche Jerusalem VII, 359 ff., 364 ff.
Gerichtskämpfe im Königreiche Jerusalem I, 415; Förmlichkeiten bei denselben VII, 360.
Germanus III (2), 248.
Gerold, Patriarch von Jerusalem VI, 443, 468, 485; belegt Jerusalem mit dem Interdict VI, 496, 499; eben so Ptolemais 503; verkündet den zwischen Friedrich II. und Kamel geschlossenen Frieden als gültig 523; sucht vergebens den Frieden zwischen Johann v. Ibelin und dem kaiserl. Statthalter zu vermitteln 527.
Gertrude, Conrad III. Gemahlin III (1), 107.

Gertrude von Meran VI, 130.
Gervais de Castel V, 113.
Gervasius, Abt VI, 111.
— von Castel V, 356.
— von Tiberias II, 183.
Getreidepreise IV, 182, 313, 411.
Gewand, rothes, Kennzeichen der Würde eines Cardinals VII, 21.
* Gibel I, 254; VI, 44.
* Gibelet V, 3.
Gibelin, Erzbischof v. Arles II, 289, 363; wird Patriarch v. Jerusalem 364; verwaltet trefflich die Kirche in Ruhe und Frieden 365; stirbt 370.
* — II, 595, 615.
Gidus, Alexius, IV, 73.
Giffard, Alexander, VII, 188.
Gilbert de Laci, schlägt Nureddin unter dem Schlosse der Kurden III (2), 90.
— de la Porrée III (1), 29.
— Graf, Marschall, VI, 568.
— v. Treva I, 285.
* Gilead II, 682.
Gilles, der Braune, VII, 276.
Gilpractus II, 145.
* Ginclarium IV, 112.
Giraffe VI, 510; VII, 430.
Girald, Bischof v. Tripolis II, 614.
Girama IV, 137.
* Giril II, 300.
* Gisardi III (2), 187.
Gisart von Sajete und Beaufort I, 327.
Giselbert von Cujum II, 217.
Gislebert, Ritter, III (1), 185.
* Gisors IV, 10; Zusammenkunft der Könige v. Frankreich u. England daselbst 33; Ulme daselbst 34.
* Gistrum II, 387.
Giustiniano, Marco, VII, 395.
Gobert v. Scharfenberg IV, 70.
Godehilde II, 84.
Godwara II, 84.
Goez, Wilhelm, IV, 270.
Goldumus, Abt v. St. Marien II, 501.
Goman, Johann, Ritter III (1), 216.
* Gorgoni I, 154.
* Görz IV, 598.
Gottfried, Bischof v. Langres, nimmt das Kreuz III (1), 95.
— Bischof v. Würzburg IV, 68.
— der Bucklige (gibbosus, auch Struma) I, 67.
— der Schöne II, 560.
— Graf v. Perches, nimmt das Kreuz V, 114; stirbt 134.
— Graf v. Raucon, nimmt das Kreuz III (1), 95, 181.
— Graf v. Stettin VII, 636.
— Herr der Stadt Basarfuth II, 528.
— le Fort VI, 536.
— v. Ancenis, nimmt das Kreuz VI, 565.
— v. Beaulieu VII, 563.
— v. Beaumont VII, 579.
— v. Belmont VI, 12.
— v. Bisemberg, Bischof v. Würzburg IV, 16.
— v. Bouillon, Herzog von Niederlothringen, Abstammung und ritterliche Thaten vor dem Aufgebot zum Kriege wider die Ungläubigen I, 66; zieht mit einem Heere nach Ungarn 103; kommt in Constantinopel an 112; Mißverhältnisse mit Alexius 114; kämpft mit den Griechen 115; macht Frieden 117; hat Audienz beim Kaiser Alexius 118; leistet den Lehnseid 119; geht mit dem Heere nach Pelekanum in Asien 120; belagert Nicäa 140; schlägt die Türken bei Dorpläum unter Kilidsch Arslan 156; kämpft mit einem Bären 159; belagert Antiochien 176; verrichtet ritterliche Großthaten 192; zieht nach Edessa 232; befreit das Schloß Hasar von der Belagerung Rodvan's 234; zieht an den Euphrat 235; schlägt mit wenigen Rittern eine große Anzahl Türken 239; zieht nach Arka 256; belagert Jerusalem 279; ersteigt die Mauer von Jerusalem 293; wallt im Pilgerhemde um ihre Mauern 297;

wird zum Könige von Jerusalem gewählt I, 305; ordnet sein Reich durch Gesetze 307, zieht gegen ein anrückendes ägyptisches Heer II, 4; kämpft bei Askalon wider Afdal 11, und siegt 13; belagert vergebens Arsuf 17, 41; versöhnt sich mit Raimund 18; zieht an den Jordan 31; steht in großer Achtung bei den Muselmännern 35; baut Joppe wieder auf 39; unternimmt einen Zug in das Land von Damascus und geht krank nach Joppe 57; stirbt 59.

Gottfried von Buris, wird von Arabern überfallen II, 417.

— von Langres III (1), 37.

— von Lusignan, kommt nach dem gelobten Lande IV, 253; schützt das Lager vor Ptolemais 265; verrichtet eine rühmliche Waffenthat 299; beschützt das Lager tapfer 337; erhält die Grafschaft Joppe 373.

— von Monte Scaioso I, 210.

— von Mussambourg VII, 192.

— von St. Omer II, 546.

— von Sergines VII, 91; wird Statthalter des Königreichs Jerusalem 401.

— von Villehardouin, nimmt das Kreuz V, 113, 139; wird zum Botschafter vom Grafen v. Champagne ernannt 115; geht nach Venedig und unterhandelt mit dem Dogen 116; schließt einen Vertrag ab 121; macht eine Anleihe und geht nach Frankreich zurück 123; geht nach Venedig 136; nimmt Theil an der Belagerung von Constantinopel 212; geht als Gesandter zum Kaiser Isaak 235, 257; geht nach Adrianopel 350; stiftet zwischen dem Kaiser Balduin und dem Markgrafen Bonifaz Frieden 355; wird Marschall 367.

— von Wisenbach IV, 53.

Gotthilde III (1), Blg. 12.

Gottschalk, Presbyter, Anführer eines Kreuzfahrerhaufens I, 94.

— von Tourolte III (2), 191.

Grab des Heilandes, Wiederherstellung I, 5; Einweihung des Tempels dabei 6.

Gradenigo, Marcus, VII, 444.

* Gradniz IV, 93.

* Gran IV, 58.

* Granada VII, 547.

* Grancey III (1), 8.

* Grandmont V, 83.

Grantemaisnil, Ivo, Alberik und Wilh. v., I, 208.

Gratian, Diakonus, V, 68.

Gregor, Cardinal, V, 15.

— Erzbischof von Tyrus VI, 574.

— der Große I, 10.

— VII., Papst, I, 42.

— VIII., Papst, IV, 14.

— IX., Papst, Abstammung, VI, 414; Charakter 415; ermahnt den Kaiser Friedrich II. zur Kreuzfahrt 417; erklärt denselben in den kirchlichen Bann verfallen 427, 467; wird durch einen Aufstand aus Rom vertrieben 447; schließt Frieden mit dem Kaiser 523; bemüht sich die streitenden Parteien im gelobten Lande zu versöhnen 548; geht zur Versammlung nach Spoleto 550; schickt einen Legaten nach Syrien 551; sendet mehrere Bekehrer nach Asien und Afrika 562; ermahnt zur allgemeinen Bewaffnung 563; stirbt 619.

— X., Papst, VII, 622; Abstammung 623; ist thätig für das heilige Land 624, 634; sendet eine Miliz nach dem heil. Lande 630; ordnet eine allgemeine Kirchenversammlung zu Lyon an 631; geht nach Lyon 635; eröffnet die Kirchenversammlung 637; stirbt 645.

Greis, Werner v., [illegible], 107.

Grenier, Eustach, Herr von Cäsarea, erhält Sidon II, 222; vermählt sich mit der Nichte des Patriarchen Arnulf 371; nimmt Theil an der Versammlung zu Neapolis 458; wird Reichsverweser des Königreichs Jerusalem 489; stirbt 492.

* la Gride VI, 544.
Grisonen IV, 167.
Grillo, Simon, genuesischer Admiral VII, 471.
Grimald, Graf von Montesillce VI, 101.
Grimaldi, Lucas di, genuesischer Admiral VII, 511.
* Großsevilla VI, 173.
Gualo, Cardinal VI, 395.
* Guardia IV, 242.
* Guasconum IV, 242.
* Guascum VI, 559.
Guastina VII, 379.
Gubra, Joh. v., VI, 562.
Gugalkai VII, 417.
Guibert I, 105.
— von Calfa II, 501.
Guiboga VII, 414.
Guida VII, 383.
Guido, Abt von Vaur de Sernay V, 169, 171, 177, 191.
— Boemund's Bruder I, 212.
— Burgvoigt von Coucy V, 194; stirbt 199.
— Cardinal, Kanzler III (1), 91.
— Cardinalbischof von Sabina VII, 480, 623.
— Graf v. Blandreda III (1), 237.
— Graf von Forez VI, 12; VII, 139.
— Graf v. Forez u. Nevers, nimmt das Kreuz VI, 564; stirbt 620.
— Herr v. Gibelet VII, 653.
— Graf von Ponthieu, stirbt zu Ephesus III (1), 177.
— von Biblus VI, 362.
— von Brevenna VI, 317.
— von Ibelin, Connetable des Königreichs Cypern VII, 220.
— von Landas V, 174.
— von Milly II, 501.
— von Trasignies V, 139; wird erschlagen VI, 44.
Guineme-, aus Bouillon I, 163.
— Führer der Niederländer I, 180.
* Guirice V, 217.
Guischart, Robert, Herzog von Apulien, Vater Boemund's, führt gegen den Kaiser Alexius Krieg I, 108; 139; II, 188, 311. Kriegslist desselben. Blg. 15.
Gujon von Malvoisin VII, 166, 181; räth dem Könige Ludwig IX., Syrien zu verlassen VII, 269.
Guncelin, Truchseß VI, 368.
Gundebald I, 8.
Gundemar, Templer II, 553.
Günther, Bischof von Bamberg I, 39.
Guntram I, 15, 17.
Gunzelin, Graf von Schwerin IV, 4.
* Gurfol II, Blg. 16.
* Gur III (2), 268.
* Guschan III (2), 161.
* Guta II, 626.
Gutmann, Ritter II, 158.
* Gybelatar I, 342.
* Gyrolimne V, 222.
Guzh II, 143.

H.

Haarlocken, abgeschnittene, Symbol der Hülfsbedürftigkeit II, 66.
* Hab II, 265, 299, 391; Schlacht 446.
* Habakuk IV, 431.
* Habechim II, 683.
Hademar von Chunring IV, 602.
Habewerk II, 159.
Hadrian IV., Papst III (2), 37.
— V., Papst VII, 646.
Hadrianus, Brüderschaft des heiligen VI, 533.
Hafedh Abul'-Kasem, ben Asaker III (1), Blg. 27.
* Hagenbach III (1), 66, 68.
Hagiochristophorites, Stephanus V, 148.
Haithon, König v. Armenien VI, 558; ersucht den König Ludwig IX. um Vermittlung seines Streits mit Boemund von Antiochien VII, 76; kriegt wider den Sultan Asseddin Kaikaus 77; veranlaßt den Einbruch der Mogolen in die vorderasiatischen Länder 403; wird von Bibars mit Krieg überzogen 494; macht Frieden 495; stirbt VII, 607; Blg. 52.
— Mönch VII, 402.
Hakem I, 30; II, 245.
* Hakkar VI, 230.

Hakon, König v. Norwegen VI, 132; VII, 30, 46.
* Haleb II, 379; kommt in den Besitz des Jaruktasch 421; des Ilgazi von Maredin 422; des Abulmaali 423; des Balak 477; von Christen und Muselmännern belagert 518; von Aksonkor entsetzt 521; Unruhen daselbst 571; von den Mogolen erobert VII, 410.
* Haliakmon V, 354.
Hals, Ritter von, IV, 66.
* Haly II, 127.
* Hama I, 249; II, 271; geplündert 385; kommt unter die Herrschaft Zenki's 385; durch Erdbeben zerstört III (2), 134; unterwirft sich freiwillig den Mogolen VII, 411.
Hamdallah al Mestaufi I, Blg. 8.
* Hamlin, Humlin II, 298, 722, 723.
* Hamtab II, 233.
* Hanapes VII, 697.
Handel mit dem Orient vor den Kreuzzügen I, 16 ff.
Handelsstädte Italiens (Venedig, Genua und Pisa), kündigen dem König Ludwig IX. Krieg an VII, 300.
Hanfred von Torono I, Blg. 29.
* Hanoe VII, 378.
* Hanosie VII, 380.
Haolonus VII, 404.
* Harbahas II, 667.
Harald Gyllechrist III (1), 269.
Harding, Stephan, III (1), 10.
Harduin der Engländer II, 159.
* Harem, Harenc, Aregh, Areth I, 180, 190; II, 516; Schlacht 633; III (2), 4; von den Christen eingenommen 52; von Nureddin belagert 90; erstürmt 92; von den Christen belagert 182; kommt in Saladin's Hände 219; von den Mogolen besetzt VII, 411.
* Harir VI, 155.
* Harista VI, 146.
* Harmund VI, 172.
Haroquin III (2), 18.
Harpin, Ritter II, 117.
Harrakah VI, 336.
* Harran II, 260, 722.
Hartwich, Erzbischof v. Bremen, nimmt das Kreuz V, 16.
— v. St. Medard II, 143.
Harun al-Raschid (der Gerechte) I, 25, 26; Blg. 5.
* Hasar I, 233.
* Hasart II, 523, 529.
Haschischi II, 252.
Hassan Ebn Barich IV, 390.
— Ebn Kameschthekin II, 485, 487.
— Kammerherr II, 657.
— Salaheddin II, 581.
— Stifter des Reichs der Ismaeliten oder Assassinen II, 240; gewinnt zahlreiche Anhänger in Aegypten, und durchzieht Persien 242; setzt sich in den Besitz von Alamuth 243
Hatmar von Chunring VI, 131.
Hathe (Baden?), Markgr. de, VI, 317.
Hauedic II, 510.
Hauptstädte, Rangordnung der 5 des Christenthums nach Abu Schamah II, 728.
* Haura III (2), 223.
* Hauran II, 687.
Hebron (castellum S. Abrahae, Cariathiarbe) II, 44, 89.
* Hedenesheim V, 17.
Hedscharath Barduil II, 412.
* Hedschaz III (2), 223.
Heimerich von Lajon VI, 530.
Heinrich, Abt v. Braunschw IV, 4.
— Abt von Clairvaux III (2), 194.
— Bischof von Basel VII, 644.
— Bischof v. Regensburg III (1), 82.
— Bischof von Prag V, 16.
— Bischof von Straßburg IV, 16.
— Bischof von Toul III (1), 96.
— Bruder des Fürsten Boemund V. von Antiochien VI, 556.
— Bruder des Marschalls Richard VI, 530, 539, 625.
— Burggraf v. Dewin IV, Blg. 54.
— Cardinalpriester III (1), 14.
— Cardinalbischof v. Albano, predigt das Kreuz IV, 16; ermahnt die Könige v. England u. Frank-

reich vergebens zum Frieden 38: stirbt IV, 40.
Heinrich de Grav IV, 456.
— der Deutsche IV, 552.
— Erzbischof von Mainz III (1), 61.
— Graf von Bar VI, 654.
— Graf von Blois III (1), 53.
— I., Graf von Champagne V, 112.
— II., Graf von Champagne III, (1), 54; nimmt das Kreuz IV, 12; deckt die linke Seite des Heeres bei Arsuf 414; geht nach Tyrus 476; wird König von Jerusalem 491, 493; vermählt sich mit Elisabeth, verwittweter Markgräfin von Tyrus 494; zieht in Ptolemais ein 495; geht nach Darum 502; beschwört den Frieden mit Saladin 570; gewinnt die Liebe der Muselmänner 584; vermittelt den Vertrag zwischen Boemund III. von Antiochien und Leo, Fürsten von Cilicien V, 9; besucht den Fürsten der Assassinen 10; stirbt 26; VII, Blg. 52.
— Graf von Dietz (Diech) IV, 51.
— Graf von Flandern, nimmt das Kreuz V, 114; führt die zweite Schlachtordnung bei der Belagerung von Constantinopel 211, zieht nach Philea 269; besetzt den Palast der Blachernen 299; nimmt Adrianopel ein 350; wird nach der Gefangenschaft seines Bruders zum Kaiser gekrönt 397; stirbt VII, 433.
— Graf v. Grandpre III (2), 194.
— Graf von Malta, zeigt großen Eifer für das heilige Land VI, 70; kommt mit einer Flotte zu Damiette an 352; geht als Gesandter des Kaisers Friedrich auf die Synode zu Rom 427.
— Graf von Nevers VI, 209.
— Graf von Salm IV, 61.
— Graf von Schwerin VI, 308, 384.
— Graf von Troyes, kommt in dem Hafen von Ptolemais an III (2), 194; IV, 283; erhält den Oberbefehl des christlichen Heeres IV, 286; ertrankt 314.
Heinrich, Herzog von Baiern III (1), 81.
— Herzog von Brabant, schließt sich der Ritterschaft von Syrien an III (2), 229; wird Anführer des christlichen Heeres V, 31; schlägt die Türken 34; belagert Toron 44; fordert zur Ansiedlung in Syrien auf 57. — VI, 368.
— Herzog von Burgund III (2), 195; IV, 154.
— Herzog von Sachsen, der Löwe, zieht gegen die heidnischen Wenden III (1), 88, 258; unternimmt eine Meerfahrt nach dem heiligen Lande IV, 4; beschenkt die Kirche des heiligen Grabes 5, und eilt wieder nach Braunschweig zurück 6; geht nach England 51.
— IV., Kaiser I, 98.
— V., Kaiser, wird mit dem Bannfluche belegt II, 367.
— VI., Kaiser, empfängt von dem Herzoge Leopold den gefangenen König Richard IV, 603; giebt ihn nach langer Haft gegen Lösegeld frei 615; befördert eifrig die Kreuzfahrt V, 13, 19; stirbt 42.
— VII., verspricht das Kreuz zu nehmen VII, 783.
— König von Cypern, Sohn der Königin Alix VI, 454; segelt mit einer Flotte nach Syrien 535; geht nach Ptolemais 538; wird bei Casal Imbert vom Marschall Richard überfallen 541; geht zurück nach Cypern 543; schließt sich der Verbrüderung der syrischen Barone an 549; erhält vom Papste das Königreich Jerusalem VII, 37; nimmt das Kreuz 70; zieht in Damiette ein 112.
— Bruder des Königs Hugo von Cypern, wird König von Cypern VII, 664; wird zu Tyrus als König v. Jerusalem gekrönt 665; schließt Waffenstillstand mit Kalavun 706; sendet Ritter nach Ptolemais 731; geht selbst nach Ptolemais 748; schifft sich wieder nach Cypern ein 750.

Heinrich I., König von England, begünstigt die Templer II, 561.
— II., König von England, unterstützt das heilige Land IV, 7; hat eine Zusammenkunft mit Philipp August 8, 11; nimmt das Kreuz 12; berathet sich zu Mans mit seinen Prälaten und Baronen über die Erhebung des Saladinszehnten 19; sammelt seine franz. Lehnsmänner 30; kündigt dem König Philipp August Krieg an 31; kommt mit Philipp bei Gisors zusammen 33; bei Bonmoulin 38; bei la Ferte Bernard 41; flieht von le Mans 44; schließt Frieden 45; stirbt 47.
— III., König v. England, erlaubt nicht in seinem Lande das Kreuz zu predigen VII, 15; hält seine Unterthanen nicht mehr von der Annahme des Kreuzes ab 52; macht Ansprüche auf die Normandie 58; nimmt das Kreuz 267; stirbt 606.
— Markgraf von Incisa V, 390.
— der Mönch III (1), 29, 31.
— Pfalzgraf am Rhein V, 16.
— Prinz, Bruder des Königs Ludwig VII. von Frankreich III (1), 15.
— Ritter III (1), 71.
— römischer König VI, 386, 397.
— Statthalter von Ptolemais VII, 478.
— von Castel V, 180; VI, 12.
— von Crienne VII, 183.
— von Kelten, erobert ein Bergschloß IV, 75; nimmt zum zweiten Male das Kreuz V, 16; wird zum Marschall des Heeres erwählt 31.
— von Longchamp V, 139.
— von Morro VI, 451.
— von Nazareth VI, 549.
— von Regensburg II, 151.
— von Ronnay VII, 172.
— von St. Johann IV, 545.
— von Ulm VI, 264.
— von Ulmen V. 307.
— von Walpot IV, 318.
* Heitersheim III (1), 66.
Helena, die Heilige, Verdienste derselben um die heiligen Oerter Palästinas I, 6.
Helena, Tochter des Herzogs Udo von Burgund II, 304.
— Statue derselben zu Constantinopel V, Blg. 23, 37.
* Helenopolis I, 89; Schlacht, worin das erste Kreuzheer unter Walther vernichtet wird 93.
Heliodorus V, Blg. 31.
* Heliopolis III (2), 119.
Helius III (2), 11.
* Hellah II, 628.
Helm, Helmbänder, Bedeutung II, 433.
* Hems I, 249, s. Emessa.
Henfred von Torono II, 646.
Henfried, s. Honfroy.
Henricianer III (1), 32.
* Heraklea V, 362.
Heraklius, Patriarch von Jerusalem III (2), 203; krönt die Gräfin Sibylle zur Königin von Jerusalem 253; erregt Unzufriedenheit gegen sich 259; giebt großes Aergerniß 260; zieht im Abendlaude umher IV, 7.
Herbelot I, Blg. 8.
Herebrand von Bouillon I, 235.
* Herbrechtingen III (1), 176.
Herkules, dreinächtiger, V, Blg. 33.
Herlewini villa VII, 122.
Herluin, Graf I, 217.
* Hermon III (1), 240.
* Hermopolis III (2), 105.
Herrmann, Bischof v. Constanz III (1), 65.
— Bischof von Münster IV, 83.
— Graf I, 96.
— Landgraf v. Thüringen V, 16.
— Markgraf von Baden IV, 55.
— Pfalzgraf v. Sachsen IV, 260.
— von Nischa I, 229.
— von Perigord, Meister der Templer VI, 536.
— von Sachsen VII, 754.
— von Salza VI, 364.
Herrand II, 118.
Hertand VII, 707.
Hervé V, 113.
Hervejus de Gienis IV, 270.
Herveus de Leone VI, 267.

Hesedin IV, 390.
* Hesn al Akrad VI, 556.
* — Kaifa VII, 129.
* — Schakif III (2), 208.
Hessedin IV, 358.
Heuschreckenverwüstungen II, 380.
* Hierapolis II, 485; IV, 108.
* Hieres VII, 349.
* Hinnom I, 279; III (1), 10.
* Hirah II, 625.
* Hisch VII, 378.
* Hispalis magna VI, 173.
* Hittin, Schlacht III (2), 283.
Hof der Surianer II, 404.
Homagium ligium I, 119.
Hominium I, 133.
* Homeire VII, 378.
Honatus IV, 567.
Honfroy von Toron, Connetable des Königs Balduin III. III (2), 13; stirbt 191.
— Enkel des Vorigen, verlobt sich mit Elisabeth, Schwester Balduin IV. von Jerusalem III (2), 201; verschmäht die ihm angetragene Krone von Jerusalem 255; wird bei Hittin gefangen 287; frei IV, 251; von seiner Gattin geschieden 309.
Honorius II., Papst, II, 534, 599.
— III., Papst, VI, 115; Bemühungen desselben für das heilige Land 116; sorgt für die Verbesserung der bedrängten Lage des lateinischen Kaiserthums zu Constantinopel 120; erläßt Verordnungen die Vertheilung des Geldes betreffend, welches durch die Besteuerung der geistlichen Pfründen und durch Spendungen der Gläubigen einkommt 123; seine Bemühungen für das heilige Land erfüllt eine Weissagung 125; feiert ein Dankfest wegen der glücklichen Ankunft des Königs von Ungarn in Syrien 161; ermahnt aufs neue zur Unterstützung der Kreuzfahrer 210, 316; ist sehr unwillig über das Verlassen Aegyptens durch die Kreuzfahrer 359; zürnt dem Kaiser Friedrich wegen seines unerfüllt gelassenen Versprechens VI, 360; unterredet sich mit dem Kaiser zu Veroli 364; beruft eine feierliche Versammlung nach Verona 365; erkrankt 367; geht nach Ferentino 369; ermahnt den König von Frankreich zur Kreuzfahrt 373; ermahnt eifrig zur Bewaffnung 376, 395; geräth in Mißhelligkeit mit dem Kaiser Friedrich 398; stirbt 412.
* Horeb II, 402.
Horstmar V, 34.
Hose, Graf von, IV, 543.
Hosker V, 20.
Hospital St. Johannis, Streit desselben mit den Bischöfen des heiligen Landes III (2), 35, 39.
Hossein II, 235.
Hovat IV, 567.
Hubert, Bischof von Salisbury IV, 283, 298.
— Erzbischof v. Canterbury V, 11.
— v. Salisbury, Ritter, IV, 162.
Hubertus de Romanis VII, 631.
Hugo, Bischof von Gabula II, 707.
— Bischof von Durham IV, 23.
— Cardinalbischof von Ostia III (1), 14.
— de Bello Campo III (2), 288.
— de Boue V, 191; VI, 11.
— de Mara IV, 206.
— Erzbischof von Edessa, vertheidigt Edessa II, 723; wird getödtet 726.
— Graf von Joppe II, 501; geräth in Streit mit Fulco, König von Jerusalem 607; wird seiner Lehen auf 3 Jahre beraubt 609; wird meuchelmörderisch verwundet 610; geht nach Apulien, wo er stirbt 611.
— Graf von la Marche, der Braune, VI, 209; VII, 20, 111.
— Graf von St. Paul, nimmt das Kreuz V, 114; geht nach Venedig 136; führt die dritte Schlachtordnung bei der Eroberung von Constantinopel 211; stirbt 385.
— Graf v. Vermandois, der Große,

Bruder des Königs Philipp von Frankreich, nimmt das Kreuz I, 73; zieht mit einem großen Heere durch Italien, seine Flotte wird aber an der griechischen Küste zerstreut 105; wird als Gefangener nach Constantinopel geführt 111; auf Gottfried's Veranstalten wieder frei 112; nimmt Theil an der Belagerung von Nicäa 141; von Antiochien 176; wird an Kaiser Alexius gesendet 230; kehrt in sein Vaterland zurück 231; weiht sich aufs neue dem Kampfe für den Heiland II, 117; stirbt I, 231; II, 147.

Hugo, Herzog v. Burgund, nimmt das Kreuz IV, 12; versammelt seine Scharen bei Vezelay 154; geht als Abgeordneter zum Könige Richard 374; erhält den Befehl über die französischen Pilger in Syrien 376; verläßt Askalon 471; geräth in Zwist mit dem Könige Richard 530; geht nach Tyrus 542; stirbt 543. — VII, 20.

— I., König von Cypern VI, 53, 63; geht nach Ptolemais 137; zieht gegen den Sultan Malek al Adel 142; stirbt zu Tripolis 156; VII, 525.

— II., VII, 525.

— III., unterhandelt mit Bibars einen Frieden VII, 526; wird als König von Jerusalem gekrönt 529; ruft die Mogolen zu Hülfe 597; überfällt turkomanische Hirten 599; schließt Frieden mit Bibars 601; bemächtigt sich der Herrschaft Berytus 610; geräth in Streit mit seiner Ritterschaft 613; mit der Bürgerschaft von Ptolemais und den geistl. Ritterorden 658; kehrt heimlich nach Cypern zurück 659; verliert Ptolemais 662; versucht es, sich wieder in den Besitz desselben zu setzen 663; stirbt 664.

— Sans-Avoir II, 328.

— von Amboise II, 560.

— von Baucy VII, 566.

— von Brulis II, 157.

Hugo von Cäsarea, geht nach Kahirah III (2), 97; wird bei Babein gefangen 107; frei 111.

— v. Cantelar II, 298.

— v. Chatillon, gelobt die Kreuzfahrt VII, 20; wird getödtet 62.

— v. Chaumont V, 137.

— v. Colemy V, 246.

— v. Creona III (2), 107.

— v. Escoz VII, 161, 331.

— v. Gornai IV, 366.

— v. Ibelim, wird gefangen III (2), 45; frei 65; bewacht Kahirah 103.

— v. Joy VII, 306.

— v. Lesenais II, 117, 155.

— v. Linizy III (2), 90.

— v. Luda II, 501.

— v. Lusignan, Baron III (1), 96.

— v. Lusignan, Reichsverweser von Cypern, kommt mit einer Flotte nach Ptolemais VII, 479; unternimmt einen unglücklichen Streifzug 498.

— v. Macon VII, 707.

— v. Montbelliard VI, 536.

— v. Payens, erster Meister der Tempelherrn II, 501, 546, 547.

— v. Pelichin VII, 663, 664.

— v. Puiseaux II, 327, 328.

— v. Puiset II, 607.

— v. Reval VII, 590.

— v. St. Denys V, 137.

— v. Tiberias II, 180; III (2), 193.

— v. Trichatel VII, 160.

— v. Vaucouleurs VII, 101.

— v. Vaudemont III (1), 96.

Hugolinus VI, 414.

Huissières V, 117.

Hulaku VII, 404; erobert Bagdad 407; Haleb 410; kehrt zurück 415; stirbt 418.

Humbelina III (1), 3, 10, 11.

Humez, Jord. de, IV, 543.

Hundesfluß II, 78, 151, 595.

Hungersnoth in Frankreich I 61; der Wallbrüder vor Antiochien 180; in Paphlagonien II, 129; in Aegypten VI, 4.

Husameddin, Admiral III (2), 223.

— Statthalter von Kahirah, wi-

versetzt sich den Plänen Fachreddin's VII, 129, 150; wird von Turanschah mit Gleichgültigkeit aufgenommen 229; versucht den Sultan Turanschah zu retten 234; lehnt die Würde eines Reichsverwesers ab 239.
Husameddin, Abul Haidscha, Statthalter v. Ptolemais IV, 262.
— Bascharah, Emir, IV, 443.
— Hossain, Emir IV, 382.
— Tarantai Emir, belagert Laodicea VII, 698.
* Hydrunt II, 333.

J.

Jbarrus, Gerhard, II, 607.
Jbek, Aseddin, Emir von Sarchod VI, 449.
Jbelin, Genealogie dieses Hauses I, Blg. 21; VI, 454.
* — Vereinigung der Christen daselbst II, 7; Schlacht 491, 615; mit Feuer verwüstet III (2), 293.
* Jconium, I, Blg. 6; von einem Kreuzheere belagert II, 141; Lage IV, 128; Schlacht 130; von Friedrich I. eingenommen 132.
Jda, Markgräfin v. Oestreich, schließt sich einem Kreuzheere an II, 118; wird vermißt 147.
Jdekin Bondokdar VII, 456.
Idumaei, Biduinos, Biduinos II, 180.
Jbrahim Ebn Torgut II, 689.
— Elmelik II, 572, 581.
* Jfrin I, 171, 172.
Jfthikar eddauleh I, 278.
Jgnatius, Patriarch der jakobitischen Christen VII, 43.
Jjad II, 624, 625.
Jldefons, Graf v. St. Gilles III (1), 31.
Jlgazi, Fürst von Maredin, I, 277; II, 255, 282; empört sich wider Aksonkor und verbindet sich mit Togthekin 382; übernimmt die Regierung von Haleb 422, 425; geht mit einem großen Heere über den Euphrat 426; vernichtet das Heer Roger's von Antiochien 437; nimmt Atsareb und Sardanah ein II, 443; mißhandelt die gefangenen Christen 453; schließt Waffenstillstand mit den Christen 465; schließt Frieden 467; verliert in Georgien fast sein ganzes Heer 467; stirbt 474; Blg. 29.
Jlschigatai VII, 81.
Jlseban VII, 412.
Jmamah II, 241.
Jmbert, vertrauter Rath des Legaten Pelagius VI, 344.
Jmbert von Beaujeu, Connetable von Frankreich VII, 119, 151; entscheidet den Kampf nach dem Uebergange über den Kanal Aschmum 170.
Jngelram von Laon I, 35.
Jngelrandus de Vienis IV, 270.
Jngerran, Baron v. Coucy III (1), 96.
Jngo II, 218; III (1), 269.
Jnnocenz II., Papst, II, 695.
— III., Papst, Charakter V, 61, ist sehr thätig für das heilige Land 64—90; bemüht sich vergeblich den allgemeinen Frieden in der Christenheit zu bewirken 92; geräth mit Philipp August in verdrießliche Händel 93; bestätigt den Vertrag der Venetianer und französischen Kreuzfahrer unter Bedingungen 125; mißbilligt den Zug gegen Zara 159; droht mit dem Banne 161; nimmt die Unterwerfung der Grafen und Barone an 182; belegt die Venetianer mit dem Banne 184; verbietet jede Einmischung in die byzantinischen Angelegenheiten 187; hebt den Bann auf und billigt die Stiftung des neuen Kaiserthums Byzanz 339; ist unzufrieden mit den kirchlichen Anordnungen zu Constantinopel 340; fordert die abendländischen Christen zur Unterstützung des byzantinischen Kaiserthums auf 380; mißbilligt das Verfahren seiner Legaten in Syrien VI, 50; überträgt die Schlichtung der antiochischen Händel dem Abte von Lucedio 31; unterstützt den König

Johann v. Jerusalem VI, 59; schützt kräftig die Kreuzfahrer 67; bemüht sich, eine große Kreuzfahrt zu Stande zu bringen 84; beruft zu einer allgemeinen Kirchenversammlung 87; schreibt an Malek al Adel 89; großes Ansehen desselben 105; eröffnet die Kirchenversammlung zu Rom 106; erläßt eine neue Verordnung wegen des bevorstehenden Kreuzzugs 109; stirbt 114.
Innocenz IV., Papst, VII, 1; Abstammung 2; ist thätig für das heilige Land 3; geräth in heftige Spannung mit dem Kaiser Friedrich II. 6; geht nach Frankreich 7; erneuert den Bann wider denselben 8; hält eine Kirchenversammlung zu Lyon 9; in welcher er den Bann Friedrich II. wiederholt, und die Verkündigung einer neuen Kreuzfahrt beschlossen wird 12; bespricht sich mit Ludwig IX. 22; beraubt den König Conrad seines mütterlichen Erbrechts 37, und überträgt dem Könige Heinrich von Cypern das Königreich Jerusalem 38; schreibt an die saracenischen Fürsten 39; unterhandelt mit den morgenländischen Christen 41; trifft verschiedene Anordnungen zur Beförderung des Kreuzzuges 49; erläßt ein Trostschreiben an Ludwig IX. 266; bemüht sich, eine neue Kreuzfahrt zu Stande zu bringen 297; stirbt 392.
— V., Papst VII, 645.
— VI., Papst VII, 784.
* Incisa V, 390.
Irene, Gemahlin des Kaisers Manuel III (1), 106.
— Ducaena, Gemahlin des Kaisers Alexius Komnenus II, 335; V, 264.
Isa, Bruder des Hassan, vertheidigt Mambedsch gegen Timurtasch II, 485.
— Fakih des Sultan Saladin III (2), 124, 187.
— Taucher IV, 296.
Isaak Angelus, Kaiser von Byzanz, bewilligt den Durchzug der deutschen Kreuzfahrer IV, 54; heuchelt Freundschaftsversicherungen gegen Friedrich I. 63; Forderungen desselben 71; unzweckmäßige Vorkehrungen 73; unterhandelt mit dem Kaiser Friedrich 78, 85; schließt Frieden 98; vermählt seine Tochter mit dem Markgrafen Conrad v. Tyrus 218; mit dessen Hülfe er den Empörer Alexius Branas bezwingt 219; vertheidigt das Reich gegen den König Wilhelm von Sicilien V, 148; wird von seinem Bruder geblendet 149; kommt wieder auf den Thron 234; bestätigt den Vertrag seines Sohnes Alexius mit den Venetianern und Kreuzfahrern 238; huldigt den Träumereien der Wahrsager 254; ist mit seinem Sohne unzufrieden 255; stirbt 267.
Isaak, Kaiser von Cypern, Abstammung und frühere Geschichte IV, 199; Tyrannei 200; übt Feindseligkeiten gegen die engl. Wallfahrer 201; antwortet trotzig auf die Forderungen Richard's 203; flieht zaghaft 205, 206; schließt Friede 210; entweicht dessen ungeachtet nach Famagusta 211; greift vergebens die Pilger an 212; ergiebt sich der Großmuth seines Feindes 214; wird gefangen nach Tripolis geführt 215.
— Rabbi III, 1, Blg. 13.
Isabelle, Erbtochter des Herrn von Gobelatar I, 342.
— Gemahlin Amalrich's, Königs von Jerusalem VI, 53.
— Gemahlin Heinrich's, Statthalters von Ptolemais VII, 479.
— Gemahlin Philipp des Kühnen VII, 583.
— Tochter Leo I. von Armenien und Gemahlin Philipp's, Königs von Armenien VI, 363.
Isambert VII, 212, 213.
* Isfahan II, 243.
Ishaki VII, 188.

Ismael, Fürst von Damascus II, 622.
Ismail, Abraham's Sohn I, 19.
— Korboga's Sohn I, 212.
— Sohn Dschafar's II, 241, 246.
— Statthalter in Antiochien VII, Blg. 39.
— s. Malek as Saleh Ismail.
Ismaeliten, Stiftung dieser Sekte II, 240; Verbreitung derselben nach Syrien 244; Lehren derselben 245; s. a. Assassinen.
Israel I, Blg. 19.
* Issi IV, 109.
Italien, Eifer für das heilige Land daselbst IV, 13.
Itter von Magnac, stirbt III (1), 183.
* Itschil IV, 138.
* Iturea III (2), 168.
* Iviza VI, 174.
Ivo, Bischof v. Chartres II, 328.
— de la Valle V, 162.
— Predigermönch VII, 281.
— von Curvavilla II, 328.
* Ivry IV, 32.
Iwain, Ritter III (2), 237.
* Jabra V, 167.
* Jaffa VI, 588.
Jabia ben Abi Thaji III, 1. Blg. 30.
Jakob aus Aleppo IV, 330.
— Bischof von Patti VI, 380.
— Bischof von Ptolemais III (1), 205.
— Cistercienfermönch VII, 291, 292 ff.
— ein Pisaner IV, 71, 79.
— Graf von Andria VI, 273.
— König v. Arragonien VII, 529; rüstet sich zur Kreuzfahrt 531; verläßt Barcelona mit einer Flotte 534; wird von einem Sturme befallen und kehrt in sein Reich zurück 535, 635, 644.
— König von Sicilien, schickt einige Kriegsschiffe nach Ptolemais VII, 710; schließt einen Handelsvertrag mit dem Sultan Kalavun 713.
— Pantaleon, Patriarch von Jerusalem VII, 393; wird Papst 448.
Jakob, Rabbi III, 1, Blg. 14.
— von Arras VI, 209.
— von Avesnes, kommt bei Ptolemais an IV, 260; wird aus großer Gefahr befreit 268; Oberbefehlshaber im Lager vor Ptolemais 286; führt bei Arsuf das fünfte Treffen 414; fällt in der Schlacht 424; — V, 114, 194, 217.
— von Levanto, Admiral VII, 26.
— von Mailly, stirbt III (2), 270.
— von Puy VII, 492.
— von Vitry, predigt das Kreuz, wird Bischof von Ptolemais VI, 98, 287, 292.
Jakobiten I, 19; VI, 240; unterwerfen sich dem Papste VI, 572.
* Jakobsbrunnen III (2), 249.
* Jakob's Furth III (2), 44.
* Jamas VII, 116.
* Jarmuk III (2), 209.
* Jarras II, 469, 470.
Jaruktasch II, 396; setzt sich in den Besitz von Haleb 421; wird verjagt 422.
* Jasur IV, 436.
* Jathreb I, 19.
* Jericho II, 49.
* Jerusalem, von den Arabern eingenommen I, 21; Hauptort für die Andacht und den Handel im 8. Jahrhundert 24; von den in Syrien herrschenden Seldschuk'schen Türken erobert 43; schrecklicher Zustand der dortigen Christen im 11. Jahrh. 44; unter Orthok 277; von Afdal eingenommen 278; Lage 279; vom Kreuzheere belagert 280; zum ersten Male bestürmt 281; von neuem berennt 291; eingenommen 293; Würgen und Morden 294; Dankfest der Kreuzbrüder 297; Berathungen über den Besitz desselben 301; Wahl eines Königs 302; Gottfried v. Bouillon zum ersten König erwählt 305; Arnulf erster Patriarch 306; Verfassung des Königreichs 307; Gerichtshöfe 312; Feudalrecht 325; Lehnhöfe 375; Gerichtskämpfe 415; Assises de Jerusalem Blg. 17, 34; Matrikel des

Reichs I, 37; Anordnung der Kirche II, 3; metallene Glocken 4; wird ein Lehn des Patriarchats von Jerusalem 52; erfreut sich eines langen Friedens 113; wird durch Christen aus Arabien bevölkert 404; Hospitäler daselbst 539; Festigkeit der christl. Herrschaft unter dem Könige Fulco 593 ff.; Eintheilung des Landes 595; Umfang 596; beginnender Verfall 597; wird von Balduin III. eingenommen III (2), 14; von Timurtasch belagert 18; die zerfallenen Mauern werden wieder hergestellt 189; schwacher Zustand des Reichs 197; Reichstag 224; großer Wassermangel 248; Sittenlosigkeit 262; von dem Sultan Saladin belagert 299; durch Vertrag an Saladin übergeben 307; Pilgerung der Christen IV, 577; wird zu dem Reiche von Damascus geschlagen V, 2; Mauern und Thürme auf Anordnung Malek al Moaddhems zerstört VI, 237, 310, 449; den Christen durch einen Friedensvertrag übergeben 478; mit dem Interdict belegt 497; geringer Umfang des Königreichs 514; Saracenen dringen in die Stadt, werden aber wieder vertrieben 522; die Mauern werden wieder hergestellt 587; von David, Fürsten von Krak, erobert und zerstört 596; wird den Christen wieder übergeben 628; von den Charismiern eingenommen 634; von den Aegyptern besetzt 646; das Königreich wird mit der sicilischen Krone vereinigt VII, 660.

Jezid I, 23.

Jocelin Graf IV, 270.

Johann, Abt von Ferrieres III (1), 87.

— Befehlshaber von Dyrrachium I, 110.

— Bischof von Speyer I, 99.

— Bischof von Norwich IV, 162.

— de Villiers VII, 720, 762.

— Graf von Bretagne VII, 20.

— Graf von Brienne, wird zum Könige v. Jerusalem erwählt VI, 56; frühere Schicksale 57; nimmt den Antrag an 59; schifft sich zu Marseille ein 60; vermählt sich zu Ptolemais mit Maria Jolante, der Tochter des Markgrafen Conrad, und wird gekrönt 61; macht einen Einfall in das heidnische Land 62; bleibt dann unthätig 63; vermählt sich nach Maria's Tode mit der Tochter des Königs Leo von Armenien 137; kündigt dem Sultan den Frieden auf 141; zieht gegen ihn 142; nach Beisan 147; belagert die Burg auf dem Berge Tabor 149; stellt die Burg von Cäsarea wieder her 158; beschließt, Aegypten zu erobern 179; zieht vor Damiette 183; geht nicht thätig zu Werke 211; kämpft tapfer 263; kehrt nach der Einnahme von Damiette nach Ptolemais zurück 300; geht wieder nach Damiette 319; streitet tapfer auf dem Rückzuge von Scharmesah 342; geht als Geisel zum Sultan Kamel 347, 349, 350; reist nach Rom 366; nach Frankreich und England 373; vermählt sich mit Berengaria von Castilien und geht nach Deutschland 374, 378; geräth in Mißhelligkeit mit seinem Schwiegersohne Kaiser Friedrich 401, 406; wird Statthalter eines römischen Gebiets 404; läßt sich zu Bologna nieder 407; wird als Kaiser von Byzanz gekrönt VII, 437; stirbt 438; VII, Blg. 53.

— Graf v. Chalons VII, 606.

— Graf v. Chester und Lincoln VI, 568.

— Graf v. Eu VII, 316.

— Graf v. Joppe VII, 398, 457, 499.

— Graf v. Macon, nimmt das Kreuz VI, 564; fällt im Kampfe 592.

— Graf von Mortaigne IV, 439, 613.

— Graf v. Montfort VII, 20, 73.

— Graf v. Richemont VII, 594.

Johann, Herr von Cherisi VII, 158.
— Herzog v. Bretagne VII, 594.
— König der Walachen und Bulgaren V, 246, 352; unterwirft sich der kirchlichen Hoheit des römischen Bischofs 392; rüstet sich zum Kriege gegen die Kreuzfahrer in Constantinopel 393; nimmt den Kaiser Balduin gefangen 395.
— König v. Cypern VII, 664.
— König v. England VI, 102.
— König v. Jerusalem und Kaiser von Constantinopel, s. Johann, Graf von Brienne.
— l'Ermin VII, 281.
— le Grand VII, 322.
— Patriarch v. Antiochien I, 226.
— Tristan, Sohn Ludwig IX. von Frankreich VII, 223, 344; nimmt das Kreuz 506; erkrankt 561; stirbt 562.
— v. Acre, Buttler, VII, 558.
— v. Aleton IV, 502.
— v. Anagnio, Kardinal IV, 40.
— v. Arsuf VII, 398.
— v. Aubergenvilla VII, 550.
— v. Baillon VI, 519, 528.
— v. Cäsarea VI, 536.
— v. Berytus VII, 402.
— v. Beaumont, Admiral VII, 100, 270.
— v. Bussey VII, 331.
— v. Castel, Bischof v. Soissons VII, 201.
— v. Choisy V, 291.
— v. Corbeuil VII, 550.
— v. Friaise V, 115.
— v. Froleville VI, 12.
— v. Gibelet VII, 402.
— v. Grelly, Seneschall des Königreichs Jerusalem VII, 613, 636; sucht für das heilige Land Hülfe im Abendlande 707, 712, 727, 762.
— v. Greneford II, Blg. 47.
— v. Ibelin, Genealogie, I, Blg. 21; Reichsverweser von Jerusalem, nach Amalrich's Tode VI, 54, 454; schließt einen Vertrag mit Kaiser Friedrich II. 457; geht nach Cypern 527; landet mit einer cyprischen Flotte bei Tripolis VI, 535; bemächtigt sich der kaiserlichen Schiffe zu Ptolemais 537; zieht nach Casal Imbert 538; segelt nach Cypern 543; schlägt den Marschall Richard 544; landet mit der cyprischen Ritterschaft an der ägyptischen Küste 104.
Johann v. Ibelin u. Arsuf VII, 321.
— von Joinville, Seneschall der Champagne, nimmt das Kreuz VII, 20; tritt die Meerfahrt an 60; wird in Cypern vom König Ludwig IX. mit Geld beschenkt 71; landet, einer der Ersten, in Aegypten 102; rettet den Ritter Peter von Avalon 138; kämpft tapfer beim Uebergange über den Canal Aschmum 159, 160; besetzt eine Brücke 165; erkrankt 190; wird gefangen 205; wird frei 249; bleibt bei dem Könige 250; bemächtigt sich des Schatzes der Templer zur Bezahlung des Lösegeldes 252; geht nach Ptolemais 260; lebt in großer Verlegenheit und drückenden Sorgen 264; räth in einer Versammlung der Barone noch in Syrien zu bleiben 270; bleibt in dem Dienste des Königs 277; Aufenthalt zu Cäsarea 302; nimmt Theil an dem Kampfe bei Paneas 328; geht nach Sidon 333; erhält für seine treuen Dienste vom König ein erbliches Geldlehen 334; wallfahrtet nach Tortosa 340; geleitet die Königin Margarethe nach Tyrus 345; schifft sich mit dem König nach Frankreich ein 346; landet in Hieres 350; wird nach Paris zu einem Parlamente beschieden 505; weigert sich, das Kreuz von neuem zu nehmen 506.
— v. Montfort, Herr von Tyrus VII, 615.
— v. Neele V, 137; VI, 43.
— v. Noyon V, 181, 384.
— v. Pontigny IV, 283.
— v. Roselieres VII, 560.
— v. Saillenai VII, 165.

Johann von St. Menehoud VII, 264.
— von Tyrus, Erzbischof VII, 585.
— v. Valenciennes VII, 331, 282.
— v. Valery VII, 115, 163, 220.
— v. Vassey VII, 175, 215.
— v. Virsin V, 382.
— v. Villers VI, 44.
— v. Xanten VI, 103.
Johanna, Erbtochter des Königs Heinrich v. Navarra VII, 643.
— Witwe des Königs Wilhelm v. Sicilien IV, 164.
Johannes, Abt von Casa-Maria III (1), 273.
— Cardinal III (2), 67.
— Comes de Seis IV, 270.
— Comes de Loegria IV, 270.
— Connetable von Georgien VI, 382.
— de Gerliaco (Grilliace) VII, 712.
— de Nivella V, 107.
— de Parmeno VII, 8.
— de Planocarpino VII, 7.
— de Sarmesio VII, 712.
— XXI., Papst VII, 647.
— (Kalojannes) der Mohr, Kaiser, erscheint in Syrien II, 641; belagert Antiochien 645; erobert Buzaa 663; zieht vor Haleb 663; belagert Schaisar 665; erstürmt es 668; zieht nach Antiochien 675; wird durch List entfernt 678; geht wieder nach Constantinopel 680; unternimmt einen zweiten Zug nach Syrien 711; belagert Antiochien 714; stirbt 715.
— Katholicus v. Armenien VI, 30.
— Protosebastus III (2), 145.
— von Arras VI, 250; gefangen 264.
— v. Lirot V, 107.
— v. Troyes VII, 393.
Johanniter, Entstehung derselben II, 540; Regeln 544, 549.
Joinville, s. Johann von Joinville.
Jolante, Gemahlin des Kaisers Friedrich II. VI, 370, 396, 408, 454, 456.
Jolante, Gemahlin des Kaisers Peter VII, 534.
— Maria, Gemahlin des Königs Johann von Jerusalem VI, 454.
Jonas, Bischof von Drontheim VII, 636.
— s. Malek al Dschawwed Jonas.
* Joppe I, 268, 285; von Gottfried wieder aufgebaut II, 39; Schlacht 159; von den Türken belagert 402; von einer ägyptischen Flotte bedrängt 490; wird von Malek al adel eingenommen III (2), 293; zerstört IV, 426; von den Christen wieder aufgebaut 430; von Saladin belagert 537, 539; von Richard entsetzt 545; von Malek al Adel erobert und zerstört V, 25; die Burg wird von Friedrich II. erbaut VI, 471; Ludwig IX. baut daselbst eine neue Burg VII, 316; wird von Bibars eingenommen 517.
Jordani Alfons II, 200.
— Wilhelm, II, Blg. 12; VII, 380.
Jordich IV, 358.
* Josaphat, Thal I, 279.
Joscelin von Cornaut VII, 136.
— I. v. Courtenay II, 117; macht sich den Türken furchtbar 233; wird bei Rakkah gefangen 262; wird frei 277; erhebt die Waffen gegen Tankred 279; ruft Dschavali zu Hülfe und wird geschlagen 280; versöhnt sich mit Tankred 281; vertheidigt tapfer Tellbascher 294; geräth in Feindschaft mit Balduin von Edessa 406; erhält das Fürstenthum Tiberias 407; erhält die Grafschaft Edessa 415; belagert Ezaz 424; erobert es 425; erleidet eine schwere Niederlage 451; bricht den geschlossenen Waffenstillstand 466; wird gefangen 475; entflieht aus der Gefangenschaft 478; wird v. Balak geschlagen 486; bekommt Streitigkeiten mit Boemund wegen Lehnansprüche 573; stirbt 602.
— II., Charakter II, 603; erhält Buzaa 663; verliert dasselbe 674; wohnt unthätig in Tellbascher 720;

verliert Edessa II, 724; nimmt es wieder 731; verliert es abermals 732; gewinnt einen Sieg über Nureddin, sein Uebermuth veranlaßt seine Gefangenschaft III (2), 6; stirbt 7.
Joscelin von Samosata III (2), 104.
Joscerand, Maire von Fleury III (1), 87.
Joscius, Bischof von Akkon III (2), 195.
Joseph Ben Jehoschua Ben Meir Auszüge aus seiner Chronik III (1), Blg. 3.
— Ebn Phiruz II, 634.
— Ritter II, 441.
— s. Malek annaser Joseph.
Joslen, Bischof von Soissons III (1), 23.
Josserand von Brançon VII, 182.
Judans VII, 401.
Juden, Wohnplatz derselben in Constantinopel V, 216.
Judenverfolgungen I, 31, 96, 97, 296; III (1), 58 ff., 60; Blg. 3 ff.; IV, 149; VI, 569—571; VII, 782.
Juhellus, Erzbischof v. Rheims, gelobt die Kreuzfahrt VII, 20.
* Juilly, Nonnenkloster III (1), 10.
Juliane von Cäsarea VI, 57.
Juliani, Peter, Cardinalbischof von Tusculum VII, 647.
Juntha II, 357.
Juramentum fidelitatis I, 133.
Jussuf II, 684.
— ebn Ibek II, Blg. 28.
* Jusse VI, 63.
Jutta, Aebtissin II, 617.
Juveni, Walter von, VII, 20.

K.

Kaaba I, 20.
* Kadas VI, 55.
* Kadmus II, 631.
* Kaesala VI, 172.
* Kafarnasch II, 531.
* Kafarruma II, 451.
* Kafartab I, 249; II, 265; von den Türken vergeblich belagert II, 387; nach einer zweiten Berennung erobert 388; wieder aufgebaut 451; von Balak belagert 478; von Aksonkor eingenommen 523; von Boemund erstürmt 574; von dem Kaiser Johannes Comnenus eingenommen 665; vom Emir Salaheddin eingenommen 673; Blg. 30.
Kahedin IV, 390.
* Kahf II, 631.
* Kahirah III (2), 101, 118; VI, 240; VII, 258.
Kaichosru VI, 631.
Kaikaus VII, 77; Blg. 51.
Kaikobad VI, 631.
Kaimas III (2), 215.
* Kaimun IV, 403.
* Kairwan (Cyrene) I, 23.
* Kaisan IV, 259.
Kaisar Alameddin II, 499, 502.
Kajemas, Tawaschi IV, 265.
* Kajun IV, 452.
Kakig VII, Blg. 35.
Kala IV, 366.
* Kalacherrum VI, 42.
* Kalateschscherif II, 471.
Kalavun, Saifeddin, Emir VII, 651; macht sich zum Sultan 652; wird auch in Syrien als Sultan anerkannt 667; siegt über die Mogolen 668; schließt Waffenstillstand mit den Christen 671; sucht sich durch Gesandtschaften an die christlichen Fürsten Nachrichten von ihren Plänen zu verschaffen 686; belagert und erobert Markab 690; schließt Frieden mit dem Könige Leo von Armenien 694; schließt mit Margarethe von Tyrus Frieden 695; läßt Laodicea einnehmen 699; erobert Tripolis 704; schließt Waffenstillstand mit Heinrich, König von Cypern 706; schließt einen Vertrag mit Genua 717; handelt mit Mäßigung, nachdem die Christen den Waffenstillstand gebrochen 723; erklärt den Christen den Krieg 724; rüstet sich zur Belagerung von Ptolemais 726; stirbt 733; Vertrag desselben mit dem Könige Leo von Armenien,

VII, Blg. 10; mit der Fürstin Margarethe von Tyrus 14; mit dem Könige Alfons von Aragonien 17.
Kalb, arabischer Stamm II, 626.
Kalliopolis IV, 103.
Kalmany (Calomannus, Kalomannus), König von Ungarn, bewilligt Walther v. Perejo freien Durchzug I, 79; vernichtet Gottschalk's 95, und Emico's Heer 99; unterhandelt mit Gottfried von Lothringen 103.
Kalopeter, Fürst IV, 96.
* Kalykadnus IV, 137.
Kamaterus, Basilius III (2), 71.
— Johannes V, 271, 330.
* Kameelbrücke V, 221.
Kamel, s. Malek al Kamel.
Kameschthekin, Fürst v. Sebaste II, 61.
— Statthalter von Aleppo III (2), 161, 165.
— s. Danischmend.
* Kamina V, 361.
Kamytzes, Manuel, Protostrator, verlegt den Kreuzfahrern mit einem Heere den Weg IV, 73; unterstützt den Kaiser Isaak gegen den Empörer Alexius Branas 219.
Kanabus, Nikolaus, wird Kaiser V, 264; in ein Gefängniß gesperrt 267.
Kanser, Graf VI, 151.
Kanut, bietet die Jütländer gegen die heidnischen Wenden auf III (1), 259.
* Kara VII, 496.
Kara Arslan II, 670.
* Karak (Petra deserti) III (1), 210; s. a. Krak.
Karakusch, Bohaeddin, IV, 246; wird Befehlshaber von Ptolemais 262, 291; verzweifelt an der Vertheidigung von Ptolemais 353; trägt den Christen die Uebergabe an 357, 359; übergiebt die Stadt 360; fällt als Gefangener dem Könige Philipp August zu 367; wird gegen Lösegeld frei 390.
* Karakorum VII, 308.
* Karaman IV, 135.
Karasch II, 684.
Karatis IV, 404.
Karinth von Harran I, 224.
* Karita VI, 641.
Karl der Große I, 9, 12, 25; fabelhafter Zug nach Palästina, Blg. 3.
— der Kahle I, 12.
— von Anjou, Bruder des Königs Ludwig IX. von Frankreich, gelobt die Kreuzfahrt VII, 20; erkrankt in Cypern 73; Leichtsinn desselben 265; geht nach Frankreich zurück 274.
— König von Sicilien VII, 501, 528; langt mit einer Flotte bei Tunis an 565; schlägt die Saracenen 567; macht Friede mit dem König von Tunis 571; in welchem sich dieser zu einem jährlichen Tribute verbindlich macht 579; schifft nach Trapani 581; stimmt dem Beschlusse bei, die Kreuzfahrt aufzuschieben 582; erklärt seine Bereitwilligkeit, an der Kreuzfahrt Theil zu nehmen 644; erhält von Maria von Antiochien durch Vertrag die Ansprüche derselben an die Krone von Jerusalem 660; sendet einen Statthalter nach Ptolemais 661.
* Karmel VI, 518.
Karnas, Ebn, geblendet II, 471.
* Kartapeta II, 483.
* Kasab VI, 649.
* Kasamisch (Leontes) II, 508; IV, 248.
Kasan, Chan der Tataren VII, 781.
Kasel VII, 198.
Kasr III (2), 97.
* Katania IV, 189.
Katholicus des Orients VII, 42.
* Katia II, 67.
Katten, Kriegsschiffe II, 493.
Katze, Belagerungsmaschine IV, 341.
* Kaukabah II, 733.
* Kaukeb, von Saladin erobert IV, 245; Blg. 84.
* Kedleston VI, 93.
* Kedron I, 279.

Kelab, arabischer Stamm II, 62; Blg. 33.
Kelavun II, 248, s. Kalavun.
* Kellah, Schlacht II, 63.
* Kellis II, 249.
Kemaleddin Ebn Schahrsuri, Kadi II, 659; Bericht von der Eroberung von Antiochien durch die Wallfahrer II, Blg. 27.
Kenanah, arabischer Stamm VII, 98, 107, 109.
* Kennesrin II, 426, 449, 524, Blg. 30.
* Kenzingen III (1), 66.
Kerait VII, 413.
Kerbela II, 235.
Kermatier I, 27.
Kermun Aga VII, 490.
Keschluchan VI, 632.
Kethboga, erobert Sidon VII, 415; wird getödtet 416.
* Kibotus (Civitot) I, 89, 146, 147; II, 124.
Kilidsch, Arslan, Beherrscher v. Nicäa, sendet ein Heer nach Nikomedien I, 91, 140; kämpft mit den Christen, um Nicäa zu entsetzen, wird aber geschlagen 143; verstärkt sein Heer 154; greift bei Doryläum die Christen an 155; wird geschlagen 156; Blg. 9; zeigt Tücke gegen Boemund II, 259; erobert Melitene 270; ertrinkt 277.
Kinder, Kreuzzug derselben VI, 71—83.
Kiokai VII, 83.
* Kippenheim III (1), 66.
Kiradscha II, 619.
Kirchan Ebn Kiradscha, Fürst v. Emessa II, 423, 521; wird von Zenki hinterlistig gefangen 585.
* Kischon III (2), 211; Schlacht 269; IV, 402.
* Kisthun II, 426.
* Kitron (Setre, Pydna) V, 354, 373.
* Klein-Apollinopolis III (2), 109.
Kloster zum Lach V, 307.
Knabenkampf IV, 263.
Knabenschänderei II, 459.
Koggen (Kogghen, Kochen, Koken) IV, Blg. 16; VI, 178, 321.
Komnenen I, 107; V, 147; VII, 335; s. auch Comnenen, Alexius, Andronicus, Anna.
* Konghalla II, 223.
Kontkanfer VI, 151.
* Korain (Montfort), von Bibars erobert und zerstört VII, 595.
Korboga, Kavameddaula, Fürst von Mausel, kommt zum Entsatz Antiochiens und verweilt bei Edessa I, 197; rückt vor Antiochien 207; wird daselbst geschlagen 224; II, Blg. 36.
Koreischiten I, 19.
* Korhmoloß VII, Blg. 38.
* Korku IV, 143.
Korn, Preis desselben II, 379.
* Kossair (Cursarium) II, 606; III (2), 233; VII, 422, 610, s. Kusair.
* Kosidar VII, Blg. 38.
Kosmidium I, 112.
Kotbeddin, Scheich IV, 591.
— Sohn des Nureddin IV, 265.
— Mohammed, Gründer des Reichs von Chowaresm VI, 630.
Kotla Abih II, 571; getödtet 581.
Kotlog II, 570.
Kotus VII, 410; siegt über die Mogolen bei Ain Dschaluth 416; wird ermordet 422.
* Kowaik II, 469, 517, 663, Blg. 30.
* Krak (Petra deserti) I, Blg. 29; II, 616; III (1), 210; von Nureddin berennt (2), 150, 207; von Saladin belagert 236, 246; eingenommen 298; von Malek al adel erobert IV, 245.
Kreuz, heiliges, Auffindung desselben II, 3; wird gewöhnlich in der vordern Schlachtordnung getragen 171; Wunder desselben 168, 173; geht in der Schlacht bei Hittin verloren III (2), 288.
— durch die Farbe desselben unterscheiden sich die an dem vierten Kreuzzuge theilnehmenden Nationen IV, 12.
Kreuzfahrer, Privilegien derselben nach den Beschlüssen der all-

gemeinen Kirchenversammlung im Lateran VI, Blg. 7.
Kreuzzug, Bericht von Kemaleddin über den ersten II, Blg. 27.
— der Kinder VI, 71—83.
Krönung, Bestimmungen über die des Königs von Jerusalem I, 317.
Kublaichan VII, 417.
Kukupeter I, 92.
* Kulonniah IV, 509, 510.
Kumar II, 570.
Kumis VII, 426.
Kunstwerke, über die Zerstörung derselben zu Constantinopel V; Blg. 12.
Kurden, Antheil derselben an den Kämpfen Nureddin's III (2), 86.
* Kurun-Hama, Schlacht III (2), 165.
* Kus III (2), 109; IV, 363.
* Kusair II, 606.
Kutlumisch I, Blg. 7; Erzählung des Nicephorus Botoniates von ihm. Blg. 15
* Kypsella V, 149, 246.

L

* Lach V, 307.
Lachardin VII, 159.
Laddscha, Emir II, 721.
Ladislaus, Herzog von Böhmen, nimmt das Kreuz III (1), 82.
* Ladres V, 167.
* La Ferte Bernard IV, 41, 43.
* Laire III (1), 9.
Lalemant, Johann VII, 474.
— Werner VI, 514, 519; 521.
* Laliche V, 40.
* Lampadosa VI, 177.
Lambert, Erzdiakonus II, 700.
— der Arme I, 208.
— von Montagu I, 280.
Lampe, am heil. Grabe, Wunder der Anzündung derselben II, 97, 98; 152.
* Lampron VII; Blg. 50.
* Landas V, 174.
Landulf II, 335.
Lanze, heilige, Auffindung derselben I, 215; Aechtheit derselben in einem Gottesgerichte bewiesen I, 262; wird an Alerius verschenkt II, 199.
* Laodicea, am Lycus in Natolien III (1), 180; IV, 106.
— in Syrien, Versammlung der Wallbrüder daselbst I, 254; von Boemund bedrängt II, 20; kommt nach anderthalbjähr. Belagerung in Tankred's Gewalt 256; wird von Monastras belagert 264; von Erdbeben zertrümmert III (2), 134; von Saladin erstürmt IV, 238; Blg. 77; von Boemund III. von Antiochien besetzt V, 40; von einem Erdbeben verwüstet VII, 698; von Kalavun erobert 699.
* Laon, Versammlung geistlicher und weltlicher Fürsten daselbst III (1), 277.
* Larenda IV, 135.
* Larissa I, 108.
Laskaris, Constantinus V, 225.
— Johannes VII, 440.
— Theodorus, Eidam des Kaisers Alexius V, 232; wird zum Kaiser von Byzanz erwählt 298; entflieht aus Constantinopel 299; findet Anhang jenseit des Meeres 359; beschränkt seine Herrschaft auf Nicäa 390.
— — Sohn und Nachfolger des Kaisers Johannes Vatatzes VII, 440.
* Lasonjaquiée VI, 557.
Latinator, Petrus II, 590.
Laubigois, Ritter VII, 142, 143.
* Laudum V, 251.
Laurentius, apostolischer Legat in Asien VII, 44.
* Laurour IV, 29.
* Lausanne VII, 643.
Lavasser VI, 596.
Lazarus, Ritterorden des heil. VII, 394.
Lazik II, 248.
Lefort de Valerun, Wilhelm IV, 151.
— Gottfried VI, 519, 549.
Legende, die Schlacht bei Ibelim betreffend II, 491.

Lehnhöfe im Königreiche Jerusalem I, 375.
Lehnträger der Krone von Jerusalem I, 322.
Lehnwesen, der schwere Druck desselben, befördert den Eifer für das heilige Land I, 59.
Leicester, Graf v. IV, 455, 500.
* Leicum IV, 161.
* Leilun II, 271, 467; Schlacht 475.
* Le Mans IV, 43.
Leo, Abt v St. Bertin III (1), 98.
— Burgvogt v. Safed VII, 491.
— I, armenischer Fürst in Cilicien, Aschtahag (Astyages) II, 643; IV, 138; VII, Blg. 34.
— II, Sohn des Stephanus, geräth in eine langwierige Fehde mit Boemund III. von Antiochien V, 6; nimmt ihn gefangen 7; verheert Antiochien 8; macht Friede und erhält die königl. Würde 9, 53; macht für seinen Neffen Ansprüche auf Antiochien VI, 16; fällt in Antiochien ein 21; wendet sich an den Papst 26; nimmt Antiochien ein 34; wird wieder daraus verdrängt 36; schließt Waffenstillstand mit Boemund IV. von Antiochien 39; erneuert die Feindseligkeiten 40; VII, Blg. 51; stirbt 52.
— III, Sohn und Nachfolger des Königs Haithon, verbindet sich mit dem Chan Abaga VII, 607; sein Land wird von Bibars verwüstet 617; schließt Frieden mit Kalavun 694; Blg. 10, 34.
Leon II, 299.
— Sohn des Königs Haithon v. Armenien VII, 494.
* — VI, 173.
* Leontes II, 508.
Leopold der Glorreiche, Herzog v. Oesterreich, nimmt das Kreuz VI, 68; schließt sich den Ungarischen Kreuzfahrern an 131; kommt in Ptolemais an 136; nimmt Theil an der Belagerung von Damiette 204; geht in sein Vaterland zurück 247.
— der Tugendreiche, Herzog von Oestreich, kommt im gelobten Lande an IV, 284, 415; verläßt beleidigt vom König Richard das heilige Land 468; nimmt den König Richard gefangen 601; übergiebt ihn dem Kaiser Heinrich VI. zu Mainz 603; wird mit dem Banne belegt 616; — stirbt 617.
Leotophorus, Graf IV. 71.
Lercarius, Hugo, Admir. VII, 26.
Leuthold, Graf v. Pleigen VI, 131.
* Leytha I, 97, 99.
* Lettum IV, 161.
* Lidda I, 268.
* Lilienfeld, Kloster V, 379.
* Limasol IV, 198, 204.
* Linoria V, 18.
* Liperon I, 103.
* Lissabon, von Norwegern erobert II, 219.
* — von Alfons und niederländischen Pilgern bestürmt III (1), 266, und eingenommen 269.
Livie VII, 700.
Livre, franz. VII, 221.
Livrées, VII, 28.
* Loçes, V, 251.
* Loen IV, 23.
Logothet IV, 53.
Lombarden, Streitigkeiten derselben mit dem Kaiser Friedrich VI, 396.
Lon, Rudolph Peel von I, 112.
* London, über den Tempelhof daselbst II, 562; Blg. 45.
Longaspata, Markgraf III (2), 171; IV, 543. s. a. Wilhelm Longaspata.
* Longi III (1), 121.
* Longinias II, 146, 264.
* Lopadion, Stadt III (1), 168. V, 360.
* Lopadium, s. Lopadion.
Lorgue, Nikolaus VII, 658.
* Los V, 251.
— *Abt von V, 134, 161: 251.
Lothar, Bruder des Marschalls Richard, Statthalter von Tyrus VI, 623, 625.
— Cardinal, wird Papst V, 59.
Lotharius, Kaiser, begünstigt

den Tempelherrnorden II, 562; III (1), 26.
Lotharius, Patriarch von Jerusalem VI, 183.
Loz, Dietrich von, V, 361.
* Lübeck III (1), 260; V, 17.
Lucar de Borrameda VI, 173.
Lucas de Stabulo IV, 435.
* Lucca I, 9, 105; Münzfuß der Stadt in Italien gebräuchlich II, 129.
* Lucedio, (Lucelana) V, 134, 251.
Lucia, Gemahlin des Fürsten Boemund V. von Antiochien VII, 317, 653.
— Schwester Boemund VII. von Antiochien und Gemahlin des Admirals Nargat de Touci VII, 700.
Ludolph und Engelbert, Brüder, ersteigen zuerst die Mauern von Jerusalem I, 293.
Ludwig I. der Fromme I, 10.
— II. I, 8.
— der Deutsche I, 27.
— Graf von Blois und Chartres, nimmt das Kreuz V, 111; geht nach Venedig 138; wird Anführer der vierten Schlachtordnung bei der Belagerung von Constantinopel 211; erkrankt 295; erhält das Herzogthum von Nicäa zu Lehn V, 359; stirbt 385.
— Herzog von Baiern VI, 317, 349.
— VII. König von Frankreich, geräth in Fehde mit dem Grafen Thibaut von Champagne III (1), 34; ist geneigt zur Kreuzfahrt 37; empfängt das Kreuz 53; geht nach Metz zum Kreuzheere 98; zieht nach Ungarn 103; durch Constantinopel 139; unterredet sich mit dem Kaiser Manuel 141; geht über den Hellespont 145; schlichtet die Streitigkeiten zwischen den Franzosen und Griechen 149; schließt einen Vertrag mit Manuel 153; zieht nach Nikomedien 156; hat eine Zusammenkunft mit dem Könige Conrad III. 167; hat mit vielen Mühseligkeiten zu kämpfen III (1), 170 ff.; geht nach Ephesus 173; kämpft gegen die Türken 177, 178; geht nach Laodicea 180; kommt in Lebensgefahr 183; erreicht Attalia 187; geht zu Schiffe nach Antiochien 191, 225; wird von Eifersucht gequält 227; verläßt heimlich Antiochien 229; geht nach Tripolis 230; hat eine Zusammenkunft mit Conrad III. 234; hält seinen Einzug in Jerusalem 235; geht zur Berathung nach Ptolemais 236; zieht von Tiberias gegen Damascus 339; belagert es 245; muß wieder abziehen 253; belagert vergeblich Askalon 254; geht nach Frankreich zurück 256; trennt sich von seiner Gemahlin 257.
Ludwig VIII. VI, 374, 381.
— IX. ermuntert die Kreuzfahrer zur Vollziehung ihres Gelübdes VI, 578; nimmt selbst das Kreuz VII, 15; sendet Geld und Mannschaft nach Syrien und beruft die Prälaten und Barone zu einem Parlamente 19; verkündigt einen allgemeinen fünfjährigen Frieden 21; bespricht sich mit dem Papst 22; bemüht sich, den Frieden zwischen Innocenz IV. und Friedrich II. herzustellen 23; trägt dem Papst seinen Beistand an 24; schließt mit der Republik Venedig einen Vertrag wegen Ueberlassung von Schiffen zur Kreuzfahrt 26; dringt durch eine List seinen Hofleuten das Kreuz auf 27; rüstet sich zur Kreuzfahrt 46; erneuert sein Gelübde 56; verläßt Paris 61; kleidet sich einfach 63; schifft sich zu Aiguesmortes ein 64; beschließt, Aegypten anzugreifen 67; landet in Cypern 69; verweilt den Winter 1248 in Nicosia 70; hat mit vielen Widerwärtigkeiten zu kämpfen 73; empfängt eine mogolische Gesandtschaft 79; segelt von Cypern ab 93; landet bei Damiette 95, 105; besetzt die von den Einwohnern verlassene Stadt

VII, 111, 112; trifft verschiedene Anordnungen daselbst 114; läßt das Lager befestigen 122; beschließt die Eroberung von Kahirah 126; geht nach Fariskur 127; nach Scharmesah 132; nach Aschmum Tanah 133; beschließt den Bau eines Damms durch den Kanal von Aschmum 134; geht über den Kanal 151, 153; befreit sich selbst aus der Gefangenschaft 165; kämpft tapfer 168; tritt den Rückzug an 192; unterhandelt 193; erkrankt 195; wird gefangen 200; wird in der Gefangenschaft gut behandelt 211; unterhandelt wegen der Auslösung 219; schwört den Eid zur Vollziehung des Vertrags wegen der Auslösung 244; wird aus der Haft entlassen 248; läßt das Lösegeld auszahlen 253; Redlichkeit desselben 254; geht nach Ptolemais 255; Urtheil der Moslims über denselben 256; Sorgen und Bekümmernisse daselbst 262; berathet sich mit den Baronen 268, und beschließt, wider den Willen der meisten Barone, in Syrien zu bleiben 273; wallfahrtet nach Nazareth 277; unterhandelt mit den Saracenen 281; schließt ein Bündniß mit den Emiren von Aegypten 284, 314; läßt die Mauern von Ptolemais ausbessern 285; empfängt verschiedene Gesandtschaften 286; befestigt Cäsarea 289; geräth in Mißhelligkeit mit den Templern 306; sendet aufs neue Gesandte an die Mogolen 310; geht nach Joppe 315; baut eine neue Burg daselbst und ein Kloster 316; geht nach Ptolemais 325; nach Tyrus 327; nach Sidon 328; das er aufbaut und befestigt 333; belohnt die treuen Dienste Johann von Joinville's durch ein erbliches Geldlehen 334; empfängt Gesandte des Kaisers Emanuel Komnenus von Trapezunt 335; erhält die Trauerbotschaft vom Tode seiner Mutter 342; ordnet Bittfahrten an 343; geht nach Ptolemais VII, 345; schifft sich nach Frankreich ein 346; landet in Hieres 350; ordnet öffentliche Gebete für das heilige Land an 421; erhebt eine Steuer zur Unterstützung des heil. Landes 467; nimmt zum zweiten Mal das Kreuz 506; tritt die Pilgerfahrt an 539; kommt nach Sardinien 543; beschließt Tunis zu erobern 546; geht von Cagliari unter Segel 550; landet bei Tunis 552; erkrankt 552; stirbt 564.

Ludwig XI. I, 13.

— König von Navarra VII, 783.

— Landgraf von Thüringen VI, 424, 426.

— Landgraf von Thüringen der Milde oder Fromme, kommt im gelobten Lande an IV, 260; führt den Oberbefehl im Lager vor Ptolemais 286; — stirbt auf Cypern 287; über eine Erzählung in altdeutschen Reimen von dessen Kreuzfahrt IV; Blg. 7.

— von Helfenstein IV, 122.

— von Medlitz IV. Blg. 9.

— von Monzun I, 280.

Luitprand L., I, 9.

Lulu eljaja regiert in Haleb II, 377; ruft Togthekin zu Hülfe gegen das Heer des Sultans Mohammed 383; späht alle Bewegungen des türk. Heers aus und giebt davon dem Fürsten Roger von Antiochien Nachricht 389; wird dafür belohnt 395; ermordet 396.

Lullus, Raimundus VII, 785.

Luppin, Jordan IV, 169.

* Lycus III (1), 181.

* Lydda (St. Georg) VI, 479; von den Christen zerstört VII, 598.

* Lyon IV, 155; Kirchenversammlungen VII, 7, 8; 615, 633, 637.

* Lystris V, 40.

M

Maad II, 624, 625.

* Maan IV, 436.

* Mäander III (1), 178.

* Maarrah II, 300.
* — Annoman (en-Noman) II, 296, 634; Blg. 28.
* — Mesrin II, 265, 451; Blg. 34.
Mablanes III (1), 164.
Machedolus II, 667.
Machicourt, de, V, 384.
* Machomeria II, 508.
Macon, Graf VI, 598.
Macquereau, Alard V, 115.
Madschdeddin, Statthalter von Haleb, schlägt Rainald von Antiochien und nimmt ihn gefangen III (2), 67.
— Ebn Aseddin Ferochschab Fürst von Baalbeck IV, 326; wird Befehlshaber von Jerusalem 525.
* Madschdeljaba IV, 508.
* Maen IV, 427, 436.
Magnus Barvod II, 218.
— König II, 218.
Mahada, Emir III (2), 107.
* Mahalle III (2), 102.
* Mahallie VII, 378.
* Maharona VII, 380.
Mahasan VI, 349.
Mahmud, Sultan II, 619.
— Schehabeddin, König von Damascus II, 673, 684.
* Mahumeria IV, 257.
Maidan VII, 651.
Mailli, Aegidius von, VII, 20.
Mailoc, Heinrich de, IV, 455.
* Mainaka II, 631.
* Mainz, I, 97; Beschlüsse auf dem Hoftage Gottes daselbst IV, 17.
* Majafarekin von Mogolen belagert VII, 409; erstürmt 411.
Makarius, Bischof von Jerusalem I, 5.
— von St. Menehoult V, 360.
Makrembolita, Demetrius III (1), 102.
Makrisi VII, 490.
* Malacha IV, 407.
Malachias, Bischof von Limerick der Heilige III (1), 20; VI, 68.
Malacorona I, 200.
Malafried II, 223.
* Malaga VI, 173.
Malahedah II, 249.
Malassias VII, 83.
* Malatia I. Blg. 7.
* Malazkerd I, Blg. 10.
Malducus II, 284.
* Malea (Cademelée) V, 198.
* Maledoin III (2), 294.
Malek, Emir II, 626.
— ad daher, Fürst von Aleppo, Sohn Saladin's, erobert Sehjun IV, 238; Sarmenia 240; belagert Joppe 539; wird im Besitze von Haleb bestätigt V, 2.
— addaher Gasi VII, 410.
— al Adel, Saifeddin Abubekr Mohammed, Saladin's Bruder, verwüstet die Gränzen des Reichs Jerusalem III (2), 212; fällt in das Reich von Jerusalem ein 293; edle Handlung desselben 315; erobert Krak IV, 245; bespricht sich mit einem Abgeordneten Richard's 349; unterredet sich mit Richard selbst 413, 446; 447; schließt den Frieden zwischen Saladin und Richard ab 570; erhält nach einem Kriege mit Malek al Afdal Damascus V. 2; sammelt ein Heer 23; schlägt die deutschen Pilger 24; erobert und zerstört Joppe 25; schleift die unhaltbaren Plätze 32; stellt sich zwischen Tyrus und Sidon auf 33; wird geschlagen 34; zieht sich nach Sidon 35; rückt vor Tyrus 41; schließt Waffenstillstand mit König Amalrich 58; setzt sich in den Besitz von Aegypten VI, 2; hält aus Friedensliebe den Waffenstillstand mit den König Amalrich gewissenhaft 15; erwiedert nach aufgehobenem Waffenstillstande die begangenen Feindseligkeiten nicht 48; schließt wieder Waffenstillstand 50; beunruhigt das christliche Land nach Amalrich's Tode 54; schließt Waffenstillstand 55; baut ein Schloß auf dem Berge Tabor 63; zieht mit dem Heere nach Bessan 142; geht zurück über den Jordan 145; lagert sich bei Mardsch Suffer 146, 182; überträgt seinem Sohne Moaddhem die Vertheidigung der syrischen Länder 183; stirbt 205.

Malek al Adel, Sohn des Sultans Kamel VI, 585.
— al Afdal, Sohn Saladin's, siegt bei Kischon III (2), 266; kämpft tapfer bei Arsuf IV, 422; nimmt die Huldigung der Emire an, als sein Vater ohne Hoffnung erkrankt 589; überläßt die Regierung seinem Vesir V, 1, entsagt nach einem Kriege dem Reiche und begnügt sich mit der Burg Sarchod 2; geht als Geisel zu den Christen VI, 348.
— — Vater des Geschichtschreibers Abulfeda VII, 416.
— al Amdsched Bahramschah, Fürst von Baalbeck VI, 332.
— al Aschraf, Sohn Malek al Adel's, Fürst von Chelat, kommt nach Aegypten VI, 331; verbindet sich mit Malek al Kamel gegen Moaddhem 421; wird Sultan von Damascus 507, 517; stirbt 584.
— — Sohn Kalavun's, vollendet die Rüstungen seines Vaters zur Belagerung von Ptolemais VII, 734; geht nach Syrien 735; rückt vor Ptolemais 736; verheert die Umgebungen 742; bestürmt die Stadt 751; nimmt sie im Sturme 761; handelt grausam 768; zieht in Damascus im Triumphe ein 773.
— al Asis VII, 409.
— al Aziz (Asis), zweiter Sohn Saladin's, befestigt sich in dem Besitze von Aegypten, kriegt mit seinem Bruder und wird Sultan V, 2; erneuert den Waffenstillstand mit den Christen 4.
— al Dschawwed Jonas VI, 585, 602.
— al Fajes VI, 230, 235; 241.
— al kaher Bohaeddin VII, 620.
— al Kamel, (Emir Sankor Alaschkar) VII, 652.
— — Enkel Malek al Adel's VII, 409.
— — Malek al Adel's Sohn, Statthalter in Aegypten, zieht mit Truppen nach Damiette zur Vertheidigung VI, 191; wird Sultan von Aegypten 207; ist sehr thätig in der Vertheidigung von Damiette VI, 213, 217; 226, hat mit Unzufriedenheit seiner Unterthanen zu kämpfen 229; verläßt Damiette, weil er sich nicht sicher glaubt 231; nimmt wieder eine drohende Stellung in der Nähe des christl. Lagers ein 236; läßt die Kirche des heil. Marcus in Alexandrien zerstören 238; greift das christliche Lager an 242; knüpft Unterhandlungen an 271; bricht sie ab 274; stürmt das Lager der Christen 275, 277; erneuert die Unterhandlungen 279; geht nach der Einnahme von Damiette ins Innere des Landes zurück 288; erbaut Mansurah 303; rüstet sich zur Vertheidigung 323; zerstört einen Theil der christlichen Flotte 337; gewährt den bedrängten Christen Frieden 345; nach welchem ihm Damiette von den Christen übergeben wird 347; zieht in Damiette ein 355; verbindet sich mit seinem Bruder Malek al Aschraf gegen seinen Bruder Malek al Moaddhem 421; wechselt Gesandtschaften mit dem Kaiser Friedrich II. 422; schließt Frieden mit demselben 478; weitläufige Herrschaft desselben 516; stirbt 584.
Malek al Mansur, Fürst von Hamah, schließt mit den syrischen Christen Waffenstillstand VI, 51; sendet ein Heer nach Aegypten 241; flieht nach Aegypten VII, 411; dringt in Cilicien ein 494; kämpft bei der Belagerung von Ptolemais 747.
— — Sohn des Takieddin, kommt mit einem Heere zu Saladin IV, 562.
— — Ibrahim, Fürst von Emessa, vereinigt sich mit den Christen VI, 601, 636, 639, 641, 644.
— — Kalavun, s. Kalavun.
— — Nureddin Ali VII, 390.
— al Moaddhem Isa VI, 65; folgt seinem Vater Malek al Adel im Reiche von Damascus 207; geht nach Aegypten 235; schleift Pa-

neas u. Thebnin VI, 236; ordnet die Zerstörung der Mauern und Thürme von Jerusalem an 237; nimmt Theil an der Belagerung von Damiette 279; geht nach Syrien 289; erobert Cäsarea 303; belagert das Schloß der Pilger 311; geht wieder nach Aegypten 331, 333; verbindet sich mit dem Fürsten der Charismier gegen seinen Bruder Malek al Kamel 421; sein Charakter 448; stirbt 449.
Malek al Moäddhem Turanschah, Sohn des Sultans Ejub VII, 129; geht aus Mesopotamien nach Mansurah 187; sein Heer vernichtet das christliche 194; er behandelt den gefangenen König Ludwig IX. mit Schonung 211; macht sich bei den Mameluken verhaßt 231; wird ermordet 236.
— — Turanschah Statthalter von Haleb VII, 409, 410.
— al Modaffer, Emir von Edessa III (2), 315.
— — Turanschah, Sohn des Fürsten Malek al Mansur, Fürst v. Hamah VI, 241, 598.
— al Modschahed Schirkuh, Fürst von Emessa VI, 332.
— al Mogits, wird von den ägyptischen Mamluken zum Sultan ernannt VII, 279, 391.
— an Naser David, Sohn des Malek al Moaddhem Isa VI. 449; verliert sein väterliches Reich 507; erhält Schaubek und Krak 517; erobert Jerusalem 596; schließt Bündniß mit den Christen 628; beantwortet das Schreiben des Papstes Innocenz IV. VII, 40.
— — Joseph, Fürst von Haleb VII, 74; wird Sultan von Damascus 279; rüstet sich zum Kriege gegen Aegypten 280; wird von den ägyptischen Emiren geschlagen 314; besetzt Gaza 314; schließt Friede mit den ägyptischen Emiren 319.
— — Sultan von Damascus VII, 391; sendet seinen Sohn zu dem Chan Hulaku 409; flieht vor den Mogolen VII, 410; wird erschossen 412.
Malek An Naser Killdsch Arslan, Fürst von Hamah VI, 332.
— as Said Nadschmeddin Gast VII, 83.
— — Sohn des Sultans Bibars VII, 621; wird abgesetzt und stirbt 651.
— as Saleh Alaeddin Ali VII, 671, 700.
— — Ejub, Sohn des Malek al Kamel, setzt sich in den Besitz von Damascus und Aegypten VI, 585; ruft die Charismier zu Hülfe 630; siegt bei Gaza 642; wechselt mit dem Kaiser Friedrich II. Gesandtschaften VII, 34; verweigert die Auslösung der gefangenen Hospitaliter und Templer 35; beantwortet das Schreiben des Papstes Innocenz IV. 38; belagert Emessa 74; macht Anstalten zur Vertheidigung Aegyptens 97; bestraft die Häupter der kenanitischen Araber 109; neckt den König Ludwig IX. durch eine spöttische Botschaft 117; greift das christl. Lager an 119; stirbt 128.
— — Ismael, Sohn Nuredin's, Sultan von Damascus III (2), 159, 167; 214.
— — — Sohn Malek al Adel's, Fürst von Baalbeck und Basra VI, 584, 599; 600.
— Dokak, Fürst von Damascus, giebt an Gottfried einen jährl. Zins II, 57.
Malekschah, Sultan, Sohn des Alp Arslan I, 42, 138; 275; 276; Blg. 10; erbaut das Bergschloß bei Isfahan II, 243, 577.
— Sultan von Iconium, Sohn des Azzedin IV, 101; handelt feindlich gegen Friedrich I. 110; bietet Frieden an 117; verliert die Schlacht bei Iconium 130.
Maleman, Gilbert IV, 516.
Malet, Robert † VI, 593.
* Malevilla I, 83.
Malger von Altville II, 429.
Malich III (2), 148; wird Fürst v. Cilicien 149, s. Melih u. Milo.

i 2

Mallo, Drogo de, IV, 543.
Malono, Pasquetus VII, 397.
* Malvoisin IV, 326, 340.
— Robert, nimmt das Kreuz V, 113.
* Mambedsch II, 485, 581; Blg. 29.
* Mambog II, 291.
Mamilia, Tochter des Grafen Hugo Cholet von Ruci II, 607.
* Mamistra von Tankred erobert I, 161; Kampf der Wallbrüder gegen Wallbrüder 163; II, 258, 264; von einem Erdbeben zerstört 380; von Johannes eingenommen 644; III (2), 60.
Mamluken, III (2), 187; asadische IV, 265; bahariſche VII, 128, 160; 227; 391; Dschamdarische 160; türkische 227; von der Haulequa 227, 228; 231; 279.
* Mamre I, 6.
Manasse, Bischof von Barcelona II, 316.
— Connetable II, 724; III (2), 11.
— de l'Isle IV, 512.
— von Buglies, nimmt das Kreuz III (1), 96; stirbt 183.
— von Lisle V, 207, 212.
Manasses, Bischof von Langres IV, 169.
Mandal VII, Blg. 37.
Manfred, natürlicher Sohn des Kaisers Friedrich II., König von Neapel u. Sicilien VII, 393, 500.
Mangana V, 213.
Mangonellum V, 224.
Manguchan VII, 402, 406.
Mangures III (2), 284.
* Manikava IV, 92.
Mankberni, Dschelaleddin, Fürst der Charismier VI, 421, 517.
Mankutimur, Chan der Mogolen von Kiptschak, schließt Bündniß mit Bibars VII, 607; wird bei Emessa geschlagen 668.
Manlat IV, 117.
Mansel, Robert III (2), 90.
Mansur s. Malek al Mansur.
* Mansurah, von Malek al Kamel erbaut VI, 303, 317; Gefechte VII, 157.
Mansurische Maschine VII, 741.
Mansver, Reinhold II, 435; wird Statthalter v. Antiochien 605.
* Mantas IV, 32.
Manuel, Komnenus, jüngster Sohn des Kaisers Johannes von Byzanz II, 712; wird sein Nachfolger 719; Mißtrauen u. argwöhnische Staatsklugheit desselben III (1), 105; rüstet sich 110; unterhandelt mit Ludwig VII. 112; Streitigkeiten mit dem Könige Conrad III. 128; empfängt den König Ludwig VII. freundlich 141; unterhandelt mit ihm 151; schließt einen Vertrag 153; handelt treulos 161, 164; arglistig und tückisch 196; unternimmt eine Heerfahrt nach Syrien III (2), 54; kommt nach Mamistra 60; zieht in Antiochien ein 62; zeigt seine Geschicklichkeit in der Wundarzneikunst 63; schließt mit Nureddin Waffenstillstand 64, und verläßt Syrien 65; wirbt um Melusine, Schwester des Grafen von Tripolis 69; dann um Maria, Tochter des Fürsten Raimund von Antiochien, mit der er sich vermählt 72; beschließt eine gemeinschaftliche Unternehmung mit Amalrich gegen Aegypten 115; rüstet eine Flotte aus 127; sein Heer belagert mit den Kreuzrittern Damiette 129; seine Flotte wird fast vernichtet 133; bereitet dem König Amalrich eine glänzende Aufnahme in Constantinopel 144, und schließt ein Bündniß mit ihm gegen Saladin's Macht 147; schickt eine Flotte nach Ptolemais 175; stirbt 199.
* Maragah II, 623.
* Marakia VII, 692.
* Maraklea I, 255; II, 699.
* Marasch I, 164; II, 64, 84; von einem Erdbeben zerstört 380; VII, Blg. 39.
* Marbin II, 448.
Marcellus I, 7.
Marcus, Erzbischof von Cäsarea VII; Blg. 37.
Mardsch al-Ojun V, 32.
— assafar III (2), 192.
* — Dabek II, 426; Blg. 28, 36.

* Mardsch Suffer, (gewöhnlich unrichtig Mardsch Safar) Schlachten II, 525, 567; VI, 146.
* Maredin II, 722.
* Maregard I, 179.
* Marescallia III (2), 280.
* Maresch II, 137.
Margarethe, Gemahlin des Kaisers Isaak Angelus V, 257.
— Gemahlin Ludwig IX. v. Frankreich VII, 61; erkrankt in Cypern 73; verweilt in Damiette 126; kommt in Damiette mit Johann Tristan nieder 223; geht zu Schiffe 245; geht nach Sidon 336; gelobt in einem Sturme dem heiligen Nikolaus ein silbernes Schiff 348.
— Gräfin von Flandern VII, 584.
— Königin von Ungarn V, 21.
— von Tyrus, Wittwe Johann's von Montfort VII, 695; Vertrag derselben mit dem Sultan Kalavun, Blg. 14.
Margaritus, Admiral IV, 169, 234; 235.
Maria, Gemahlin Amalrich's III (2), 79.
— Gemahlin Balduin II., Kaisers von Byzanz VII, 78.
— Gemahlin des Grafen Balduin von Flandern, nachherigen Kaisers Balduin I. von Byzanz, nimmt das Kreuz V, 113; stirbt VI, 13.
— Gemahlin des Gr. Heinrich I. v. Champagne, Tochter Ludwig VII. v. Frankreich IV, 491; V, 112.
— Gemahlin des Grafen Johann von Brienne, Tochter des Markgrafen Conrad und Elisabeth, Erbin des Königreichs Jerusalem VI, 53, 61; stirbt 137.
— Gemahlin des Grafen Walther von Brienne, Schwester des Königs Heinrich von Cypern VI, 556.
— Gemahlin des Kaisers Manuel, Raimund's Tochter III (2), 72.
— Tochter des Fürsten Boemund IV. von Antiochien VII, 614, 635; überläßt ihre Ansprüche an die Krone von Jerusalem dem Könige Karl von Sicilien 660.
Marinus aus Neapel II, 347.
* Marith II, 596.
Mark Silbers, Werth einer im Königreiche Jerusalem VII, 360.
* Markab I, 255; II, 596; IV, 237; VII, 668, 669; von Kalavun eingenommen 690.
Markard IV, 619.
Markwald, Herzog V, 74.
Marmah VI, 198.
Mar Michael III (2), 27.
Maroniten, vereinigen sich mit der römischen Kirche III (2), 205.
* Marokko VI, 165.
* Marra, von dem Kreuzheere belagert I, 242, und erobert 243; Zerstörung der Mauern 247; angezündet 248.
Marschall des Königreichs Jerusalem, Geschäfte desselben I, Blg. 30.
Marsilius, Georgius VII, 371.
Martel, Gottfried III (2), 90.
Martin, Abt des Cisterciensерklosters Paris in Oberelsaß (Wasgau), predigt das Kreuz V, 108; geht von Basel durch Italien 156; nach Venedig 157; nach Rom 181; nach Syrien 182; kommt als Abgeordneter der syrischen Pilger zu den Kreuzfahrern vor Constantinopel 261; gewinnt eine große Beute von Reliquien 306, 308.
— Bischof von Meißen IV. Blg. 9.
— IV. Papst VII, 683.
— von Laodicea II, 299.
— von Palmella VI, 168.
* Martorano VII, 583.
* Maschgara VI, 155.
* Masiaf (Masiat, Massiaf) II, 244; III (2), 167; IV, 488; VII, 536.
Masud, Azeddin III (2), 164, 165.
— Ezzeddin II, 570, 571.
— dritter Fürst von Rum, Genealogie desselben I, Blg. 9.
— Sultan II, 619, 621, 623.
* Mategriffun IV, 180, 195.
Matera, Bischof von, widersetzt sich der Wahl eines Königs von Jerusalem I, 302; verschwindet II, 8.
Matrikel des Reichs Jerusalem I, Blg. 37.

Mathilde, Tochter des Königs Fulco II, 598.
— Tochter Malcolm III. II, 27.
Mathonius II, 225.
Matthäus, Gebeine des Evangelisten II, 189.
— Abt von St. Denys VII, 560.
— Erzbischof v. Amalfi VI, 106.
— von Clermont, Marschall der Hospitaliter, vertreibt die schon in Ptolemais eingedrungenen Saracenen VII, 753, 759; fällt im Kampfe 762.
* Mattheo, San VI, 166.
Matthias, Patriarch von Constantinopel VII, 435.
— von Montmorency, nimmt das Kreuz V, 113; kommt nach Zara 174; wird Anführer der fünften Schlachtordnung bei Constantinopel 211; geht als Gesandter zum Kaiser Isaak 235; stirbt 245, 251.
— von Sauvage VII, 402.
— von Vallincourt V, 211.
Mattasip VII, 358.
Maudud, Fürst von Mosul II, 277, 281; belagert Tellbascher vergebens 294; zieht vor Haleb 295; kommt mit einem Heere nach Syrien und verwüstet das Land 374; wird ermordet 382, 383.
Mauled II, 249.
Maurokatakalon, Marianus II, 343.
Maurokatelo, Nikolaus, I, 110.
Maurus, Bischof von Amalfi II, 352.
* Maus I, 267.
— Belagerungsmaschine IV, 336.
* Mauser II, 722, 723.
* Mawarannahar II, 243.
* Maximianopolis V, 349.
* Medon II, 575.
* Meerbusen des Horns II, 122.
Meerfahrten, Vortheile der regelmäßigen für die italienischen Handelsstädte VII, 355.
Megaltriarcha, Joh. III (2), 175.
Megedur V, 204, 207.
* Mehalleh VI, 335.
* Meidan II, 687; Erklärung III (1), 213.
Meidaniten V, 155.
Meinhard, Graf von Görz IV, 599; V, 55.
Mekki Ebn Karnas II, 467.
* Melas (Larissa) V, 349; III (1), 122.
* Melcha III (2), 27.
Melchiten VI, 240.
Melec Messor VII, 652.
Meleh VII, Blg. 49.
Meleres I, 31.
Meletenniotes VII, 562.
* Melide IV, 163.
Melih III (2), 149, s. Milo (Malich).
Melisende, Tochter Veit's von Montlehery II, 77, 233.
— Tochter Balduin II., Königs von Jerusalem, vermählt sich mit Fulco, Grafen von Anjou II, 566; beherrscht ihren Gemahl 612; gründet ein Kloster für fromme Jungfrauen 616; führt für ihren Sohn Balduin III. die Regierung 718; erhält nach der Krönung ihres Sohnes Jerusalem und Neapolis zur Regierung III (2), 13; wird von ihrem Sohne in der Burg von Jerusalem belagert und erhält durch Vertrag Neapolis 14; stirbt 74.
* Melissa I, Blg. 13.
* Melitene, belagert II, 66; an Danischmend verrathen 67.
Melkadin VII, 208.
* Meloria VI, 618.
* Melun VI, 111.
Melusine, des Grafen von Tripolis Schwester III (2), 69.
* Mena III (2), 223.
Menelones IV, 552.
* Mensaleh VI, 222, 260.
Meranis II, 5.
* Meregard VII, 593.
Merel III (1), 220.
* Mergemit VI, 557.
* Mergisafar II, 525.
Merleto, Wilhelm v., VII, 73.
* Mesaburg (Meßburg, Moysson, Mosony) I, 95, 100.
Meschkedet II, 247.
Meschtub, Saifeddin IV, 321;

trägt die Uebergabe von Ptolemais an IV, 357, 359; übergiebt die Stadt 360; fällt als Gefangener dem König Richard zu 367; wird gegen Lösegeld frei 390.
Mesdschid el Aksa I, 22.
* Mesopotamien, Einbruch der Mogolen VII, 409.
* Mesr (Babylon, Misr) I, 28; angezündet III (2), 118, 188; VII, 280, 717.
* Messina IV, 154, 155; von den Engländern eingenommen 174.
* Messinopolis V, 349.
* Messogys IV, 108.
* Metapan V, 198.
* Metz, Versammlung des franz. Kreuzheeres daselbst III (1), 95.
* Miafarekin II, 474, s. Majafarekin.
Michael, Erzbischof von Philippopolis III (1), 115.
— Kaiser I, 138; Blg. 10, 12, 13.
— des Schomuna Sohn II, 671.
— Komnenus, Fürst von Epirus VII, 441.
— Paläologus, wird Kaiser von Nicäa VII, 440; erobert Thessalien 441; zieht in Constantinopel ein 445; sendet Gesandte an Ludwig IX. 563; schickt Abgeordnete auf die Kirchenversammlung zu Lyon 639.
— Rabbi I, 97.
— Sebastus III (1), 114.
— von Epirus V, 391.
— von Hydrunt III (2), 116.
Michaele, Dominico, Doge, belagert Corfu II, 489; schlägt die ägyptische Flotte 493; belagert Tyrus 501.
Michieli, Johann, landet mit einer venetianischen Flotte bei Joppe II, 57.
* Mido III, 1, Blg. 14.
Mila, Bertold von, VI, 424.
Milo (Malich), Fürst von Cilicien III (2), 149; VII, Blg. 49, s. Melih.
— Bischof von Beauvais VI, 264.
— Graf von Bar VI, 209.
— von Brabant V, 115.
— von Bray II, 117.
Milo von Clermont II, 71.
— von Noyency III (1), 179.
— v. Plancy, Seneschall III (2), 77; bemächtigt sich der Regierung des Reichs Jerusalem 156; wird ermordet 157.
Minah III, 1, Blg. 9.
* Minieh Abu Abdallah VII, 198.
* Mirabel III (2), 13, 293.
* Mirla IV, 407.
Mirmiran, Bruder des Nureddin III (2), 48.
* Misa III (1), 240, Blg. 18.
* Misr, s. Mesr.
Μιξοβάρβαροι II, 125.
Moawia I, 22, 23.
Moadhem, s. Malek al Moadhem.
Modar II, 625.
Modaffer Al-Abiwardi, Dichter, Schmähgedicht desselben II, 2; Blg 3.
— eddin IV, 236; III (2), 216.
— s. Malek al Modaffer.
Modschireddin Abek, König v. Damascus, verbindet sich mit den Christen III (2), 28; wird aus Damascus von Nureddin vertrieben 31.
* Moes VII, 134.
Moez, Chalif I, 28.
— eddin Sandscharschah, Fürst von Dschesira IV, 319.
Mogits, s. Malek al Mogits.
Mogolen, bedrohen Ungarn VII, 4; verwüsten Kleinasien 32; senden Gesandte an Ludwig IX. nach Cypern 79; brechen in Persien ein 405; in Mesopotamien und Syrien 409, 473, 598, 607, 616, 667; werden bei Emessa geschlagen 668.
Mohammed Asfar II, Blg 33.
— Ebn Sakl III (2), 312.
— Fürst v. Baalbeck II, 684, 686.
— Halbbruder des Borkiaruk I, 277.
— Prophet I, 18.
— Sultan, belagert Edessa II, 283.
Mohieddin Ebn Abdoddaher, Dichter VII, 592.
— Imam VII, 619.
— Kadi VII, 524, 526, 726.
Mohren in Saladin's Heer II, 175; IV, 417.

Moineddin, Emir von Damascus, verwüstet das Königreich Jerusalem III (2), 3.
— Feldherr des Sultans von Aegypten VI, 648.
Mokaddem III (2), 159.
Molburg, Graf VI, 424.
Molinari, Antoniellus V, 390.
* Monaiterah III (2), 110.
Monasterium olivi Scauri V, 60.
Monastras, griechischer Feldherr, belagert Laodicea und vertreibt die Lateiner aus vielen Städten Ciliciens II, 264; wird aus Cilicien und Cölesyrien abgerufen 275, 332.
Mönche, schwarze und weiße, V, 133.
Monieddin Suleiman al Pervaneh VII, 616.
* Monia III (2), 107.
Monkad, Fürst v. Schaisar, vermittelt die Befreiung des Königs Balduin II, 515; wird verwundet und stirbt 667.
* Monsferrandus (Barin) II, 605, 634; von Zenki eingenommen 652.
Montagu I, 114.
Montasek II, 515.
Montbeel II, 115.
* Montfergia II, 387.
Montfort Guido v., IV, 543.
* Montpelerin VI, 598.
* Montpellier II, 548.
* Montrimert VI, 579.
* Montroyal, von Nureddin umlagert III (2), 150; IV, 247.
* Mopsvestia II, 275; V, 6.
* Morad Pascha I, 172.
* Morawa IV, 61.
Morellus II, 75.
Morfia II, 418.
* Moria II, 81.
Moritz, Cardinal II, 94.
Morosini, Albertinus VII, 665.
— Thomas, wird lateinischer Patriarch von Constantinopel V, 331; Blg. 28.
Morsched Ebn Ali II, 672.
Mortimer, Bartholomäus v., IV, 553.
Mosabbah II, 274.
* Moses's Fels II, 88.
Moslem I, 18.
* Moslemia II, 257, 426.
Mostaali, Chalife von Aegypten I, 277; II, Blg. 31.
Mostader II, Blg. 31.
Mostanser Billah, Chalife von Aegypten, befiehlt den Christen in Syrien die verfallenen Mauern ihrer Städte herzustellen II, 55; wird von Hassan, dem Stifter der Assassinen, anerkannt 242; VI, 585.
Mostarsched, Chalife II, 467, 619; schlägt Zenki 621; wird von Masud geschlagen u. erschlagen 623.
Mosthasem, Chalife von Bagdad VII, 74, 280, 406; begiebt sich in das Lager der Mogolen 407, und wird getödtet 408.
* Mosynopolis V, 349, 352.
* Mosul II, 277; von Mostarsched belagert 622.
Mothamed VI, 145.
Motka billah I, 14.
* Moulins IV, 154.
* Mout IV, 137.
Mowaijad eddin Ebn Alkami VII, 406.
* Muggia, unterwirft sich den Venetianern V, 166.
* Mulete II, 249.
* Mulhedun II, 240.
Munder I, 21.
* Murat VI, 96.
* Murcia VII, 531.
Murtzuflos (wahrscheinlich das türkische Mursüfin, d. i. der Schwarzlockige), Alexius Ducas V, 265; läßt den jungen Kaiser Alexius in Fesseln legen und sich als Kaiser huldigen 267; kämpft gegen die Kreuzfahrer 269; wird geschlagen 270; versucht die Flotte der Venetianer zu zerstören 271; macht sich durch sein Benehmen verhaßt 273; knüpft Unterhandlungen mit dem Dogen von Venedig und den Pilgern an 275; läßt den Kaiser Alexius erdrosseln 277; rüstet sich zur Vertheidigung 286; zieht sich nach dem

Palaste Bukoleon zurück V, 293; entflieht aus Constantinopel 297; bemächtigt sich der Stadt Tzurulos 350; wird geblendet 351; von den Kreuzfahrern gefangen 387; und in Constantinopel von einer Säule herabgestürzt 388.
Musa (mit dem Beinamen Malek al Aschraf), Sultan VII, 279, 280, 388.
* Musard IV, 304.
Musulman, Erklärung I, 18.
Mutamen al-Chalafat III (2), 98.
* Mutemuda VI, 173.
* Mutusin IV, 55.
* Mylasa IV, 106.
* Mylum II, 345.
* Mynyeh III (2), 106.
* Myriocephalon IV, 113.

N.

* Nader II, 396.
Nafdschi VII, 494.
* Nahr al Habdar IV, 415.
* — al Kassab IV, 411.
* — al Tamasih IV, 408.
Nargat de Tonci VII, 700.
Nargenot von Viel IV, 270.
Nassella VII, 100.
Naser II, 468, 469, 471.
Nasereddin, Emir VII, 465.
Nasireddin II, 622.
— Sohn des Vesir Abbas III (2), 39.
Nassairier I, 248.
* Natrun IV, 436, 446, 455.
Naugajosus, Leonardus V, 334.
Navajoso, Nicolaus V, 322.
* Nawakir IV, 255.
* Nawaß II, 473.
* Nazareth II, 37, 365; III (2), 230; VII, 275, 461.
* Neapolis, Versammlung der Prälaten und Barone des Königreichs Jerusalem daselbst II, 457; von den Türken eingenommen III (2). 294; von den Mogolen erobert VII, 411.
Neele, Johann, VI, 11.
Neemann, Stephan, Großsupan von Nissa IV, 64.
Neger im Heere Saladin's II, 175; IV, 417.
* Negroponte V, 198.
Nemitzen I, 106.
* Nephin VII, 655; von Kalavun erobert VII, 706.
— Herr von, I, 342.
* Nesibin II, 581; III (2), 216.
* Nessus V, 349.
Neuburg, Rob. v., IV, 455.
* Nevaz II, 632.
Nevelon, Bischof von Soissons, nimmt das Kreuz V, 113; geht als Gesandter nach Rom 181.
Nevers, Hervé von, VII, 433.
— Wilhelm von, II, 115; geht nach Asien 139; belagert Iconium 141; wird von den Turkopulen überfallen und gelangt hülflos nach Antiochien 142.
Nicäa I, 90; Lage 140; wird vom Kreuzheer umlagert 141; belagert 142, 147, 149; wird für den Kaiser Alexius durch Butumites eingenommen 150, 165; III (1), 165, 168; Herzogthum V, 359, 361, 390; VII, 440.
Nicephorus I, 10.
— Bryennius II, 349.
Nicetas, Choniates, Schilderung desselben von den durch die Franken in Constantinopel verübten Gräueln V, 311; Schicksale desselben 312; Flucht 314; dessen Beschreibung der von den Kreuzfahrern zerstörten Kunstwerke, Blg. 12; IV, 73.
Niclot, Herzog der Obotriten III (1), 259; beschießt Lübeck 260.
* Nicosia IV, 212; VI, 544.
Nigelli, Robert, IV, 455.
* Niklz IV, 91.
Nikolaus, Bischof von Myra, (Gebeine) II, 193.
— Bischof von Rhegium VI, 390.
— Bischof von Tusculum VI, 361.
— III., Papst VII, 657, 683.
— IV., schickt Schiffe und Geld nach dem heiligen Lande VII, 709; fordert vergebens zur Hülfe für das heilige Land auf 778; sendet Schiffe nach Cypern 779; stirbt 780.

Nikolaus, ein Knabe, führt eine Menge Knaben nach Italien VI, 78.
— Graf von Ungarn IV, 270.
— päpstl. Legat VII, 783.
— Patriarch von Alexandrien VI, 374.
— Patriarch von Jerusalem VII, 727; sendet Botschafter an den Papst 729; ermahnt zur tapfern Vertheidigung von Ptolemais 756; ertrinkt 763.
— von Laulain V, 218.
— von Mailly V, 137; VI, 11.
— von Ptolemais VII, 242.
— von Warangeville, der Heilige VII, 348.
* Nikomedien, Versammlung der Kreuzfahrer daselbst II, 125; V, 360, 361.
* Nikopolis, Emmaus I, 269.
Nikudar VII, 682.
Nikus, Zelt I, 195.
Nil, Steigen und Fallen desselben VI, 3; Lauf desselben 185.
Nilpferde VI, 190.
* Nissa I, 80, 84, 86; IV, 64.
* Nirandria II, 68.
* Noaillé II, 326.
* Nobe II, 615.
* Nordhausen VI, 888.
Nodschmeddin Mohammed Ebn Israil VII, 209.
* Noman II, 265.
* Nonancourt IV, 147, 148.
Normandie, Zustand derselben unter Robert II, 29.
Normannen, ziehen mit Begeisterung in den ersten Kreuzzug I, 66.
Norwegische Kreuzfahrer II, 218; erobern Compostella 219; helfen Sidon belagern 221.
* Norwich IV, 150.
* Nuara II, 687.
Nur II, 101.
Nureddin, Sohn Zenki's, erhält Haleb II, 730; nimmt Edessa ein 732; zerstört es 735; große Macht desselben III (1), 198, 245; bricht in das Fürstenthum Antiochien ein (2), 3; schließt einen Anstandfrieden mit den Christen III (2), 5; bemächtigt sich der Stadt Damascus, wohin er seinen Sitz verlegt; schließt Waffenstillstand mit Balduin III. 31, 41; beginnt aufs neue den Krieg 42; belagert Paneas 43; überfällt Balduin III. 44; hebt die Belagerung von Paneas auf 46; erkrankt 48; rüstet sich aufs neue 52; belagert Sueta und wird von Balduin geschlagen 53; schließt mit Manuel Waffenstillstand und giebt die gefangenen Christen frei 64; schickt Schirkuh nach Aegypten 83; geräth in Gefahr gefangen zu werden 90; belagert Herem 91; erstürmt es 92; rüstet ein Heer aus, das unter Schirkuh nach Aegypten geht 120; berennt Krak 151; stirbt 153.
Nureddin Ali, s. Malek al Mansur Nureddin Ali.
* Nürnberg, Hoftag daselbst III (1), 92; Fürstentag IV, 50.
Nuwian, Tschepeh VI, 383.

## O.

Oberkammerherr des Königreichs Jerusalem, Geschäfte desselben I, Blg. 32.
* Ochsenthal II, 687.
Octavian, Bischof von Ostia IV, 161.
Oderissus II, 310.
* Odiama VI, 172.
Odo, Abt von St. Denys VII, 16.
— Cardinal VII, 211.
— Herr von Gibelet VI, 535.
— Herzog von Aquitanien I, 23.
— Herzog von Burgund V, 128, 129.
— von Chamlite, s. Otto v. Chamlite.
— von Chateaurour, Bischof von Tusculum, predigt in Frankreich das Kreuz VII, 19.
— v. Deuil, Mönch III (1), 182.
— von Montbeliard, verwaltet das Königreich Jerusalem VII, 406.
— v. Ostia, päpstl. Legat, ermahnt

in Briefen die mogolischen Christen dem römischen Papste gehorsam zu seyn VII, 87; spricht den griechischen Erzbischof von Cypern vom Banne los 88; tauft einige Saracenen 89; weiht die Moschee in Damiette zu einem christlichen Tempel 112; bleibt in Damiette, während des Zugs nach Kahirah 126; beschließt, sein ganzes Geld zur Befestigung der Vorstadt von Ptolemais zu verwenden 344.
Odo von St. Amand, s. Otto von St. Amand.
Odoaker, Markgraf von Steyermark III (1), 82.
* Odolla II, 682.
Oefen zum Ausbrüten der Hühnereier VI, 190.
Oelberg vor Jerusalem I, 287.
Ogier, Abt von Lucedio V, 134, 161, 251.
Ogiers von St. Cheron V, 207, 212.
Ogulgaimisch VII, 308.
* Oiselair VII, 262.
Oktai Fareseddin VII, 229, 234, 236.
Olaf, des Sigrls von Wicke Sohn II, 216.
Olaf (Hulaku) VII, 404.
* Oliva VI, 175.
Oliverius, Scholasticus der Kirche zu Cöln, apostolischer Legat, predigt das Kreuz VI, 99; versucht den Sultan Kamel zur Annahme des christlichen Glaubens zu bewegen 358.
Olivier, Sohn des Königs von England VI, 209.
— von Jussy II, 11.
— v. Rochefort, nimmt das Kreuz V, 113.
— von Termes VII, 331; bleibt auf der Heimfahrt in Cypern zurück 347; unternimmt eine zweite Pilgerfahrt 472; kämpft bei Safed 535; kommt im Lager bei Tunis an 560, und wallfahrtet zum dritten Male nach dem heiligen Lande 612.
Omad, arabischer Schriftsteller und Waffengefährte Saladin's IV, 333, 445; entwirft die Urkunde des Friedens zwischen Saladin und Richard IV, 569; Bericht über die Schlacht bei Ptolemais, Blg. 86.
Omar, Befehlshaber von Ezaz II, Blg. 12.
— Prinz VII, 129.
— zweiter Chalife I, 21.
— Thakieddin IV, 261.
Ommajaden I, 22.
Opizio, griechischer Patriarch von Antiochien VII, 636.
* Oporto VI, 166.
Opus, Andronicus III (1), 120.
* Oraiba II, 467; III (2), 111.
Orel, s. Folker.
Oremigius, Graf, VI, 273.
* Orestias V, 350; s. Adrianopel.
Orestus I, 31.
Organa VI, 35.
* Orleans I, 31; VI, 49; VII, 293.
Orogo von Merlu IV, 32.
Orontes I, 172, 174, 178; II, 237, 666.
Orseoli II., Peter II, 191.
Orthok I, 44; wird von den Aegyptern aus Jerusalem vertrieben 273, 277.
Ortlieb, Bischof von Basel III (1), 254.
* Orvieto VII, 633.
Osman Alasis VI, 237.
* Oschmum VI, 327, 339; VII, 135.
* Oschmunein III (2), 105, 106; VII, 135.
Ospiard IV, 600.
* Ostia (Hostia Tiberina) IV, 160; VI, 177.
* Ostraven IV, 109.
* Ostuni VI, 505.
Otho de Fossa IV, 270.
Otto, Bischof v. Freysingen, nimmt das Kreuz III (1), 82; wird Heerführer eines Theils von Conrad's Heer und zieht nach Ephesus 158; sein Heer wird fast vernichtet 161.
— Bischof v. Regensburg I, 39.
— Markgraf von Brandenburg, nimmt das Kreuz V, 16; wird

von seinem Gelübde entbunden V, 16; wallfahrtet nach dem gelobten Lande 58.
Otto, Markgraf v. Brandenburg VII, 483.
— v. Chamlite, nimmt das Kreuz V, 133; stiftet Parteyung zu Zara 194; kämpft gegen die Griechen 207; nimmt Theil an der Belagerung von Constantinopel 212; unternimmt einen Streifzug nach Philea 269; stirbt 327.
— v. Chatillon VI, 264.
— v. Dampierre V, 194.
— v. Grandisson (Otes de Grauntson), wird vom König Eduard von England nach dem heiligen Lande gesandt VII, 727; entflieht aus Ptolemais 762.
— v. Meran VI, 131.
— v. Montfaucon II, 683.
— v. Pransinges IV, 437, 479.
— v. St. Amand, Großmeister der Templer III (2), 45, 152, 185; stirbt 193.
— v. Scheyer II, 118.
Ottobonus von Sanct Hadrian, Cardinal, geht als päpstlicher Legat nach England VII, 500; wird Papst 646.
Ottocar, König v. Böhmen VII, 634.
* Otranto VI, 426.
* Otrar (Faraba) in Turkesthan I, 275.
* Orefer IV, 604.

## P.

Pablanes III (1), 164.
Paganus, Kanzler II, 458, 500, 501.
— von Montdidier II, 546.
— von Sarudsch II, 298.
Pagratiden VII, Blg. 36.
Pakuran VII, Blg. 50.
Palear, Walther v., VI, 352.
* Palermo VII, 581.
* Palmer III (2), 241.
* Palmyra III (2), 168.
* Palus I, 105.
Pandulph, Bischof von Norwich VI, 315.
* Paneas (Dan, Banias, Belinas, Cäsarea Philippi, Balania Valenia, Valence) II, 525, 595; von Ismael erobert 613; von Christen und Damascenern belagert 687; wird den Christen übergeben 690; von Nureddin belagert III (2), 43; von Saladin erobert IV, 237; VI, 236; Kampf VII, 328.
Panhypersebastus II, 348.
Pankratius, ein Grieche, räth Balduin, an den Euphrat zu ziehen I, 165; erhält von demselben die Burg Ravendan, will ihn verrathen und wird aus dessen Gefolge verwiesen 166, 195; wird von Herzog Gottfried gezüchtigt 235, 299.
* Paurace II, 136.
Pantaleo, Vitalis VII, 380.
Pantaleon, griechischer Patriarch von Constantinopel VII, 636.
— Jakob, Patriarch von Jerusalem, s. Jakob Pantaleon.
* Paphos II, 151.
Panucomites, Nicetas II, 324.
Paramum III (1), 164.
* Paris, Kloster im Wasgau V, 309.
Parölen VII, 366.
* Parthenay III (1), 25.
Pascha von Riveri III (2), 260.
Paschalis II., Papst, fordert zum Kreuzzuge auf II, 115; hat Streit mit Heinrich V. 367.
Passagium I, 16; aestivale VII, 354; Augusti VII, 354; Martii I, 410; V, 162; VII, 354; Paschae V, 162; VII, 354, S. Joannis Baptistae I, 410; VII, 354; vernale I, 410; V, 162; VII, 354.
Passelar IV, 390.
* Passepoulain VII, 326.
Paul, römischer Graf VII, 317, 653.
Paul's Quelle I, 174.
Paulinus, genuesischer Consul VII, 715.
Paven, Mundschenk II, 616.
Pavens, Herr des Landes jenseit des Jordan III (1), 237.

* Peckenbach III (1), 78.
Pedro Fernandez, Don, Sohn des Königs Jakob von Arragonien VII, 535.
— König v. Arragonien VII, 684.
* Pegae IV, 105; V, 359.
Pelagius, Galvani, Bischof von Albano, Cardinallegat, kommt in das Lager bei Damiette VI, 209; will die oberste Leitung sich anmaßen 215; ordnet Fasten an 219, 221, 227; läßt Damiette stürmen 251, 253; hält die Muthlosen von der Rückkehr ab 267; nimmt Damiette ein 287; hält daselbst seinen Einzug 292; bemüht sich, die Kreuzfahrer zur Fortsetzung des Kriegs zu bewegen 305, 318; geht mit dem Heere nach Scharmesah 326; wird eingeschlossen 337; zieht sich unter großem Verluste zurück 343; schließt Frieden 347; geht nach Rom 366, thut den Grafen Boemund in den Bann 410; geht als päpstlicher Legat nach Constantinopel VII, 432.
* Pelagonia I, 125.
* Pelekanum I, 120, 147.
Pellez, Raimund I, 255, 263.
* Pelusium II, 409; Schlacht III (2), 83.
Penanpié, Walther, VI, 616.
* Pera I, 113; III (1), 127; V, 217, 238.
Perches, Graf v., II, 328.
Perigord, Herrmann von, VI, 644.
Perthen, Graf IV, 509.
Perseine, Abt von, V, 105, 107.
* Persien, Einbruch der Mogolen daselbst VII, 405.
* Pescara VI, 396.
Peter Bartholomäus, Geistlicher aus der Provence, erzählt von Erscheinungen des Apostels Andreas I, 213; veranlaßt die Auffindung der heiligen Lanze 215; stirbt 263.
— koptischer Bischof von Misr VII, 717.
— Bischof von Raab VI, 130.
— Bischof von Toul IV, 70.
Peter, Bischof von Tripolis VII, 317, 653, 707.
— Cardinalbischof von Ostia VII, 615.
— Cardinal, Presbyter der heiligen Cäcilia V, 68.
— der Ehrwürdige, Abt v. Clugny III (1), 59.
— der Einsiedler, aus Amiens, wallfahrtet nach Jerusalem I, 47; erhält vom Patriarchen Simeon Auftrag, Hülfe für Jerusalem zu erflehen, und geht nach Europa 48; reist durch Italien und Frankreich 49; wird Anführer eines Heeres 74; zieht mit demselben aus Lothringen aus 78; predigt zu Köln 79; geht durch Deutschland nach Ungarn 81; erobert Semlin 82; gelangt nach Nissa, unglücklicher Vorfall daselbst 84; geht nach Constantinopel 88; fährt nach Bithynien 89; kehrt nach Constantinopel zurück 90; vereinigt sich mit dem großen Kreuzheere 137; verläßt muthlos bei Antiochien das Heer, wird aber von Tankred zurückgebracht 184; unterhandelt mit Korboga 217; muntert das Volk zur Ausdauer bei der Belagerung von Jerusalem auf 287; wird sehr geehrt nach der Einnahme von Jerusalem, kehrt in seine Heimath zurück und stiftet ein Kloster zu Huy 298; in welchem er begraben wird 299; II, 7.
— Cantor V, 93, 94.
— Erzbischof von Bourges III (1), 34.
— Erzbischof v. Cäsarea VI, 536.
— Erzbischof v. Lyon II, 705.
— Graf von Alençon, Sohn Ludwig IX., VII, 344; nimmt das Kreuz 506; bewacht das Lager bei Carthago 569.
— Graf von Auxerre, wird vom Papst Honorius als Kaiser von Byzanz gekrönt VI, 129; VII, 433; stirbt 434.
— Graf von Bretagne, gelobt die Kreuzfahrt VII, 70; wird bei Mansurah verwundet 166; un-

terhandelt mit den Saracenen wegen Auslösung der gefangenen Barone VII, 218; stirbt 249.

Peter, Herzog v. Bretagne VI, 577, 582, 586.
— Patriarch v. Antiochien VI, 36.
— Patriarch von Jerusalem VII, 783; Anordnungen desselben wegen einer Kreuzfahrt 1316, Blg. 31.
— Rabbi III (1), Blg. 14.
— Ritter aus Gascogne IV, 500.
— Stiftsherr aus Lincoln III (1), 48.
— Templermeister VI, 169.
— v. Albenejo VI, 320.
— v. Alphia II, 341.
— v. Amiens, nimmt das Kreuz V, 114; stirbt 384.
— v. Avalon VI, 556; VII, 138.
— v. Blois IV, 9, 608.
— v. Bourbonne VII, 263.
— v. Braiecuel V, 174.
— v. Capua, Cardinal V, 67, 68, 71, 86; spricht über Philipp August den Bann aus 93, 159, 332, 333; bemüht sich vergebens die antiochischen Händel beizulegen VI, 18, 22, 26.
— v. Coudet VII, 552.
— v. Corbeil VI, 93.
— v. Courtenay III (2), 194; VII, 263.
— v. Dreux, Mauclerc, nimmt das Kreuz VI, 564.
— v. Evreux VII, 551.
— v. Froiville V, 383; VI, 12.
— v. Hezkam VII, 707.
— v. Montaigu, Großmeister der Templer VI, 256.
— v. Narbonne, Bischof von Apames I, 239.
— v. Noville VII, 166.
— v. Pisa III (1), 27.
— v. Pontmoulin VII, 277.
— v. Stadeneis I, 158.
— v. Tarantasia, Erzbischof v. Lyon VII, 645.
* Petra Deserti II, 616; III (1), 210.
* Petralla III (1), 43.
Petrarca VII, 785.
* Petrium V, 224, 229.
Petronille III (1), 36.
Petrus de Vinea, Kanzler des Kaisers Friedrich VI, 552; VII, 25, 392.
— Johannes, VII, 654.
— de Rusia V, 106.
Petschenegen II, 333.
Petzeas II, 275.
Pfeffer, vergifteter VII, 97.
Pfundlehen I, 335.
Phala I, 285.
* Pharamia III (2), 128.
* Phare VI, 166.
* Philadelphia IV, 105.
* Philea V, 269.
Philippa, Tochter des Grafen Heinrich von Champagne VI, 132.
Philipp, August, König v. Frankreich, kommt mit dem Könige Heinrich von England zusammen IV, 7, 8, 11; nimmt das Kreuz 12; verordnet die Erhebung des Saladinszehnten 20; nimmt des bedrängten Grafen Raimund gegen Richard von Poitou sich an 29; beschädigt die englischen Länder 30; wofür ihm der König von England Krieg ankündigt 31; kömmt bei Gisors mit Heinrich zusammen 33; seine Lehnmänner legen die Waffen nieder 35; kommt nochmals zu Bonmoulin mit Heinrich zusammen 38; dann bei la Ferte Bernard 41; beginnt den Krieg 42; nimmt Mans 43; zieht in Tours ein 44; schließt Frieden 45; beschwört den Kreuzzug 146; berathet sich mit Richard 147, 148; setzt die Bestimmungen über die Ordnung im Heere fest 152; geht nach Vezelay 154; nach Messina 155; Mißhelligkeiten mit König Richard 165; erläßt mit Richard Verordnungen zur Erhaltung guter Sitten 175; Neue Mißhelligkeiten mit Richard 182; schließt einen Vertrag mit ihm 193; verläßt Sicilien 194; kommt in dem Lager der Christen vor Ptolemais an 197, 323; nimmt Theil an der Belagerung 326; wird auf

Richard eifersüchtig IV, 334; stürmt die Stadt 337, 341; begünstigt den Markgrafen Conrad 345; macht Ansprüche auf Cypern 347; zieht in Ptolemais ein 366; schlichtet mit Richard den Streit zwischen Conrad, Markgrafen von Tyrus und Veit König von Jerusalem 372; verläßt Ptolemais 376; geht nach Rom und in sein Reich zurück 377; greift die Normandie an, als er hört, daß Richard gefangen ist 606; Brief desselben an den Herzog von Oestreich, Blg. 106; geräth in verdrießliche Händel mit dem Papst Innocenz III. V, 92; stiftet ein constantinopolitanisches Collegium 343; fordert die schwärmerischen Knaben auf, von dem Vorhaben eines Kreuzzugs abzulassen VI, 74; bestimmt den vierzigsten Theil aller Einkünfte seines Reichs von einem Jahre zur Unterstützung des heiligen Landes 102; stirbt 373; erläßt Verordnungen zu Gunsten der Kreuzfahrer Blg. 3.

Philipp, Bischof von Beauvais, nimmt das Kreuz IV, 12; Feldhauptmann eines zahlreichen Heers in der Normandie 31.

— Bruder Ludwig VII. III (2), 194.

— deutscher König V, 152, 154; 175.

— der Schöne, König von Frankreich VII, 783.

— du Plessiez VI, 19.

— der dritte Sohn des Fürsten Boemund von Antiochien, vermählt sich mit Isabelle, Tochter Leo I. von Armenien VI, 363; VII, Blg. 52.

— Erzbischof von Bourges, gelobt die Kreuzfahrt VII, 20.

— Graf von Flandern und Vermandois, trifft zu Ptolemais ein III (2), 172; seine heimlichen Pläne scheitern 174, 175; geht nach Flandern 183; nimmt das Kreuz IV, 12; geht nach Messina 188; kommt im Lager vor Ptolemais an 325; stirbt 335.

— Graf von Namur VII, 434.

— Graf von Segni VII, 393.

Philipp III., König von Frankreich, Sohn Ludwig IX., nimmt das Kreuz VII, 506; erkrankt 562; wird im Lager vor Tunis zum König ausgerufen 564; schlägt die Saracenen 570; unterhandelt mit dem König von Tunis 573; schließt mit ihm Friede 571; segelt nach Trapani 581; verschiebt die Kreuzfahrt 582; geht über Rom nach Frankreich 583; sendet Armbrustschützen nach Ptolemais 613; bewilligt dem Papst ein Darlehn zur Ausrüstung einer päpstlichen Miliz 626; erneuert sein Versprechen, die Kreuzfahrt zu vollziehen 644.

— IV., lehnt das Ansuchen des Papstes um Unterstützung des heiligen Landes ab VII, 712.

— Prior der Dominicaner VI, 572.

— von Eglis VII, 551.

— von Ibelin VI, 454; VII, 665.

— von Kaſran VI, 543.

— von Montfort VII, 199, 220; schließt ein Bündniß mit Sultan Bibars 488.

— von Mont d'Or II, 344.

— von Nanteuil VI, 593; VII, 78.

— von Neapel III (2), 144.

— von Neapolis II, 724.

— von Touci VII, 301.

— von Troie VI, 549.

* Philippopolis III (1), 113, 115; IV, 74; zerstört 94; V, 352, 361.

Philokalius V, 274.

* Philomelium I, 211; II, 141, 146; IV, 116, 117.

* Philopation, wird von den Deutschen verwüstet III (1), 130; V, 232.

* Phiniminum II, 141.

* Phinopol I, 111.

* Phison (Araxes) VII, 405.

* Phönicien, von Erdbeben erschüttert III (2), 134.

Phronesium II, 334.

* Phrygien I, 157.

* Piacenza, Kirchenversammlung daselbst I, 50.

* Picquigny II, 420.

* Piga VII, 437.

* Pitridium (Pera) III (1), 127.

Pilet, Raimund I, 232, 284.
Pilger, durch Gesetze begünstigt I, 9.
* Pilgerberg II, 199, 202; VII, 706.
Pincenarii I, 83.
Pincennaten I, 131.
Pinkenni, Vicedom von IV, 543.
* Piombino VI, 175.
Piractus von Tell-Aminiah II, 299.
* Pirano V, 166.
* Pisa II, 191, 193; Kirchenversammlung III (1), 26.
Pisaner, beunruhigen die afrikanische Küste I, 28; handeln mit dem Morgenlande 191; kämpfen mit den Genuesern IV, 473; nehmen Theil an dem Kriege der Venetianer und Genueser im gelobten Lande VII, 396.
Pistophorus II, 398.
Pizita, Graf von, VI, 351.
Placentia, Königin von Cypern VII, 398.
* Plains, des, (de Planis) IV. 427, 436, 459.
Plazarius VII, 365.
* Poemaninon V, 360; Schlacht VII, 435.
* Poitou, Kirchenversammlung III, 328.
Poix, Graf von, I, 61.
* Pola V, 144.
Polo, Marco, Erzählung von den Assassinen II, 249.
Polycarpus, Meister der Templer VII, 744, 761.
Ponce von Grancey VI, 209.
* Pontigny VII, 58.
Pontius, Abt von Clugny II, 491.
— Abt von Vezelay III (1), 53.
Pontius, Graf von Tripolis, wird mit Cäcilia, Tochter des Königs Philipp, Wittwe Tankred's, verlobt II, 302; nimmt Rafania ein 527; wird bei Rugia von Fulco geschlagen 604; von Zenki in Barin belagert 605; getödtet 613.
— von Baladun I, 215.
* Pontoise VII, 21.
Porcus, Wilhelm VI, 81.
Poppo, Graf von Henneberg IV, 69.
* Porphyria II, 697.
* Porto fino, (Portus Delphini) IV, 160.
* Porsey IV, 31.
* Port de Seique V, 217.
Posturium VI, 135.
Pratellis, de, IV, 543.
Preuhomme IV, 529.
Pribizlav, Obotritenfürst IV, 4.
* Privas III (1), 87.
* Probaton IV, 91.
Probus, Abt I, 10.
* Propontis I, 112; V, 200.
Prosuch, Feldheer III (1), 118.
Protosebastus II, 187.
Protospatarius II, 187.
* Prusenum IV, 76.
* Ptolemais (Akka), von Balduin belagert II, 194; an Balduin übergeben 196; Berathung der Könige und Barone daselbst III (1), 236; von Saladin eingenommen III (2), 292; von Veit, König von Jerusalem, belagert IV, 253; Lage 256; wird an die Christen übergeben 360, 366; blutige Gefechte daselbst zwischen den Pisanern und Genuesern 473; wird vom Markgrafen Conrad belagert 473; von einem Erdbeben heimgesucht VI, 6; Seuche 8; mit dem Interdicte belegt 508, 552; eigentlicher Sitz des Königreichs Jerusalem 515; Schauplatz erbitterter Parteien VII, 37; Ludwig IX. läßt die Mauern ausbessern 285; Sitz des hohen Gerichtshofs 357; Besitzungen der Venetianer daselbst 383; blutige Kämpfe der Venetianer und Genueser 396; Kämpfe der Ritterorden des Tempels und Hospitals 400; von Bibars belagert 462; kommt unter sicilische Botmäßigkeit 661; wird von Heinrich, König von Cypern, eingenommen 665; von Malek al Aschraf belagert 736; Reichthum und Pracht daselbst 737; Lage 740; bestürmt 751, 759; einge-

nommen VII, 761; angezündet und zerstört 770.
Pullanen III (1), 205.
* Pulveral II, 136.
* Pumenienor V, 360.
* Purgasi (Burgas, Arkadiopolis) IV, 92.
Pusata, Eberhard von, I, 209.
Putze Alemanne III (1), 175.
* Puy I, 51.
— Erzbischof von, verordnet ein dreitägiges Fasten I, 185.
* Puzzuoli VI, 476.
* Pydna V, 354.
* Pyrgos IV, 135.
Pyrrhus (Firus), Renegat, knüpft mit Boemund ein heimliches Einverständniß an I, 183, 198; II, Blg. 37; übergiebt demselben Antiochien I, 200, 201; II, Blg. 38.

Q

* Qasel VII, 198.
* Quartapiert II, 483.
* Querci IV, 39.
Quiothay VII, 83.
Quirini, Marcus VII, 541.
— Otto V, 322.
Quirino, Nikolaus VII, 472.
Quoise VII, 170.

R

* Raab (Györ) IV, 88.
* Raba II, 616.
Rabennester, Berge mit 2 Gipfeln II, 716.
Rabia II, 417.
* Rabua III (1), 244.
Rabuinus III (2), 225.
* Radicofani VI, 404.
Radulph, Bischof von Bethlehem III (2), 107.
— Bischof von Chester II, Blg. 47.
— de Roverei IV, 171.
— Mönch, Judenverfolger III (1), 60, 64.
— normännischer Graf I, 36.
— Patriarch von Antiochien II, 636; hierarchische Pläne desselben 692; Charakter 693; Unregelmäßigkeit seiner Wahl 694; geräth in Streit mit dem Papst und dem Patriarchen von Jerusalem II, 697; mit den Stiftsherrn seiner Kirche 699; muß nach Rom reisen 700; wird vom Herzog Roger von Apulien gefangen 701; empfängt vom Papste das Pallium 701; kommt nach Syrien zurück 703; geht nach Antiochien 704; wird auf einer Synode zu Antiochien seiner Würde entsetzt, entweicht nach Rom und kommt durch Gift um 709.
Radulph von Akon II, 384.
— von Clermont IV, 335.
— von Coucy, tritt die Pilgerfahrt an VI, 578; fällt im Kampfe VII, 157.
— von Craon, Meister der Templer II, 682.
— von Cuscy IV, 543.
— von Fontenellis II, 501.
— von Hauterive IV, 282.
— von St. Marien IV, 455.
— von Mauleon IV, 552.
— von Soissons VI, 606, 624.
— von Vernon VII, 160, 206.
* Rafaniah II, 385; vom Grafen Pontius von Tripolis belagert und eingenommen 527.
Rafebiten VII, 406.
* Rahaba II, 521, 571.
* Rai II, 621; Blg. 27.
* Raja I, Blg. 7.
Rajis I, 313.
Raimund aus Flandern II, 145.
— Berengar, Graf von Barcelona und Provence wird Templer II, 562.
— Capellan I, 215, 216.
— von Toulouse oder St. Gilles nimmt das Kreuz I, 55, 73; geht durch Italien, Istrien, Dalmatien 129; leistet Alexius den Lehnseid nicht 133; wird aber von demselben gewonnen 136; kommt vor Nicäa an 142; sprengt einen Thurm 146; siegt bei Dorylaum 156; erkrankt 158; nimmt Theil an der Belagerung von Antiochien 176; überfällt türkische Reiter 186; besetzt das neuerbaute Kastell bei Antiochien 193; baut

noch ein Kastell I, 194; erhält die heilige Lanze 216; zieht gegen Marra 242; ladet zu Berathschlagungen wegen des Zugs nach Jerusalem ein 246; zündet Marra an 248, und zieht nach Kafartab 249; entgeht mit Mühe einer Gefahr 252; belagert Arka 253; geräth in Zwietracht mit den andern Fürsten 256; zeigt sich freigebig 259; nimmt Theil an der Belagerung von Jerusalem und lagert sich auf dem Berge Zion 280; dringt in Jerusalem ein 294; schlägt die Annahme der Königswürde aus 302; ist unzufrieden mit der Wahl des neuen Königs von Jerusalem 305; tritt die Pilgerfahrt an den Jordan an 306; wird nur mit Mühe bewogen die Sache des heiligen Landes nicht zu verlassen II, 6; zieht gegen Askalon 7; ermuntert, aus Erbitterung gegen Gottfried, die Muselmänner zum Widerstande 17; versöhnt sich mit Gottfried 18; will die Rückkehr in die Heimath antreten 19; beschließt in Syrien zu bleiben 23; schlägt zum zweiten Male die Krone von Jerusalem aus und geht nach Constantinopel 70; zieht mit einem neuen Kreuzheere 125; erregt den Argwohn der neuen Wallbrüder 127; kämpft tapfer gegen die Türken 128; wird Anführer der Turkopulen und Provenzalen 133; wird in der Schlacht von den Türken umringt und von Stephan von Blois befreit 135; verläßt heimlich das Heer 136; geht nach Constantinopel 138; kommt nach Syrien, erobert Tortosa und macht sich zum Herrn derselben 150; belagert Tripolis 198, 258; stirbt auf dem Pilgerberge 199; über die Verwandtschaft der Grafen von St. Gilles Blg. 12.

Raimund, Graf v. St. Gilles, geräth in Fehde mit dem Grafen Richard von Poitou IV, 25; beraubt Kaufleute aus Poitou 26; als Richard sein Land verheert, ruft er den König von Frankreich zu Hülfe 28.

Raimund, Graf von Toulouse VI, 567.

— Graf von Tripolis, rächt den Tod seines Vaters Pontius II, 614; kämpft gegen Zenki 634; wird gefangen 646; wieder frei 651; von Assassinen ermordet III (2), 17.

— Graf von Tripolis, des Vorigen Sohn, erhält die Huldigung der Barone III (2), 17; zieht gegen Nuredin 91; wird gefangen 92; nach achtjähriger Gefangenschaft durch Lösegeld frei 94; 155; wird Reichsverweser von Jerusalem nach Amalrich's Tode 157; schlägt den Schamseddaulah 169; kümmert sich wenig um das Reich 170; faßt gegen Balduin IV. heftigen Groll 201; wird von Balduin IV. zum Reichsverweser ernannt 241, 243; nimmt sich des Reichs mit Eifer an 246; begleitet den Leichnam des jungen Königs Balduin nicht nach Jerusalem 250; wird vom Seneschall Joscelin hintergangen 251; ruft Saladin zu Hülfe, als der König Veit ihn bedroht 257, 283; versöhnt sich mit Veit 272; räth vom Kampfe mit Saladin ab 277; flieht in der Schlacht bei Hittin 286; stirbt 294.

— Pellez (Piletus) I, 255, 285.

— Prinz von Antiochien nimmt Theil an der Belagerung von Darum IV, 498, 500.

— von Agiles, Kanonicus von Puy I, 131, 257.

— von Antiochien, der zweite Sohn des Grafen Wilhelm von Poitou, wird zum Fürsten von Antiochien gewählt II, 607; kommt nach Antiochien und übernimmt das Fürstenthum 635; vermählt sich mit Constantia 637; sein Charakter 639; zieht dem König Fulco nach Monsferrandus zu Hülfe 648; kämpft gegen die Griechen 655; leistet dem Kaiser Johannes den Lehnseid 656; be-

ginnt die Feindseligkeiten wider die Muselmänner II, 658; flieht 667; entfernt durch List den Kaiser Johannes aus Antiochien 679; verfolgt den Patriarchen Radulph 703 ff. zeigt sich aus Eigennutz gegen den König Ludwig VII. gefällig III (1), 225; rächt sich boshaft, da ihm sein Plan nicht gelingt 227; überfällt Nuredin's Heer bei Apamea und stirbt den Märtyrertod (2), 3.
Raimund von Provence nimmt Albara ein I, 239.
Rainald, Bischof von Ostia VII, 393.
— Bischof von Chartres nimmt das Kreuz IV, 12.
— Fürst von Sidon II, 613; III (2), 193, 265; flieht in der Schlacht bei Hittin 286, 295; will Tyrus übergeben IV, 224; flieht heimlich 225; übergiebt Belfort 247; geht als Abgeordneter des Markgrafen Conrad ins türk. Land 446.
— Herzog von Spoleto VI, 427; wird Reichsverweser 452.
— von Argenton VI, 560.
— von Chaifa, Stadthauptmann von Jerusalem VI, 521, 536.
— von Chatillon I, 323; III (2), 19; vermählt sich mit Constantia, der Wittwe Raimund's von Antiochien 32; wird Fürst von Antiochien und übt empörende Grausamkeit gegen den Patriarchen v. Antiochien 33; greift die Insel Cypern an und verwüstet sie 55, 58; demüthigt sich vor dem Kaiser Manuel 60; unternimmt einen Zug in die ehemalige Grafschaft Joscelin's 66; wird gefangen 67; wird frei 176, 185; wird zum Führer des Heeres und Reichsverweser ernannt 176; siegt bei Ramla über Saladin 186; bricht in Arabien ein 205; unternimmt einen kühnen Zug nach Ailah 222; wird von Saladin in Krak belagert 235; bricht den Waffenstillstand 264; wird bei Hittin gefangen 287; von Saladin getödtet 289.
Rainald von Dampierre, nimmt das Kreuz V, 113; wird gefangen VI, 44.
— von Maresch III (2), 3.
— von Menoncourt VII, 161.
— (Reinhard) von Montmirail, nimmt das Kreuz V, 112; geht nach Syrien 179, 191; VI, 12; nach Constantinopel 382.
— von Toul I, 158, 177; II, 11.
— von Vichiers VII, 132, 251, 264.
Rainer der Braune II, 344.
— von Brus, verliert Paneas II, 613; erhält es wieder 690.
— von Marum IV, 435.
Rainold, Anführer der Deutschen und Italiener I, 89; Verräther 91.
Rainulf, Graf von Chester VI, 209.
Rais I, 313.
* Rakkah, Schlacht II, 261, 528.
* Rama II, 41; Schlacht 155.
Rambald, Graf von Auracy I, 129.
* Rame VII, 608.
* Ramla I, 40, 268; wird an die Christen übergeben II, 8, 10; von den Heiden verbrannt III (2), 185; Schlacht 186, 188; v. Bibars erobert VII, 493.
Rangardis II; Blg. 12.
Ranulf von Glanville IV, 30; 162, 283.
Raoul v. Coucy, gelobt die Kreuzfahrt VII, 20.
* Rapallo IV, 160.
Rapoto von Stain V, 55.
* Ras alma VI, 147.
Ras al-ain, Brunnen (Recordana) II, 504; IV, 298; VI, 144, 468.
* Rasaline II, 687.
Ras el ain (Raseline) Gränzort III (2), 209.
Rasched II, 623, 624.
* Raschid VI, 186.
— Eunuch VII, 199.
Raschideddin VII, 412.
* Raselrasit III (2), 207.
Raspo, Heinrich VII, 80.

Raub, Strafe desselben im heiligen Lande II, 461.
* Raudah VI, 604.
* Ravendan (Ravendel) I, 166, 235.
* Ravenna II, 187.
* Ravenelle IV, 64.
* Rari VII, 134.
Rayner IV, 218.
* Reri VII, 135, 138.
* Reclei II, 141, 146.
* Recordana s. Ras al ain.
* Regensburg, Versammlung der bairischen Landherrn III (1), 81; Versammlung der deutschen Kreuzfahrer 92; Reichstag IV, 54, 55.
Reginald von Muschet IV, 164.
— von Precigny VII, 551.
Riginbert, Bischof von Passau III (1), 82.
Reich[illegible]amte des Königreichs Jerusalems I, Blg. 24.
Reinbold von Oringis I, 280.
Reinald, Graf von Monçon III (1), 96.
Reiner von Burg II, 501.
Reinfried, Ritter II, 227.
Reinhard, Bischof von Tarent II, 352.
— von Brus, fällt im Kampfe II, 375.
— von Dampierre VI, 12.
— von Montmirail s. Rainald von Montmirail.
— von Trit V, 356; erhält Philippopolis zu Lehn 361, 396.
Reinhold, Graf von Tonnerre, nimmt Theil am Kreuzzuge III (1), 95; stirbt 183.
— Hauptmann der Miliz des heiligen Georg von Lidda II, 653.
— Herzog von Burgund II, 150.
— Ritter II, 194; getödtet 195.
— von Soissons II, 117.
Reliquien I, 11; II, 23; Nachrichten darüber V, 307 ff.
* Remagen III (1), 78.
* Remy IV, 7.
Ribole, Hugo IV, 435.
Richard, Abt von Fleury I, 13.
— Burghauptmann von Marasch II, 298.
Richard, Graf von Apulien IV, 270.
— Graf von Cornwallis, nimmt das Kreuz VI, 587; tritt die Reise an 609; geht durch Frankreich 610; kommt nach Ptolemais 612; baut ein Schloß bei Askalon 614; geht zurück 617; wallfahrtet nach Pontigny VII, 58.
— (Löwenherz) Gr. v. Poitou, nimmt das Kreuz IV, 10, 12; wird in eine Fehde mit seinen Baronen verwickelt 25; zieht gegen Raimund, Graf v. St. Gilles 26, 28; verwüstet Vendome 31; unterhandelt mit Philipp August 36; hat Streit mit seinem Vater 37; wird in den Bann gethan 40; bereut seine Vergehen wider seinen Vater 48; wird Herzog der Normandie 49; König v. England 145; beschließt den Kreuzzug 146; bespricht sich mit Philipp August 147, 148; macht Anordnungen für das Kreuzheer 151; geht nach Vezelay 153; nach Messina 164; geräth in Mißhelligkeiten mit dem Könige Philipp August und Tankred, König v. Sicilien 165; kämpft und stürmt Messina 172; erläßt gemeinschaftlich mit Philipp August Verordnungen zur Erhaltung der guten Sitten 175; schließt Frieden mit Tankred 177; bereut seine Sünden 180; geräth in neue Mißhelligkeiten mit Philipp August 182; kämpft mit Wilhelm von Bar 186; schließt einen Vertrag mit Philipp August 193; schifft sich mit seiner Braut Berengaria ein 195; seine Flotte wird von einem Sturme zerstreut 197; steuert nach Cypern 198; verlangt vom Kaiser Isaac Zurückerstattung des Geraubten 203; erobert den Hafen von Limasol 204; kämpft 206; empfängt den König von Jerusalem und feiert sein Beilager mit Berengaria 208; schließt mit Isaac Friede 210; da dieser aber nach-

her entweicht, so verfolgt er ihn IV, 212; nimmt die Städte und Burgen der Insel ein 213; läßt den sich überliefernden Isaac in silberne Fesseln legen 214; ordnet die Angelegenheiten der Insel 215; schifft sich in Famagusta ein 216; kommt an die syrische Küste 327; vernichtet ein großes saracenisches Schiff 330; hält seinen Einzug in das Lager vor Ptolemais 331; Urtheil Bohaeddin's über Richard 333; Spannung mit Philipp August 334, 339; erkrankt 335; nimmt thätigen Antheil an der Belagerung 341; nimmt die Partei des Königs Veit 345; sucht die Freundschaft Saladin's 348; zieht in Ptolemais ein 366; schlichtet den Streit zwischen dem Markgrafen Conrad u. König Veit 372; Charakter desselben 380; sein Beiname Löwenherz 382; geräth in Streit mit dem Markgrafen Conrad wegen der türkischen Gefangenen 383; läßt grausam die gefangenen Muselmänner ermorden 390; beschließt die Belagerung von Askalon 395; marschirt über den Fluß Belus 398; dann unter beständigen Kämpfen nach Cäsarea 408; unterredet sich mit Malek al Adel 413, 447; siegt bei Arsuf 415; geht nach Joppe 425; knüpft Friedensunterhandlungen an 439; Unbeständigkeit 453; marschirt nach Baitnubah 460; giebt den Plan, Jerusalem zu belagern, auf 461; zieht sich nach Ramlah zurück 463; führt die Pilger in die zerstörte Stadt Askalon 464; befreit 1200 gefangene Franzosen 467; baut Askalon wieder auf 468; beleidigt den Herzog Leopold von Oestreich 470; geht nach Ptolemais 474; entschließt sich auf Nachrichten aus England heimzukehren 478; läßt dem Markgrafen Conrad den Befehl über die zurückbleibende Macht anbieten 479; giebt seine Einwilligung zur Ernennung des Grafen Heinrich v. Champagne zum König von Jerusalem IV, 493; belagert Darum 497; erobert es 500; beschließt, noch im gelobten Lande zu bleiben 505; verläßt Askalon, um nach Jerusalem zu ziehen 507; kommt nach Baitnubah 508; überfällt eine ägyptische Caravane 515; erklärt seine Unlust, eine Belagerung Jerusalems zu beginnen 526; geräth in Zwist mit dem Herzoge von Burgund 530; führt das Heer nach Joppe 533; unterhandelt mit Saladin 534; geht nach Ptolemais 537; eilt Joppe zu entsetzen 544; unterhandelt wieder mit Saladin 548; ist in Gefahr gefangen zu werden 551; seine Besonnenheit und bewunderungswürdige Tapferkeit 556 verhilft ihm zu einem glänzenden Siege 559; erkrankt 562; schließt Waffenstillstand mit Saladin 569; geht nach Chaifa 574; schifft sich zu Ptolemais ein 581; kommt nach Corfu 598; nach Kärnthen 599; nach Wien 600; wird vom Herzog Leopold gefangen 601; wird nach Tierenstein gebracht 602; dem Kaiser Heinrich VI. übergeben 603; nimmt von ihm seine Krone zu Lehn 609; vertheidigt sich gegen die Anklagen und wird gegen Lösegeld nach langer Haft frei 614; kommt nach England 615; geht nach der Normandie 616; stirbt 619.

Richard II., Herzog I, 36.

— Marschall VI, 449; wird zum Reichsstatthalter von Jerusalem ernannt 524; belagert Berytus 530; geräth in Händel mit den syrischen Baronen 531; hebt die Belagerung von Berytus auf 539; überfällt die Cyprier bei Casal Imbert und siegt 540; geht nach Cypern 543; wird geschlagen 544; flieht nach Klein-Armenien 545; geht nach Tyrus 546; segelt von Tyrus ab 623; wird von Balian von Ibelin gefangen 625.

Richard, Vetter Boemund's, wird gefangen II, 65.
— von Chamvil IV, 151, 158; 216.
— von Chaumont, nimmt das Kreuz VI, 565.
— von Dampierre, nimmt das Kreuz V, 133.
— von Principaute I, 158.
— von Salerno I, 163.
— von St. Angelo, Cardinal VII, 501.
Richan, Wilhelm I, 283.
Richenza, Gemahlin des Kaisers Lothar III (1), 19.
Richeza, Schwester des heil. Anselm von Canterbury II, 683.
* Rieti VI, 391.
* Rima, Fluß IV, 103.
* Risil VII, 135.
Ritter, grüner, IV, 226, 235.
Ritterorden, deutscher, Stiftung desselben IV, 316, 318; des heil. Lazarus von Jerusalem VII, 394; geistliche, Entstehung II, 538; weite Verbreitung derselben IV, 2; Sittenlosigkeit VI, 574; im heiligen Lande, nach Saladin's Tode V, 4; Streitigkeit derselben VII, 400.
Rizardo de Brundusio VII, 666.
Roard, Burghauptmann von Jerusalem II, 714.
Robert, Bischof, erster lateinischer im gelobten Lande I, 269.
— Bischof von Beauvais VII, 73.
— Connetable Boemund's I, 190.
— der Normann, ersteigt nebst Fulcher von Chartres zuerst die Mauer von Antiochien I, 200; vertheidigt das Schloß am Brückenthor bei Antiochien gegen Korboga 209.
— der Rothe von Pont d'Ecrepin II, 328.
— Erzbischof von Nazareth III (1), 219.
— Graf von Artois, Bruder des Königs Ludwig IX. gelobt die Kreuzfahrt VII, 20; geht zuerst über den Canal von Aschmum 154; wird erschlagen 157.
— Graf von Artois, Sohn Ludwig IX. nimmt Theil an der zweiten Kreuzfahrt seines Vaters VII, 542; kämpft bei Tunis 568.
Robert, Graf von Clermont VII, 685.
— Graf von Dreux IV, 418.
— Graf von Flandern, zieht in den ersten Kreuzzug I, 71; landet bei Dyrrachium 128; leistet Alexius den Vasalleneid 129; zieht von Antiochien gegen Gibel 254; nach Ramla 268; geht in sein Land zurück II, 23; streitet wider den deutschen König Heinrich IV. 24; stirbt 25.
— Graf von Nassau IV, 54.
— Graf von Perche, nimmt das Kreuz III (1), 95.
— Herzog von der Normandie, Nachfolger des Grafen Richard II. von der Normandie, Pilgerfahrt I, 37.
— Herzog von der Normandie, Sohn des Eroberers Wilhelm, nimmt an dem ersten Kreuzzuge Theil I, 71; kommt nach Constantinopel 144; nach Nicäa 145; greift die steinerne Brücke über den Ifrin an 171; zieht mit Raimund nach Kafartab 249; nimmt Theil an der Belagerung von Jerusalem 280; zieht, nachdem er am heiligen Grabe gebetet, gegen Askalon II, 7; vermählt sich auf der Heimfahrt in Apulien mit Sibylla, Tochter des Grafen von Conversana 26; rüstet sich gegen seinen Bruder Heinrich, vergleicht sich aber 27; Charakter 28; geräth in seines Bruders Gefangenschaft und stirbt 29.
— der vierte lateinische Kaiser von Constantinopel, behauptet sich nur mit Mühe auf dem Throne VI, 389; verliert die Schlacht bei Poemaninum VII, 435; stirbt 436.
— Patriarch von Jerusalem begiebt sich nach Joppe VI, 632; flieht nach Ptolemais 645; wird von den ägyptischen Emiren gemißhandelt VII, 243.
— (englischer Ritter) IV, 27.
— (normännischer Ritter) I, 182.

Robert von Altbrück, geht nach Antiochien II, 298; kämpft bei Atsareb 428.
— von Arsa I, 158, 163.
— von Beaumont VI, 307.
— von Boue V, 168, 169; 182.
— von Brügge IV, 509.
— von Corchon V, 107.
— von Courtenay VI, 120.
— von Craon, der dritte Sohn Rainald II. von Craon, Meister der Templer II, 666, 683.
— von Cresecques VII, 535.
— von Curzon, päpstlicher Legat VI, 92; predigt das Kreuz 94; streitet wider die Albigenser 96.
— von Fulcoy II, 394.
— von Joinville V, 124.
— von Margath V, 76.
— von Mauvoisin V, 191.
— von Meule II, 328.
— von Montfort II, 328.
— von Mortain II, 86.
— von Neuburg IV, 456.
— von Paris, Baron aus Francien I, 134.
— — Cardinal Legat II, 162.
— von Sableul IV, 174.
— von Ronçoy V, 361.
— von Sablol IV, 151.
— von Sambluz IV, 158.
— von St. Alban, Tempelherr, wird Muselmann III (2), 262.
— von St. Laudum II, 436.
— von Sidon II, 299.
— von Surdevelle II, 394.
— von Turneham (Tornehain) IV, 195; 212, 215.
— von Twinge VI, 611.
— von Ver VII, 147, 157.
* Roha (Edessa) II; Blg. 28.
* Roche le Gluy VII, 61, 65.
* Roche de Marseille VII, 65.
* Roches VII, 62.
* Rochetaille IV, 411.
Röcke, schwarze, Auszeichnung der Hospitaliter VII, 400.
Rodbert von Meulent II, 84.
* Rodestol I, 131; V, 362.
Rodvan von Haleb I, 224, 276; wird bei Kellah geschlagen II, 63; zieht Tripolis zu Hülfe 199; erhält wegen seines Geizes den Beinamen Pfennigmann II, 239; erobert viele Festen und Burgen im Gebiete von Haleb und Emessa 265; wird bei Artasia von Tankred geschlagen 270; wird Herr von Apamea 273; verletzt das Bündniß mit Tankred 287; wird zu einem nachtheiligen Frieden mit Tankred gezwungen 292; vereitelt die Unternehmungen eines muselmännischen Heers 294; schließt sich wieder den Muselmännern an 301; stirbt 377; Blg. 27.
Roffrid von Benevent VI, 442.
Roger Borsat, s. Borsat.
— de Sacy IV, 553.
— de Satheve IV, 543.
— du Moulin, Großmeister des Hospitals III (2), 251, 253, 267; stirbt 269.
— Fürst, wird Verweser des Fürstenthums Antiochien II, 302; vereinigt sich mit Togthekin, um gegen den Emir Afsonkor zu streiten 385; versammelt zu Rubea seine Dienstmänner 390; zieht nach Hab 391; schlägt die Türken bei Danit 392; hält Haleb in Abhängigkeit 424; rüstet sich zum Kampfe gegen Ilgazi 426, und fällt in der Schlacht auf dem Blutacker bei Belath 437.
— Fürst von Apulien II, Blg. 16.
— Herzog von Sicilien I, 122; III (1), 106.
— Ritter aus Frankreich II, 341.
— von Barneville I, 206.
— von Clanvil IV, 492.
— von Hartcourt IV, 202.
— von Mulbrai III (2), 288.
— von San Severino VII, 661.
— von Trony IV, 516.
Rogier, Herr von Rosoi in Tieraisse VII, 158.
* Rohrfluß IV, 411; VI, 470.
Roknebdin Bibars VII, 160. s. Bibars.
— letzter Scheich der persischen Assassinen VII, 406.
* Rom, allgemeine Kirchenversammlung 1215; VI, 105.

Romanus Diogenes, Kaiser I, 138; Blg. 10.
— Lekapenus, Kaiser I, 14.
— von Puy II, 501, 608.
* Roob, Höhle II, 525; 682—84; III (1), 212; (2), 51.
* Roque VI. 611.
Rorall, Rossal II, 546.
Rorgius von Arsuf II, 157.
* Rossa IV, 103.
Rossi, Nikolaus V, 208.
* Rota VI, 172.
Rotger, Fürst v. Antiochien I, 322.
— französischer Ritter I, 112.
— von Montmarin II, 298.
— von Rosset, Burghauptmann von Joppe II, 214.
Rothardt, Erzbischof I, 97.
Rother, König, ein Gedicht II, Blg. 17.
Rotrou von Montfort V, 162.
Rotrud, Graf v. Perches, nimmt das Kreuz IV, 12; stirbt 335.
* Rouen IV, 49.
Roussillon, Gerhard von, I, 129; Wilhelm von, VII, 642.
* Ru VII, 164.
* Rubea II, 390.
Ruben, s. Rupinus.
Rubeus de Sully VII, 709, 711.
— Jakobus VII, 666.
* Rudah VII, 128.
* Rudbar II, 243.
Rudolph, Bischof von Albano VII, 539, 562.
— Bruder des Hugo von Tiberias, wird zum Könige von Jerusalem empfohlen V, 28.
— Judenverfolger III (1), Blg. 8.
— von Habsburg zum römischen König erwählt VII, 635; nimmt das Kreuz 643.
— von Malcine III (2), 229.
— von Mozon II, 75.
— von Vermandois III (1), 36.
* Rugia, (Rujah) Berathschlagungen der Fürsten daselbst I, 246; II, 300; Schlacht 604; von den Christen belagert III (2), 47.
* Ruissel VII, 164.
* Rum I, Blg. 6.
Rupinus (Ruben, Rufinus), Bruder des Fürsten Leo von Cilicien III (1), 227; V, 6; VII, Blg. 38, 50.
Rupinus (Rufinus), Sohn Raimund's von Antiochien V, 76; VI, 17; nimmt Besitz von Antiochien 35; wird vertrieben 41; VII, Blg. 52.
Rupprecht, Graf v. Nassau IV, 83, 98.
Ruysbroek oder Rubruquis VII, 310.
Russutana, Königin von Georgien VI, 382.
* Russa I, 131.
Ruselius I, Blg. 11.
Ruselius, s. Urselius.
* Rusium, Gefecht V, 394.

S

Saadeddin VII, 196.
* Sabechah Bardwil II, 411.
Sabekeddin Soliman IV, 443.
* Sabibah VII, 328.
Sabih VII, 211.
Sachra VI, 478.
* Säckingen III (1), 66, 70.
Sadi, Dichter aus Schiras VI, 10.
* Safah, Schloß von, (Burg der Kurden, Crac) IV, 234; VII, 589.
* Safat I, 14.
* Safed, IV, 244; von Saladin erobert 245; Blg. 83; Moadhem läßt die Mauern niederwerfen VI, 303; von den Christen befestigt 629; von Bibars belagert VII, 486; eingenommen 490; befestigt 493, 515.
Safieddin, Ebn Schaker, Fürst von Amida VI, 231.
* Saffin VI, 639.
* Safith III (2), 111.
* Safitha VII, 620.
Sagittarii IV, 414.
* Sagres VI, 171.
Saifeddin, Nuredin's Bruder, erhält Mosul III (1), 200.
— Nuredin's Neffe, Zenki's Bruder, bemächtigt sich Mesopotamiens III (2), 160; wird von Saladin geschlagen 166.
— Jaskadsch, Emir IV, 437.
— Jussuf, Emir VII, 217.
— Kotuz, Sultan VII, 390.

Sakavu, Dschavali II, 276, 578.
Saladin, (Salaheddin) II, 620; III (1), 245; Geschlecht u. Abstammung III (2), 85; seine Jugend 88; seine Milde 89; kämpft in der Schlacht bei Babein 106; vertheidigt Alexandria 110; begleitet Schirkuh auf einem neuen Zuge nach Aegypten 120; nimmt Schaver gefangen 123; wird Vesir des Chalifen Abed, erhält den Namen Malek annaser und ist von nun an Herr von Aegypten 124; berennt Darum 135; erstürmt Gaza 138; bezwingt die Stadt Ailah 139; bereitet seine Pläne behutsam vor 140; täuscht Nureddin über seine Absichten 141; bricht in Syrien ein 150; kehrt mit Beute nach Aegypten zurück 151; besetzt Damascus 160; belagert Aleppo 161; unterwirft sich Baalbek und schließt einen Vertrag mit dem Grafen von Tripolis 163; schlägt bei Hama den Masud und nennt sich nun Sultan 165; siegt über Saifeddin bei Tellassoltan 166; bekriegt die Assassinen 167; zieht gegen Askalon 184; wird bei Ramla geschlagen 186; zieht nach Syrien 191; siegt 193; macht Frieden mit Balduin IV, 198; belagert Aradus 199; zieht nach Damascus 207; zieht gegen Tiberias 209; wird bei Belveir geschlagen 210; belagert Berytus 212; wird verwundet 213; macht sich zum Herrn von Edessa 216; bekommt durch Vertrag das Fürstenthum Aleppo 218; zieht an die Quelle Tubania 231; belagert Krak 236, 246; schließt Waffenstillstand 247; schickt dem Grafen von Tripolis Hülfstruppen 257; verlängert den Frieden mit Jerusalem 264; rüstet sich, nachdem Rainald den Frieden gebrochen 265; lagert sich bei Krak 266; zieht nach Tiberias 276; schlägt die Christen bei Hittin 286; tödtet den gefangenen Fürsten Rainald mit eigner Hand III (2), 289; nimmt Ptolemais ein 292; geht nach Phönicien 295; nimmt Cäsarea und Askalon 296; belagert Jerusalem 299; nimmt es ein 311; seine edle Großmuth 314; belagert Tyrus vergebens IV, 225, 233; zieht gegen das Fürstenthum Antiochien 236; erobert viele Burgen 237—242; schließt Frieden mit dem Fürsten von Antiochien 243; zieht nach Ptolemais 259; kämpft 261; siegt 268; zieht sich nach Charubah zurück 271; geht wieder in das Lager vor Ptolemais 274; weicht den Angriffen der Christen aus 290; wechselt Gesandtschaften mit König Richard 350; seine Angriffe zur Entsetzung von Ptolemais sind ohne Erfolg 351, 353; fordert die Besatzung von Ptolemais auf die Stadt zu verlassen, was sie aber nicht ausführen kann 354; will anfangs den schimpflichen Vertrag, wodurch Ptolemais übergeben worden, nicht genehmigen 362; wird aber von seinen Emiren dazu bewogen 363; geht nach Schafaram zurück 364; unterhandelt mit den beiden Königen Richard u. Philipp August 367; überläßt nach fruchtlosen Verhandlungen die gefangenen Muselmänner ihrem Schicksale 368; vergilt die Grausamkeit der Christen nicht mit gleicher Grausamkeit 390; beunruhigt den Marsch Richard's 401, 403, 407, 409; wird bei Arsuf geschlagen 415; geht nach Ramlah 426; läßt Askalon zerstören 427; unterhandelt mit Richard 439; mit dem Markgrafen Conrad 440; geht nach Jerusalem, das er stärker befestigen läßt 457; erkrankt 521; ermuntert seine muthlosen Emire 523; unterhandelt mit Richard 533; belagert Joppe 537; geht nach Jasur 546; unterhandelt wieder mit Richard 548; wird geschlagen 559; schließt Waffenstillstand mit Richard 569; geht

nach Natrun IV, 575; sorgt für die Sicherheit der christlichen Pilger 576; widmet sich der innern Verwaltung 585; geht nach Damascus 586; erkrankt 588; stirbt 589; seine großen Eigenschaften werden von den Christen anerkannt 590; Charakter 591; Milde, Sanftmuth 593, 595.
Saladinszehnte, Erhebung desselben IV, 18.
Salaheddin, s. Saladin.
* Salamia II, 146.
Salandria VI, 393.
* Saldi II, 664.
Salem II, 514, 517.
* Salerno III (1), 27.
Saliceto, Matth. de, IV, 171.
* Salir, Bucht VI, 165.
Salir do Mato, Dorf VI, 167.
* Salome II, 525.
Salomo von Würzburg VI, 111.
Salza, Herrmann von, VI, 399.
* Salzwüste II, 411.
Salzsee III (2), 44.
Samarga, (Sokman) II, 284.
* Samaujel IV, 550.
* Samosata wird von Balduin belagert I, 168; an denselben verkauft 169; durch Erdbeben zerstört II, 380.
Samson, Erzbischof von Rheims III (1), 57.
— von Hruera II, 456.
Samud VII, 409.
Samuch, Emir II, 672.
Samuel, ein Jude III (1), Blg. 11.
* San Germano VI, 392; Friede 523.
* — Pietro VI, 81.
Sancho, König von Portugal, gewinnt englische Pilger zum Beistande gegen die Saracenen IV, 156.
— Sohn des Königs Alfons von Castilien VII, 686.
Sancia, Gemahlin Wilhelm Raimund's II, Blg. 12.
* St. Abraham, Schloß II, 177.
St. Albano, Johannes v., VI, 569.
* St. Albans VI, 609.
* St. Andreas VI, 453.
* St. Clair IV, 32.
* St. Denys III (1), 176; Feier des Osterfestes daselbst III (1), 84.
* St. Gennaro de Poveri IV, 162.
* St. Georg (Lydda) VII, 598.
* St. Gilles VI, 610.
— II, Blg. 42. s. Raimund und Bertram v. St. Gilles.
* St. Goar VI, 309.
St. Jean d'Acre III (1), 120. s. a. Ptolemais.
* St. Martin IV, 44.
St. Menehoult, Makarius v., V, 361.
* St. Nicolaus V, 136, 139.
St. Paul, Engelram und Hugo von, I, 103; 245.
* St. Peter zu Heisterbach, Kloster V, 307.
* St. Saba VII, 396.
* St. Simeon I, 180, 190.
* St. Stephan, Abtei V, 200.
Sanctius VII, 786, 787.
* Sandscha II, 477.
* Sandschar III (2), 216.
— Mameluk aus Dschudschar VII, 390.
— Sultan von Chorasan II, 621.
* Sanga II, 477.
Sanguineus II, 576.
Sania IV, 441.
Sankor Alaschkar Emir, geräth in die Gefangenschaft der Mogolen VII, 477; wird frei 495, 650; wird von den syrischen Truppen als Sultan ausgerufen 652; wird in einer Schlacht von den ägyptischen Truppen des Kalavun überwunden 667; vereinigt sich mit Kalavun und kämpft in der Schlacht bei Emessa gegen die Mogolen 668.
* Santa Maria VI, 171.
* Santarem IV, 157.
Sanuti, Marino Torselli I, Blg. 4; VII, 492; 787.
* Saona IV, 242.
* Saphoriah IV, 364.
Sapronius VI, 368.
Saracenen, über das Würgen derselben II, 573; Blg. 48.
* Sarchod II, 687; III (1), 210; V, 2.

* Sardanah (Sardanium) II, 168; wird von Tankred erobert 290; von Erdbeben zerstört 381; an Ilgazi übergeben 443; Schlacht 447; von demselben zerstört und von Balduin II. wieder aufgebaut 469; von Ilgazi belagert 472, 473; von Zenki eingenommen 634.
* Sardena II, 60.
* Sardes IV, 105, 106.
* Sardica III (1), 115.
* Sardonas II, 290.
* Sarepta von Tankred belagert II, 288; erobert 290; von Saladin eingenommen III (2), 295.
* Sarin III (2), 233.
* Sarium, (Sacrum, Sarnum, Soiclum) V, 124.
* Sarmeda II, 529.
* Sarmenia IV, 240.
* Sarmin II, 60; Schlacht 63; kommt an Abu Taher 254, 265; 392; ergiebt sich an Balduin II. 451, 467; 530.
Saron, Lage dieses Waldgebirges IV, 403.
Sarquanciau, Abt von, V, 191.
Sartach VII, 310.
Saruchan VI, 632.
* Sarudsch, wird von Balduin eingenommen I, 169; II, 722; ergiebt sich dem Zenki 729.
* Saumur IV, 45.
Sa-uthkin II, Blg. 28.
* Sawad III (2), 208, 220.
Savar, Emir II, 587, 631; wird geschlagen 632; unternimmt einen glücklichen Streifzug nach Cilicien 635; wird geschlagen 674.
Savary von Mauleon VI, 276.
Savelli, Cencius, Cardinal, wird Papst VI, 115.
Sawar Ebn Itkin II, 584.
* Scala S. Georgii II, 345.
* Scamander IV, 106.
* Scandarion II, 504.
* Scerogorgo s. Xerigordon.
* Schabechtan II, 722.
Schadschai VII, 771.
Schadschreddorr (Schadschar ed-dorr), Sultanin VII, 128, 174; 231; 239; übernimmt die Regierung von Aegypten 240; läßt den Aseddin Aibek ermorden 389; wird erwürgt 390.
Schady III (2), 85.
* Schafaram IV, 336.
Schahabeddin, Statthalter von Hama III (2), 167.
Schah Armen von Chelat III (2), 217.
Schahinschah III (1), 245.
Schaisar (Caesarea Philippi) I, 249, 268; II, 271, 300; Lage 665; von Kaiser Johannes belagert 666; erstürmt 668; Blg. 32; VII, 667.
* Schakif Arnun IV, 247; an Saladin übergeben 274.
* — (Beaufort) von Bibars erobert VII, 519.
Schamajil VI, 241.
Schams al Chavaß Emir II, 584.
— al-Moluk, Fürst von Damascus II, 633.
Schamseddaulah (Bruder Saladin's), Statthalter von Damascus III (2), 87; wird von den Christen geschlagen 169.
— (Sohn des Bagi Sejan), vertheidigt die Citadelle von Antiochien I, 205; II, Blg. 33.
Schamseddin Akusch al Barki VII, 424.
— Maudud, (Malek al Adel's Sohn) IV, 281.
— Sonkor Emir, fällt in Antiochien ein VII, 456.
— Wesir VII, 682.
Scharaf VI, 462.
* Scharakiah III (2), 83.
Scharfeddaulah Muslem II, 577.
* Scharmesah VI, 325; VII, 132.
* Schatnuf VI, 186.
* Schaubek IV, 247.
* Schatia VI, 145.
* Schawal III (2), 212.
Schaver, Sultan, wird aus Aegypten vertrieben III (2), 82; fleht bei Nureddin um Hülfe und kommt nach Kahira 83;

schließt Bündniß mit Amalrich III (2), 97; hält seinen Einzug in Alexandrien 112; erfüllt seine Verbindlichkeiten 113; wird aber von Amalrich mit Krieg überzogen 116; fordert Nureddin zur Hülfe auf 119; unterhandelt mit Schirkuh 122; wird treulos von Schirkuh und Saladin gefangen und hingerichtet 123.
* Scheatschana III (1), 127.
Schehabeddin, Emir von Bira III (2), 315; VII, 239.
— Mahmud II, 633.
Scheich-eddeir II, Blg. 29.
Schems al Chavas, Befehlshaber der Miliz von Haleb II, 379.
— — Herr von Rafania II, 527.
— al Moluk, Neffe des Sultan Kamel VI, 348.
Schemseddin, Emir VI, 475, 494; VII, 521.
— Lulu armenischer Fürst VII, 74; 289.
Scherfeddin VI, 62.
Schirbarik II, 528.
Schirkuh, Bruder des Ejub II, 620; wird in Aegypten von Dargam geschlagen III (2), 83; bleibt aber doch in Aegypten 84; Gestalt 87; schließt Frieden mit Amalrich 92; rüstet sich aufs neue gegen Aegypten 95; zieht durch die arabische Wüste 96; besetzt Dschiseh 97; rückt gegen Kahira 102; zieht sich nach Oberägypten 103; siegt bei Babein 107; nimmt Alexandria ein 108; belagert Kus 109; schließt Frieden mit Amalrich 111; verläßt Aegypten 112; erhält den Auftrag, mit einem Heere nach Aegypten zu gehen 120; kommt nach Kahira 122; wird Vesir der Khalifen 123; stirbt 124.
— Sohn des Bachal IV, 390, 431.
Schleyer, vom Bilde der heil. Jungfrau, in Byzanz, Wunder desselben II, 336.
* Schloß Abraham's (Hebron) II, 44, 89.
* — Arnold's II, 615.
* Schloß Arnulf's II, 215.
* — Boemund's II, 123.
* — der Kurden IV, 234; VII, 589.
* — der Pilger (Atslits, Detroit, Districtum), wird befestigt und Hauptsitz der Templer VI, 159; von Moaddhem belagert 311; VII, 772.
Schlotheim VI, 424.
Schlüsselsoldaten VI, 504, 505.
Schoaib III (2), 283.
* Schogar IV, 239; VII, 667.
Schwigger I, 75.
* Scandarion II, 504.
* Scodra I, 130.
* Scutari V, 203, 206.
Scylitzes I, Blg. 14.
* Scythopolis III (2), 210, 230.
* Sebachthan II, 294.
* Seban II, 469.
* Sebastia II, 643; IV, 140.
Sebastus Marinus II, 341.
Sebreci VII, 239, 247.
* Sedelia (Attalia) III (1), 269.
* Sedim VII, 383.
* Sedschelmessa VII, 547.
* See von Tunis VII, 650.
* Segeberg III (1), 260; 261.
* Segor (Palmstadt) II, 89; III (2), 240, s. a. Zoar.
* Sehjun IV, 238; VII, 698.
Seifeddin Alkanieri VII, 199.
— Elmersuban VI, 151.
Seillun, Peter, IV, 26, 27.
* Sekin II, 631.
Selamah II, 247.
* Selda II, 469.
Seldschuk, Bruder des Sultan Mahmud II, 619.
Seldschuken, Entstehung des Reichs derselben I, 138; Schwäche derselben 273; von Ikonium Geschichte derselben 139; Blg. 6.
* Selephica IV, 137.
* Seleucia IV, 139; VII, 456.
* Selivrea I, 111.
* Selvedeme IV, 161.
* Selybria V, 312, 395.
Semburek VI, 650.
* Semlin, von den ersten Kreuzfahrern unter Peter erobert I, 82.

Senan, Scheich der Assassinen III (2), 167; IV, 487.
Seneschall des Königreichs Jerusalem, Geschäfte desselben I, Blg. 24.
Senfkraut III (1), 219.
* Sens III (1), 30.
* Sephoria III (2), 274.
* Sephoris III (2), 208, 231.
Serlo, Bischof von Apamea II, 707, 708.
Seron IV, Blg. 57.
* Servien IV, 64.
Servier, beunruhigen den Zug Friedrich I. IV, 61.
* Sestus (St. Georg de Sisto) III (1), 120, 138; V, 199.
Setbal, Gondu VII, 494.
* Setre V, 354, 373.
Seuchen I, 229; VI, 8, 223, 269, VII, 265.
* Sevilla VII, 547.
* Seylon II, 367.
Sgurus, Leo, Herr von Corinth und Nauplia V, 359, 391.
* Sibilia IV, 136.
Sibylla, Gemahlin des Grafen Dietrich von Flandern, Tochter des Königs Fulco II, 598, 600, 681; III (2), 46, 54.
— Gemahlin Robert's von der Normandie II, 26.
— Schwester Balduin IV., vermählt sich mit Markgraf Wilhelm Longaspata III (2), 171; nach dessen Tode mit Veit von Lusignan 196; wird als Königin v. Jerusalem gekrönt 253; schreibt an Kaiser Friedrich I. IV, 90; stirbt 306.
— Tochter des Königs Amalrich VI, 140.
— Tochter des Königs Haithon v. Armenien, Gemahlin Boemund VI. von Antiochien VII, 611, 700.
Sicard v. Cremona V, 133.
Sichelgaisa v. Salerno I, 122; II, 319.
* Sichem oder Neapolis, von den Saracenen zerstört II, 375; alle Einwohner werden von den Damascenern erwürgt. 653.
* Sickenbach V, 17.
* Sideropotamo IV, 137.
Sidonius, Bischof zu Clermont I, 55.
* Sidon I, 267; von Balduin I. belagert II, 213; entsetzt 217; an Balduin übergeben 222; von Saladin eingenommen III (2), 295; Schlacht V, 34; wird von Malek al Adel zerstört 41; von den Saracenen zerstört VII, 323; von Ludwig IX. wieder aufgebaut 333; von den Templern gekauft 400; von den Mogolen erobert 415; von den Saracenen eingenommen und geschleift 772.
Siegfried, Bischof von Augsburg VI, 424.
— Bischof v. Chester II, Blg. 47.
— Bischof v. Regensburg VI, 424.
— Erzbischof v. Mainz 1065. I, 39.
— Erzbischof v. Mainz 1215. VI, 103.
* Sigoltsheim V, 309.
Sigurd, Magnus Sohn, zieht nach dem Morgenlande II, 218; kömmt nach Jerusalem 220, 287; belagert Sidon von der Seeseite 221; geht nach Constantinopel 222; stirbt 223; III (1), 269.
* Silberteich V, 222.
* Silera VI, 167.
* Silo, Berg III (2), 299.
* Siloa (Siloe, Silon, Tekoa), Bach I, 283; III (2), 248; IV, 528.
* Silves IV, 156; VI, 171.
Silvestre de Sacy I, 296.
Simeon der Heilige, Mönch I, 36.
— Patriarch von Jerusalem I, 47.
Simon (Symon), Sohn der Schwester Balduin I., II, 357.
— Bischof v. Noyon III (1), 95.
— Erzbischof v. Tyrus VI, 111.
— Graf v. Leicester VII, 52, 295.
— Graf v. Leicester und Montfort, nimmt das Kreuz VI, 564.
— Graf v. Montfort, nimmt das Kreuz V, 112; räth den Einwohnern von Zara, ihre Stadt nicht zu

übergeben V, 168; nimmt keinen Theil an der Belagerung 171; geht nach Ungarn 190; kommt nach Ptolemais VI, 11, 42.
Simon, Herr v. Clermont VI, 593.
— Renegat VI, 232.
— v. Anet II, 328.
— v. Montsceliart VII, 323.
— v. Neaufle V, 191.
— v. Nesle VII, 582.
— v. Sanct Cäcilia, Cardinalpresbyter VII, 504; wird zum Legaten in Frankreich ernannt 640; wird Papst (Martin IV.) 683.
— v. St. Martin, Cardinalpresbyter VII, 637.
* Sinai II, 403.
Sinaites, Georg III (2), 175.
* Sindia II, 577.
* Sineifil VI, 535.
Sinibald, Cardinal, wird Papst (Innocenz IV.) VII, 1.
— Connetable des Königs Haithon VII, 402.
Sipahsalar, Emir VI, 383.
* Sirma IV, 119.
* Sirmium IV, 59.
* Sis, Hauptort des Fürstenthums Armenien in Cilicien III (2), 57; zerstört VII, 494, 495.
Sitt alscham IV, 596.
* Siz, Burg II, 584.
Skleräna V, 385.
Skopte, Augmund II, 218.
* Sliengen III (1), 66.
* Soaphin VII, 380.
Sofronius I, 21.
Sohiers d'Entresignes VI, 44.
Sohlen ablösen, Sitte, II, 334.
* Soissons, Versammlung der Kreuzfahrer daselbst V, 114, 130.
Sokman, Emir, der Ortokide I, 223, 277; II, 255; siegt bei Rakkah 260; wird bei Edessa geschlagen 267, 383, 294; stirbt 297; Blg. 28.
Soleiman, der erste Fürst von Rum I, Blg. 7.
— Ibn Ilgazi II, Blg. 30.
Solidus, von Lucca II, 129.
Soliman, Alameddin IV, 412.
Solyman I, Blg. 12.
* Somelaria VII, 666.
Sonntag, gewöhnlich von den Christen zur Schlacht gewählt II, 170.
* Sorek II, 11.
Sotus III (1), 2.
* Spalatro VI, 134.
* Spanien, nimmt den geringsten Antheil an den ersten Heereszügen nach dem heiligen Lande I, 65; Friesen verwüsten einige Städte daselbst VI, 71.
Specula Turonis VI, 244.
Stollberg, Graf, VI, 424.
* Speyer I, 99; Reichsversammlung III (1), 72.
Sphoracius V, 312.
Spielleute, fahrende, VII, 318.
* Spigast IV, 105.
Spinula, Albertus, VII, 714.
* Spoleto VI, 398; Versammlung zur Besprechung der Angelegenheiten des heiligen Landes 550.
Sponheim, Graf v., V, 17.
* Sprehensumpf (palus Esturnellorum) III (2), 187.
* Squise V. 361.
Stäbler VII, 359.
Stabulo, Cämmerer II, 155.
* Stagira V, 149.
Stagnoforti, Baron de, IV, 543, 553.
Stalla VII, 119.
* Stancona (Ikonium) II, 141.
* Stanford IV, 150.
* Stamiria II, 401.
* Stenimachus (Stanimac) V, 396.
* Stenon V, 216.
Stephanus, Akoluthus der Waräger III (1), 161.
Stephan, Bischof von Metz III (1), 96.
— Abt des Klosters St. Johannes de Vallée zu Chartres, wird Patriarch von Jerusalem II, 536; stirbt 537.
— Cardinalbischof v. Präneste III (1), 14.
— ein Hirtenknabe aus Vendome VI, 73.

Stephan, Erzbischof von Canterbury V, 107.
— Graf von Alba Marla I, 145.
— Graf von Chartres und Blois, tritt die Kreuzfahrt an I, 145, 154; entweicht von Antiochien nach Klein-Alexandrien 197; zieht nochmals in den Kampf für den Heiland II, 117; kommt nach Asien 125; flieht 138; findet einen rühmlichen Tod 153, 160.
— Graf von Blois und Chartres III (2), 148.
— Graf von Saone II, 117.
— Graf von Perches, nimmt das Kreuz V, 114, 135; geht nach Apulien 162, 191; geht nach Constantinopel und erhält das Herzogthum Philadelphia als Lehen 382; VI, 11, 42.
— Herzog v. Burgund, nimmt das Kreuz II, 116; geht nach Asien 125, 138; stirbt 160.
— Priester I, 216.
— von Clermont IV, 283.
— von Longchamp IV, 397.
— von Otricourt VII, 250.
— von Sissy, Meister der Templer VII, 401, 623.
— von Tours IV, 43, 48.
Stephanus, Bruder des Toros VII, Blg. 50.
— Erzbischof von Tarsus II, 707.
Stephania, Tochter des Philipp von Neapolis III (2), 78.
Sternitz (Stralitzium, Stralisce) I, 87; IV, 67.
Steuern in Syrien VII, 381.
Στοιχειώδη (fatidica) V, 388.
Stralitzium, s. Sternitz.
Strategopulus, s. Alexius Strategopulus.
Stricker II, Blg. 49.
Strickläufer, Schimpfname I, 208.
* Strigonium (Gran) IV, 59.
* Strohmoschee (Mesdsched elthebn) VII, 734.
Stryphnus, Michael V, 204.
Stubner Kloster V, 307.
Subada Behadur VI, 383.
* Sud, Sudi I, 183; V, 216.
Sueno, König der Seeländer III (1), 259.
* Sueta von Nureddin belagert III (2), 53.
Suffried, Cardinallegat, erhält das Kreuz V, 67; predigt in Venedig das Kreuz 68; kommt nach Tripolis, um die Antiochischen Händel zu schlichten VI, 19; geht nach Antiochien 20; nach Rom 31.
Suger, Abt von St. Denys III (1), 38; wird Reichsverweser von Frankreich 82; bemüht sich, eine neue Wallfahrt zu Stande zu bringen 277; stirbt 281.
* Suite III (2), 208.
Sulaiman, Ilgazi's Sohn, Statthalter von Haleb II, 450; empört sich gegen seinen Vater 468, 470; wird abgesetzt 471; erhält Miafarekin 474, 517, Blg. 30 III (2), 18.
— s. Beddreddaulah Sulaiman.
Suleiman, Fürst von Romanien I, 42; unterwirft sich Nicäa 138; stirbt 139, s. Soleiman.
Sultanschah wird Fürst von Haleb II, 379; verliert Haleb 477.
* Sumak II, 392.
Sunedsch, Bohaeddin II, 584, 585.
Sunniten VII, 406.
Superantius V, 165.
* Supplinburg II, 562.
Surianer I, 312; VII, 364, 366.
* Süsel III (1), 261.
* Susopolis IV, 112.
* Susum II, 89.
Sward, Richard VI, 568.
Sveno I, 182, 219.
Sviatopolk VII, 393.
* Syca V, 217.
Sylvester II., Papst, I, 28.
Syocaym VII, 83.
* Syrakus VI, 177.
* Syria Sobal II, 398, 616; III (1), 210; (2), 205, 240.
* Syrien II, 641, 711; furchtbare Verwüstungen daselbst im J. 1114. II, 380; Verhältniß der lateinischen und syrischen Christen daselbst III (1), 201; von Erd-

beben erschüttert III (2), 134; VI, 5; Zustand der Christen daselbst nach dem Verluste von Jerusalem IV, 217; Verhältnisse nach der Abreise Ludwig IX. 353; Zustand der christlichen Herrschaft daselbst 1229. VI, 516; Verhältnisse der Christen VII, 32, 391, 395; Streitigkeiten der Christen 400; Einfall der Mogolen 409.

T.

* Tabor VI, 63, 149, 152; VII, 461.
Taphneos VI, 327, 339; VII, 155; s. a. Thanis.
Tafnuz I, 247.
Tafroc II, 84, 398.
* Tageta (Gaeta) VI, 177.
* Tagliacozzo, Schlacht VII, 530.
Taher ben Saad II, 566.
Tahlil IV, 416.
Taillen III (2), 227.
Takbir IV, 416.
* Takrit III (1), 245.
* Talcha V, 303; VI, 303.
Tall-Mauser II, 723.
Tamirek von Sandschar II, 374.
* Tampras III (2), 212.
Tanaun VII, 616.
Tanis, s. Thanis.
Tankred, Fürst, nimmt das Kreuz I, 124; geht durch Macedonien 124; über Constantinopel nach Kleinasien 128; weigert sich lange dem Kaiser Alexius den Vasalleneid zu leisten 152; leistet ihn aber endlich 153; kämpft bei Dorylaum 157; zieht nach Ikonium 159; kämpft gegen Balduin 163; versöhnt sich wieder 164; erobert Klein-Alexandrien 170; geht zum großen Heere, das Antiochien belagert, zurück 171; schließt sich Raimund an 249; zieht nach Bethlehem 270; erobert Tiberias und erhält das Fürstenthum Galilda II, 33; befestigt Besan 34; gründet mehrere Kirchen 37; belagert Chaifa 71; erstürmt es 72; bemüht sich vergebens, Boemund auf den Thron von Jerusalem zu heben 80; weigert sich, den König Balduin anzuerkennen II, 91; giebt alle Lehn des Reichs zurück und geht nach Antiochien 92, wo er die Verwaltung des Fürstenthums übernimmt 93; versucht Balduin I. mit dem Patriarchen Dagobert auszusöhnen 161; geräth in Streit mit Bertram von St. Gilles 205; mit Balduin von Burg 207; erhält Tiberias, Chaifa und Nazareth zu Lehn 208; Thaten desselben als Verweser von Antiochien 256; erhält von Boemund einige Oerter 259; kämpft mit Löwenmuth in der Schlacht bei Rakkah 261; wird Stellvertreter des Grafen v. Edessa während seiner Gefangenschaft 264; überfällt die Turkomanen und schlägt sie 266; zögert aus Eigennutz Balduin aus der Gefangenschaft zu befreien 267; übernimmt von Boemund die Verwaltung Antiochiens 269; siegt bei Artasia über Rodvan 270; nimmt Apamea ein 274; erobert ganz Cilicien 275; übergiebt nur ungern Edessa an Balduin und entzündet dadurch Feindschaft 278; belagert Balduin in der Burg Dallak 279; ruft Rodvan von Haleb zu Hülfe und schlägt Joscelin bei Tellbascher 280; versöhnt sich mit demselben 281; bestraft die Verletzung des Friedens von Rodvan 287; erobert Atsareb 288; Sardanah 290; steht bei den Muselmännern in großem Ansehen 293; stirbt 303.
Tankred, König v. Sicilien IV, 165, 177.
* Taormina IV, 190.
Tarantai IV, 568.
* Tarbers III (1), Blg. 8.
* Tarifa VI, 173.
* Tarsus, von Tankred belagert I, 159; II, 256, 264, 596; von dem Kaiser Johannes Komnenus eingenommen 644; III (2), 227; VII, Blg. 51.
Tartaron (Tetarteron) II, 140.
Tataren, brechen in Georgien ein VI, 382.

Taticius (Tatinus, Tatikius), Befehlshaber des griech. Hülfsheers bei der Belagerung v. Nicäa I, 148, 149; zieht von Antiochien ab 183; II, 125.
Tank basari V, 388.
Taurus V, 388.
Tawtug II, 398.
Tecelin der Blonde III (1), 211.
* Tebnin, von Bibars eingenommen VII, 493.
* Tebris VII, 417.
Teissum, Radulf, führt Pilger nach Jerusalem IV, 577.
* Tekoa II, 617, 682.
* Tell ajadiah IV, 262.
* — al Dschosur IV, 455.
* — as Sultan II, 390, 523; Schlachten 577; III (2), 166.
* Tellagdi II, 634.
* Tell Assafiah IV, 508.
* Tellbascher (Turbaysel) I, 166, 195; Kampf zwischen Tankred und Joscelin II, 280, 294; Blg. 29; III (2), 5.
* Tell Chaled II, 426; III (2), 217.
* — Ebn Mascher II, 295, 300.
* — Kabbasin II, Blg. 35.
* Tellkarad II, 294.
* Tell-Menes (Tellmiß) II, 63; Blg. 36, 42.
* Tellodschul V, 601.
* Tell Safi II, 615.
Temba IV, 513.
Tempelhof zu London II, 562, Blg. 45.
* Tempesack (Darbesack) IV, 241; Blg. 82; VI, 559; VII, 495.
Templer, Entstehung des Ordens derselben II, 501, 546; neue Regel 557; Ordenskleid 559, 562, Entartung III (2), 39, 263; VII, 400, 658.
* Tenchebray II, 29.
* Terma I, 182.
Termes, Olivier VII, 536, 642, s. Olivier.
* Terra montis regalis III (1), 210.
Terrans, Pierre, VII, 536.
* Terras Novas IV, 157.
* Tessalonich, Versammlung eines zahlreichen Heeres unter Alexius daselbst II, 332; kommt als Königreich in den Besitz des Markgrafen Bonifaz von Montferrat V, 348; VII, 435.
* Teyrsebne VII, 383.
* Thabor II, 374.
Thaddäus von Suessa, kaiserlicher Hofrichter VII, 9.
Thadsch al Moluk Buri I, 254; II, 566, 626.
Thafur II, 35.
Thakieddin, Fürst v. Hama VI, 555.
* Thanis (Tanis, Thaneos, Taphneos) VI, 184, 186, 231, 236, 294, 327, 339; VII, 98, 107, 133, 135.
Thanur de Fonse I, 296.
Thealdus, Archidiakonus, wird Papst (Gregor X.) VII, 623.
* Theben von Leo Sguros erobert V, 359.
* Thebnin III (2), 295.
* Theiretenne VII, 367, 378.
Thema, Erzbischof von Salzburg II, 118.
Theobandus de Baro IV, 270.
Theodora, Gemahlin des Markgrafen Conrad von Tyrus IV, 218.
— Nichte des Kaisers Manuel, vermählt sich mit Balduin III., König von Jerusalem III (2), 46; Wittwe 115.
Theodorus, Bischof I, 11.
— Comnenus, Kaiser von Thessalonien VII, 435.
— Fürst VII, 434.
— Rebell IV, 64.
— Sohn des Alexius Branas IV, 76.
Theodosius I, 16.
Theoduin, Cardinal von Sancta Rufina III (1), 90.
Theotinus III (1), 236.
Thibaut, Graf von Bar le Duc V, 130.
— Graf von Blois IV, 12; V, 112.
— Graf von Champagne III (1), 19; beschützt den Erzbischof Peter gegen den König Ludwig VII. 34.

Thibaut, Graf v. Champagne u. Brie, nimmt das Kreuz V, 111, 112; stirbt 127.
— König von Navarra und Graf von Champagne, nimmt das Kreuz (1235) VI, 564; kommt in Ptolemais an 583; kehrt zurück 607.
— König v Navarra u. Graf von Champagne, nimmt das Kreuz (1267) VII, 506; langt in Cagliari an 546; kämpft bei Carthago 569; geht nach Sicilien 581; erkrankt 582; stirbt 583.
— Seneschall des Königs v. Frankreich IV, 335.
* Thiengen (Doningen) III (1), 66.
* Thieta I, 77.
* Thomar IV, 157.
Thomas, Anführer der Griechen II, 665.
— Bischof v. Bethlehem VII, 466.
— Bischof v. Erlau VI, 130.
— Graf v. Acerra VI, 406.
— Erzbischof v. Cosenza, apostol. Legat, Patriarch von Jerusalem VII, 612, 625, 630.
— Schwiegervater des Toros VII, Blg. 49.
— Tempelherr VI, 568.
— v. Aquino VII, 637.
— v. Berart, Meister der Templer VII, 613.
— v. Feria I, 280.
— v. St. Alban V, 317.
Thomasius, Peter, Bischof von Patto VII, 785.
Thuluniden I, 27.
* Thurim V, 42.
* Thurm der Tauben VII, 698.
Thuthusch, Malekschah's Sohn, Fürst von Damask I, 42, 139, 204, 276; II, 577.
* Thyatira IV, 105, 106.
* Tiberias von Tankred erobert II, 33; Schlacht (bei Hittin) III (2), 283; kommt in die Gewalt des Sultans von Aegypten VI, 652.
Tiepolo, Lorenz, Doge, VII, 396, 397, 626.
— Nicolo Scopolo VII, 709.
* Tierenstein IV, 602.
Tilu II, 61.
* Timoticum IV, 91.
Timurtasch, Ilgazi's Sohn, wird Statthalter von Haleb II, 423; erhält das Fürstenthum Maredin; 474; nimmt den Fürsten Hassan Ebn Kameschthekin gefangen 485; giebt den König Balduin II. gegen Lösegeld frei 514; schlägt Dobais 517; lagert sich vor Jerusalem und wird geschlagen III (2), 18.
* Tineh II, 409.
Tireprete, Peter IV, 171.
Togril wird Sultan II, 621, stirbt 622.
Togrul, Fürst von Kleinasien II, 467.
Togrulbek I, 41.
Tokthekin Athabek von Damask I, 204, 224, 322; kommt dem von Balduin I. belagerten Sidon zu Hülfe II, 217; ebenso Tyrus 230, 294, 297, 374; zieht nach Haleb und ruft die Christen zu Hülfe 384; zügelt mit Mühe die Kampflust der Christen 385; trennt sich von den Christen 388; zieht vor Haleb 423, 424; verbindet sich mit Ilgazi 426; martert grausam die gefangenen Christen 453; kehrt in seine Heimath zurück 473; belagert Ezaz 485, 505; zieht an den Fluß Leontes 508, 510; wird in einer furchtbaren Schlacht geschlagen 526, Blg. 30.
* Tollenburg I, 103.
* Tonnerre VII, 433.
* Tommosa II, 387.
* Tor Bovacciana IV, 160.
Torgut, Ibrahim Ebn II, 686.
Tornices, Constantinus V, 370.
* Torolts V, 42.
* Toron, von den Christen berennt V, 42; Lage 44; Unterhandlungen 46; Aufhebung der Belagerung 52.
— Anffroy v., VII, 611.
Toros (Theodorus) I., Sohn des Constantinus, nimmt Theil an der Belagerung von Cäsarea am

Orontes III (2), 49; erster Statthalter von Cilicien 56; VII, Blg. 41.
Toros II., der Große, Sohn des Leo, kündigt als Statthalter von Cilicien dem Kaiser Manuel den Gehorsam auf III (2), 56; flieht 58; erhält Verzeihung 62; kämpft gemeinschaftlich mit den Kreuzfahrern wider Nureddin 91; VII, Blg. 45.
— Sohn des Königs Haithon von Armenien VII, 494.
Torselli, s. Marino Sanuti.
* Tortosa am Ebro in Spanien VI, 174.
— in Syrien I, 255; II, 200; VII, 340; wird von den Kreuzfahrern verlassen 773.
Torus, s. Toros.
Touci VII, 301, 700.
* Touillon III (1), 8.
* Toulon VI, 174.
Toul, Rainhard und Peter v., I, 103.
* Tours, Schlacht I, 24; IV, 44; Versammlung der englischen und normännischen Pilger 153; Synode VI, 571.
* Trachonitis (Höhlenland) III (1), 213, 214; (2), 208.
* Tracona VI, 544.
* Tragonium, s. Trigonium.
* Trapani VI, 617; VII, 581, 594.
* Trapissacum IV, 242.
* Trassarg VII, Blg. 49, 51.
Treies, Theobald de, IV, 545.
* Tremesen VII, 547.
* Trie IV, 10.
* Trier I, 97.
* Triest, unterwirft sich den Venetianern V, 188.
* Trifels IV, 603.
* Trigonium (jetzt Targos) IV, 106.
* Tripolis, am Mäander (jetzt Ostraven) IV, 109.
* — am mittelländischen Meere I, 252, 253; von den Kreuzfahrern berennt 266; belagert II, 197; an Balduin I. übergeben 210, 281; Umfang der Grafschaft 596; Versammlung der Fürsten daselbst III (2), 15; durch Erdbeben verwüstet 134; VI, 7; wird von den Charismiern eingenommen 632; Streitigkeiten daselbst VII, 652, 654, 700; von Kalavun belagert 702; erobert 704, u. zerstört 706.
Tristan VII, 223; s. a. Johann Tristan.
* Troja IV, 105; VI, 391.
Trosell, Guido, I, 208.
* Troyes, Synode daselbst II, 557.
Trudennes (Trudennes) II, 35.
Tschepeh Nuwian VI, 383.
Tscheruch VI, 650.
* Tubania III (2), 231; VI, 144.
Tucher, Hans, II, 412.
Tudebodus, Petrus, I, Blg. 3.
* Tulupo (Tuluka, Dalluk) II, 233.
Tumbaret II, 390.
* Tunis VII, 547, 561.
Tuntasch, Statthalter v. Bosra III (1), 209; wird geblendet 223.
Turanschah Schamseddin, Statthalter von Damascus III (2), 167, 169.
— s. Malek al Moaddhem Turanschah.
— s. Malek al Modaffer Turanschah.
* Tur, belagert VI, 151; geschleift 153.
* Turbessel II, 233.
Turcha, Robert della, VII, 397.
* Turgulent II, 387.
Türken, Herrschaft derselben in Asien I, 41.
Turkomanen, kämpfen siegreich bei Rakkah II, 261; ziehen vor Edessa 266; werden von Tankred überfallen u. geschlagen 267, 564; plündern im Fürstenthume Antiochien VII, 32; verwüsten Antiochien und bringen der Ritterschaft des Königreichs Jerusalem eine entscheidende Niederlage bei 401.
Turkoplier II, 564.
Turkopulen I, 115; helfen Nicäa mit belagern I, 148; II, 125, 563.

I 2

Turneham, Stephan, IV, 201.
Turniere in Frankreich VII, 685.
* Turon, Berg IV. 255.
* — Ort bei Damiette VI, 244.
Turpin I, Blg. 4.
Turris Magistri VII, 768.
Tutach I, Blg. 12.
* Tuscani VI, 176.
Tyrrel, Walter, II, 26.
* Tyrus, von den Kreuzrittern belagert II, 227; von Togthekin entsetzt 230; von den Christen belagert 501; Beschreibung 502; Lage 505; eingenommen 511; Erzstift 698; von Erdbeben heimgesucht III (2), 134; von Saladin vergebens belagert IV, 225 — 233; über diese Belagerung nach Ebn al Athir, Blg. 71; Verhältnisse der Venetianer daselbst VII, 374; Seeschlacht 397; von Venetianern belagert 472, 665; wird von den Christen verlassen 771. — Blg. 3.
Tzikandylas, Basilius, III (1), 120.
Tzitas II, 125, 314.
* Tzurulos, Tzurulum (jetzt Tschorlu) V, 350, 395; VII, 439.
* Tzybritzes, Clausen des, IV, 113.

## U.

Ubbo Emmius VI, 203.
Ugrin, Erzbischof v. Kolocza VI, 130.
Ulrich, Bischof v. Passau II, 118.
— Bischof v. Passau VI, 317.
— Graf v. Epan V, 55.
— Graf v. Kiburg IV, 106.
— v. Lützelnhard IV, 117.
— v. Stubenberg VI, 131.
Ultreja, cantilena de II, 116.
* Ungarn, wird im 11. Jahrhunderte von den Pilgern nach Jerusalem durchzogen I, 35; Eifer für den Kreuzzug Friedrich I. IV, 61, 88.
Unsterblichen, die, I, 106.
Unzucht mit saracenischen Sclaven und Sclavinnen II, 460.
* Urasch II, 477.
Urban II., Papst, unterstützt Peter von Amiens I, 49; so wie die Bitten der Gesandten des Kaisers von Constantinopel auf dem Concilium zu Piacenza 50; Rede desselben auf der Kirchenversammlung zu Clermont 52; versammelt eine Synode zu Thieta 77; hält eine Synode zu Rom 231.
— III., stirbt IV, 14.
— IV., Herkunft VII, 449; bemüht sich die Wiederherstellung des lateinischen Kaiserthums zu bewirken 457, 469; Bemühungen desselben für das heil. Land 466; stirbt 470.
Urias II, 616.
— Abt VI, 130.
Urselins (Rusellus) I, Blg. 11.
Ursinus II, 299.
Useria (huisserium) V, 117, 118; VI, 377.
Uzas II, 143.

## V.

Vacher, Bernhard, Ritter, II, 682; III (1), 212.
* Vabga VII, Blg. 40.
Vahram VII, Blg. 34.
* Valania (Valence), s. Paneas.
* Valenia I, 255; II, 596; III (2), 257; s. a. Paneas.
Valincourt, Matthias v., V, 361.
* Valona II, 139.
* Varradah VII, 389.
Vatatzes, Johannes Ducas, Kaiser von Nicäa VI, 389; VII, 435, 440.
Veccus VII, 562.
Vedastus II, 25.
Veit, Abt von Trois Fontaines III (1), 16.
— Bruder des heil. Bernhard III (1), 8.
— Burgvoigt von Couci, nimmt das Kreuz V, 113.
— der Rehbock II, 299.
— der Rothe II, 117.
— die Esche genannt II, 298.

Veit Frenellus II, 394.
— Graf von Forest, nimmt das Kreuz V, 133; geht nach Marseille 137.
— Graf v. Ponthieu III (1), 95.
— v. Gresalt II, 298.
— v. Ibelin VII, 180.
— v. Lusignan, Graf von Joppe, wird Gemahl der Sibylle, Schwester des Königs Balduin IV. III (2), 196; erhält von Balduin IV. die Regierung des Reichs 228; führt das Heer nach Tubania 231; wird abgesetzt 239; geht nach Askalon 241; wird vor ein Ehegericht geladen und erscheint nicht 242; fällt in das Land des Königs ein 243; wird als König gekrönt 253; rüstet sich gegen Raimund 257; verlängert den Frieden mit Saladin 264; versöhnt sich mit Raimund 272; versammelt das Heer 273; zieht nach Tiberias 279; wird bei Hittin geschlagen 285; gefangen 287; wird frei 297, und vereinigt in Tripolis die Christen um sich IV, 250; beschließt, als ihm der Einlaß in Tyrus verweigert wird 251, Ptolemais zu belagern 252; bestürmt es 258; kämpft mit Saladin's Heere 265; wird geschlagen 268; verliert durch Markgraf Conrad von Tyrus viele Anhänger 310; verläßt das Lager, um sich nach Cypern einzuschiffen 325; — kommt nach Cypern 208; — unterwirft seinen Streit mit Markgraf Conrad der Entscheidung der beiden Könige Richard und Philipp August 370; bleibt danach auf seine Lebenszeit König 373; kämpft bei Arsuf 414; geht nach Ptolemais 457; erhält Cypern 495.
— v. Porsessa I, 143.
— v. Tille VI, 209.
Vendeleu, s. Clarebold.
* Vendome IV, 31.
Vendome, Graf v., VII, 73.
Venetianer, schlagen die Aegypter zur See II, 492, 493; denselben zugesicherte Vortheile und Vorrechte im Königreiche Jerusalem II, 496; belagern Tyrus 501; erobern Zara V, 171; werden in den Bann gethan 184, 339; Verträge derselben mit den Kreuzfahrern über die Eroberungen in den Ländern des griechischen Kaiserthums V, 281, Blg. 3; nehmen Theil an der Eroberung von Constantinopel 290; Verhältnisse derselben in Syrien VII, 371; Krieg derselben gegen die Genueser im heiligen Lande 396, 471, 511; werden in ihre Rechte zu Tyrus wieder eingesetzt 665; Eidesformeln derselben zu Tyrus, Blg. 3.
* Venedig, Handel und Verbindungen dieser Stadt mit der syrischen und ägyptischen Küste II, 187 ff.; unterstützt die Kreuzfahrer bei Ueberwindung der syrischen Seestädte 192; Unterhandlungen daselbst wegen der Kreuzfahrt V, 116 ff.; Versammlung der Kreuzfahrer 139; erklärt mit Pisa und Genua dem Könige Ludwig IX. den Krieg VII, 300.
* Verea IV, 76.
Vermögensteuer im Reiche Jerusalem III (2), 225.
Vernon, Rudolph v., VII, 160.
* Veroli VI, 364.
* Vertu VI, 579.
* Versoi V, 395.
* Veteralla VI, 176.
* Vetula II, 290.
* Vezelay III (1), 39, 51; IV, 146; Versammlung der französ. Kreuzfahrer 153.
Victor III., Papst I, 43.
— Gegenpapst III (1), 27.
Vladislaus, Herzog von Böhmen III (1), 168.
* Vienne VI, 610, 783.
Vierling II, 140.
Villain von Neuilly V, 139; kommt nach Ptolemais VI, 12; wird erschlagen 44.
— von Versey VII, 101.
Villani I, 61.

Villebride, Pierre de, VI, 605, 644.
Villehardouin, Gottfried, Fürst von Achaja VII, 441.
— Gottfried, Marschall, s. Gottfried v. Villehardouin u. a. Wilhelm.
* Villers III (1), 79.
Vinisauf, Gottfr., IV, 141, 168.
Visal, Jakob, VII, 636.
Vissiers V, 117; s. a. Useria.
* Vitry III (1), 35.
* Viterbo VI, 549; VII, 622.
Vizgraf, Wirkungskreis desselben in den bürgerlichen Gerichtshöfen des Königreichs Jerusalem VII, 357.

W.

* Wahra IV, 452.
* Wagrien III (1), 260.
Walbert oder Wigbert, Burghauptmann von Laon II, 117.
Waldemar, König von Dänemark VI, 384.
— s. Carpenel.
Waldin, Osbert, IV, 545.
Walid I, 23.
Wallfahrten nach dem heiligen Lande, Ursprung I, 3; Gebräuche 4; Ursachen der häufigen 6 ff. im 11. Jahrh. 32; vorzüglich aus der Normandie 36.
Walo, Connetable I, 196.
Walram, Graf von Limburg, Bruder des Herzogs von Brabant, nimmt das Kreuz V, 16, 22.
Walther, Bischof von Autun V, 133.
— de Evreil VII, 142.
— de la Horgne VII, 187.
— ein Dominicaner VI, 496.
— Erzbischof von Rouen, nimmt das Kreuz IV, 8, 160.
— Graf von Bar VI, 209, 273.
— Graf von Brienne, nimmt das Kreuz V, 113; vermählt sich mit der Tochter des Königs Tankred von Sicilien 123, deren Ansprüche auf Lecce und Tarent er geltend macht 124; erobert das Königreich Neapel 194; stirbt (1205) 124; VI, 57.
Walther, Graf v. Brienne, vermählt sich mit Maria, Schwester des Königs Heinrich von Cypern (1236) VI, 556; wird in den Bann gethan 637, 642; wird gefangen 644, 646, 647.
— Kämmerer des Königs v. Frankreich VI, 264.
— Kanzler des Fürstenthums Antiochien II, 452.
— Neffe des Königs Richard IV, 435.
— Patriarch von Jerusalem VI, 366.
— von Avesnes, gesellt sich zu den Kreuzfahrern aus Ungarn VI, 131; geht in seine Heimath zurück 159.
— von Balaham III (2), 194.
— von Chatillon VII, 181, 192, 201.
— von Fontaines III (2), 173.
— von Gandonville V, 115.
— von London V, 107.
— von Maguelonne II, 548.
— von Mesnel III (2), 152.
— von Montbeillard V, 124.
— von Montbeliard, Reichsverweser von Cypern, unternimmt eine Fahrt gegen die Küste von Aegypten VI, 63.
— von Nemours VII, 260; stirbt 561.
— von Neuilly V, 225.
— von Oyri IV, 297.
— von Perejo, vereinigt sich mit einem Heere mit Peter I, 78; trennt sich aber bald wieder und zieht durch Deutschland nach Ungarn und Bulgarien, belagert Belgrad 79; geht nach Nissa und stirbt in Bulgarien 80; dessen Neffe:
— ohne Habe, führt das Heer nach Constantinopel I, 80; zieht gegen Nicea 92; sein Heer wird gänzlich vernichtet, er selbst erschlagen 93.
— von Quesnet, übergiebt Paneas an Nureddin III (2), 92.
— von St. Abraham II, 299.
— von St. Aldemar III (2), 19.
— von St. Denys V, 137.

Walther von Berna I, 267.
Wang-Chan VII, 413.
Wassermangel bey Jerusalem I, 283; III (2), 248.
Waranger I, 106.
* Wardari, Bardarius, Bardai, Arius I, 125.
Wartberg, Graf Ludwig v., VI, 424.
Weissagung, welche die Kreuzfahrt 1217 erfüllt VI, 124.
Welf IV., Herzog von Baiern, nimmt das Kreuz II, 118, 144; kommt nach Antiochien 146; stirbt zu Paphos (1102) 151.
— Herzog v. Baiern, nimmt (1147) das Kreuz III (1), 81; geht nach Regensburg 93; hat bei Chörobaccha ein sicheres Lager bezogen 124; kommt nach Ptolemais 232; geht in die Heimath 254.
Welfer de la Tour I, 243.
Wenden, heidnische, Kreuzzug gegen dieselben III (1), 258.
* Wermuththal III (1), 11.
Werner, Meister der Hospitaliter VI, 556.
— v. Boland, Ritter V, 307.
— v. Bolland, Truchseß VI, 317.
— v. Borland V, 179.
— v. Cäsarea II, 608.
— v. Greis I, 191; II, 33, 39; stirbt 74.
— v. Napes IV, 417.
— v. Troyes V, 319.
Wettab Ebn Mahmud II, Blg. 33.
* Wetzeldorf V, 55.
Wibald, Abt von Corvey III (1), 90.
Wicker aus Schwaben II, 39, 72; stirbt 108.
Widomar von Limoges IV, 618.
* Wiese der Gewänder, Schlacht II, 587.
Wigbert, Graf von Parma II, 115.
— s. Walbert.
Wilhelm, Abt von St. Denys VII, 337.
— Adelinus II, 598.
Wilhelm aus Calabrien VI, 49.
— Bischof v. Agen VII, 543, 466.
— Bischof v. Aurasy I, 129.
— Bischof v. Ely IV, 150, 439.
— Bischof v. Gibel II, 391.
— Bischof v. Ptolemais, ermordet III (2), 149.
— Bischof v. Utrecht I, 39.
— Burghauptmann v. St. Omer II, 561.
— Burgvogt zu Kossair VII, 523, 528.
— Clito, Graf v. Flandern II, 598.
— de Adversa II, 590.
— de Longa Spata IV, 543.
— de Villers VII, 720, 762.
— de Voragine, genuesischer Kanzler, schließt einen Vertrag mit Ludwig IX. wegen Lieferung von Schiffen VII, 26.
— der Rothe, König v. England II, 26.
— der Zimmermann, Ritter, I, 75; zieht nach dem heiligen Lande 96; flieht aus dem Lager vor Antiochien, wird aber eingeholt und bestraft 184; unternimmt eine zweite Wallfahrt II, 117; kehrt in die Heimath zurück 163.
— des Barres IV, 32, 186, 402, 543.
— Erzbischof v. Rheims IV, 155.
— Erzbischof v. Tyrus II, 534, 573; III (1), 206; (2), 1, 113; mahnt von der Wahl des Heraklius zum Patriarchen von Jerusalem ab 259; geht als Gesandter der bedrängten morgenländischen Christen ins Abendland IV, 10, 14.
— Fürst v. Perche II, 387.
— Graf v. Arundel VI, 305, 317.
— Graf v. Cerdagne (de Sartengis, Ceretania) I, 66; wird mit Tortosa und Gibel belehnt, beunruhigt Tripolis II, 201; erobert Arka 202; wird von einem Meuchelmörder getödtet 209; über die Verwandtschaft desselben mit den Grafen von St. Gilles, Blg. 12.
— Graf v. Flandern VII, 20.
— Graf v. Foreis I, 144.

Wilhelm, Graf v. Holland, tritt die Kreuzfahrt an VI, 126, 164; geht nach Lissabon 166; erobert Alkazar 170; kommt in das Lager vor Damiette 184; — VII, 30.
— Graf v. Montferrat III (1), 95.
— Graf v. Montpellier I, 129; II, 548.
— Graf v. Nevers II, 115, 139, 142; — III (1), 95; (2), 113.
— Graf v. Nivernois, Reichsverweser III (1), 82.
— Graf v. Poitou, Herzog von Aquitanien II, 142; wird von Danischmend geschlagen 146, 148; kehrt in die Heimath zurück 163, 328.
— Capellan des Königs Richard von England IV, 505.
— Graf v. Varennes, nimmt das Kreuz III (1), 95; stirbt 183.
— Herr der Burg Kossair, wird Mönch VII, 609.
— Herzog v. Aquitanien III (1), 25.
— König v. Schottland, verweigert den Saladinszehnten IV, 23.
— II., König v. Sicilien, sendet eine Flotte gegen Alexandrien III (2), 158; das Heer aber ergreift die Flucht, als es von der Annäherung Saladin's hört 159; sendet eine Flotte nach Syrien IV, 14, 15; stirbt 148.
— Longa Spata, Markgraf von Montferrat, vermählt sich mit Sibylla, Schwester des Königs Balduin IV. III (2), 171.
— Graf v. Salisbury, nimmt das Kreuz VI, 609; VII, 53; landet bei Damiette 123; zieht eigenmächtig auf Abenteuer aus 147; geht nach Ptolemais 149; fällt im Kampfe 157.
— Markgraf v. Montferrat IV, 251; — VI, 368, 390.
— Mönch, Lebensbeschreiber des heil. Bernhard III (1), 9.
— Patriarch v. Jerusalem (aus Mecheln in Flandern) II, 537; strebt nach Unabhängigkeit vom römischen Stuhle 695.
Wilhelm, Patriarch v. Jerusalem VII, 588.
— Sohn des Osbert IV, 156.
— Voigt v. Bethune, nimmt das Kreuz V, 114; geht nach Constantinopel 382.
— Vizdom v. Chartres V, 180; VI, 12.
— v. Albin II, 298.
— v. Ausary I, 55.
— v. Beaulieu VI, 613.
— v. Beaumont VII, 270.
— v. Bar VII, 73; s. a. Wilhelm des Barres.
— v. Beaujeu, Großmeister der Templer VII, 636; schließt Waffenstillstand mit dem Sultan Kalaun 671; — 744, 761.
— v. Bosco IV, 202.
— v. Buris, Herr von Tiberias II, 458; wird Reichsverweser v. Jerusalem 492.
— v. Cagen IV, 437, 479.
— v. Chamlite V, 207, 225, 269.
— v. Chartres, Capellan VII, 212.
— v. Conversana II, 26.
— v. Corcelles VII, 638.
— v. Courtenay, nimmt das Kreuz III (1), 96.
— v. Cumly I, 249.
— v. Dammartin VII, 101.
— v. Flory VII, 659.
— v. Kornburg IV, 434.
— v. Macon, päpstl. Capellan VII, 633.
— v. Mandaville III (2), 174; IV, 31.
— v. Montferrat (aus Auvergne) Heermeister von Antiochien VI, 560.
— v. Nangis VII, 201.
— v. Neuilly, gefangen VI, 44.
— v. Nonante II, 141.
— v. Oera VII, 25.
— v. Paris II, 117.
— v. Roche IV, 578.
— v. Sabran I, 284.
— v. Sonnac VII, 181.
— v. Tripolis, Predigermönch VII, 466.
— v. Villehardouin, Fürst v. Achaja VII, 94.
Willibald von Eichstädt I, 25.

Willelmus de Parcell IV, 434.
Winimer von Bologna I, 254.
Winrick II, 71.
* Winton IV, 37.
* Witsant IV, 8.
Wolfger, Bischof v. Passau V, 55.
Wolfram von Eschenbach IV, Blg. 7.
* Wormezeele II, 25.
* Worms I, 98; V, 15.
Wunder zur Zeit des ersten Kreuzzuges I, 75; — des himmlischen Feuers II, 98, 152; des Schleiers vom Bilde der heil. Jungfrau 336.
Würgen der Saracenen über das Verdienstliche desselben II, Blg. 48.

X.

* Xanthia V, 351.
Xaphat VI, 462.
* Xativa VII, 547.
* Xerigordon, Exoragorgum, Scerogorgo I, 90.
* Xylokerkes V, 217.

Y.

* Ymbrici castellum IV, 472.
* York IV, 149, 150.
Ὑπογραμματεὺς III (1), 114.
* Ypomenon IV, 106.
Ysnachiae IV, 260.

Z.

Zacharias, Benedictus, genuesischer Admiral, steht der Stadt Tripolis bei gegen den Sultan Kalavun VII, 703, 706; macht einen Streifzug nach den Küsten von Kleinasien 714; — 781.
* Zara (Jadera, Gadres, Ladres) V, 144; Lage 167; von den Venetianern und Kreuzfahrern belagert 168; durch Vertrag übergeben 171; Kampf der Kreuzfahrer und Venetianer 173 — 192.
* Zebulon III (2), 190.
Zeineddin VII, 194, 199.
Zelte, rothe V, 286; VII, 86.
Zemerrud II, 633.
Zenki, Bruder des Aksonkor al-Borski II, 393, 578.
— Sohn des Fürsten Dscherkemisch von Mosul II, 277, 578.
— Emadeddin (der syrische Zenki) Sohn des türkischen Emirs Kasimeddaulah Aksonkor II, 147; Athabek des Prinzen Alp Arslan 576; seine Herkunft und Schicksale seiner Jugend 577; erste Kämpfe wider die Christen 579; wird Statthalter von Wasek und Herr von Mosul 580; erhält Haleb, Syrien und Mesopotamien 582; Planmäßigkeit in seinen Unternehmungen 583; Zeugniß über denselben 586; ist grausam und gerecht 587; wird von Mostarsched geschlagen 621; flieht 622; macht Friede 623; belagert Damaskus 633; verwüstet das Land von Emessa 634; schlägt den König Fulco 646; belagert Monsferrandus 647; nimmt es durch Vertrag 651; bringt Emessa unter seine Herrschaft 673; stürmt Buzaa und Atsareb 674; erobert Baalbek und belagert Damascus 685; wird ermordet 730; belagert Edessa 723; erobert es 724; stirbt 730; — Blg. 49.
— Emadeddin, Fürst v. Sangar III (1), 164; IV, 236, 242.
Zeno, Marino V, 373, 374.
— Rainarius VII, 371.
Zerrad II, Blg. 36.
* Zion, Burg I, 299.
* Zoar (Segor, Palmer) III (1), 241.
Zobeidah I, 277.
Zobel II, 137; III (1), 42.
Zoll im Königreich Jerusalem I, 33.
Zonaras I, Blg. 14.
Zuckerrohr I, 266; II, 47, 503; VII, 326.
Zweikampf, in welchen Fällen derselbe im Königreich Jerusalem erlaubt war I, 415.

# Verbesserungen und Zusätze.

## Zu Buch I.

S. 127 Zeile 9 statt: seine umherstehenden Freunde lies: die Umherstehenden.

S. 172 Anm. 27 Spalte 1 Z. 4 statt südlich l. nördlich.

S. 174 Z. 1 st. südlich l. nördlich.

Ebendaselbst Z. 10 st. an der westlichen Mauer vorbey l. westlich von Antiochien.

S. 180 Z. 4 von unten st. Minimar l. Winimar.

S. 204 Z. 18 st. und sein Athabek und Stiefvater, Togthekin, Dschanah l. und dessen Athabek Togthekin, sein Stiefvater Dschanah.

S. 306 Z. 4 st. Albera l. Albara.

S. 312 Z. 4 von unten st. wegen angemaßten Bürgerrechts, wegen l. welche innerhalb der Stadt belegene Grundstücke betrafen, so wie die Klagen wegen (vgl. Buch VIII. Kap. II. S. 357 Anm. 10.)

S. 313 Anm. 19 Sp. 2 statt Braine l. Brienne.

S. 416 Z. 11 am Ende des Absatzes ist beizufügen: Denn zwischen solchen konnte kein gerichtlicher Zweykampf Statt finden. Vergl. Sachsenspiegel Buch I. Art. 63 (Ausgabe von C. G. Homeyer, Berlin 1827. 8. S. 59, 60.)

Zu Beilage I. S. 3 Anm. 1 ist beizufügen: Vgl. über den fabelhaften Zug Karl des Großen nach Palästina Alberici Chronicon ad A. 1148 in Leibnitii accessionibus histor. p. 316 und Andr. Danduli Chron. in Muratori Scriptor. Ital. T. XII. p. 146.

## Zu Buch II.

S. 219 Z. 12 statt den l. der und Z. 18 st. der l. den.

Zu S. 560. Der Connetable W. von Buris überbrachte bei Gelegenheit dieser Gesandtschaft der Kirche des heiligen Julianus zu Maine ein Stück des wahren heiligen Kreuzes, einen Mantel und eine Fahne (vexillum quod Transartat [Standard] dicitur), deren Schaft mit Silberblech von neun Mark Gewicht beschlagen war. Der Patriarch Stephan von Jerusalem und der König Balduin II. liesen dem Grafen Fulco durch den Connetable sagen: quod tutelam Jerosolymitanae plebis susciperet et loca, ubi Christus natus, passus est et resurrexit, Gallicis partibus praeponeret ibique laborem pro quiete, egestatem pro divitiis, exilium pro patria, crucem pro palma, mortem pro vita, contumelias pro honore, martyrium subiret pro gaudiis. S. Gesta pontificum Cenomanensium in Recueil des historiens des Gaules et de la France T. XII. p. 552.

## Zu Buch IV.

S. 118 nach dem ersten Absatze ist beizufügen: „Zu derselben Zeit, in welcher der König Amalrich durch die Anträge des Sultans Schaver hingehalten wurde, gelang es zwar der christlichen Flotte, welche die Unternehmungen der Ritterschaft unterstützen sollte, in den See Mensaleh einzulaufen, der Stadt Tanis sich zu bemächtigen und diese Stadt zu plündern; als aber die Flotte es versuchte, weiter vorzudringen, so fand sie den Nilfluß durch saracenische Schiffe gesperrt; und der Connetable Honfroi von Toron, welchen der König mit einer auserlesenen Ritterschaft ausgesandt hatte, um das rechte Nilufer zu besetzen und die Landung der Mannschaft der Flotte zu beschützen, kehrte unverrichteter Sache zurück, als er die Kunde von dem Anzuge des Sultans Schaver erhielt. Die christliche Flotte war hierauf genöthigt, ebenfalls den Rückzug anzutreten, auf welchem sie eines ihrer Schiffe einbüßte." Vgl. Wilh. Tyr. XX, 8. (wo der See Mensaleh, durch welchen die christliche Flotte eindrang, bezeichnet zu werden scheint durch: ostium quod vulgo dicitur Carabes; weiter unten XX, 16. giebt Wilhelm von Tyrus diesen Namen der Pelusischen Mündung. Marin. Sau. Lib. III. Pars VI. c. 22. p. 170. Hamaker de expeditionibus a Graecis Francisque adversus Damiatham susceptis, p. 50.

Beylagen S. 7 Z. 17 st. durchdringt l. vollbringt.

## Zu Buch V.

S. 55 Z. 2 von unten ist zu bemerken, daß Muthusin die Stadt Mauthhausen ist.

S. 99 Anm. 95 Z. 5 statt quinque ist wahrscheinlich zu verbessern: quique.

S. 116 Anm. 125 ist beizufügen: Friedrich von Husen ist der bekannte Minnesänger, dessen Lieder in der Manessischen Sammlung p. 91—96 sich finden.

S. 123 Anm. 29 Spalte 2 Z. 4 st. 25 l. 27.

## Zu Buch VI.

S. 23 Z. 3 und 2 von unten statt: unsern von der ägyptischen Gränze lies: in der Landschaft Gaur. Vgl. Buch VIII. S. 416 Anm. 79.

S. 390 Anm. 141 Spalte 1 letzte Zeile von unten und Sp. 2 Z. 9 von unten st. Mais l. Hirse.

## Zu Buch VII.

S. 188 Anm. 16 ist beyzufügen: Wenn Wilhelm von Tyrus (XX, 16) den Kettenthurm also beschreibt: In ulteriore fluminis ripa erat turris singulariter erecta, so sind diese Worte nicht so zu nehmen, als ob der Thurm wirklich am jenseitigen Ufer stand, sondern er war nur in der Nähe des jenseitigen Ufers erbaut; und am wenigsten darf aus diesen Worten gefolgert werden, daß außer dem im Flusse stehenden Kettenthurme noch ein anderer Thurm am westlichen Ufer sich befand, was Wilhelm von Tyrus nicht unterlassen haben würde deutlicher anzugeben, wenn es also sich verhalten hätte.

S. 198 Anm. 42 ist beyzufügen. Ueber barbota s. Buch V Kap. 6. S. 229 Anm. 16.

## Zu Buch VIII.

S. 3 Z. 7 von unten statt Biblus l. Byblus.

S. 129 Z. 15 st. Khaifen l. Chalifen.

S. 213 Z. 16 ist nach dem Worte: Mutter ausgefallen: Beatrix von Burgund. (Die Mutter des Seneschalls von Joinville war die Tochter des Grafen Stephan von Bourgogne und Auxerre; ihre Mutter, welche ebenfalls Beatrix hieß, war eine geborene Gräfin von Chalons. Vgl. Ducange généalogie de la maison de Joinville im Anhange zu Joinville histoire de St. Louis p. 12.)

S. 359 Z. 11 st. desselben l. derselben.

S. 365 Z. 4 st. der surianischen Höfe l. des surianischen Hofes.

Ebendas. Z. 6 st. das Urtheil ihnen l. demselben das Urtheil.

S. 403 Anm. 52 ist beyzufügen, daß nach der Chronik des Bahram (englisch übersetzt von C. F. Neumann, London 1831; 8.) der König Haithon im J. 1254 die Reise zu den Mogolen unternahm und vier Jahre bei ihnen verweilte.

S. über die Chronik des Vahram Beilage VII. S. 34 und 35.

S. 494 Anm. 59 ist beyzufügen: Vahram Chronicle p. 50 — 52. Vahram rühmt die schonende Behandlung, welche der armenische Prinz während seiner Gefangenschaft von dem Sultan Bibars erfuhr, und berichtet, daß derselbe sogar die Erlaubniß erhielt, nach Jerusalem zu wallfahrten.

S. 497 Z. 4 u. 5 für bewilligte l. annahm.

S. 588 Z. 14 statt Barkah l. Berkeh.

S. 607 Anm. 61 ist beyzufügen: Vahram (Chronicle p. 53) setzt den Tod des Königs Haithon (Hethum) in das Jahr 126?, und berichtet, daß dieser König seinem Sohne Leo zu der Zeit, als dieser aus der Gefangenschaft zurückkehrte, das Reich zu übergeben wünschte, Leo damals die Krone ablehnte und Haithon bald darauf von der Krankheit befallen wurde, von welcher er nicht wieder genas. Vahram ertheilt dem König Leo, unter dessen Regierung er seine Chronik verfaßte, großes Lob wegen seiner Mildthätigkeit, seiner Liebe zur Gelehrsamkeit, und der Auszeichnungen, welche er den Gelehrten (Vartabeds) gewährte. Auf die Veranlassung des Königs Leo wurden die frühern klassischen Schriftsteller der Armenier aufs Neue abgeschrieben. Vgl. Neumann notes to Vahram's chronicle p. 94 u. 95.

S. 607 Z. 4 von unten statt Koptschak l. Kiptschak.

S. 616 Z. 11 st. as l. al.

S. 617 u. 618 Anm. 91 ist beyzufügen: Vahram (Chronicle p. 55 u. 56) erwähnt der Verheerungen, welche die Aegypter in Verbindung mit den Turkomanen, die mit ihren Schafherden seit langer Zeit die Winter in Cilicien zuzubringen pflegten und daher alle dortigen Wege und Pässe genau kannten, in dem Lande des Königs Leo stifteten, bei den Jahren 1274 und 1276 und berichtet, daß in dem letztern Jahre der Sultan von Aegypten nicht nur das flache Land verwüstete, sondern seine Truppen auch bis in das Gebirge von Cilicien drangen, und Tarsus von den Aegyptern erobert und geplündert, so wie die dortige Kirche des heiligen Johannes verbrannt wurde. Diese Unternehmung des Sultans wurde nach Vahram befördert durch Mißhelligkeiten, in welche der König Leo mit seinen Baronen gerathen war. Als der Sultan abgezogen war, so kam Leo, welcher aus seinem Reiche entflohen war, aus der Verborgenheit wieder hervor und überwand seine Widersacher, worauf der Sultan, als er von diesem Siege des Königs Leo Kunde erhalten hatte, an denselben (noch im J. 1276) Botschafter sandte und ihm Frieden und Freundschaft antrug.

S. 674 Z. 8. In Beziehung auf den daselbst erwähnten Meister der Hospitaliter Nikolaus Lorgne hat Herr Reinaud mir Folgendes mitgetheilt: „Il m'a échappé une erreur dans mes extraits des historiens relatifs aux guerres des croisades p. 545. Le grand-maître des hospitaliers dont il y est question, est nommé Lorgue; il faut lire Lelorgne; en effet le manuscrit porte للورن. La même erreur avait été commise par tous les écrivains qui ont eu à parler de ce grand-maître; mais outre que la famille Lelorgne subsiste encore, il existe une charte signalée par Brequigny et où le nom est marqué comme je le fais ici." In dem Manuscripte des Ebn Ferath ist der obige Name, so weit ich nach meiner Abschrift, in welcher die Züge des Manuscripts einigermaßen nachgeahmt sind, urtheilen kann, geschrieben الورن, ohne den diakritischen Punkt des Buchstaben ن, und ein vorhergehender zwar schwächerer Strich kann vielleicht د oder و seyn, also دالورن oder والورن.

S. 769 am Rande statt 1201 l. 1291.

S. 785 Anm. 159 Sp. 2 am Ende ist hinzuzufügen: so wie auch der Aufsatz von Raynouard im Journal des Savans Novembre 1831 S. 641—651.

Beilagen S. 3 u. 4 in den Ueberschriften st. Ptolemais l. Tyrus.

S. 48 Z. 5 nach Toros ist beyzufügen: aber.